L'être humain

Quelques grandes conceptions modernes et contemporaines

4e édition

Jacques Cuerrier
(cégep de Saint-Jérôme)

Avec la collaboration de Michel Dussault
(cégep de Saint-Jérôme)

CHENELIÈRE
ÉDUCATION

L'être humain
Quelques grandes conceptions modernes et contemporaines, 4e édition

Jacques Cuerrier

© 2009, 2005, 2000, 1994 Les Éditions de la Chenelière inc.

Édition : Guillaume Proulx
Coordination : François Boutin
Révision linguistique : Jean-Pierre Leroux
Correction d'épreuves : Christine Langevin
Conception graphique : Martine Crépeau (Interscript)
Infographie : Interscript
Conception de la couverture : Josée Brunelle
Tableau de la couverture : Heinz Felbermair, *Untitled M-255*.
  © Heinz Felbermair/SODRAC 2008.
Impression : Imprimeries Transcontinental

**Catalogage avant publication
de Bibliothèque et Archives nationales du Québec
et Bibliothèque et Archives Canada**

Cuerrier, Jacques

  L'être humain : quelques grandes conceptions modernes et
contemporaines

  4e éd.

  Comprend des réf. bibliogr. et un index.

  Pour les étudiants du niveau collégial.
  ISBN 978-2-7650-2447-7

  1. Humanisme.   2. Homme.   3. Anthropologie philosophique.
4. Philosophes.   ı. Titre.

B821.C84 2008   144   C2008-942128-0

CHENELIÈRE ÉDUCATION

7001, boul. Saint-Laurent
Montréal (Québec) Canada H2S 3E3
Téléphone : 514 273-1066
Télécopieur : 450 461-3834 / 1 888 460-3834
info@cheneliere.ca

ISBN 978-2-7650-2447-7

Dépôt légal : 1er trimestre 2009
Bibliothèque et Archives nationales du Québec
Bibliothèque et Archives Canada

Imprimé au Canada

2 3 4 5 ITIB 12 11 10 09

Nous reconnaissons l'aide financière du gouvernement du Canada par l'en-
tremise du Programme d'aide au développement de l'industrie de l'édition
(PADIÉ) pour nos activités d'édition.

Gouvernement du Québec – Programme de crédit d'impôt pour l'édition de
livres – Gestion SODEC.

Sources des photos

p. 1 : Réunion des Musées Nationaux/Art Resource, NY ; **p. 1 :** Aflo/
Corbis ; **p. 9 :** Erich Lessing/Art Resource, NY ; **p. 11 :** akg-images ;
p. 14 : Bildarchiv Preussischer Kulturbesitz/Art Resource, NY ;
p. 21 : akg-images ; **p. 23 :** akg-images ; **p. 29 :** akg-images/Electa ;
p. 34 : Chris Jackson/Getty Images ; **p. 42 :** akg-images ; **p. 44 :**
Snark/Art Resource, NY ; **p. 44 :** Morgan David de Lossy/Corbis ;
p. 46 : akg-images ; **p. 47 :** Paul Almasy/Corbis ; **p. 48 :** Erich
Lessing/Art Resource, NY ; **p. 52 :** akg-images ; **p. 55 :** akg-images/
Doris Poklekowski ; **p. 62 :** akg-images/Cameraphoto ; **p. 72 :**
akg-images ; **p. 74 :** The Gallery Collection/Corbis ; **p. 74 :** Morgan
David de Lossy/Corbis ; **p. 78 :** akg-images ; **p. 79 :** Sotheby's/
akg-images ; **p. 81 :** Bibliothèque nationale de France ; **p. 87 :** Larry
Dale Gordon/zefa/Corbis ; **p. 92 :** akg-images ; **p. 97 :** Lara Jo regan/
Liaison/Getty Images ; **p. 106 :** akg-images ; **p. 108 :** Roger Viollet/
Getty Images ; **p. 108 :** Coneyl Jay/Corbis ; **p. 110 :** akg-images ;
p. 111 : akg-images ; **p. 112 :** akg-images ; **p. 125 :** AP Photo/
Roberto Pfeil ; **p. 126 :** Musée d'Orsay, Paris, France, Giraudon/
The Bridgeman Art Library ; **p. 128 :** Hanan Isachar/Corbis ; **p. 139 :**
Christian Simonpietri/Sygma/Corbis ; **p. 142 :** Bettmann/Corbis ;
p. 142 : Franco Vogt/Corbis ; **p. 144 :** akg-images ; **p. 153 :**
akg-images ; **p. 156 :** OLAF KRAAK/AFP/Getty Images ; **p. 159 :**
McNay Art Museum/Art Resource, NY ; **p. 160 :** akg-images ;
p. 168 : Neville Elder/Corbis ; **p. 170 :** Corbis ; **p. 170 :** Hola Images ;
p. 171 : HP Archives/PUBLIPHOTO ; **p. 173 :** HP Archives/
PUBLIPHOTO ; **p. 175 :** Peter Aprahamian/Corbis ; **p. 178 :** Jennie
Woodcock : Reflections Photolibrary/Corbis ; **p. 183 :** akg-images/
Electa ; **p. 188 :** AP Photo/Rob Griffith ; **p. 189 :** Bettmann/Corbis ;
p. 200 : Bettmann/Corbis ; **p. 202 :** coll. Snark/PUBLIPHOTO ;
p. 202 : Ryan McVay/Getty Images ; **p. 203 :** coll. Snark/PUBLI-
PHOTO ; **p. 208 :** AFP/Getty Images ; **p. 211 :** CD PHOTO/Québec
le Soleil/Steve Deschenes ; **p. 213 :** CD PHOTO/str-Shaney
Komulainen ; **p. 215 :** CD PHOTO/Ian Jackson ; **p. 222 :** Dream
Pictures/Getty Images ; **p. 230 :** Hulton-Deutsch Collection/Corbis ;
p. 232 : Bettmann/Corbis ; **p. 232 :** Motofish Images/Corbis ; **p. 234 :**
H. P. Archives/PUBLIPHOTO ; **p. 236 :** Bettmann/Corbis ;
p. 237 : David Turnley/Corbis ; **p. 242 :** akg-images ; **p. 247 :**
Jon Hicks/Corbis ; **p. 256 :** Sophie Bassouls/Sygma/Corbis ;
pictogramme « Contexte historique » : Nikolai Okhitin/iStockphoto ;
pictogramme « Conception de l'être humain » : Clara Natoli/
Shutterstock ; pictogramme « Aujourd'hui » : niakris/Shutterstock.

Dans cet ouvrage, le masculin est utilisé comme représentant
des deux sexes, sans discrimination à l'égard des hommes et des
femmes, et dans le seul but d'alléger le texte.

DANGER
LE PHOTOCOPILLAGE
TUE LE LIVRE

Remerciements

Au commencement de cette réédition, deux souhaits sont venus s'entrecroiser : celui de l'auteur, de faire voir le jour à une vieille idée consistant à mettre en chapitre la conception de l'homme de Montaigne ; celui de l'éditeur, de redonner un second souffle visuel à un classique de l'édition scolaire québécoise. En ce sens, Chenelière Éducation aimerait chaleureusement remercier tant l'auteur, Jacques Cuerrier, qui a su, de nouveau, joindre son formidable esprit de schématisation à la clarté et à la profondeur de son propos, que toute l'équipe de production, qui a su allier sobriété et beauté visuelle dans la confection du manuel.

L'édition

Je tiens à remercier M. Guillaume Proulx, éditeur, pour le savoir philosophique, la rigueur intellectuelle et l'enthousiasme manifestés tout au long de l'entreprise de réédition de cet ouvrage.

Merci également à M. François Boutin, chargé de projet, dont le professionnalisme, la minutie et la constance ont caractérisé le travail de révision que nous avons partagé avec plaisir pendant plusieurs mois.

Je veux aussi exprimer toute ma reconnaissance et ma gratitude envers M. Michel Dussault, professeur de philosophie à la retraite du cégep de Saint-Jérôme. M. Dussault fut mon unique collaborateur. Il a fait une lecture attentive du manuscrit. Ses commentaires et ses suggestions ont contribué à améliorer la présente édition. Ce fut pour moi un grand bonheur et un privilège de travailler avec un intellectuel érudit et sincèrement passionné de philosophie.

Jacques Cuerrier

La structure d'un chapitre

Avant d'aborder les conceptions philosophiques de l'être humain présentées dans ce manuel, vous êtes invité à découvrir les principales caractéristiques d'un chapitre type et les stratégies d'apprentissage qui vous sont proposées.

Le corps du chapitre

La page d'ouverture

Une page d'ouverture offre un portrait du philosophe, le titre complet du chapitre, le plan sommaire du chapitre et une citation représentative de la philosophie de l'homme exposée.

Un premier pictogramme intitulé **Contexte historique** signale d'abord la présentation d'une notice biographique relatant les événements majeurs de la vie du philosophe.

Pour situer cette philosophie dans son époque, les principaux traits et caractères du siècle qui l'ont vue naître et se développer vous sont ensuite proposés.

Les définitions en marge

Les notions, les concepts et les expressions philosophiques ainsi que les mots courants dont la signification peut vous être inconnue sont en **caractères bleus** dans le texte, puis définis dans la marge.

Un deuxième pictogramme annonce l'exposition de la **conception de l'être humain**.

La philosophie de l'être humain est expliquée dans un langage clair et accessible. Un découpage du texte coiffé de nombreux titres et sous-titres en facilite la lecture.

Des encadrés significatifs

Des encadrés sont intégrés au texte principal afin de mettre en relief une notion, en **gras** dans le texte, ou d'en élargir la portée.

Des figures synthèses

Des figures permettent de schématiser, de synthétiser ou de mettre en rapport les éléments fondamentaux de la philosophie de l'être humain exposée.

Des photos évocatrices

Au fil du chapitre, des photos accompagnées de légendes interpellent le lecteur.

Un troisième pictogramme intitulé **Aujourd'hui** suggère des problématiques existentielles, socioculturelles ou politiques de notre époque qui peuvent être mises en relation avec la conception de l'homme qui vient d'être présentée.

La fermeture du chapitre

L'essentiel

Un court texte décrit le cheminement de la pensée du philosophe dans la constitution de sa philosophie de l'homme. Les concepts fondamentaux qu'il a utilisés sont mis en **caractères gras**.

Réseau de concepts

Les concepts soulignés précédemment sont disposés en un réseau vous invitant à suivre les flèches pour visualiser la démarche du philosophe.

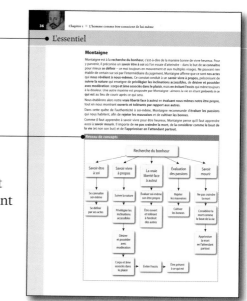

Résumé de l'exposé

Un abrégé de l'exposé vous est offert. La totalité de la matière présentée dans le chapitre est reprise ici en peu de mots. Une lecture attentive de ce résumé facilitera une réappropriation de la philosophie de l'homme étudiée.

Activités d'apprentissage

La rubrique «Activités d'apprentissage» contient, en règle générale, quatre exercices de types différents:

Vérifiez vos connaissances

D'abord, vous pourrez vérifier vos connaissances et votre compréhension de la philosophie de l'homme exposée dans le chapitre en répondant à des questions qui appellent des réponses brèves et à des questions du genre «VRAI ou FAUX?».

Analyse et critique de texte

Afin de fournir l'occasion d'une rencontre directe avec les philosophes et leurs œuvres, une analyse et une critique de texte vous sont ensuite proposées. Plus précisément, vous aurez à faire une lecture active d'un texte significatif du philosophe à l'étude en répondant à des questions précises. En outre, afin que vous puissiez vous situer personnellement par rapport aux problématiques soulevées par la conception de l'homme présentée dans ce texte, vous aurez à poser un jugement critique (en faisant un court commentaire critique) sur les positions qui y sont défendues.

Analyse et critique d'un texte comparatif

Comme troisième activité d'apprentissage, nous vous offrons un deuxième texte de référence écrit par un autre philosophe que celui qui vient d'être étudié. Ce texte comparatif appuie, désapprouve ou présente différemment la philosophie de l'être humain à l'étude. À propos de ce court texte, vous aurez à produire de nouveau une analyse et un commentaire critique.

Exercice comparatif

L'exercice comparatif que nous vous soumettons a été conçu dans le but de vous permettre d'acquérir l'habileté à comparer, à partir d'un thème particulier, la conception de l'être humain développée dans le chapitre avec une autre étudiée précédemment.

Extraits de textes

Un texte représentatif de la pensée du philosophe étudié dans le chapitre vous est ici offert. Ensuite, nous vous soumettons un court texte d'un autre penseur qui vient se mesurer à la philosophie exposée dans le chapitre.

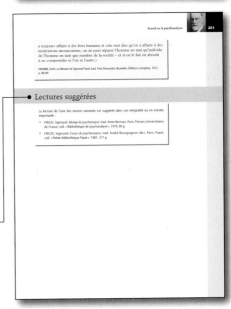

Lectures suggérées

À la fin du chapitre, nous vous suggérons la lecture d'une ou de deux œuvres majeures du philosophe étudié.

Table des matières

Contexte historique

Conception de l'être humain

Aujourd'hui

Contexte historique

Conception de l'être humain

Aujourd'hui

Chapitre 3

L'homme comme être perfectible

Rousseau ou le rapport entre l'état de nature et l'état de société 74

Contexte historique

Conception de l'être humain

Chapitre 4

L'homme comme être social

Marx ou le matérialisme historique 108

Aujourd'hui

Contexte
historique

Conception
de l'être
humain

Aujourd'hui

XII

Chapitre 7

L'homme comme être libre

Chapitre 8
L'homme comme être déterminé
Le behaviorisme skinnérien ou le comportement humain modelé par l'environnement 232

Contexte historique

Conception de l'être humain

Aujourd'hui

Introduction

«Quelle chimère est-ce donc que l'homme? se demande Pascal. Quelle nouveauté, quel monstre, quel chaos, quel sujet de contradiction, quel prodige! Juge de toutes choses, imbécile ver de terre; dépositaire du vrai, cloaque d'incertitude et d'erreur; gloire et rebut de l'univers[1].» À l'évidence, l'homme constitue un objet de recherche pour le moins ambigu et controversé. Parce que l'homme demeure une énigme pour l'homme, celui-ci s'est toujours interrogé sur lui-même, cherchant à cerner sa nature, sa condition, le sens à donner à son existence.

Qu'est-ce que l'homme?

Qu'est-ce que l'être humain et pourquoi existons-nous? Depuis des millénaires, cette question hante l'esprit des hommes et des femmes. Une question unique. Des réponses plurielles. Des penseurs ont atteint un niveau de réflexion et d'analyse tel que leurs réponses continuent de nourrir et d'inspirer l'homme contemporain dans sa réflexion; elles ont dépassé à un tel point le stade de l'opinion, du préjugé et du lieu commun qu'elles sont reconnues comme des conceptions philosophiques de l'être humain qui défient le temps.

Qu'est-ce qu'une conception philosophique de l'homme?

Mais qu'est-ce qu'une conception philosophique de l'être humain? Selon l'optique qui nous intéresse, cela consiste en une théorie de l'homme élaborée par un penseur, théorie qui se veut applicable à tous les humains et qui donne un sens à l'existence humaine. Une conception philosophique de l'être humain trace avec précision et rigueur un portrait de l'homme qui s'appuie sur une analyse rationnelle, cohérente et approfondie. À la lumière de cette analyse, l'être humain acquiert une signification particulière; il devient porteur de sens.

L'anthropologie philosophique

Toutefois, pourquoi recourir à l'étude de la philosophie, et plus particulièrement à l'**anthropologie philosophique,** pour réaliser une initiation à des conceptions de l'être humain? Tout simplement parce que, dans le contexte de la pensée occidentale, c'est à elle que revient la responsabilité de répondre d'une manière systématique et globale à la question: «Qu'est-ce que l'homme et quelle est sa nature?» D'ailleurs, la philosophie correspond à l'aspiration légitime à comprendre rationnellement l'humain et sa condition. En effet, l'un des buts fondamentaux de la philosophie est d'éclairer la condition humaine en lui donnant un sens, un sens qui se veut totalisant, alors que la science explique la réalité d'un phénomène particulier sans chercher à dégager sa signification humaine fondamentale. La philosophie est avant tout un ensemble de tentatives de réponses à de constants essais d'interrogation pertinente sur l'être humain, sur sa propre conscience et sur le monde qu'il habite. Reconnaissons que l'homme est cet être étrange qui sait qu'il sait (tout autant qu'il sait qu'il ignore), et qui s'interroge sans fin sur la valeur de cette connaissance qu'il a de lui-même et du monde.

> L'anthropologie philosophique s'intéresse à l'étude philosophique de l'homme. Étymologiquement, «anthropologie» vient du grec *anthrôpos*, «homme», et *logos*, «discours», «étude», «science».

Totalisant

Se dit d'une signification synthétique et universelle qui embrasse l'ensemble des êtres humains.

---

1. Blaise PASCAL, «Pensées», section I, VII, 131-434, dans *Œuvres complètes*, Paris, Éditions du Seuil, 1963, p. 515.

Le problème de l'homme et de sa condition

Le problème de l'être humain et de sa condition constitue le point central de toute l'histoire de la philosophie. À travers les âges, des penseurs ont réfléchi sur ce que nous sommes en tant qu'humains. Ils ont porté un regard souvent perspicace et radical sur l'être humain, en manifestant une exigence insatiable de lucidité et de sens. Ces penseurs ont élaboré des **représentations** de l'homme. Ils ont tenté d'analyser en profondeur ce que nous sommes pour en donner une explication cohérente et globale (c'est ce qui caractérise toute conception de l'être humain digne de ce nom). Ils ont systématisé leurs philosophies de l'homme dans des écrits déterminants pour l'évolution de la pensée et pour la conception que l'humain se fait de lui-même. Dans cet ouvrage, nous nous limiterons à faire connaître et comprendre quelques conceptions philosophiques de l'être humain élaborées à l'époque moderne[2] et à l'époque contemporaine, qui influent sur notre manière actuelle d'être, de penser et d'agir.

Représentation

Du latin *repræsentatio*, « action de mettre sous les yeux ». Conséquemment, la représentation sert à désigner une idée ou une image qu'on se fait du monde ou de l'homme.

Une approche pluraliste et pluridimensionnelle

Puisque ce manuel s'inscrit dans un cours de philosophie de quarante-cinq heures, il fallait faire une sélection parmi les grandes conceptions modernes et contemporaines de l'être humain. Qu'est-ce qui a guidé notre choix ? D'abord et avant tout, le souci de privilégier une approche pluraliste. À notre sens, aucun manuel ne peut rendre compte de la réalité humaine au moyen d'un système conceptuel unique sans tomber dans le plus inacceptable **réductionnisme**. Nous avons donc favorisé une approche pluridimensionnelle. En conséquence, il nous est apparu comme primordial de présenter des analyses de l'être humain variées et même parfois opposées. Ainsi, nous nous demandons avec Michel de Montaigne si chaque individu, en cernant «sa vraie nature», découvrira un *vivre à propos* et apprendra à *bien mourir*. Ou, avec René Descartes, si l'homme est essentiellement un être de raison capable des plus hautes certitudes. Ou bien, avec Jean-Jacques Rousseau, si l'homme est davantage un être naturel perfectible doué d'une sensibilité et d'une liberté originaires exceptionnelles que la société a perverti en lui inculquant une culture faite d'hypocrisie et de domination. Est-il produit exclusivement dans son rapport à la société, comme le prétend Karl Marx avec son matérialisme dialectique et historique ? Est-il un être d'instincts, de désirs et de passions qui permettent le dépassement de soi, comme le défend Friedrich Nietzsche ? L'être humain est-il régi par son inconscient ainsi que Sigmund Freud et la psychanalyse le soutiennent ? Comme l'explique l'existentialisme athée de Jean-Paul Sartre, l'être humain est-il plutôt un projet libre qui se définit par ses actes ? Enfin, à l'inverse, l'homme doit-il être considéré comme un être entièrement déterminé par son milieu, comme le proclame Burrhus Frederic Skinner dans sa théorie behavioriste ?

Réductionnisme

Position qui consiste à défendre un principe explicatif unique qui rendrait compte de ce qu'est l'homme dans sa totalité. Une telle attitude valorise généralement une seule dimension de l'être humain en négligeant toutes les autres ; ce faisant, elle escamote la diversité et la complexité de l'humain.

La thématique du cours

Tenter de répondre à ces questions, c'est esquisser huit grandes conceptions philosophiques de l'homme qui ont marqué les Temps modernes et l'époque contemporaine. Mais quel fil conducteur guidera la lecture que nous ferons de ces huit conceptions de l'être humain ? La thématique générale retenue est la problématique de la nature humaine. En cherchant à répondre à la question «qu'est-ce que l'homme ?», les philosophies occidentales ont présenté diverses définitions de l'être humain qui

---

2. Nous présenterons brièvement dans le chapitre 2 de ce manuel les principales caractéristiques de l'époque moderne, aussi appelée les Temps modernes.

Essence

Ce qui constitue la nature intime d'un être. L'essence de l'homme dit ce qu'il est fondamentalement.

Transcendant

Du latin *transcendere*, « s'élever au-dessus de ». Caractère de ce qui est supérieur, de ce qui appartient à un degré plus élevé. Par exemple, Dieu est transcendant au monde et aux êtres immanents.

Immanent

Du latin *in manere*, « rester dans ». Caractère de ce qui est contenu à l'intérieur d'un être. S'oppose à transcendant.

Déterminisme

« Ordre des faits suivant lequel les conditions d'existence d'un phénomène sont déterminées, fixées absolument de telle façon que, ces conditions étant posées, le phénomène ne peut pas ne pas se produire » (*Le Petit Robert*).

correspondent à une longue succession d'interrogations sur la nature humaine ou sur l'**essence** de l'homme. Existe-t-il une nature humaine, c'est-à-dire un ensemble de propriétés ou de caractères se trouvant en tout homme, qui constitue l'essence de l'être humain ? Ou, au contraire, l'homme est-il le produit de sa propre histoire, bref un être qui s'invente en faisant et qui, conséquemment, ne participe pas d'une essence commune prédéterminée ? En d'autres mots, parler de l'essence de l'homme ou de la nature humaine, c'est postuler un principe qui détermine l'être humain à être ce qu'il est. Pour certains, comme Descartes, un tel principe est **transcendant**. L'homme n'est pas entièrement un être naturel. Pour d'autres, un tel principe est **immanent**, et la nature humaine est alors soumise à des conditionnements ou **déterminismes**, comme le pense Skinner. Pour d'autres enfin, il n'y a pas de nature humaine proprement dite. Ainsi, l'homme est un être forgé par l'histoire humaine, comme le pense Marx, ou par son histoire personnelle constituée de l'ensemble des actes accomplis, comme le pense Sartre. De Montaigne à Skinner, en passant par Descartes, Rousseau, Marx, Nietzsche, Freud et Sartre, nous verrons donc, dans des chapitres distincts, comment ces penseurs ont envisagé la problématique de la nature humaine.

Un autre thème intégrateur, secondaire celui-là, sera pris en considération. Il s'agit de la problématique de la liberté. L'être humain est-il libre, possède-t-il le pouvoir de choisir ? Au contraire, est-il déterminé, ses pensées et ses actes étant des résultats qui découlent nécessairement de causes antérieures ?

Être interpellé par les philosophies de l'homme

Mais comment se situer par rapport à ces conceptions de l'homme, comment les accueillir ? vous demandez-vous peut-être. Nous croyons qu'il ne serait pas approprié de recevoir mécaniquement ces conceptions de l'être humain, ni même de les comprendre de la manière dont on comprend des mots et des phrases. Il ne s'agira pas d'apprendre ce savoir comme on acquiert une loi de la mécanique ondulatoire ou comme on maîtrise une équation mathématique. Afin de retirer de ce cours autre chose que de la « culture philosophique », et pour rendre ce savoir vivant, il faut que vous vous sentiez engagé par le questionnement fondamental sous-tendant toutes les conceptions de l'homme qui vous seront présentées : que suis-je ? Quelle est ma nature profonde ? Quel est le sens que je veux donner à mon existence ? Est-ce que je suis libre ? Étant donné que c'est de vous-même qu'il est ici question, il serait souhaitable que vous vous laissiez imprégner, féconder par ces conceptions de l'homme. Vous devrez vous ouvrir à elles, vous sentir touché par elles, fasciné, bouleversé même, jusqu'à vous remettre en question ; ou, au contraire, être indigné, révolté ou, tout simplement, amené à penser autrement.

Avoir une attitude ouverte et critique

Une mise en garde paraît ici nécessaire. Ce manuel n'entend surtout pas vous inciter à adhérer sans réflexion à l'une ou l'autre des conceptions philosophiques de l'être humain qui y sont présentées. Chacune d'elles apporte un éclairage intéressant et continue d'alimenter la réflexion de nos contemporains sur l'homme. Cependant, et malgré les visées totalisantes de ces philosophies, nous croyons qu'aucune ne peut, à elle seule, prétendre épuiser son sujet ! Et si certaines philosophies présentées ici se contredisent, d'autres se complètent. Il faut les percevoir dans leur ensemble comme un riche réservoir culturel où l'on peut puiser une nourriture pour sa pensée propre. N'appauvrissez donc pas l'humain que vous êtes en l'enfermant dans un seul système d'explications et de significations que vous n'auriez pas approfondi ! Si vous voulez éviter les pièges du **dogmatisme** ou du réductionnisme, nous vous suggérons d'adopter une attitude ouverte mais critique envers toutes ces conceptions de l'homme.

Dogmatisme
Fait qu'une conception de l'être humain se présente de façon absolue comme si elle correspondait à une vérité incontestable ou comme si elle relevait d'un article de foi.

Les activités d'apprentissage proposées

Dans le but de vous permettre de développer votre capacité d'analyse, votre jugement critique et votre habileté à comparer les différentes philosophies de l'être humain qui vous sont proposées, ce manuel offre des activités d'apprentissage[3] à la suite de chacun des exposés.

L'ensemble des exercices suggérés vise à vous préparer adéquatement à la réalisation de l'activité de synthèse finale[4] où vous serez invité à expliquer, à commenter et à comparer deux conceptions philosophiques de l'être humain au regard du thème de la liberté.

Globalement, nous pouvons dire que tous les travaux de réflexion contenus dans ce manuel vous donneront l'occasion de vous mesurer à quelques-unes des grandes conceptions modernes et contemporaines de l'être humain. Une telle confrontation aura peut-être comme résultat (c'est ce que nous vous souhaitons) de vous amener à vous questionner sur ce que sont l'être humain et sa condition, et à réfléchir à ce qui fait votre propre humanité.

Bonne réflexion et bonne session !

---

3. Pour plus de détails, consultez la rubrique «Activités d'apprentissage» dans la section précédente intitulée «La structure d'un chapitre».

4. Cette activité de synthèse finale est présentée en annexe à la fin du manuel.

Chapitre 1

L'homme comme être conscient de lui-même

Montaigne ou l'art d'être à soi-même et heureux

Les plus belles vies sont, à mon gré, celles qui se rangent au modèle commun et humain, avec ordre, mais sans miracle et sans extravagances.

Michel de MONTAIGNE, *Essais,* livre III, chapitre 13, p. 800.

Au lecteur[1]

C'est ici un chapitre *de bonne foi, lecteur. Il t'avertit dès l'entrée que* celui-ci, consacré à Montaigne, appelle quelques remarques préliminaires concernant la place et la présentation de cet auteur dans ce manuel.

Montaigne n'a pas cherché à constituer en système ses réflexions sur l'être humain. S'il a revu, corrigé et augmenté périodiquement ses propos, il n'a jamais prétendu t'offrir une doctrine complète et unifiée. Ce qu'il te livre au fil des jours, ce sont des réflexions profondes et sincères sur l'homme, des recommandations de bonne vie aussi, qu'il veut partager avec toi, lecteur, comme si tu étais son ami.

Montaigne rappellera à ta mémoire les philosophes de l'Antiquité que tu as étudiés dans ton premier cours de philosophie. Par ailleurs, à plusieurs égards, il annonce la pensée moderne, et sa lecture a nourri et stimulé la postérité philosophique, malgré les critiques, les réserves et les oppositions qu'elle a pu susciter : Descartes, Rousseau, Nietzsche et Sartre – pour ne nommer qu'eux – ont «fréquenté» notre homme !

Aussi t'a-t-il semblé qu'il n'était pas sans pertinence de tenter, dans le chapitre qui ouvre ce livre, une présentation de ce penseur qui fut un grand inspirateur. Montaigne fut aussi un merveilleux investigateur de l'âme humaine qui a su trouver les mots appropriés pour raconter la vie. Enfin, souhaitons que la pensée originale de Montaigne réussisse à te rejoindre, lecteur, dans ce qui fait ta propre humanité.

Adieu donc, ce premier de janvier de l'an deux mille neuf.

Montaigne et la Renaissance

Contexte historique

Notice biographique

Michel Eyquem naît le 28 février 1533 au château de Montaigne situé dans le Périgord, dans le sud-ouest de la France.

Son père, Pierre Eyquem, né d'une famille de noblesse récente qui s'était enrichie dans le commerce, a reçu en héritage la maison noble de Montaigne qu'il a fait agrandir et fortifier. Il a épousé, en 1528, Antoinette Louppes de Villeneuve, issue d'une famille d'origine juive espagnole (les López), convertie au protestantisme. Les Louppes s'étaient installés à Toulouse pour y faire le commerce du pastel et y firent fortune. Au milieu du XVIᵉ siècle, Pierre Eyquem (catholique) et Antoinette Louppes (protestante) fondent une famille et vivent «noblement[2]» en terre de Montaigne. Antoinette mettra au monde sept enfants : les deux fils aînés étant décédés en très bas âge, à la mort de son père, Michel Eyquem héritera à son tour du domaine de Montaigne… Pierre Eyquem aimera profondément ce fils et verra à ce que le jeune Michel ait la meilleure éducation.

---

1. Les mots mis en italique dans cette page sont de Montaigne. On les retrouve dans son avis de l'auteur *Au lecteur* qui introduit les *Essais*.

2. À cette époque, «vivre noblement» implique de se soumettre au code de vie des nobles, c'est-à-dire, entre autres, de ne pratiquer aucun travail manuel ni commerce direct, de participer aux assemblées de la noblesse, de porter l'épée et d'aller à la guerre.

Une éducation inusitée

À peine baptisé, Michel est placé par son père en **nourrice** chez des paysans pour qu'il soit, dit-il, élevé à la plus simple et commune manière de vivre.

De retour au château, chaque matin, afin que le jeune enfant ne soit pas brutalement tiré du sommeil, un joueur d'**épinette**, engagé par les bons soins de son père, le réveille en douceur.

Par ailleurs, tenant à ce que son fils apprenne le latin, «le bon père que Dieu [lui] donna» fait venir au château un précepteur allemand qui ne connaît pas le français. Ce maître doit respecter la consigne d'entretenir l'enfant uniquement en latin. Quant aux membres de la famille, aux valets et autres domestiques, ils ne doivent prononcer aucun mot de français devant le fils bien-aimé. C'est ainsi que «sans livre, sans grammaire ni préceptes, sans fouet et sans larmes[3]», Michel arrive à parler parfaitement le latin comme première langue «maternelle»!

À l'âge de sept ans, Michel Eyquem est placé au Collège de Guyenne, à Bordeaux, réputé pour l'un des meilleurs de France, mais dont on ne sort que dix jours par an. Puisque Michel connaît déjà la grammaire latine et parle couramment le latin, de peur qu'il ne s'ennuie avec les thèmes, les versions et les commentaires sur les classiques (Cicéron, Horace, etc.), son père a engagé sur place un répétiteur ayant pour mission de lui faire découvrir et aimer les poètes latins (Ovide, Virgile, Térence, etc.).

Michel Eyquem a maintenant quinze ans. Il possède déjà une vaste culture **humaniste** qu'il a acquise dans le pur plaisir de lire. Cette passion pour les livres ne le quittera jamais.

À la suite de son séjour à Bordeaux, Michel aurait étudié le droit à Toulouse, de 1549 à 1553.

L'entrée dans la vie active

En 1554, Michel Eyquem a vingt et un ans et vient d'être nommé conseiller à la Cour des aides de Périgueux. Il y remplace son père, élu maire de Bordeaux.

Le 3 décembre 1557, il acquiert une charge de conseiller à la Chambre des requêtes du Parlement de Bordeaux. Cette institution judiciaire a la responsabilité de mettre en place les ordonnances royales, sans heurter de plein fouet les coutumes locales.

C'est à Bordeaux, en 1558, «par hasard, en une grande fête, et compagnie de ville», qu'il rencontre **Étienne de La Boétie,** lui aussi conseiller au Parlement de Bordeaux. Les deux hommes se connaissent déjà de réputation. Mais voilà qu'ici naît une grande amitié qui deviendra légendaire[4]!

De 1559 à 1565, à titre de délégué du Parlement de Bordeaux, jouissant par ailleurs d'une réputation de conciliateur, Michel

Nourrice

Femme à qui l'on confiait un enfant en bas âge, afin qu'elle l'allaite et lui donne des soins.

Épinette

«Ancien instrument de musique à clavier et à cordes pincées (par un bec de plume comparé à une *petite épine*)» (*Le Petit Robert*).

Humaniste

Relatif à l'humanisme. Attitude philosophique qui prend pour fin la personne et son épanouissement. L'humanisme fait de l'homme la valeur suprême et voit en celui-ci, comme l'affirmait Protagoras (v. −486 à v. −410), «la mesure de toutes choses».

Étienne de La Boétie est né en 1530 à Sarlat, dans le Périgord. Issu d'une famille de parlementaires, auteur à dix-huit ans du *Discours de la servitude volontaire* (qui dénonce la tyrannie), La Boétie incarne la fermeté et la rigueur de la tradition antique. Il meurt de la dysenterie, à l'âge de trente-deux ans, près de Bordeaux.

---

3. Michel de MONTAIGNE, *Essais*, livre I, chapitre 26, p. 136. Toutes les citations reproduites dans ce chapitre proviennent des *Essai*s de Michel de Montaigne (mis en français moderne et présentés par Claude Pinganaud, Paris, Arléa, 2002). À l'occasion, nous avons utilisé l'italique pour souligner une expression ou une phrase qui nous est apparue comme particulièrement significative.

4. La passion de l'amitié sera traitée plus loin dans ce chapitre.

Eyquem est appelé à remplir des missions diplomatiques qui, dit-il, le tiennent parfois plusieurs mois hors de chez lui. En effet, il entreprend plusieurs missions à la cour, à Paris. En 1559, il accompagne François II[5] en Lorraine. Le 12 juin 1562, alors qu'il est en mission à Paris, Montaigne prononce sa profession de foi catholique avec ses collègues du Parlement de Paris. En octobre, il suit la cour à Rouen, en compagnie du roi Charles IX[6] (âgé de douze ans!), où leur sont présentés trois Indiens du Nouveau Monde, qui «trouvèrent étrange que tant de grands hommes, portant barbe, forts et armés, qui étaient autour du roi, se soumissent à un enfant, et qu'on ne choisissait plutôt quelqu'un d'entre eux pour commander». Montaigne raconte que ces Indiens s'étonnèrent aussi de voir des mendiants «décharnés de faim et de pauvreté» qui gisaient à la porte de leurs maîtres «pleins et gorgés de plein de commodités» et qui acceptaient de «souffrir une telle injustice sans prendre à la gorge leurs maîtres et mettre le feu à leurs maisons[7]».

En 1565, Michel a trente-deux ans. Voici venu le temps d'accepter de se «laisser mener au mariage». Il épouse Françoise de la Chassagne. Le beau-père, lui aussi conseiller au Parlement de Bordeaux, a muni sa fille d'une dot intéressante. Des sept filles que Françoise mettra au monde, une seule (Léonor) survivra.

En 1568, Pierre Eyquem, le «meilleur des pères qui furent jamais», meurt à l'âge de soixante-treize ans. Michel Eyquem, héritier légitime du domaine de Montaigne, voudra en porter le nom. Désormais, il signera Michel de Montaigne.

Tenant une promesse faite à son père, Montaigne termine la traduction de la *Théologie naturelle* de Raymond Sebond[8], qu'il publie à Paris, en 1569.

En 1570, Montaigne vend sa charge de conseiller au Parlement de Bordeaux. Afin de sauver de l'oubli l'œuvre littéraire d'Étienne de La Boétie, il fait paraître les traductions de Xénophon et de Plutarque, les vers latins et les poèmes français de son très cher ami.

Une retraite particulière

En 1571 – à la fin de la trentaine, donc –, Montaigne prend la décision de se retirer sur ses terres. Ayant accompli son devoir civique, il souhaite désormais se consacrer au travail de l'esprit: lecture, étude, méditation, écriture. À cet effet, il a fait aménager une tour de son château: une chapelle au rez-de-chaussée, une chambre au premier étage, une bibliothèque

C'est dans cette magnifique tour que se trouve la «librairie» où Montaigne lisait, méditait et dictait en marchant le fruit de ses réflexions.

---

5. François II (1544-1560) fut roi de France pendant deux années (1559-1560). Fils aîné de Catherine de Médicis et d'Henri II, il laissa gouverner les oncles (les Guise) de son épouse (Marie Stuart). Les chefs du parti huguenot (protestant) essayèrent de soustraire le jeune roi à leur influence, mais n'y réussirent guère. Voir, à la page 12, la figure 1.1 qui schématise la filiation royale au temps de Montaigne.

6. Charles IX (1550-1574), deuxième fils de Catherine de Médicis et d'Henri II, succéda à son frère François II. Héritant de la couronne du roi de France à l'âge de dix ans, c'est sa mère qui, de fait, assuma le pouvoir.

7. *Essais*, livre I, chapitre 31, p. 164.

8. Raymond Sebond est un théologien catalan qui vécut au XVe siècle. Montaigne fera l'«Apologie de Raymond Sebond» dans le chapitre 12 du livre II des *Essais*.

qu'il appelle «librairie» au second. Il y range les livres légués par La Boétie et les siens : au total, plus de mille volumes ! Pour garder un contact direct avec les auteurs grecs et latins dont il s'est nourri depuis l'enfance, il a fait graver au plafond de sa librairie une panoplie de **sentences** en grec et en latin telles que celles-ci : «Nul homme n'a su ni ne saura rien de certain» (Xénophon) ; «Je suis homme, rien de ce qui est humain ne m'est étranger» (Térence). Pour marquer son retrait du monde – la réalité, nous le verrons, sera tout autre – il fait peindre dans sa bibliothèque cette inscription en latin :

> L'an du Christ 1571, à l'âge de trente-huit ans, la veille des calendes de Mars, anniversaire de sa naissance, Michel de Montaigne, depuis longtemps déjà dégoûté de l'esclavage de la cour du parlement, se sentant encore dispos, vint à part se reposer sur le sein des *doctes vierges*[9] dans le calme et la sécurité ; il y franchira les jours qui lui restent à vivre. Espérant que le destin lui permettra de parfaire cette habitation, ces douces retraites paternelles, il les a consacrées à sa liberté, à sa tranquillité et à ses loisirs[10].

La même année, Montaigne a l'insigne honneur d'être nommé chevalier de l'ordre de Saint-Michel.

En 1572, alors que la France plonge dans les horreurs des guerres de Religion, au lendemain de la **Saint-Barthélemy,** Montaigne commence la rédaction d'un «livre de bonne foi» afin que parents et amis «y puissent retrouver certains traits de [ses] conditions et humeurs». C'est la naissance de ce qui deviendra ses fameux *Essais*[11] (ainsi nommés par leur auteur en 1578), et dont la première édition, comprenant les livres I et II, sera publiée à Bordeaux chez Simon Millanges, imprimeur ordinaire du roi, le 1er mars 1580.

De 1574 à 1586, Montaigne s'est fait soldat. Sa carrière militaire fut brève. En tout, il participa à trois batailles par devoir plus que par plaisir. Un curieux soldat, tout de même, qui avoue ne pas aimer l'armée, mépriser les armes à feu, avoir oublié les mots de passe, être incapable de «s'apprivoiser» à la violence et à la cruauté !

Sentence

«Pensée (surtout sur un point de vue moral) exprimée d'une manière dogmatique et littéraire» (*Le Petit Robert*).

Le 24 août 1572, quelque sept cents gentilshommes protestants sont réunis à Paris pour célébrer les noces du cousin du roi Charles IX, Henri de Navarre[12] (le futur Henri IV), et de Marguerite de Valois (sœur du roi, et, comme lui, descendant de Catherine de Médicis[13]). La reine Catherine appréhende un coup d'État. Elle ne fait pas barrage aux Ligueurs (catholiques inconditionnels opposés au roi) dirigés par Henri duc de Guise[14] qui veulent se défaire des protestants. C'est une véritable hécatombe : près de trois mille victimes à Paris, et la folie meurtrière se répand en région.

---

9. Cette expression évoque les Muses de la mythologie antique inspirant l'écrivain, et que Montaigne retrouve dans les livres de poésie, de philosophie, d'histoire, dont sa «librairie» est garnie.

10. Michel de MONTAIGNE, *Essais* (édition établie par Albert Thibaudet et Maurice Rat), Paris, Gallimard, coll. «Bibliothèque de la Pléiade», 1967, p. XVI.

11. À l'exception de nombreuses citations en latin – présentées par Montaigne comme des «parements empruntés» et imprimées en italique dès l'édition originale –, les *Essais* sont rédigés en langue vulgaire et non en latin comme on le faisait à l'époque. À ce titre, Montaigne est le premier «penseur» à s'exprimer en français.

12. Henri de Navarre (1553-1610) est le fils d'Antoine de Bourbon et de Jeanne d'Albret, reine du royaume de Navarre (sud-ouest de la France). Il a été élevé par sa mère dans le protestantisme. Chef du parti calviniste, il dut abjurer sa foi protestante pour échapper à la Saint-Barthélemy. Il ne put renier le catholicisme qu'en 1576 afin de reprendre le commandement de l'armée huguenote (protestante). À la mort d'Henri III, Henri de Navarre dut de nouveau abjurer pour hériter de la couronne du roi de France et de Navarre. Il portera le nom d'Henri IV. Dans le but d'apaiser les conflits religieux, Henri IV signa l'édit de Nantes (1598) qui reconnaissait aux protestants une existence légale et leur accordait la liberté de culte.

13. Catherine de Médicis (1519-1589) épousa Henri II (1519-1559) et devint reine de France. Pendant les vingt-six années de leur vie commune, elle régna avec ruse et finesse. Henri II étant mortellement blessé lors d'un tournoi, son fils aîné (alors âgé de quinze ans) obtint la couronne du roi de France, sous le nom de François II. Catherine assuma la régence avec habileté. Elle joua les Guise (catholiques) contre les Bourbons (protestants).

14. Henri duc de Guise (1550-1588) fut un fervent adversaire des huguenots (protestants). À partir de 1575, il devint le dirigeant incontesté de la Ligue. Il fut à l'origine de la *journée des Barricades* (voir plus loin). Il laissa le roi Henri III s'enfuir de Paris, mais ce dernier l'attira à Blois et le fit assassiner.

Le 30 novembre 1577, Henri de Navarre octroie à Montaigne le titre de «gentilhomme ordinaire» de sa cour.

En 1579, Henri III[15] honore Montaigne : le collier de l'ordre du Saint-Esprit – ordre chevaleresque que vient d'instituer le roi – lui est remis.

Le retour aux affaires de son temps

Montaigne ne reste pas dans la quiétude de ses terres. Le 22 juin 1580, il entreprend un long voyage. D'abord, il se rend à Paris, où il remet un exemplaire de ses *Essais* au roi Henri III. Ensuite, il se met en route vers l'Italie, en passant par l'Allemagne et la Suisse. Le motif invoqué : «prendre les eaux» pour soulager sa «gravelle» (coliques néphrétiques). Il tient un *Journal de voyage*, dont nous parlerons plus loin. Le 7 septembre, il apprend qu'il a été élu, à l'unanimité, sans avoir rien brigué, maire de Bordeaux, pour un mandat de deux années. Henri III confirmant l'élection, Montaigne ne peut refuser. Il est de retour en son domaine, le 30 novembre 1581.

Toile de François Du Bois (1572) montrant la violence extrême du massacre de la Saint-Barthélemy.

En 1582 paraît la deuxième édition des *Essais*. On la nomme «l'édition du retour d'Italie». Les livres I et II, présentés cette fois-ci en un volume, ont été revus et augmentés.

Le 1er août 1583, Montaigne est réélu maire de Bordeaux pour un second mandat de deux ans. C'est ainsi que, dans une France ébranlée par les luttes de pouvoir, Montaigne fait œuvre de médiation diplomatique entre le roi catholique Henri III et le protestant Henri de Navarre. D'ailleurs, ce dernier séjourne au château de Montaigne en 1584. Une fastueuse réception y est offerte.

En juin 1585, la peste sévit à Bordeaux. Montaigne, qui est absent de la ville, est obligé de se déplacer de ville en ville, avec sa famille et ses domestiques, pour fuir l'épidémie.

L'année suivante, Montaigne entreprend la rédaction du troisième livre des *Essais*. Les livres I et II sont de nouveau édités, cette fois-ci à Paris.

En 1588, Montaigne rencontre Marie de Gournay, jeune admiratrice, qui a alors vingt-deux ans. Montaigne l'appellera affectueusement sa «fille d'alliance», et dira l'aimer «beaucoup plus que paternellement, et enveloppée en [sa] retraite et solitude comme une des meilleures parties de [son] être[16]». Après le décès de Montaigne, Marie de Gournay verra à établir onze éditions des *Essais*.

Montaigne séjourne une nouvelle fois à Paris au mois de mai 1588. Il est reçu par le roi Henri III. C'est l'époque de la *journée des Barricades*[17] : Henri III doit fuir à Chartres, puis à Rouen où Montaigne l'accompagne.

---

15. Henri III (1551-1589), troisième fils de Catherine de Médicis et d'Henri II, succéda à son frère Charles IX. Il fut roi de France de 1574 à 1589. Henri III dut se battre contre Henri de Guise, dirigeant de la Ligue (des catholiques radicaux) et contre Henri de Navarre à la tête des protestants.

16. *Essais*, livre II, chapitre 17, p. 482.

17. Nom donné à l'insurrection de la population de Paris qui, le 12 mai 1588, se souleva en bloquant les rues avec des barriques remplies de terre. Malgré l'interdiction de séjour que le roi Henri III avait promulguée à l'endroit du duc de Guise, ce dernier se rendit à Paris. Le roi voulut répliquer en lançant ses troupes dans la ville. Mais Henri de Guise y était très populaire…

En juin de la même année, une quatrième édition des *Essais* est publiée à Paris, chez Abel Langelier : un seul volume qui contient plus de six cents additions aux deux premiers livres et qui est augmenté de l'édition originale du troisième livre.

Un mois plus tard, Montaigne est arrêté à Paris par les Ligueurs, mis à la Bastille[18], et relâché la même journée grâce à l'intervention de la reine Catherine de Médicis.

Le 1er août 1589, Henri III est assassiné. Catherine de Médicis demande à Montaigne de convaincre Henri de Navarre d'abandonner la religion protestante : ce qu'il fera, pour pouvoir devenir roi de France sous le nom d'Henri IV. Le nouveau roi offrira bientôt une place de conseiller à Montaigne, qui la refusera.

Michel de Montaigne meurt, en son château, le 13 septembre 1592. Une messe est célébrée à son chevet. Il est enterré dans l'église des Feuillants, à Bordeaux.

Cette âme, «la plus libre et la plus vigoureuse qui fût», dira Nietzsche, nous est toujours accessible, aujourd'hui, grâce à ses *Essais*.

La figure 1.1 schématise la filiation royale au temps de Montaigne.

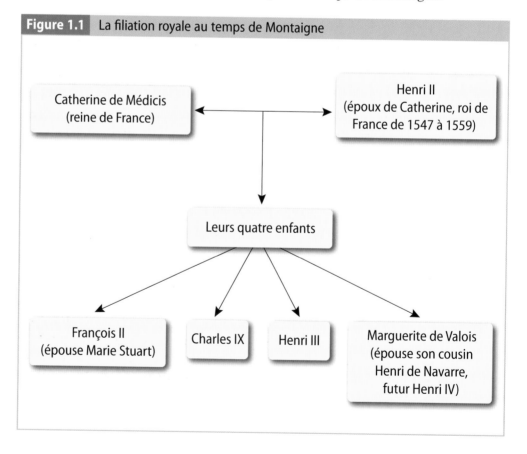

Figure 1.1 La filiation royale au temps de Montaigne

---

18. La Bastille, construite au XIVe siècle, est alors une citadelle militaire située à la porte Saint-Ambroise de Paris.

La Renaissance

Montaigne a vécu dans la dernière partie d'une époque exceptionnelle qui s'est elle-même désignée par la notion de *Rinascità* («Réveil»). Les historiens situent le début de la Renaissance au XVᵉ siècle. Ils l'associent à deux événements symboliques, soit la prise de Constantinople par les Turcs, en 1453, qui obligea les savants de l'Empire romain d'Orient à émigrer en Italie avec leurs trésors littéraires, et la découverte de l'Amérique par Christophe Colomb, en 1492. D'après certains spécialistes, la Renaissance se termine à la fin du XVIᵉ siècle avec la mort sur le bûcher, en 1600, du philosophe italien Giordano Bruno[19]. D'autres situent la fin de la Renaissance au XVIIᵉ siècle en la faisant coïncider avec l'abjuration de Galilée[20], en 1633.

La Renaissance est un mouvement culturel d'une ampleur considérable qui commença au XVᵉ siècle dans les cités-États de l'Italie (Venise, Naples, Gênes, Milan, Florence), pour se propager ensuite en Allemagne, en France, en Angleterre et en Espagne pendant le XVIᵉ siècle et même jusqu'au XVIIᵉ siècle. Un nouvel ordre politique et social permit aux artistes, aux savants et aux penseurs italiens de faire éclore leur génie et de construire une civilisation nouvelle qui s'opposa à l'époque précédente : le Moyen Âge.

À l'origine, le concept de Renaissance suggère donc un *âge nouveau* où l'humanité européenne quitterait la prétendue sclérose de l'époque précédente jugée «obscurantiste», et qu'on appellera plus tard le Moyen Âge. Mais, pour aller de l'avant, il apparut comme nécessaire de remonter au-delà du Moyen Âge pour retrouver la culture antique qui, venue en particulier de la Grèce, avait permis à Rome de fonder la grandeur de sa civilisation. En somme, la Renaissance correspond à la redécouverte de l'**Antiquité gréco-romaine**, où l'on revalorise la culture de la Grèce classique ainsi que la beauté de la langue et de la littérature latines.

Un nouveau programme d'études appelé *studia humanitis* (les «humanités») est créé, et ceux qui suivent ces études portent le nom d'«humanistes».

Les humanistes se sont faits les propagandistes de ce nouvel essor de l'Antiquité, considérée comme la source toujours vivifiante de la civilisation occidentale. Ils ne voulaient pas reproduire l'Antiquité. Au contraire, tout en s'appuyant sur le matériau de l'Antiquité, ils se sentaient porteurs d'une mission capitale : renouveler, créer, à partir de l'ancien. Ainsi, les humanistes s'intéressèrent à l'homme pour lui-même, en sa qualité de créateur, et non exclusivement en tant que créature de Dieu. Cette nouvelle manière de penser l'être humain découlait d'une conscience et d'une connaissance de soi accrues ainsi que du besoin de le communiquer à ses semblables. Notons que l'invention de l'imprimerie à caractères mobiles à la fin du XVᵉ siècle ne pourra que contribuer à la diffusion de l'esprit et des œuvres de ces «renaissants».

Antiquité gréco-romaine
Période historique, considérée comme le fondement de la civilisation occidentale, qui s'est développée en Grèce au VIᵉ siècle av. J.-C. et qui s'est poursuivie, avec la grandeur de Rome, jusqu'au Vᵉ siècle apr. J.-C.

---

19. Partisan de la théorie de Copernic (1473-1543), Giordano Bruno (1548-1600) fut arrêté par l'Inquisition, condamné à mort et brûlé vif à Rome. La théorie de Copernic (l'héliocentrisme, explication révolutionnaire de l'univers) est présentée dans le chapitre 2. C'est au XVIIᵉ siècle (à l'époque de Descartes) qu'elle aura toute son influence.

20. Galilée (1564-1642) – dont les recherches astronomiques confirment l'héliocentrisme copernicien – eut, lui aussi, maille à partir avec l'Église catholique romaine... Pour plus de détails, voir le chapitre 2.

> Avec la Renaissance et le développement des sciences physiques, la nature désigne l'ensemble de tout ce qui existe dans l'univers – sans l'intervention de l'être humain – et qui obéit à des lois générales.

Les Léonard de Vinci[21], Pétrarque[22], Pic de la Mirandole[23] et Érasme[24] – pour ne nommer que ceux-là – voulurent retrouver l'esprit et les valeurs de l'Antiquité pour donner naissance à un monde nouveau par-delà «l'âge des ténèbres» qu'aurait représenté le Moyen Âge. L'objet de réflexion privilégié par les penseurs de la Renaissance était l'homme, sa relation avec la **nature** et le divin.

Montaigne peut être considéré comme l'un des derniers humanistes. Il s'est nourri de la culture de l'Antiquité dès son plus jeune âge, et il a fréquenté (par la lecture) les humanistes les plus marquants. Mais il ne partage pas – comme nous le verrons plus loin – l'optimisme assez généralisé face à l'homme que ses prédécesseurs humanistes avaient mis en avant.

Portrait d'Érasme de Rotterdam (1523), humaniste érudit qui défendait l'idéal de l'Homme voué au vrai, au beau et au bien.

Envisageons donc la Renaissance comme une vaste révolution culturelle[25] (sur tous les plans de la pensée et de l'activité humaine) qui a transformé radicalement l'histoire européenne et qui a permis l'avènement de l'époque dite moderne[26]. Mais il y a plus. Pendant plus de deux siècles, on assiste à une grande entreprise de découverte et de conquête de terres étrangères et lointaines.

La découverte des Amériques

Au cours de la Renaissance, l'image de l'homme et du monde change. La découverte des Amériques est le principal événement qui influera sur les réflexions portant sur la nature humaine.

En 1492, Christophe Colomb découvre l'Amérique (du moins officiellement) et fait la rencontre des autochtones. Cette rencontre sera décisive. Les Européens discuteront pendant quelques décennies du statut de ce que l'on nommera les Indiens, ou les «Sauvages» en Nouvelle-France, par référence au fait que plusieurs vivent

---

21. Léonard de Vinci (1452-1519) personnifie l'esprit créatif de la Renaissance. Doué de multiples talents, il manifeste une curiosité débordante. De Vinci aborde des champs d'activité variés. Il est un peintre génial; un dessinateur qui présente une analyse pénétrante du corps humain et des diverses formes de vie; un ingénieur inventif qui imagine des objets (hélicoptère, sous-marin, mitrailleuse, automobile) dont la réalisation se concrétisera dans des siècles subséquents; etc.

22. Pétrarque (1304-1374), poète et humaniste italien, se passionnait pour l'Antiquité romaine. Il écrivit de nombreuses œuvres en latin qui lui valurent, à l'époque, d'être nommé «Premier poète». Mais, dans les faits, c'est à cause de son œuvre poétique écrite en italien – valorisant l'introspection, exaltant le sentiment amoureux, décrivant la fragilité de l'existence humaine ou la déchirure entre le mysticisme et la raison – qu'on lui donna le titre de «père de l'humanisme».

23. Pic de la Mirandole (1463-1494), jeune Florentin, s'est fait l'ardent défenseur de la dignité humaine. Il proclama qu'il n'est «rien de grand sur la terre sinon l'homme». Pic de la Mirandole a soutenu l'idée d'une essence humaine qui, au début, n'est pas donnée une fois pour toutes, mais qui se construira par l'usage de notre libre arbitre.

24. Érasme (1469-1536), érudit hollandais surnommé le «prince de l'humanisme», essaya avec finesse et prudence d'harmoniser le savoir des Anciens avec l'enseignement des Évangiles. Dans son œuvre maîtresse intitulée *Du libre arbitre* (1524), il affirma que la philosophie et la raison nous enseignent que l'être humain est libre et, en conséquence, non déterminé.

25. Pour s'en convaincre, il suffit d'établir une courte liste de dix génies créateurs qui ont marqué cette époque exceptionnelle: Léonard de Vinci (1452-1519), Érasme (1469-1536), Machiavel (1469-1527), Copernic (1473-1543), Michel-Ange (1475-1564), More (1478-1535), Ronsard (1524-1585), Shakespeare (1564-1616), Galilée (1564-1642) et Kepler (1571-1630).

26. L'époque moderne, aussi appelée les Temps modernes, est présentée dans le chapitre 2.

dans la forêt (du latin *silvaticus,* d'où provient le mot «sauvage», signifiant «de la forêt»). Les autochtones seront perçus soit comme des êtres humains inférieurs (on s'est même d'abord demandé s'ils étaient vraiment humains!) pouvant être réduits en esclavage sans vergogne, soit au contraire comme des êtres naturels – et donc plus authentiques – qui pourraient donner des leçons de vie aux Européens.

Ce débat eut des échos chez plusieurs penseurs. Au début de ce chapitre, nous avons souligné la rencontre entre Montaigne et des indigènes d'Amérique du Sud, ramenés en France en 1562 pour être présentés au roi Charles IX. Dans le but de relativiser la prétendue barbarie de ces indigènes, Montaigne écrit:

> Il n'y a rien de barbare et de sauvage en cette nation, à ce qu'on m'en a rapporté, sinon que chacun appelle barbarie ce qui n'est pas de son usage; comme de vrai, il semble que nous avons autre mire [vue] de la vérité et de la raison que l'exemple et idée des opinions et usances du pays où nous sommes [qui est le nôtre][27].

La découverte des Amériques permettra une critique plus ouverte de la société occidentale et une revendication de la liberté de conscience, et ce, dans le contexte des guerres de Religion qui déchiraient l'Europe. De plus, à cause des différences importantes de culture et de traditions entre les autochtones et les Européens, ces discussions sur la nature des indigènes entraîneront un questionnement sur la conception chrétienne de l'homme et sur la nature véritable de ce dernier.

Du bonheur de l'homme

Conception de l'être humain

Les *Essais* se présentent à la manière d'un autoportrait[28]. Au fil des pages, méticuleusement et sans aucune suffisance, Montaigne trace le portrait fluctuant de sa propre personne, avec les pensées qui l'habitent et les conduites qu'il valorise. Dans un même souffle, il décrit aussi et questionne les hommes dans leur quête de la **sagesse**: bref, il fait œuvre de philosophie. Pourquoi se dépeint-il lui-même? Parce qu'à travers la quête de son moi, il rejoint «l'humaine condition[29]». Pourquoi observe-t-il les hommes de son époque et ceux des siècles précédents? Parce que les autres – dans leurs lumières, leurs excès et leurs dérèglements – l'éclairent sur lui-même, sur la conduite de sa propre vie et sur celle des autres hommes. Pourquoi se réfère-t-il constamment aux figures historiques de sagesse que sont, entre autres, Socrate, Platon ou Épicure? Parce que les écrits de ces grands philosophes peuvent servir d'étalon afin de se juger soi-même et, ce faisant, de tenter d'évaluer d'un point de vue éthique la condition humaine.

> Imprégné de l'Antiquité gréco-romaine, Montaigne donne le sens suivant à la sagesse: l'art d'être heureux dans la recherche de la vie bonne.

Savoir être à soi

Dès les premières pages des *Essais,* Montaigne fait le constat suivant: «Certes, c'est un sujet merveilleusement vain, divers et ondoyant que l'homme. Il est malaisé d'y fonder jugement constant et uniforme[30].» Reformulons cette affirmation pour en saisir toute la portée.

---

27. *Essais,* livre I, chapitre 31, p. 158.

28. Dans l'avis *Au lecteur,* Montaigne ne peut être plus clair: «*Je veux qu'on m'y voie en ma façon simple, naturelle et ordinaire, sans contention [effort] ni artifice: car c'est moi que je peins.*»

29. Montaigne énonce cette idée en utilisant la formule suivante: «Chaque homme porte la forme entière de l'humaine condition» (*Essais,* livre III, chapitre 2, p. 587).

30. *Essais,* livre I, chapitre 1, p. 18.

Les hommes étant des sujets changeants et variés, il est difficile d'appréhender l'être humain avec certitude et d'une manière unique. À quoi bon, par conséquent, chercher une définition de l'homme «en gros» – définition générale qui caractériserait tous les hommes – quand nous avons affaire à des sujets individuels fuyants et instables? Considérant qu'il est impossible de définir l'homme en tant qu'homme, Montaigne accorde à chaque individu la responsabilité de construire sa propre définition de lui-même. À cet effet, il prône un retour sur soi-même, afin d'y scruter «l'arrière-boutique» de son moi dont la connaissance donnera accès à un «savoir être à soi» authentique.

Se ramener à soi afin d'être totalement et entièrement chez soi, voilà l'entreprise ultime mise en avant par Montaigne dans ses *Essais*:

Il y a plusieurs années que je n'ai que moi pour visée à mes pensées, que je ne contrôle et étudie que moi; et, si j'étudie autre chose, c'est pour soudain [aussitôt] le coucher sur moi, ou en moi pour mieux dire[31].

N'allons pas croire que Montaigne ne se préoccupe que de lui-même par égocentrisme ou orgueil démesuré. Au contraire, tout au long des *Essais*, il fait preuve d'une grande modestie. Il manifeste une tendance à s'évaluer sans aucune gloriole, voire à se diminuer. Par ailleurs, il dit connaître la coutume de son époque qui condamne vigoureusement celui qui parle de soi, époque qui qualifie ce dessein de vicieux et tout empreint de vantardise. Montaigne ne partage pas cette vision des choses. Prenant à témoin **Socrate,** penseur qu'il vénère entre tous pour sa grande sagesse, il rappelle que ce dernier n'a, au fond, traité que de lui-même et, qui plus est, n'a incité ses disciples à ne discuter que d'eux-mêmes et de leur âme!

Socrate (–470 à –399), philosophe grec, fréquentait l'agora (place publique) et se présentait comme «celui qui ne sait rien». De façon incessante, il interrogeait ses disciples, discutait avec eux dans le but avoué d'«accoucher les esprits» de la vérité qu'ils possédaient déjà en eux-mêmes.

«La plus grande chose du monde, écrit Montaigne, c'est *savoir être à soi*[32].» Ce *savoir être à soi* permet en quelque sorte de découvrir «en soi, une forme sienne, une forme maîtresse, […] [de sorte que] je me trouve quasi toujours à ma place, comme le font les corps lourds et pesants. Si je ne suis pas chez moi, j'en suis toujours bien près[33]». La philosophie traditionnelle aurait plutôt utilisé le concept d'**essence** pour désigner cette *forme sienne*, cette *forme maîtresse* qui me constitue comme être propre. Montaigne n'a cependant pas la prétention de saisir l'essence de l'Homme, c'est-à-dire ce qui serait commun à tous les hommes et qui constituerait, en somme, ce qu'on appelle la nature humaine. Cerner «sa vraie nature», découvrir ce qui le caractérise lui suffit.

Essence

Nature propre, profonde et intime d'une chose ou d'un être. Ensemble des caractères constitutifs faute desquels une chose ou un être ne serait plus ce qu'il est.

Mais qu'est-ce qui nous révèle à nous-mêmes? Où trouvons-nous ce qui fait que nous sommes ce que nous sommes?

«*Ce sont mes gestes que j'écris, c'est moi, c'est mon essence*[34]», affirme Montaigne.

Faisons une lecture active de cette citation capitale dans l'œuvre de Montaigne. D'abord, osons une lecture à voix haute, numérotons et soulignons les parties de cette phrase:

1. «*Ce sont mes gestes que j'écris,*

2. *c'est moi,*

3. *c'est mon essence.*»

31. *Ibid.*, livre II, chapitre 6, p. 279.
32. *Ibid.*, livre I, chapitre 39, p. 184.
33. *Ibid.*, livre III, chapitre 2, p. 591.
34. *Ibid.*, livre II, chapitre 6, p. 280.

Ensuite, risquons une interprétation de cette citation en la traduisant dans nos propres mots :

1. Ce sont mes actions que je transpose sur papier,

2. mes actions sont ce que je suis,

3. elles constituent ma nature propre.

Enfin, résumons le tout. À la question « qu'est-ce qui définit mon "moi" propre ? », Montaigne donne la réponse suivante : je me définis par mes actions. Ce sont les actes que j'accomplis qui composent mon moi profond et qui, conséquemment, constituent ma nature intime et me révèlent à moi-même[35].

Poursuivons notre analyse. « Mon métier, mon art, c'est *vivre*[36] », confie Montaigne. Et, plus loin, il ajoute : « J'ai mis tous mes efforts à *former ma vie*. Voilà mon métier, et mon ouvrage[37]. » Quel a été le métier, l'ouvrage (c'est-à-dire l'ensemble des *actions* par lesquelles une œuvre est produite) auquel Montaigne s'est consacré entièrement ? « Former [sa] vie », répond-il. Du latin *formare*, « former » signifie « donner l'être et la forme », c'est-à-dire créer, *faire*. Cela revient à dire, selon le propre aveu de Montaigne, que son ouvrage principal a été de *faire* sa *vie*. Et lorsqu'on s'emploie à *faire sa vie*, n'est-on pas, de fait, en train de *se faire* ? Mais comment se fait-on ? On se fait en agissant, en exécutant des « gestes » [actes] qui nous disent ce que nous sommes. Voilà la raison pour laquelle, dans ses *Essais*, Montaigne s'est donné la mission de « raconter » ses conduites et les « cogitations » qui y sont associées dans le but de mieux se connaître pour mieux se définir. Pour témoigner de cette entreprise, dit-il, il faut toutefois être prudent et consciencieux, si l'on veut procéder à une estimation juste de soi-même. Ici, la lucidité et l'examen approfondi de soi, sans complaisance, sont de rigueur. Mais sans fausse humilité non plus !

> Si je me semblais bon et sage, ou près de là, je l'entonnerais à pleine tête. De dire moins de soi qu'il y en a, c'est sottise, non modestie. Se payer de moins qu'on ne vaut, c'est lâcheté et **pusillanimité** [...] De dire de soi plus qu'il y en a, ce n'est pas toujours présomption, c'est souvent encore sottise. Se complaire outre mesure de ce qu'on est, en tomber en amour de soi indiscrète, est, à mon avis, la substance de ce vice. Le suprême remède à le guérir, c'est faire tout le rebours [contraire] de ce que ceux-ci [les gens de son époque] ordonnent, qui, en défendant de parler de soi, défendent par conséquent encore plus de penser à soi. L'orgueil gît en la pensée. La langue n'y peut avoir qu'une bien légère part. De s'amuser à [s'occuper de soi], il leur semble que c'est se complaire en soi ; de se hanter et pratiquer, que c'est se trop chérir. Il peut être. Mais cet excès naît seulement en ceux qui ne se tâtent que superficiellement[38] [...]

Pusillanimité

Caractère d'une personne faible qui manque d'audace et craint le risque.

Ainsi, face à l'injonction de se **connaître soi-même,** ceux qui croient y être parvenus parfaitement et totalement font preuve, selon Montaigne, d'une mauvaise évaluation : « Moi qui ne fais autre profession [que de me connaître moi-même] y trouve une profondeur et une variété si infinies que mon apprentissage n'a autre fruit que de me faire sentir combien il me reste à apprendre [sur moi][39]. »

> Montaigne fait sans doute référence ici à la plus connue des maximes qui ornaient le fronton du temple d'Apollon (dieu de la lumière, de la mesure et de l'harmonie), à Delphes. Ce « Connais-toi toi-même » avait été repris par Socrate.

---

35. Jean-Paul Sartre (1905-1980), quatre siècles plus tard, utilisera la formule « L'existence précède l'essence » pour signifier que c'est en existant (c'est-à-dire en agissant) que l'être humain choisit ce qu'il est (son essence, sa nature intime). Voir le chapitre 7.

36. *Essais*, livre II, chapitre 6, p. 280.

37. *Ibid.*, livre II, chapitre 37, p. 571.

38. *Ibid.*, livre II, chapitre 6, p. 280-281.

39. *Ibid.*, livre III, chapitre 13, p. 771.

À l'évidence, le jugement sur soi requiert un lent et méticuleux apprentissage auquel tout homme sensé doit s'astreindre. Parce qu'il s'agit d'étudier tout de soi : «ce qu'il nous faut fuir, ce qu'il nous faut suivre[40]». Montaigne dit se juger lui-même avec plus de fermeté que ne le font les autres à son endroit. Et lorsqu'on s'emploie ainsi à s'évaluer d'une manière sévère, mais qui se veut objective, cela nous donne peu à peu la capacité de juger les autres avec justesse. Montaigne reconnaît le faire souvent et avec bonheur : «Il m'advient souvent de voir et distinguer plus exactement les conditions de mes amis qu'ils ne le font eux-mêmes[41].»

Par ailleurs, Montaigne considère que les personnes qui se risquent à nous juger nous témoignent une grande amitié. En effet, un ami authentique qui ose nous dire nos «quatre vérités» le fait non pour nous blesser, mais dans le but de nous aider à mieux nous comprendre et à évoluer.

Juger de soi-même

Montaigne nous incite, en somme, à nous peindre méticuleusement, comme il le fait pour lui-même. Mais si l'on veut atteindre la substance de notre moi, il faut s'y occuper «de jour en jour, de minute en minute», car «moi à cette heure et moi tantôt sommes bien deux[42]», proclame Montaigne. Bien entendu, cette saisie de soi dans l'instant présent n'est pas sans poser problème. En effet, Montaigne se découvre être ceci ou cela au moment précis où il se donne comme objet à sa propre investigation. Mais, en trame de fond, il demeure toujours conscient que son être change continuellement : sa nature (ce qu'il est profondément) se modifie sans cesse au fil du temps qui passe. Ce faisant, Montaigne tente de saisir un homme constamment en mouvance, un homme qui se constitue en même temps qu'il se décrit :

> Ces propos ne sont pas sans rappeler Héraclite, philosophe grec d'Éphèse (v. –540 à v. –484), qui proclame le changement de toutes choses : «On ne peut pas descendre deux fois dans le même fleuve», disait-il.

Finalement, il n'y a aucune constante existence, ni de notre être, ni de celui des objets. Et nous, et notre jugement, et toutes choses mortelles vont coulant et roulant sans cesse. Ainsi il ne se peut établir rien de certain de l'un à l'autre, et le jugeant et le jugé étant en continuelle mutation et branle [**mouvement**][43].

Comment, en effet, porter un jugement assuré et certain sur soi et sur le monde si tout est en perpétuel changement ! Voici le doute profond devant lequel Montaigne est placé. Ce doute le conduit à adopter une attitude **sceptique**, sans toutefois suspendre son jugement comme le recommandait le scepticisme. Le doute montaignien est, pourrions-nous dire, «existentiel». Une conviction profonde, presque viscérale, anime Montaigne : la certitude sur le plan de la pensée est difficile, voire impossible ! Toutefois, cela ne veut pas dire pour autant que Montaigne se refuse à juger. Bien au contraire, il exerce son jugement avec une grande liberté. Ses *Essais* nous le présentent constamment en train d'**opiner** sur tout. Mais il le fait avec prudence. À l'instar des sceptiques, Montaigne doute de la validité de ses connaissances et de la possibilité d'établir définitivement une quelconque «vérité universelle», recevable par tous[44], qui pourrait éclairer notre vérité propre, ou si l'on veut, notre véracité à nous-mêmes. Mais à l'encontre des sceptiques, Montaigne n'en continue pas moins d'utiliser sa raison, afin de poursuivre la quête de son

Sceptique

Qui professe le scepticisme. Doctrine d'après laquelle l'être humain ne peut rien connaître avec certitude et, en conséquence, doit refuser d'affirmer ou de nier quoi que ce soit.

Opiner

Donner, énoncer son opinion, son avis.

---

40. *Ibid.*, livre III, chapitre 13, p. 772.

41. *Ibid.*, livre III, chapitre 13, p. 772.

42. *Ibid.*, livre III, chapitre 9, p. 696.

43. *Ibid.*, livre II, chapitre 12, p. 439.

44. Dans le chapitre 2, nous verrons que Descartes a dépassé le scepticisme de Montaigne en établissant le doute comme méthode de recherche de la vérité.

moi en mouvement et aux multiples visages, même si sa faculté de juger est imparfaite et ne lui donne aucune assurance de vérité.

Résumons-nous. D'abord, Montaigne énonce que son «moi» propre se définit par les actes mis en avant. Ce «moi», les choses et le monde étant toutefois en perpétuel mouvement, il ne peut considérer le jugement qu'il porte sur lui-même comme infaillible. Qu'à cela ne tienne! Malgré l'instabilité de son «moi», malgré la difficulté qu'éprouve sa raison à le connaître, Montaigne essaie d'établir peu à peu le portrait de son être changeant.

Dans ce travail attentif d'écoute et d'étude de soi – entreprise à reprendre sans cesse –, Montaigne dit, par ailleurs, ne pas vouloir s'embarrasser d'opinions savantes ni de pensées générales et universelles. Les opinions qu'il convoite viennent aisément et sont «commodes à la vie[45]». Aussi, il se dit homme à ne pas laisser facilement son jugement s'enfermer dans les préjugés communs, mais à ne pas être orgueilleux au point de vouloir que ses opinions soient considérées comme ayant une importance capitale.

C'est pourquoi, lorsqu'il se trouve convaincu, par la raison d'autrui, de la faiblesse d'une opinion qu'il défendait, il ne s'intéresse pas tant à l'information nouvellement découverte ou à l'ignorance dans laquelle il s'était maintenu jusque-là. Non! Il apprend surtout à se méfier de la solidité de son jugement et se promet d'être à l'avenir davantage sur ses gardes:

> Combien diversement jugeons-nous des choses? Combien de fois changeons-nous nos fantaisies? Ce que je tiens aujourd'hui et ce que je crois, je le tiens et le crois de toute ma croyance; tous mes outils et tous mes ressorts empoignent cette opinion et m'en répondent sur tout ce qu'ils peuvent. Je ne saurais embrasser aucune vérité, ni conserver avec plus de force que je fais celle-ci. J'y suis tout entier, j'y suis voirement [vraiment]; mais ne m'est-il pas advenu, non une fois, mais cent, mais mille, et tous les jours, d'avoir embrassé quelque autre chose avec ces mêmes instruments, et en cette même condition que depuis j'ai jugée fausse[46]?

Cette vigueur à défendre une opinion un jour et son contraire un autre jour indique bien, selon Montaigne, la faiblesse, voire la déficience de notre raison, «instrument de plomb et de cire, allongeable, ployable et accommodable à tous biais et à toutes mesures[47]».

Cette méfiance par rapport à sa faculté de juger est parfaitement illustrée par la devise «**Que sais-je?**», que Montaigne a fait graver sur une médaille portant une balance en équilibre. Il doute de la capacité réelle de sa raison de ne pouvoir connaître rien d'autre que lui-même, et, là aussi, l'entreprise n'offre aucune assurance d'infaillibilité.

> Ce «Que sais-je?» exprime le doute de Montaigne face à la capacité de la raison de connaître avec certitude. Montaigne ne prétend pas posséder la vérité. Il veut simplement communiquer ses opinions, c'est-à-dire ce en quoi il croit et non pas ce qui est à croire.

Qui plus est, essayer de connaître les causes de ce qui existe, c'est faire œuvre de présomption. Montaigne définit la présomption comme «une affection inconsidérée, de quoi nous nous chérissons, qui nous présente à nous-mêmes autres que nous sommes[48]». En somme, être présomptueux consiste à faire preuve d'orgueil en croyant posséder des pouvoirs que nous n'avons pas: «La connaissance des

---

45. *Essais*, livre III, chapitre 9, p. 687.

46. *Ibid.*, livre II, chapitre 12, p. 412.

47. *Ibid.*, livre II, chapitre 12, p. 413.

48. *Ibid.*, livre II, chapitre 17, p. 462.

causes appartient seulement à celui [Dieu] qui a la conduite des choses, non à nous qui n'en avons que la souffrance [qui n'avons qu'à les subir][49]. »

Par ailleurs, Montaigne craint que « l'opinion de savoir », en d'autres mots la conviction d'avoir raison, d'être possesseur de la Vérité, ne conduise à l'intolérance. En lieu et place, il suggère de ne chercher qu'au-dedans de soi le « patron » de ses jugements et de ses actions.

Savoir vivre à propos

Montaigne avoue avoir ses propres règles morales pour juger de lui-même et s'y référer plus souvent qu'à des principes étrangers. Remettons-nous-en donc à un savoir « vivre à propos » qui guidera notre conduite.

La responsabilité qu'il incombe à l'être humain de développer, selon Montaigne, c'est de savoir « *méditer et manier* » sa vie.

> *Composer nos* **mœurs** est notre office, non pas composer des livres, et gagner non pas des batailles et provinces, mais l'ordre et la tranquillité à notre conduite. Notre grand et glorieux chef-d'œuvre, c'est *vivre à propos*. Toutes autres choses, régner, **thésauriser**, bâtir n'en sont qu'appendicules [appendices] et **adminicules**[50].

Vivre à propos, méditer et manier sa vie, composer nos mœurs : trois dénominations qui correspondent à une seule et même nécessité, celle de nous construire une sagesse, c'est-à-dire une morale qui gouvernera notre action. Passons en revue les recommandations de bonne vie défendues par Montaigne.

La nature et le bonheur de l'homme

Montaigne pose l'*a priori* suivant : être en vie constitue un bonheur en lui-même qui devrait nous combler. Mais encore nous faut-il trouver la manière bonne de vivre heureux et d'être satisfaits de notre vie ! Si l'homme est malheureux, et à l'évidence plusieurs le sont, on ne doit pas en accuser faussement la nature qui aurait fait de nous des êtres insatiables, donc incapables d'être heureux. Montaigne croit qu'il n'en est rien, parce que « partout où la pureté de notre grande et puissante mère nature reluit, elle fait une merveilleuse honte à nos vaines et frivoles entreprises[51] ».

Afin de démontrer que la nature a fait de nous des êtres ayant la capacité d'être heureux, dans un chapitre intitulé « Des Cannibales » et rédigé vers 1580, Montaigne donne l'exemple des aborigènes du Brésil. Il dit tenir les informations qu'il possède d'un homme simple et fiable ayant demeuré plus de dix ans auprès d'eux[52].

Pourquoi Montaigne s'intéresse-t-il ainsi aux peuples de ce Nouveau Monde et veut-il en tracer le portrait ? Parce que, n'ayant pas encore été perverties par la civilisation européenne, ces nations lui semblent encore très imprégnées de leur **nature originelle** et soumises seulement aux lois naturelles. Donnons-en les principaux traits et caractères. Ces peuples ne connaissent ni commerce, ni contrat, ni héritage, ni richesse, ni pauvreté. Ils ne pratiquent aucune agriculture et aucun travail des métaux. Ils n'ont pas à

Mœurs
Principes, règles de conduite.

Thésauriser
Amasser de l'argent dans le but de se constituer un trésor.

Adminicule
« Appui, moyen auxiliaire » (*Le Petit Robert*).

A priori
Point de départ, présupposé d'une discussion ou d'une démonstration.

L'apologie de la nature originelle de l'être humain exposée ici par Montaigne trouvera preneur au XVIIIe siècle, par exemple avec Rousseau, qui cherchera à faire l'anthropologie de l'*homme originaire*.

---

49. *Ibid.*, livre III, chapitre 11, p. 738.

50. *Ibid.*, livre III, chapitre 13, p. 794-795.

51. *Ibid.*, livre I, chapitre 31, p. 158.

52. Il s'agit, en fait, des Tupinamba, qui vivaient à proximité de Rio de Janeiro, et que les Français ont visités de 1555 à 1560.

conquérir de nouvelles terres, car la leur est à ce point fertile qu'elle fournit en abondance tout le nécessaire sans travail et sans peine. Ils vivent nus, dansent tout le jour et ne s'adonnent qu'à des occupations oisives, sauf pour les plus jeunes d'entre eux qui vont à la chasse et à la pêche – sans grande souffrance d'ailleurs, car il y a profusion de bêtes et de poissons. Une seule **maxime** guide la vie de ces hommes : celle de faire preuve de courage face aux ennemis et d'être affectueux envers leur femme. Montaigne conclut sa présentation en s'exclamant : « *Ils sont encore en cet heureux point de ne désirer qu'autant que leurs nécessités naturelles leur ordonnent ; tout ce qui est au-delà est superflu pour eux*[53]. »

Maxime
Règle, principe de conduite.

De l'avis de Montaigne, la nature accorde à l'être humain le pouvoir d'être heureux, à condition de se laisser conduire « au conseil de nature » qui enseigne de se contenter du nécessaire et de fuir les aspirations et les besoins illimités. Que chacun, en désirant trop, se reconnaisse comme l'auteur de son propre malheur ; qu'il apprenne à se recentrer sur soi et à mieux se connaître afin de mieux conduire sa vie.

Montaigne confie qu'il suit partout la trace de la nature, quête difficile, s'il en est une, car nous l'avons brouillée au moyen de traces artificielles, de sorte que *vivre selon la nature* devient difficile à cerner et à exprimer. Malgré la difficulté de l'opération, il lance quelques pistes. D'abord, il précise que « vivre selon nature » ne signifie pas suivre les prétendues lois naturelles, lois que les hommes ont en fait inventées pour essayer de comprendre, finalement sans grand succès, la nature. Au contraire, à l'image des paysans ou des peuples du Nouveau Monde ou même des animaux, il faut, sans

Gravure (1592) représentant la tribu amazonienne Tupinamba, réputée cannibale, dont Montaigne trace un portrait idyllique.

raisonner, faire confiance à la sagesse de la nature, et lui obéir, car « Nature est un doux guide, mais non pas plus doux que prudent et juste[54] ». En somme, il s'agit de se laisser guider par la nature elle-même, puisque « les lois de nature nous apprennent ce que justement il nous faut[55] ».

Mais plus précisément, comment accéder à ces « règles de nature », et que nous enseignent-elles au juste ?

Les *règles de nature* et le senti

La nature entre en contact avec notre être par l'intermédiaire de la sensation. Même s'il est communément admis que la nature a également pourvu les êtres humains de la capacité de sentir, cela ne veut pas dire pour Montaigne que chacun dirige également et avec le même succès l'action de sentir. En effet, il faut être profondément à l'écoute de ce que nous ressentons pour nous imprégner du langage de la nature. Montaigne avance une hypothèse de départ : si les **inclinations** originelles et les sensations que nous éprouvons sont vécues selon les indications de la nature, elles sont toujours plaisantes ; à l'inverse, si elles vont à l'encontre de la nature, elles sont toujours fâcheuses. Nous devons donc étendre le plus possible la joie dans notre vie et en retrancher autant qu'on peut le malheur !

Inclination
Tendance, propension, penchant à se porter spontanément vers un objet, une personne ou une fin.

53. *Essais,* livre I, chapitre 31, p. 161.

54. *Ibid.,* livre III, chapitre 13, p. 798.

55. *Ibid.,* livre III, chapitre 10, p. 726.

Cependant, comment y parviendra-t-on ? En premier lieu, il faut s'imprégner de la philosophie d'**Épicure,** qui nous invite à distinguer les désirs qui nous viennent de la nature de ceux qui proviennent du dérèglement de notre fantaisie : les désirs qui sont accessibles et qui, en conséquence, peuvent être réalisés sont naturels et bons ; au contraire, ceux qui ne sont pas à notre portée et dont l'actualisation est peu probable ne sont pas naturels et sont donc à éviter. En second lieu, il faut cesser d'entretenir des désirs et des besoins artificiels et démesurés qui apportent davantage de peines que de joies. La nature nous ayant voulus limités dans nos inclinations, cessons alors de désirer ou de posséder exagérément, car « plus nous amplifions nos besoins et possessions, d'autant plus nous engageons-nous aux coups de la fortune [sort] et des adversités[56] ». C'est pourquoi, selon Montaigne, nos désirs doivent être circonscrits autour d'un ensemble de commodités dont nous avons l'habitude. Ainsi, nous éviterons d'être emportés dans une course folle, en allant toujours au-devant de nous-mêmes.

> Épicure (−341 à −270), philosophe grec, considère le bonheur comme devant résider dans une vie sage et juste où l'on recherche les plaisirs naturels et nécessaires, seuls capables de nous procurer l'ataraxie, c'est-à-dire l'absence de troubles, en vue d'atteindre un état de sérénité.

Le plaisir et la modération

Ne nous méprenons pas sur la position défendue par Montaigne en ce qui concerne le plaisir. Modération n'est pas austérité ! Montaigne s'oppose radicalement à toute forme d'**ascétisme** :

Ascétisme

« Doctrine de perfectionnement moral fondée sur la lutte contre les exigences du corps. Vie austère, continente, frugale, rigoriste » (*Le Petit Robert*).

> Moi qui ne manie que terre à terre, hais cette inhumaine sapience [sagesse] qui nous veut rendre dédaigneux et ennemis de la culture du corps. J'estime pareille injustice de prendre à contrecœur les voluptés naturelles que de les prendre trop à cœur[57].

Montaigne ne s'interdit pas de jouir et ne condamne pas le plaisir. Au contraire, le plaisir constitue, à ses yeux, une priorité existentielle : « Il faut, dit-il, retenir, avec nos dents et nos griffes, l'usage des plaisirs de la vie que nos ans nous arrachent des poings les uns après les autres[58]. »

Montaigne recommande même pour chacune des activités que nous accomplissons de « donner jusqu'aux dernières limites du plaisir, [mais] de garder de s'engager plus avant, où la peine commence à se mêler parmi[59] ». Comment arriver ainsi à profiter des plaisirs naturels du corps sans prendre le risque de voir surgir la douleur ? En faisant appel à notre âme afin qu'elle y participe et s'y complaise. Plus précisément, quand une volupté nous titille, ne laissons pas notre corps et nos sens en jouir exclusivement ! Il s'agit d'y associer notre âme ; qu'elle s'y plaise, sans s'y perdre, pour en apprécier et en amplifier le bonheur ressenti, mais sans tomber dans l'excès. Buvons donc à la volupté, mais non jusqu'à l'ivresse ! La modération a bien meilleur goût !

> La grandeur d'une âme n'est pas tant de tirer à mont et tirer à vant comme de savoir se ranger et circonscrire. *Elle tient pour grand tout ce qui est assez, et montre sa hauteur à aimer mieux les choses moyennes que les éminentes[60].*

> Une référence à Aristote (−384 à −322) s'impose ici. Une conduite vertueuse requiert de situer son action dans *le juste milieu,* c'est-à-dire dans un équilibre entre deux extrêmes : en faire trop ou n'en faire pas assez.

Évidemment, pour éviter le déplaisir qui découle de toutes les formes d'excès, Montaigne fait ici l'éloge de la modération ou **« voie du milieu ».** Un homme sage est celui dont l'âme regarde gaiement la volupté du corps en essayant même de l'étendre davantage, mais qui, dans un même élan, juge sévèrement

---

56. *Ibid.,* livre III, chapitre 10, p. 728.

57. *Ibid.,* livre III, chapitre 10, p. 793.

58. *Ibid.,* livre I, chapitre 39, p. 187.

59. *Ibid.,* livre I, chapitre 39, p. 187.

60. *Ibid.,* livre III, chapitre 13, p. 796.

la douleur appréhendée, et tente de l'éviter le plus possible. Gare à l'intempérance : «L'intempérance est peste de la volupté, et la tempérance n'est pas son fléau : c'est son assaisonnement[61].»

À la dernière page des *Essais*, Montaigne déclarera que, somme toute, «c'est une absolue perfection, et comme divine, de savoir jouir loyalement de son être[62]».

L'âme et le corps

L'âme et le corps, tous deux présents au plaisir, et y participant à part entière… Mais doit-il en être toujours ainsi, tant sur le plan de l'agir humain que sur celui de la constitution de l'homme? Montaigne ne peut être plus clair quant à l'union nécessaire entre l'âme et le corps. D'abord, il affirme que le corps occupe «une grande part à notre être; il y tient un grand rang; ainsi sa structure et sa composition sont de bien juste considération[63]». Il dénonce ensuite avec fermeté ceux qui veulent dissocier l'esprit du corps, et, ce faisant, isoler l'une de l'autre «nos deux pièces principales» dont la «couture est invisible». Donnons de nouveau la parole à Montaigne :

> Au rebours [au contraire], il les faut raccoupler et rejoindre. Il faut ordonner à l'âme non de se tirer à quartier, de s'entretenir à part, de mépriser et abandonner le corps (aussi ne le saurait-elle faire que par quelque singerie contrefaite), mais de se rallier à lui, de l'embrasser, le chérir, l'assister, le contrôler, le conseiller, le redresser et ramener quand il [se] fourvoie, l'épouser en somme[64] […]

Âme et corps doivent donc être accordés et joints pour constituer l'homme entier! Aussi, il revient à l'âme de *conseiller*, de *contrôler* et de *redresser* le corps lorsqu'il se trompe, c'est-à-dire quand il se laisse emporter jusqu'à l'excès.

Être présent à ce qui est

L'humaine condition requiert, selon Montaigne, que la plus fondamentale et la plus illustre de nos occupations soit de vivre. Le bonheur simple de vivre sa vie d'homme et de l'aimer comme elle vient. Puisque «la vie est elle-même à soi sa visée», soyons tout simplement là – corps et âme –, présents à nous-mêmes et aux besoins que la nature nous commande :

> Quand je danse, je danse; quand je dors, je dors, et quand je me promène solitairement en un beau verger, si mes pensées se sont entretenues des occurrences étrangères quelque partie du temps, quelque autre partie je les ramène à la promenade, au verger, à la douceur de cette solitude et à moi[65].

En somme, il s'agit d'aimer la vie telle qu'il nous est donné de la vivre dans l'instant présent et d'en jouir à la fois par l'esprit et par le corps. Cette totale présence à soi et à la vie

Quand Montaigne se promène en solitaire dans la nature, il se centre sur lui-même et sur le bonheur simple d'être là.

---

61. *Ibid.*, livre III, chapitre 13, p. 796.

62. *Ibid.*, livre III, chapitre 13, p. 800.

63. *Ibid.*, livre II, chapitre 17, p. 467.

64. *Ibid.*, livre II, chapitre 17, p. 467.

65. *Ibid.*, livre III, chapitre 13, p. 794.

nous fera rejeter la «plus commune des erreurs humaines», celle qui consiste à courir après les choses futures, alors que, dans les faits, nous n'avons aucune prise sur ce qui est à venir. Selon Montaigne, une telle attitude fait que «nous ne sommes jamais chez nous, nous sommes toujours au-delà. La crainte, le désir, l'espérance nous élancent vers l'avenir, et nous dérobent le sentiment et la considération de ce qui est, pour nous amuser à ce qui sera, voire quand nous ne serons plus[66]».

N'outrepassons donc pas le présent et ne servons pas de folles espérances, car – pendant que nous nous agitons et désirons ainsi dans tous les sens – «étant hors de l'être, nous n'avons aucune communication avec ce qui est[67]».

Une toute dernière maxime sera proposée par Montaigne, celle de s'en remettre à un *savoir mourir*, qui, par choix méthodologique, sera présenté à la fin de cet exposé. Pour l'instant, abordons un autre précepte que Montaigne recommande de suivre : ne jamais se laisser définir par les autres.

La liberté face à autrui

«Nature nous a mis au monde libres et déliés ; nous nous emprisonnons en certains détroits[68]», écrit Montaigne. L'un de ces «détroits», pouvant gravement endiguer notre liberté, consiste à vivre en fonction de ce que peuvent penser les autres et de l'approbation qu'on peut ou non en recevoir :

> Qui que ce soit, ou art ou nature, qui nous imprime cette condition de vivre par la relation à autrui, nous fait beaucoup plus de mal que de bien. Nous nous défraudons [privons] de nos propres utilités pour former les apparences à l'opinion commune. Il ne nous chaut [importe] pas tant quel soit notre être en nous et en effet, comme quel il soit en la connaissance publique. Les biens mêmes de l'esprit et la sagesse nous semblent sans fruit s'ils ne sont jouis que de nous, s'ils ne se produisent à la vue et approbation étrangères[69].

«*Vivre par la relation à autrui*» : telle est la problématique abordée ici par Montaigne. Présentons le contenu de ce passage qui, à première vue, peut sembler difficile.

Que l'attitude de *vivre* (c'est-à-dire d'être) *par la relation à autrui* soit innée ou acquise par la pratique (Montaigne ne se prononce pas ici sur cette question), il n'en demeure pas moins qu'elle cause plus de tort que de bien à ceux qui s'y adonnent. Pourquoi ? Parce que nous nous dépouillons alors des traits nous caractérisant en propre, pour nous conformer aux attentes des autres. Ce que nous sommes réellement nous importe moins que l'idée que les autres se font de nous. Par exemple, on ne verra aucun intérêt à avoir de l'esprit ou à être sage pour soi-même. On voudra l'être pour le regard des autres qui, en nous octroyant leur assentiment, édicteront leur «sentence» : «Cette personne a de l'esprit ; elle est d'une sagesse exemplaire !» dira la foule.

Laisser ainsi l'évaluation de son être propre au *regard d'autrui*[70] constitue, selon Montaigne, le pire des abandons. En effet, comment les hommes peuvent-ils tolérer d'être à ce point dépendants de l'opinion des autres, pour laisser au

---

66. *Ibid.,* livre I, chapitre 3, p. 23.

67. *Ibid.,* livre I, chapitre 3, p. 24.

68. *Ibid.,* livre III, chapitre 9, p. 702.

69. *Ibid.,* livre III, chapitre 9, p. 690.

70. Cette problématique du *regard d'autrui*, qui nous octroie une qualité ou un défaut, sera reprise par Jean-Paul Sartre et présentée dans le chapitre 7.

«monde», à la «société», l'attribution de telle «réputation» ou de telle «gloire[71]»? Seules la faiblesse ou la lâcheté peuvent expliquer que les hommes asservissent à la puissance d'autrui leur liberté d'être.

Au contraire de cette attitude servile et complaisante, «il se faut réserver une arrière-boutique toute nôtre, toute franche, en laquelle nous établissons *notre vraie liberté*», et dans ce lieu intérieur, il faut prendre «notre ordinaire entretien de nous à nous-mêmes, et si privé que nulle accointance ou communication étrangère y trouve place[72]».

En somme, Montaigne nous invite à adopter une véritable démarche de construction de soi, où seuls, face à face avec nous-mêmes, à l'abri du regard et du jugement d'autrui, nous affirmons notre entière et souveraine liberté d'être ce que nous voulons être. Ce projet d'émancipation de soi se fonde sur l'exigence incontournable de véracité à soi-même. En fait, une profonde sincérité, accompagnée d'un souci constant d'honnêteté, fera que nous nous évaluerons nous-mêmes (sans l'aide d'autrui) tels que nous sommes en réalité.

On le voit, Montaigne se fait ici le défenseur d'une liberté intérieure s'appuyant sur une authentique indépendance de jugement. D'ailleurs, il se dit être «tant jaloux de la liberté de [son] jugement que malaisément la [puis-je] quitter pour passion que ce soit[73]». Plus loin, Montaigne avoue s'abstenir d'«être homme de bien selon la description [qu'il] voit faire tous les jours», car ce qui est considéré comme un vice, aujourd'hui, peut être évalué, demain, comme étant une conduite vertueuse. Au contraire, tenons-nous en donc à notre propre jugement pour nous évaluer nous-mêmes:

> Il n'y a que vous qui sachiez si vous êtes lâche et cruel, ou loyal et dévotieux; les autres ne vous voient point; ils vous devinent par conjectures incertaines; ils voient non pas tant votre nature [être] que votre art [paraître]. Par ainsi, ne vous tenez pas à leur sentence [jugement], tenez-vous à la vôtre[74].

Les passions humaines

Dans cette quête incessante de lui-même, qui correspond, nous l'avons vu, à une véritable recherche de l'autonomie, Montaigne analyse son rapport aux passions. Comme d'habitude, il présente d'abord sa manière personnelle de vivre chacune d'elles, pour ensuite élargir sa vision en jugeant de la pertinence de ces dernières. Passons en revue les principales passions traitées par Montaigne.

La gloire

La gloire, cette passion insidieuse, qui se bâtit sur un fond de vanité, possède des racines si vives en tout homme qu'il est extrêmement difficile, nous dit Montaigne, de s'en départir. Car il faut bien admettre qu'une grande renommée – qui vient toujours de l'approbation d'autrui – tire toujours à sa suite certains avantages comme la bienveillance et l'admiration des autres. Et cela ne manque pas d'intérêt! En effet, qui ne voudrait pas être connu, faire parler de soi et en

71. Voir dans la section suivante l'analyse que Montaigne fait de la *gloire*, complément essentiel au présent exposé.

72. *Essais*, livre I, chapitre 39, p. 183. Plus loin dans les *Essais*, Montaigne écrira: «La *vraie liberté*, c'est pouvoir toute chose sur soi» (*Essais*, livre III, chapitre 12, p. 751).

73. *Ibid.*, livre II, chapitre 17, p. 481.

74. *Ibid.*, livre III, chapitre 2, p. 589. C'est nous qui avons ajouté ces trois mots présentés entre crochets pour faciliter la compréhension des propos tenus par Montaigne dans cette citation.

tirer profit? Mais n'est-il pas déraisonnable de régler nos actions sur l'opinion que les autres se font de nous?

S'il est une matière difficile et la plus importante qui soit aux yeux de Montaigne, c'est bien l'évaluation de ses inclinations et de ses actions. Or, comment peut-on, en restant sensé, remettre ce jugement dans les mains de la foule, cette «mère d'ignorance, d'injustice et d'inconstance», ce «guide si dévoyé et si déréglé[75]» qui se base uniquement sur des apparences extérieures? Au contraire, Montaigne pense qu'il n'en tient qu'à nous et à nous seuls de trouver le droit chemin parce que nous l'avons expérimenté nous-mêmes comme étant le plus heureux et le plus utile. En d'autres mots, ce n'est pas pour la galerie qu'on se doit d'agir bien, mais parce que notre âme nous le recommande «chez nous, au-dedans, où nuls yeux ne donnent que les nôtres[76]».

Et Montaigne termine son plaidoyer par ce cri du cœur:

> Je ne me soucie pas tant quel je sois chez autrui, comme je me soucie quel je sois en moi-même. Je veux être riche [de possibilités] par moi, non par emprunt. Les étrangers ne voient que les événements et apparences externes; chacun peut faire bonne mine par dehors, plein au-dedans de fièvre et d'effroi. Ils ne voient pas mon cœur, ils ne voient pas mes contenances[77].

La tristesse

Montaigne avoue ne pas être enclin à cette passion, ni l'aimer ni l'estimer. Pourtant, nous apprend-il, les gens de son époque considèrent comme allant de soi de l'honorer. Ces derniers vont jusqu'à coiffer la sagesse, la vertu et la conscience d'une auréole de tristesse. En fait, «c'est une qualité toujours nuisible, toujours folle et, comme toujours **couarde** et basse, les **stoïciens** en défendent les sentiments à leurs sages[78]».

Couard
Qui est lâche et peureux.

Disciples de la doctrine philosophique à laquelle Zénon de Citium (v. –335 à v. –264) donna naissance en Grèce, et qui se répandit dans tout le bassin méditerranéen jusqu'aux deux premiers siècles de l'ère chrétienne. Selon l'école stoïcienne, on doit apprendre à se rendre indifférent aux «accidents» de la vie, en les considérant comme le fruit du destin.

Lorsque les événements nous accablent et nous dépassent, au lieu d'être tristes, Montaigne recommande de cultiver un certain détachement afin de ne pas nous affliger de «cette morne et sourde stupidité qui nous transit». Il dit haïr au plus haut point «un esprit hargneux et triste qui glisse par-dessus les plaisirs de sa vie et s'empoigne et paît aux malheurs[79]».

Il faut avouer que Montaigne n'a pas toujours réussi, semble-t-il, à respecter cette maxime! En effet, lorsqu'il perdit son très cher et unique ami, il fut envahi par une grande tristesse.

L'amitié

L'amitié décrite dans le livre I, chapitre 28 des *Essais* est celle que Montaigne et Étienne de La Boétie[80] ont nourrie, «si entière et si parfaite que certainement il ne s'en fit guère de pareilles, et, entre nos hommes [contemporains], il ne s'en voit aucune trace[81]».

---

75. *Ibid.*, livre II, chapitre 16, p. 456.
76. *Ibid.*, livre II, chapitre 16, p. 456.
77. *Ibid.*, livre II, chapitre 16, p. 457.
78. *Ibid.*, livre I, chapitre 2, p. 20.
79. *Ibid.*, livre III, chapitre 5, p. 614.
80. Montaigne confie qu'Étienne de La Boétie fut le plus grand homme qu'il ait «connu au vif, je dis des parties naturelles de l'âme, et le mieux né…» (*Essais*, livre II, chapitre 17, p. 481). Notons que l'amitié qui a uni Montaigne et La Boétie fut brève (un peu moins de cinq ans) et qu'ils se sont, somme toute, peu vus. Ils se sont surtout écrit.
81. *Essais*, livre I, chapitre 28, p. 142.

D'abord, Montaigne dit tenir l'amitié en très haute estime, la considérant même comme ce qu'il y a de plus parfait que la nature ait produit. Car l'amitié ne recherche qu'elle-même, alors que les autres passions poursuivent d'autres fins qu'elles-mêmes : par exemple, la volupté (le sexe) sera vécue pour obtenir de la jouissance, alors que le profit sera recherché dans le but de thésauriser ou de consommer davantage.

Ensuite, Montaigne passe en revue certaines relations avec autrui, relevant dans quelle mesure ces dernières ne correspondent pas à l'amitié véritable.

1. La relation des enfants avec leur père : selon Montaigne, il ne peut être question d'amitié ici. Ce rapport commande plutôt le respect, dit-il. À cause de la trop grande différence d'âge et de statut entre l'enfant et son père, aucune communication profonde ne peut s'établir, alors que cette dernière constitue le fondement de toute grande amitié. Par ailleurs, les pensées intimes d'un père ne peuvent être partagées avec les enfants par crainte de donner naissance à une familiarité excessive. À l'inverse, les conseils et les remontrances réciproques – que commande l'amitié – ne peuvent être exercés des enfants aux pères.

2. La relation fraternelle : un autre rapport à autrui qui n'aurait rien à voir avec l'amitié est la relation fraternelle. Deux frères peuvent avoir des personnalités dissemblables, voire opposées, à tel point qu'aucune amitié ne devient possible. D'autre part, l'alliance fraternelle se heurte et s'étiole facilement lorsque, à la mort du père, survient le moment du partage des biens familiaux. Selon les coutumes du XVIᵉ siècle, le fils aîné est l'héritier privilégié. Aucune relation fraternelle ne peut survivre quand la richesse de l'un entraîne la pauvreté de l'autre ! Qui plus est, une caractéristique fondamentale distingue la relation fraternelle de la relation amicale : on ne choisit pas son frère (ce dernier peut être mauvais, violent ou sot !), alors qu'on choisit toujours volontairement et librement son ami.

3. La relation amoureuse : qu'en est-il de la relation amoureuse versus la relation d'amitié ? Montaigne décrit l'amour comme un feu « cuisant », « âpre », « téméraire [aveugle] », « volage » et « ondoyant », un « feu de fièvre [qui] n'est qu'un désir forcené après ce qui nous fuit[82] ». Aussitôt que ce désir est partagé et qu'il est consommé par l'homme et la femme – ayant connu la jouissance corporelle à satiété –, celui-ci s'affaiblit peu à peu[83]. Plus loin dans les *Essais*, Montaigne déclare que « la passion amoureuse prête des beautés et des grâces au sujet qu'elle embrasse, et fait que ceux qui en sont pris, trouvent, d'un jugement trouble et altéré, ce qu'ils aiment autre et plus parfait qu'il n'est[84] ».

Au contraire, l'amitié se manifeste comme quelque chose de calme, de modéré, de constant et de « spirituel » :

> En l'amitié, c'est une chaleur générale et universelle, tempérée au demeurant et égale, une chaleur constante et rassise, toute douceur et polissure, qui n'a rien d'âpre ni de poignant [...] L'amitié est jouie à mesure qu'elle est désirée ; ne s'élève, se nourrit, ni ne prend accroissement qu'en la jouissance, comme étant spirituelle, et l'âme s'affinant par l'usage[85].

4. L'homosexualité grecque : l'amitié véritable établit une relation purement spirituelle entre deux êtres. Mais étant donné qu'une dimension corporelle peut

---

82. *Ibid.*, livre I, chapitre 28, p. 144.

83. Le sentiment que Montaigne décrit ici pourrait correspondre à ce que nous appelons, aujourd'hui, le « coup de foudre ».

84. *Essais*, livre II, chapitre 17, p. 462.

85. *Ibid.*, livre I, chapitre 28, p. 144.

s'ajouter à cette dernière, Montaigne poursuit son analyse en abordant l'homo-sexualité, permise dans l'Antiquité grecque, alors qu'elle est, dit-il, détestée au plus haut point en son époque. D'entrée de jeu, il affirme que l'homosexualité grecque ne convient pas aux critères de «la parfaite union et convenance» recherchée ici. Pourquoi ? Parce que cette pratique reposait sur une différence marquée d'âge et de charge publique – entendons de statut social – entre les amants. Or, Montaigne croit que la passion démesurée qu'un homme âgé porte à un **éphèbe** s'appuie exclusivement sur la beauté du corps du jeune homme. La qualité de son esprit n'entrerait pas en ligne de compte puisque, n'ayant encore pu se développer, elle reste cachée au vieil amant. On aurait affaire ici à un engouement basé sur la beauté externe du garçon et non sur sa beauté interne.

Éphèbe
Jeune garçon arrivé à l'âge de la puberté.

Cela est à mille lieues de l'amitié véritable, ce sentiment profond qui unit deux adultes dont les caractères sont déjà formés et qui ont des affinités spirituelles d'une manière égalitaire. Voyons comment Montaigne évoque son amitié avec Étienne de La Boétie – amitié si intense, si impétueuse, si totale !

> En l'amitié de quoi je parle, les âmes se mêlent et se confondent l'une en l'autre d'un mélange si universel qu'elles effacent et ne retrouvent plus la couture qui les a jointes. Si on me presse de dire pourquoi je l'*aimais* [La Boétie], je sens que cela ne peut s'exprimer qu'en répondant : «*Parce que c'était lui ; parce que c'était moi.*» Il y a, au-delà de tout mon discours et de ce que j'en puis dire particulièrement, [je] ne sais quelle force inexplicable et fatale, médiatrice de cette union. Nous nous cher-chions avant que de nous être vus [...] Et à notre première rencontre, [...] nous nous trouvâmes si pris, si connus, si obligés entre nous, que rien dès lors nous fut si proche que l'un à l'autre. [...] Nos âmes ont charrié si unanimement ensemble, elles se sont considérées d'une si ardente affection, et de pareille affection décou-verte, jusqu'au fond des entrailles l'une de l'autre, que non seulement je connaissais la sienne comme la mienne, mais je me fusse certainement plus volontiers fié à lui de moi qu'à moi[86].

À l'évidence, il est question ici d'une profonde complicité entre ce que les deux amis ressentent, et d'une union si complète des âmes, que nous pourrions qualifier cette relation d'*amitié-fusion*. Mais il y a plus. Cette connivence exceptionnelle va même jusqu'à accorder plus de crédibilité au jugement que l'ami porte sur soi qu'à l'évaluation que l'on fait de sa propre personne. Cela semble, avouons-le, mettre à mal le principe d'indépendance de jugement dont nous avons parlé précédemment, au bénéfice de la confiance mutuelle. L'amitié véritable se fonde donc sur une confiance mutuelle totale dans la capacité de penser et de juger de son ami. En effet, selon Montaigne, l'amitié véritable établit un espace de réflexion et d'évaluation critique où les deux amis, ne se ménageant pas, disent ce qu'ils pensent vraiment : les mots proférés reflètent la pensée ! Il n'y a pas de place, ici, pour la mièvrerie et la complaisance. Montaigne – La Boétie : voilà deux hommes faits et assez solides pour penser de manière autonome, supporter la critique et évoluer ensemble !

Bien sûr, cette amitié particulière, que Montaigne qualifie de «souveraine et maî-tresse amitié», de «divine liaison», de «noble commerce», n'a rien à envier à ces autres «amitiés ordinaires et coutumières». Montaigne dit se méfier de ces amitiés qui «ne sont qu'accointances et familiarités nouées par quelque occasion ou commodité[87]». Parce que, toutes empreintes de «division et de différence» entre les partenaires, ces «amitiés molles et régulières» sont chargées d'obligations, de demandes et de «paie-ments en retour». Au contraire, ceux qui vivent une amitié véritable mettent tout en

---

86. *Ibid.*, livre I, chapitre 28, p. 145-146.

87. *Ibid.*, livre I, chapitre 28, p. 145.

commun : pensées, jugements, biens, honneur et vie. Il y a une telle affinité entre les deux amis qu'on y rencontre une seule « âme en deux corps[88] ».

Enfin, Montaigne en vient à comparer sa vie entière aux quatre années de félicité que lui apporta la profonde amitié vécue avec Étienne de La Boétie. Dans un cri d'une immense tristesse, il considère qu'en dehors de ces quatre années toute sa vie « n'est que fumée, ce n'est qu'une nuit obscure et ennuyeuse. Depuis le jour que je le perdis[89], [...] je ne fais que traîner languissant ; et les plaisirs mêmes qui s'offrent à moi, au lieu de me consoler, me redoublent le regret de sa perte[90] ». Comme on le constate, tout l'effort de pensée de Montaigne ne le dispense pas de vivre et, conséquemment, de souffrir, en particulier de la perte d'un être très cher.

L'appétit de thésauriser

Le fait d'avoir de l'argent peut conduire celui qui y prend goût à vouloir se constituer des réserves importantes. C'est ce que fit Montaigne. Il raconte avoir alors justifié sa conduite par la crainte de ne pas avoir les économies nécessaires pour faire face à des « inconvénients » ou à des « accidents » inopinés. Cette « ridicule et honteuse prudence » l'amena à garder secret l'argent qu'il possédait ou à mentir à son sujet. Pendant ses voyages, il se mit à craindre les voleurs de grand chemin, à douter de la fidélité des hommes qui transportaient ses bagages, ou encore il se trouva constamment torturé par l'idée qu'on lui vole le coffre dans lequel son argent était gardé en son château. De cette fortune, « j'en tirais peu ou rien : pour avoir plus de moyen de dépenser, elle n'en pesait pas moins[91] ». Malgré ce constat, Montaigne n'en continue pas moins d'accumuler de l'épargne et de n'oser l'entamer de crainte qu'elle ne s'écroule. Quel vice tout de même que de se plaire ainsi à manier, à peser et à recompter sans cesse son argent !

> On va toujours grossissant cet amas et l'augmentant d'un nombre à autre, jusqu'à se priver vilainement de la jouissance de ses propres biens, et l'établir toute en la garde et à n'en user point[92].

Voyager à l'époque de Montaigne, c'est s'exposer aux brigands qui, se tenant en embuscade, attaquent les gentilshommes afin de les voler.

Mais vint un jour (à partir du voyage d'Italie) où l'immense plaisir que prenait Montaigne à voyager (c'est-à-dire à prendre la route, à découvrir des contrées inconnues, à quitter le confort douillet de ses propres habitudes et coutumes) eut raison – malgré les grandes dépenses engagées – de son avarice, « cette maladie si commune aux vieux, et la plus ridicule de toutes les humaines folies[93] ».

C'est alors qu'il se mit à vivre au jour le jour, à faire coïncider ses dépenses avec ses recettes, et à se contenter d'avoir l'argent nécessaire aux besoins présents et ordinaires. De toute façon, il faut reconnaître qu'aucune provision au monde ne saurait suffire aux besoins extraordinaires ! Et s'il lui est arrivé encore d'amasser de l'argent, ce n'est pas, dit-il, par prévoyance de dépense prochaine, « mais pour acheter du plaisir » !

88. *Ibid.*, livre I, chapitre 28, p. 147.

89. La mort d'Étienne de La Boétie, à l'âge de trente-deux ans, mit fin à cette célèbre amitié.

90. *Essais*, livre I, chapitre 28, p. 149.

91. *Ibid.*, livre I, chapitre 14, p. 58.

92. *Ibid.*, livre I, chapitre 14, p. 58.

93. *Ibid.*, livre I, chapitre 14, p. 59.

L'asservissement aux civilités et aux coutumes

Même si la connaissance des convenances et des bonnes manières en usage dans les diverses sociétés permet de nous instruire des coutumes d'autrui, il n'en demeure pas moins que Montaigne trouve ces civilités pénibles, quand sa vie en demeure contrainte. Il dit oublier souvent ces «vains offices» et éliminer toutes cérémonies en sa maison.

> Quelqu'un s'en offense? Qu'y ferais-je? Il vaut mieux que je l'offense pour une fois qu'à moi tous les jours. Ce serait une **sujétion** continuelle[94].

Montaigne déclare avoir un tempérament flexible et non entêté. Avec peu d'effort, il se dit être en mesure de se détourner d'habitudes et de coutumes acquises, pour agir – *s'il le faut* – de façon contraire.

Ainsi, lorsqu'il est en voyage, Montaigne se montre sensible et ouvert aux coutumes inconnues et nouvelles qu'il découvre en terres étrangères. Le *Journal de voyage en Italie par la Suisse et l'Allemagne*[95] nous donne à voir un Montaigne s'émerveillant des façons de faire et de penser des autres qu'il juge parfois supérieures à celles en vigueur dans son propre pays. D'ailleurs, il se plie volontiers aux habitudes et aux usages des peuples visités. En Allemagne, par exemple, il boit son vin «à l'allemande», c'est-à-dire sans être coupé avec de l'eau. Franchissant la frontière italienne, il se met à écrire son journal en italien! Il ne fait aucune discrimination face aux lieux de culte visités: églises catholiques, temples luthériens ou calvinistes, synagogue juive où il assiste à une circoncision.

On le voit, Montaigne manifeste une sincère ouverture d'esprit face aux diverses manières de vivre dont il a été le témoin pendant ce voyage. En contrepartie, il se veut partisan d'une souplesse, voire d'une certaine distanciation par rapport aux coutumes et aux croyances établies dans son propre pays. Pourquoi? Parce que, sans recul critique, il est facile de vénérer (y ayant été conditionné) les opinions et les mœurs approuvées et reçues par la coutume. Cet asservissement aux règles de vie et aux usages communs au groupe auquel nous appartenons peut nous amener à considérer «que ce qui est hors des gonds de la coutume, on le croit hors des gonds de la raison[96]». À ce propos, il recommande à tout jeune homme d'apprendre à modifier au besoin ses règles de vie rigides, s'il ne veut se voir totalement détruit lorsqu'à la moindre défaillance il n'aura pu suivre ses habitudes inflexibles.

Plus loin, se disant vieillissant, Montaigne avoue que la coutume en vigueur dans sa propre contrée a déjà imprimé en lui plusieurs habitudes dont le rejet lui apparaîtrait comme excessif. En conclusion, il recommande de suivre les meilleures règles communes, mais non de s'y asservir. Quel critère nous permet de les reconnaître? Montaigne affirme que, pour être acceptable, une coutume se doit d'être raisonnable et juste.

Au regard des divers lieux de culte visités et des coutumes religieuses rencontrées lors du voyage en Italie, de toute évidence, Montaigne a manifesté un libéralisme religieux peu commun pour l'époque. Soyons-en assurés, cette ouverture

---

Sujétion

État de l'individu qui est soumis à une autorité, à une domination souveraine. Synonyme d'«assujettissement», de «dépendance» ou d'«oppression».

---

94. *Ibid.*, livre I, chapitre 13, p. 47.

95. Ce voyage se fit du 22 juin 1580 au 30 novembre 1581. Ces notes de voyage furent retrouvées au fond d'une malle, cent soixante-huit ans après la mort de Montaigne. Voir *Journal de voyage en Italie par la Suisse et l'Allemagne* (édité et présenté par Claude Pinganaud, Paris, Arléa, 1998).

96. *Essais*, livre I, chapitre 23, p. 95.

aux différentes pratiques religieuses trouve un appui sur une profonde et sincère acceptation de la liberté de conscience de tout un chacun.

La liberté de conscience

Ennemi des fanatismes, des dogmatismes et des fondamentalismes de tout acabit, Montaigne se fait l'apôtre de la tolérance. Rappelons qu'à l'époque la France est agitée par des guerres civiles issues d'une crise religieuse profonde. Des violences inouïes, des cruautés sans bornes se parent du «glorieux titre de justice et de dévotion». Dans ce monde «où la méchanceté vient à être légitime», Montaigne dénonce d'abord ceux qui profitent de la situation pour déployer leurs vengeances personnelles, cultiver leur propre cupidité ou courtiser les bonnes grâces des princes. Ensuite, il juge sévèrement «les gens de bien [qui] par vrai zèle envers leur religion, sainte affection à maintenir la paix et l'état de leur patrie», manquent pourtant de modération. Il s'en trouve plusieurs, écrit-il, «que la passion pousse hors des bornes de la raison[97]» et les conduit à prendre des décisions inéquitables, colériques et risquées.

Faisant sienne la volonté de l'empereur romain Julien dit l'Apostat[98] «que chacun sans empêchement et sans crainte servit à [serve] sa religion[99]», Montaigne défend avec fermeté la liberté de conscience, c'est-à-dire la liberté de croire et de pratiquer sa religion, pour autant que cette dernière n'entraîne pas l'intolérance et la cruauté. Mais, étant donné la crise en vigueur, Montaigne se veut nuancé. D'un côté, il croit que laisser aux parties (les catholiques et les protestants) l'entière liberté de croyance et de pratique religieuse, c'est répandre et même augmenter la division, puisque aucune loi ne contraint alors son expansion. Mais d'un autre côté, instaurer des conditions favorables aux différentes croyances et pratiques religieuses contribue à les affaiblir – ces dernières devenant moins combatives, puisque n'ayant plus à se battre pour exister…

Savoir mourir

La philosophie de Montaigne pourrait être résumée par la phrase suivante : le *savoir être à soi* (la connaissance de soi) permet de *vivre à propos*, c'est-à-dire de «bien vivre» (vivre d'une manière bonne), et nous apprend à «bien mourir», c'est-à-dire à mourir avec sérénité.

Adoptant la célèbre formule de Socrate «*Philosopher, c'est apprendre à mourir*» (*Phédon* [67ᶜ]) et rejoignant les propos de **Cicéron,** Montaigne affirme que «toute la sagesse et discours du monde se résolvent enfin à ce point de nous apprendre à ne craindre point à mourir[100]».

> Cicéron (–106 à –43), politique, grand orateur et philosophe latin, chercha à concilier les écoles épicurienne, stoïcienne et platonicienne en présentant une éthique en harmonie avec les exigences de la cité.

Or, les hommes ont une curieuse attitude face à la mort : parce que la mort les effraie, ils laissent cette dernière empoisonner leur vie. À quoi bon, se demande Montaigne, craindre la mort, ce «quart d'heure de passion [souffrance] sans conséquence, sans nuisance [qui] ne mérite pas de préceptes particuliers[101]»? C'est par ces mots que Montaigne reconnaît, en quelque sorte, la normalité de la mort.

---

97. *Ibid.*, livre II, chapitre 19, p. 488.

98. Julien (en latin Flavius Claudius Julianus), dit l'Apostat, est né à Constantinople en 331 et est mort en Mésopotamie en 363. Empereur romain de 361 à 363, Julien instaura un gouvernement ouvert à la tolérance religieuse.

99. *Essais*, livre II, chapitre 19, p. 490.

100. *Ibid.*, livre I, chapitre 20, p. 70.

101. *Ibid.*, livre I, chapitre 31, p. 158.

Il est naturel, dit Montaigne, de craindre la douleur – cette «avant-coureuse coutumière de la mort[102]» –, mais non la mort en soi, car «c'est une partie de notre être moins essentielle que le vivre». Pour quelle raison, se demande-t-il, la nature nous aurait donné la mort en horreur, alors qu'elle lui est d'une grande utilité pour assurer la continuité de la Vie[103]?

Puisqu'à notre mort «nous entraînerons tout avec nous[104]» (c'est pour nous une sorte de «fin du monde»), les hommes n'acceptent pas facilement de devoir quitter la vie. D'autant plus que, faisant grand cas de nous-mêmes, nous croyons à tort que le monde entier souffrira de notre perte!

Considérons plutôt la mort comme étant «le bout», «l'extrémité» de la vie, mais non pas son but. Et si nous apprenions à *savoir mourir* comme nous nous devons d'apprendre à *savoir vivre*, notre fin serait plus légère! «Si nous avons su vivre constamment et tranquillement, énonce Montaigne, nous saurons mourir de même[105].»

Mais encore faut-il cesser d'avoir peur de la mort en cultivant, entre autres, l'endurance face aux malheurs présents et l'indifférence face aux accidents futurs.

La mort comme *maître jour*

N'allons pas croire que Montaigne n'accorde aucune importance à la mort! Au contraire, il pense qu'il nous faut vivre constamment dans la perspective de la mort, parce qu'elle représente le moment décisif qui jugera de l'authenticité de notre vie. Manifestement, Montaigne octroie un rôle capital à la mort: celui d'être «le maître jour, [...] le jour juge de tous les autres, [celui] qui doit juger de toutes [ses] années passées[106]». Plus de place ici pour les masques, la parade ou la tricherie! Voilà l'heure de vérité toute nue!

À cause de «l'incertitude et variété des choses humaines qui, d'un bien léger mouvement, se changent d'un état en autre tout divers», on ne doit se permettre d'appeler un homme heureux avant qu'il ait «joué le dernier acte de sa comédie; et sans doute le plus difficile[107]». Ainsi en va-t-il pour tout homme qui ne peut, avant son dernier jour, juger ultimement du bonheur ou du malheur de sa vie.

La préméditation de la mort est préméditation de la liberté

La mort étant inévitable et pouvant venir en tout lieu et à tout moment, il vaut mieux la mépriser plutôt que d'en avoir peur. Sinon une inquiétude continuelle nous attend: impossible alors d'avancer sans crainte dans la vie! Cependant, mépriser la mort ne veut pas dire ne jamais y penser en imitant les gens du peuple qui vont et viennent comme si la mort n'avait pas de prise sur eux... Mais, «quand elle arrive, ou à eux, ou à leurs femmes, enfants et amis, les surprenant en dissoudre [à l'improviste] et à découvert, quels tourments, quels cris, quelle rage et quel désespoir les accablent[108]!»

Puisque la mort est une ennemie qu'on ne peut éviter, Montaigne recommande de s'y préparer de bonne heure, et de la combattre en lui ôtant son plus

---

102. *Ibid.*, livre I, chapitre 14, p. 52.

103. Ici, Montaigne fait référence à l'idée que notre dépouille permet à d'autres vies de naître.

104. *Essais*, livre II, chapitre 13, p. 442.

105. *Ibid.*, livre III, chapitre 12, p. 755.

106. *Ibid.*, livre I, chapitre 19, p. 69.

107. *Ibid.*, livre I, chapitre 19, p. 68.

108. *Ibid.*, livre I, chapitre 20, p. 73.

grand avantage contre nous : son étrangeté. Accoutumons-nous donc à notre propre mort en l'ayant constamment en tête et sous toutes ses formes possibles, parce qu'à la manier et à la repasser de long en large dans notre imagination, nous apprendrons à l'apprivoiser.

Alors, une fois qu'on aura compris que « la privation de la vie n'est pas mal » et que celui qui a appris à mourir est « *affranchi de toute sujétion et contrainte*[109] », ne sachant où la mort nous attend, nous saurons sereinement l'attendre partout.

Montaigne termine son exposé en disant que, malgré cette conscience aiguë de la mort, il veut agir pendant qu'il est encore en vie et « que la mort le trouve plantant ses choux, mais nonchalant d'elle [la mort] et encore plus de son jardin imparfait[110] ». Par ailleurs, il souhaite que sa mort soit naturelle et juste, c'est-à-dire qu'elle ne survienne pas à un âge d'une extrême vieillesse[111], car cela serait trop abuser de la nature.

Montaigne aujourd'hui

Montaigne et l'amitié

Aujourd'hui

Rappelons-nous à quel point Montaigne accorde de l'importance à l'amitié. Ce sentiment correspond à ce qu'il y a de plus parfait dans la nature. À ses yeux, l'amitié véritable instaure une relation spirituelle entre deux êtres qui ont des affinités. Une profonde et sincère complicité s'établit alors entre les deux amis, ce qui permet une union complète de leurs âmes. Ce lien précieux se fonde sur une confiance mutuelle totale dans la capacité de penser et de juger de son ami.

Aujourd'hui, trouvons-nous sur le site Web Facebook[112] une correspondance avec les propos tenus par Montaigne sur l'amitié, ou, au contraire, sommes-nous en train de changer radicalement la définition traditionnelle de l'amitié ? Facebook est le principal site de *réseautage* où l'on présente ce que chacun y diffuse : ce qu'on fait dans la vie, ce qu'on aime, ce qu'on écoute, ce qu'on fréquente, etc. On y dévoile aussi ses états d'âme et ses menus gestes quotidiens. Mais ce qu'on y découvre aussi, c'est que bon nombre des profils des utilisateurs indiquent plus de trois cents « amis » ! Que certains sollicitent même des inconnus pour qu'ils deviennent leurs « amis ». Que d'autres ajoutent de nouveaux noms d'« amis » à leurs listes, alors qu'ils n'ont discuté ensemble qu'une seule fois !

En collectionnant ainsi des « amis » comme s'ils étaient de simples pièces de monnaie, n'est-on pas en train de banaliser l'amitié ? Peut-on honnêtement discuter de sujets intimes[113] – c'est là, selon une étude récente, le critère permettant de définir,

---

109. *Ibid.*, livre I, chapitre 20, p. 74.

110. *Ibid.*, livre I, chapitre 20, p. 75.

111. Montaigne avance le chiffre de soixante-dix ans comme étant un âge d'une extrême vieillesse !

112. Au Canada, un habitant sur cinq est inscrit au *réseau social* Facebook. Cela fait du Canada le pays proportionnellement le plus « branché » de la planète (*L'Actualité*, mars 2008) ! D'autres statistiques intéressantes révèlent qu'un million de Québécois fréquentent Facebook ; qu'un internaute québécois sur quatre est un adepte de ce site, et qu'il y consacre en moyenne dix-neuf minutes par connexion. En règle générale, ces très nombreux utilisateurs ignorent que Facebook devient l'unique propriétaire de ce qu'on lui confie, et qu'il analyse le tout afin d'établir des traits communs aux utilisateurs, qui deviendront des clientèles cibles pour les annonceurs publicitaires !

113. L'*American Sociological Review* rapporte qu'un Américain sur quatre avoue n'avoir plus aucun confident !

Les adeptes du réseau social Facebook (regroupant plus de quatre-vingt-dix millions d'utilisateurs) se sentent valorisés, appréciés et aimés par leurs «amis» virtuels.

aujourd'hui, l'amitié – avec trois cents personnes?! Les adeptes de Facebook disent pourtant se sentir valorisés, appréciés et aimés par leurs «amis» virtuels! Est-ce à dire que les utilisateurs de ce *réseau social* ne sont pas aimés dans la vraie vie par des personnes réelles, avec lesquelles ils construisent des relations amicales réciproques? Le phénomène Facebook mettrait-il en lumière l'immense solitude dans laquelle les individus sont actuellement enfermés? Et cette solitude serait-elle, en quelque sorte, mise en veilleuse par la fausse impression de complicité et de proximité avec les nombreux contacts qu'on trouve sur notre liste?

Par ailleurs, cette quête frénétique de nouveaux «amis» indiquerait-elle que nous avons tout bonnement perdu, aujourd'hui, la capacité d'entrer en relation d'amitié véritable avec une personne réelle, d'y être fidèles et loyaux parce que nous l'aimons, de partager nos secrets, nos peurs, nos forces, nos faiblesses aussi, parce que nous avons confiance en elle?

Montaigne et la problématique de l'authenticité et du paraître

Tout au long des *Essais*, Montaigne récuse les apparences trompeuses. Il dénonce l'artifice et le déguisement. Il condamne son siècle et la comédie continuelle qui s'y joue. Il juge sévèrement son époque, la disant depuis longtemps imprégnée du vice de la dissimulation: «La dissimulation, écrit-il, est des plus notables qualités de ce siècle[114].»

En fait, Montaigne reproche à ses contemporains de se dissimuler derrière des rôles et des apparences qui masquent ce qu'ils sont vraiment. Il condamne aussi les divers subterfuges, ruses et simulacres utilisés par les princes qui se présentent plus grands que nature à leur cour et à leur peuple. Bref, en ce monde trouble où tout croule autour de lui, Montaigne accuse les hommes de tromperie, d'imposture et d'hypocrisie:

> Cette nouvelle vertu de feintise et de dissimulation qui est à cette heure fort en crédit, je la hais capitalement et, de tous les vices, je ne trouve aucun qui témoigne tant de lâcheté et de bassesse de cœur. *C'est une humeur couarde et servile de s'aller déguiser et cacher sous un masque, et de n'oser se faire voir tel qu'on est.* Par là nos hommes se dressent à la perfidie[115] […]

Deux siècles plus tard, Rousseau critiquera encore avec virulence cette tendance lourde du comportement humain en société.

Le paraître d'aujourd'hui

Ne pourrions-nous établir un rapport entre ce monde d'artifices et de faux-semblants décrié par Montaigne et la conduite d'un nombre de plus en plus grand

---

114. *Essais*, livre II, chapitre 18, p. 486.

115. *Ibid.*, livre II, chapitre 17, p. 473.

d'individus qui, aujourd'hui, consacrent la plus grande partie de leur existence à se faire valoir? Ce faisant, ils privilégient le paraître par rapport à la quête d'une authenticité propre.

Ces personnes investissent toutes leurs énergies dans l'image projetée d'une réussite professionnelle accomplie. Horaires chargés, prévisions, planification aux multiples visages ne visent qu'un but : atteindre un statut financier et social envié ou en donner l'impression. Ces personnes acceptent sans résistance de s'intégrer dans un monde d'images, d'apparences, de conventions, pour autant que ce monde leur octroie un statut. Ils consentent à se nourrir d'artifices, à vivre superficiellement, à orienter leur vie en fonction de l'appât du gain, de l'accumulation de gadgets nouveaux mais souvent inutiles, de la consommation passive de loisirs à la mode, etc.

Les jeunes loups du commerce, de la finance, de l'informatique ou du multimédia qui fréquentent les « 5 à 7 » de n'importe quelle rue branchée pourraient, entre autres, servir d'exemple. Ils se pavanent au volant de rutilantes BMW ou Mercedes sport, sont vêtus de costumes Armani, portent des montres Rolex. S'affichant aux terrasses des bars et des restaurants, ils ont des conversations ostentatoires à leur téléphone cellulaire dernier cri. Ils ont l'air d'en « mener large », d'être des gens importants qui « brassent de grosses affaires » et sur qui il faut compter.

L'apparence et le culte de la personnalité

Ainsi, à force de cultiver le paraître au détriment de l'être authentique, on en est arrivés à instaurer, dans notre monde actuel, un véritable culte de la personnalité basé sur le vedettariat.

Les médias, complices de cette tendance, nous proposent constamment des modèles fabriqués sur des apparences, bien plus que sur un contenu authentique. Sans cesse, on porte aux nues des « artistes » populaires sans grand talent dont l'œuvre ne passera pas l'épreuve du temps. On vante les mérites d'un homme d'affaires dont la fortune se classe parmi les plus grandes. On raffole des frasques d'un chef d'État qui joue au « *jet-setter* » et qui expose sa vie privée avec impudeur, et ainsi de suite. Toute notre attention est tournée vers l'ampleur de la réussite matérielle et le niveau du statut de ces « vedettes », et rarement vers un questionnement de fond sur la valeur ou la portée humaine de leur réalisation.

La quête de l'être

À l'opposé du monde de l'avoir et du paraître s'est développée au Québec une culture de l'être défendue par des penseurs tels que Fernand Dumont, Charles Taylor et Jacques Grand'Maison. En dénonçant certains caractères de l'avoir et du culte de l'apparence (efficacité, rentabilité et performance à tout prix, confort satisfait, divertissement vulgaire, infantilisme, valorisation du *high-tech*, etc.) et en suggérant des orientations et des valeurs autres (le non-conformisme, l'authenticité, la « véracité à soi-même », la recherche de la spiritualité, etc.), ces esprits critiques poursuivent, chacun à leur façon, cette quête de l'être à soi-même déjà entreprise par Montaigne, et qu'un autre grand philosophe – René Descartes – reprendra au siècle suivant, quoique dans des perspectives et avec des préoccupations propres.

L'essentiel

Montaigne

Montaigne est à la **recherche du bonheur**, c'est-à-dire de la manière bonne de vivre heureux. Pour y parvenir, il préconise un **savoir être à soi** où l'on essaie d'atteindre – dans le but de **se connaître** pour mieux **se définir** – ce moi toujours en mouvement et aux multiples visages. Ne pouvant rien établir de certain sur soi par l'intermédiaire du jugement, Montaigne affirme que ce sont **nos actes** qui **nous révèlent à nous-mêmes**. Ce constat conduit à un **savoir vivre à propos**, préconisant de **suivre la nature** qui enseigne de **privilégier les inclinations accessibles**, de **désirer et posséder avec modération : corps et âme associés dans le plaisir**, mais **en évitant l'excès** qui mène toujours à la douleur. Une autre maxime est proposée par Montaigne : aimons la vie en étant **présents à ce qui est** au lieu de courir après ce qui sera.

Nous établirons alors notre **vraie liberté face à autrui** en **évaluant nous-mêmes notre être propre**, tout en nous montrant **ouverts et tolérants par rapport aux autres**.

Dans cette quête de l'authenticité à soi-même, Montaigne recommande d'**évaluer les passions** qui nous habitent, afin de **rejeter les mauvaises** et de **cultiver les bonnes**.

Comme il faut apprendre à savoir vivre pour être heureux, Montaigne pense qu'il faut apprendre aussi à **savoir mourir**. Il importe de **ne pas craindre la mort**, de **la considérer comme le bout de la vie** (et non son but) et de **l'apprivoiser en l'attendant partout**.

Réseau de concepts

Résumé de l'exposé

Montaigne et la Renaissance

Notice biographique

Michel de Montaigne (1533-1592) fut un politique-conciliateur profondément engagé dans son époque et honoré à de multiples occasions. Il a fréquenté quatre rois qui se sont succédé à la tête d'une France affligée par des luttes de pouvoir issues des guerres de Religion. Montaigne fut surtout l'auteur-philosophe d'un seul livre, les *Essais,* auquel il consacra la majeure partie de sa vie. Ce «livre de bonne foi» – qui annonce la pensée moderne – inspirera les philosophes des siècles suivants.

La Renaissance

La Renaissance est un vaste mouvement culturel qui se développa en Europe au XVᵉ et au XVIᵉ siècle. Les artistes, les savants et les penseurs quittent le prétendu «obscurantisme» du Moyen Âge pour accéder à un âge nouveau où ils redécouvrent l'Antiquité gréco-romaine considérée comme la source de la civilisation occidentale.

La découverte des Amériques

Une autre découverte importante est celle des Amériques. Les discussions sur la nature des indigènes ont suscité un questionnement sur la nature véritable de l'homme.

Du bonheur de l'homme

Savoir être à soi

Montaigne propose un *savoir être à soi* qui permet la découverte de son être propre.

À la question «qu'est-ce qui me définit en tant qu'homme?», Montaigne répond: ce sont les actes que j'accomplis qui composent mon moi profond, et qui, en conséquence, constituent ma nature intime.

Juger de soi-même

Se peindre méticuleusement – tel a été le projet de Montaigne dans ses *Essais* – nécessite une saisie de soi dans l'instant présent.

Mais puisque, selon Montaigne, tout change perpétuellement, le moi appréhendé est en mouvance continuelle. Ce constat entraîne chez lui un doute profond quant à la capacité de la raison de connaître avec certitude. Adoptant ainsi une attitude sceptique par rapport au savoir en général, Montaigne met aussi en doute sa faculté de juger, avec une totale assurance de vérité, son moi, qui se transforme sans cesse dans le temps.

Savoir vivre à propos

La responsabilité que nous devons faire nôtre est de «composer nos mœurs», c'est-à-dire nous construire une morale qui régira notre conduite. Les recommandations de bonne vie défendues par Montaigne peuvent être résumées de la façon suivante:

La nature et le bonheur de l'homme

La nature a doté l'être humain de la capacité d'être heureux à condition de vivre selon la nature, c'est-à-dire de se contenter du nécessaire, et donc de fuir les désirs et les besoins superflus et illimités.

Les *règles de nature* et le senti

Si les inclinations et les sensations, qui nous mettent en contact avec la nature, sont vécues selon les *règles de nature,* elles sont toujours plaisantes; au contraire, si elles vont à l'encontre de la nature, elles sont toujours affligeantes.

Mais quelles sont ces règles de nature?

Règle 1. Il faut se limiter aux désirs qui nous sont accessibles, parce qu'eux seuls sont naturels et bons.

Règle 2. Il ne faut pas entretenir de désirs et de besoins artificiels et démesurés, car ils apportent plus de peine que de joie.

Le plaisir et la modération

Afin qu'on puisse profiter au maximum des plaisirs du corps, Montaigne recommande d'y associer son âme. Elle appréciera et amplifiera même le bonheur ressenti, mais évitera de dépasser la limite où le déplaisir – qui découle de toute forme d'excès – surgira.

L'âme et le corps

Âme et corps étant joints pour constituer l'homme entier, le rôle de l'âme est de conseiller, de contrôler et de redresser le corps quand il tombe dans l'abus.

Être présent à ce qui est

L'humaine condition commande que notre occupation fondamentale soit de vivre, c'est-à-dire d'être totalement présents à nous-mêmes et à ce que nous vivons dans le moment présent.

La liberté face à autrui

Montaigne propose un projet de construction et d'émancipation de soi.

Seul, face à face avec soi-même, sans se préoccuper du jugement d'autrui, l'individu affirme sa souveraine liberté d'être ce qu'il veut être.

Les passions humaines

Montaigne analyse sa manière de vivre les passions et en fait une critique.

La gloire

La gloire est une passion qui se construit sur un fond de vanité.

Laisser à autrui le soin de nous accorder une valeur, voire une grandeur, est déraisonnable, parce que l'évaluation que les autres se font de nous s'appuie généralement sur des apparences.

La tristesse

Au lieu d'être tristes et de succomber stupidement au malheur, Montaigne nous suggère de cultiver le détachement face à ce qui nous accable et nous dépasse.

L'amitié

L'amitié ne cherchant qu'elle-même, Montaigne la considère comme ce qu'il y a de plus parfait dans la nature. Elle doit être distinguée des relations familiales et amoureuses ou de n'importe quelle forme de rapports opportunistes, inégalitaires ou à caractère purement sexuel (comme l'homosexualité grecque).

L'amitié véritable est un sentiment profond qui unit deux adultes dont les caractères sont déjà formés et qui ont des affinités spirituelles d'une manière égalitaire.

L'amitié véritable génère une jouissance toute spirituelle et les âmes, par elle, deviennent plus fines et délicates.

L'appétit de thésauriser

L'appétit de thésauriser est un vice qui consiste à accumuler sans cesse de l'épargne et à n'oser l'entamer de crainte qu'elle ne s'écroule. L'avarice est «cette maladie si commune aux vieux, et la plus ridicule de toutes les humaines folies».

L'asservissement aux civilités et aux coutumes

Montaigne recommande qu'on prenne un recul critique par rapport aux coutumes et aux croyances établies dans notre propre contrée.

Cependant, on se doit de suivre (non d'en devenir esclave) les règles communes pour autant qu'elles semblent raisonnables et justes.

La liberté de conscience

Apôtre de la tolérance, Montaigne défend la liberté de conscience et son respect, c'est-à-dire la liberté de croire et de pratiquer sa religion, pourvu qu'elle n'entraîne pas l'intolérance et la cruauté.

Savoir mourir

Il me faut apprendre à ne pas craindre la mort, car celle-ci fait partie de ma vie.

La mort comme *maître jour*

La mort est le moment décisif qui jugera de ce qu'a été ma vie.

La préméditation de la mort est préméditation de la liberté

Je me dois d'apprivoiser ma mort en l'attendant partout et sous toutes ses formes possibles.

Ce *savoir mourir* me libérera de la domination que la mort pourrait exercer sur ma vie en m'empêchant d'agir.

Montaigne aujourd'hui

Montaigne et l'amitié

L'amitié est, selon Montaigne, le sentiment le plus abouti que deux êtres puissent vivre. Une relation spirituelle unique s'établit alors entre deux âmes, relation qui repose sur des affinités, sur une profonde complicité et sur une confiance mutuelle.

Qu'en est-il de l'amitié, aujourd'hui, quand un site Internet de réseautage comme Facebook présente des profils d'utilisateurs ayant collectionné plus de trois cents «amis»? Cette quête frénétique d'«amis» serait-elle l'indice de l'incapacité actuelle d'entrer en relation d'amitié véritable avec une personne réelle avec laquelle nous puissions discuter de sujets intimes?

Montaigne et la problématique de l'authenticité et du paraître

Montaigne accuse ses contemporains de tromperie, d'imposture et d'hypocrisie. Il leur reproche de se dissimuler derrière des rôles et des apparences qui masquent ce qu'ils sont vraiment.

Le paraître d'aujourd'hui

Peut-on établir un lien entre ce monde d'artifices et de faux-semblants décrié par Montaigne et ces individus qui, aujourd'hui, consacrent l'essentiel de leur existence à se faire valoir en projetant une image de réussite? Qui sont-ils vraiment derrière les apparences et les artifices dont ils s'affublent?

L'apparence et le culte de la personnalité

Qui plus est, n'est-on pas en train d'instaurer, aujourd'hui, un culte de la personnalité basé sur des modèles de héros établis sur des apparences? En valorisant l'ampleur de la réussite matérielle de ces «vedettes», on néglige de s'interroger sur la valeur ou la portée humaine de leurs réalisations.

La quête de l'être

À l'opposé du monde de l'avoir et du paraître, des penseurs d'aujourd'hui poursuivent, chacun à leur façon, une quête de l'être à soi-même déjà entreprise par Montaigne.

Activités d'apprentissage

Vérifiez vos connaissances

1. Montaigne a appris à parler le latin avant d'apprendre le français. VRAI ou FAUX ?

2. Montaigne peut être considéré comme l'un des premiers humanistes de la Renaissance. VRAI ou FAUX ?

3. Selon Montaigne, l'homme est un « sujet stable, constant et uniforme ». VRAI ou FAUX ?

4. Tout au long des *Essais,* Montaigne fait preuve d'un orgueil démesuré qui l'incite constamment à se surévaluer. VRAI ou FAUX ?

5. Selon Montaigne, qu'est-ce qui définit le moi propre ?

6. Montaigne est aux prises avec la problématique suivante : saisir un homme constamment en mouvance, un homme qui se constitue en même temps qu'il se décrit. VRAI ou FAUX ?

7. Quelle est la devise que Montaigne a fait graver sur une médaille portant une balance en équilibre ?

8. Selon Montaigne, quelle est la responsabilité qu'il incombe à l'être humain de développer ?

9. Selon Montaigne, suivre les *règles de nature,* c'est – à l'image de la prodigalité de mère nature – nous laisser librement emporter par nos désirs et nos besoins. VRAI ou FAUX ?

10. Nommez l'un des rôles que Montaigne attribue à l'âme humaine dans son rapport au corps.

11. Montaigne recommande d'aimer la vie telle qu'il nous est donné de la vivre dans l'instant présent et d'en jouir à la fois par l'esprit et par le corps. VRAI ou FAUX ?

12. Montaigne affirme que « notre vraie liberté [consiste] à prendre notre ordinaire entretien de nous à nous-mêmes, et si privé que nulle accointance ou communication étrangère y trouve place ». VRAI ou FAUX ?

13. Donnez le nom complet de celui à qui Montaigne accorda une très grande amitié, exprimée par la formule : « Parce que c'était lui ; parce que c'était moi. »

14. Montaigne se veut le partisan d'une véritable liberté de conscience, c'est-à-dire de la liberté de croire, de penser et d'agir comme bon nous semble. VRAI ou FAUX ?

15. À partir de ce que vous avez appris sur Montaigne, indiquez laquelle des citations suivantes n'a pas été écrite par lui.

   a) « La *vraie liberté,* c'est pouvoir toute chose sur soi. »

   b) « En fait, nous sommes une liberté qui choisit mais nous ne choisissons pas d'être libres : nous sommes condamnés à la liberté. »

   c) « La préméditation de la mort est préméditation de la liberté. Qui a appris à mourir, il a désappris à servir. »

Analyse et critique de texte

Cette activité exige la lecture préalable de l'extrait des *Essais* présenté à la page 40.

Compétences à acquérir

- Démontrer sa compréhension d'un texte de Montaigne en transposant dans ses propres mots une partie de ce texte philosophique.

- Évaluer le contenu, c'est-à-dire exprimer son accord ou son désaccord (et en donner les raisons) sur les idées de Montaigne qui ont été présentées dans le texte.

Questions

1. À l'instar de Montaigne, croyez-vous « qu'il y a plus de distance de tel à tel homme qu'il n'y a de tel homme à telle bête » ? (Minimum suggéré : une demi-page.)

2. Répondez aux deux questions que pose Montaigne : « Pourquoi de même n'estimons-nous un homme par ce qui est sien ? », et son corollaire : « Pourquoi, estimant un homme, l'estimez-vous tout enveloppé et empaqueté ? » (Minimum suggéré : une demi-page.)

3. a) Reformulez, dans vos propres mots, le passage suivant :

      « […] l'aveuglement de notre usage est tel que […] si nous considérons un paysan et un roi, un noble et un vilain, un magistrat et un homme privé, un riche et un pauvre, il se présente soudain à nos yeux une extrême disparité [eux] qui ne sont différents par manière de dire qu'en leurs chausses. »

   #### Commentaire critique

   b) Êtes-vous d'accord avec les propos défendus ici par Montaigne ? Vous devez fonder votre jugement, c'est-à-dire défendre votre point de vue, en apportant deux arguments pour appuyer vos affirmations. (Minimum suggéré : une page.)

Analyse et critique d'un texte comparatif

Cette activité exige la lecture préalable de l'extrait des *Pensées* présenté à la page 42.

Compétence à acquérir

- Évaluer le contenu, c'est-à-dire exprimer son accord ou son désaccord (et en donner les raisons) sur des critiques formulées à l'endroit de Montaigne par Pascal.

Questions

Texte n° 1

1. En se «racontant» au lecteur, Montaigne surestime-t-il son importance comme personne? Fait-il montre de vanité, d'un souci de paraître que, par ailleurs, il dénonce? (Minimum suggéré: une demi-page.)

2. À votre avis, quelles seraient les «sottises» dites par Montaigne dans les *Essais*? (Minimum suggéré: une demi-page.)

Texte n° 2

3. En cherchant à apprivoiser la mort, Montaigne ne cherche-t-il pas à se cacher le caractère «tragique» de cette réalité et à éviter «lâchement» l'angoissant affrontement avec le *bout de la vie*? (Minimum suggéré: une demi-page.)

Extraits de textes

Texte de Montaigne ■ «De l'inégalité qui est entre nous»

Plutarque dit en quelque lieu qu'il ne trouve point si grande distance de bête à bête, comme il en trouve d'homme à homme. Il parle de la suffisance [vanité] de l'âme et qualités internes. À la vérité, [...] j'enchérirais volontiers sur Plutarque, et dirais qu'il y a plus de distance de tel à tel homme qu'il n'y a de tel homme à telle bête,

> *quelle distance d'un homme à un autre!*
> (Térence, *L'Eunuque*, 11, 3, 1)

et qu'il y a autant de degrés d'esprit qu'il y a d'ici au ciel de **brasses**, et autant innombrables.

Brasse
Ancienne mesure de longueur égale à 1,60 mètre environ.

10 Mais, à propos de l'estimation des hommes, c'est merveille que, sauf nous, aucune chose ne s'estime que ses propres qualités. Nous louons un cheval de ce qu'il est vigoureux et adroit,

> *nous louons un cheval pour sa vitesse,*
> *Pour les palmes nombreuses remportées dans le cirque*
> *Sous les applaudissements des foules hurlantes.*
> (Juvénal, *Satires*, VIII, 57)

non de son harnais; un lévrier de sa vitesse, non de son collier; un oiseau de son aile, non de ses longes et sonnettes [courroies et grelots des oiseaux de volerie]. Pourquoi de même n'estimons-nous un homme par ce qui est 20 sien? Il a un grand train [de vie], un beau palais, tant de crédit, tant de rente: tout cela est autour de lui, non en lui. Vous n'achetez pas un chat de poche. Si vous marchandez un cheval, vous lui ôtez ses bardes [harnachement], vous le voyez nu et à découvert, ou, s'il est couvert, comme on les présentait anciennement aux princes à vendre, c'est par les parties moins nécessaires, afin que vous ne vous amusiez pas à la beauté de son poil ou largeur de sa croupe, et que vous vous arrêtiez principalement à considérer les jambes, les yeux et le pied, qui sont les membres les plus utiles,

> *Quand ils achètent des chevaux, les rois ont coutume*
> *de les examiner couverts*
> *De peur, si l'animal a belle tête mais pied faible, comme c'est souvent le cas,*
> *D'être séduit et trompé par une large croupe, une tête fine ou*
> *une haute encolure.*
>
> (Horace, *Satires,* I, 2, 86)

Pourquoi, estimant un homme, l'estimez-vous tout enveloppé et empaqueté ? Il ne nous fait montre que des parties qui ne sont aucunement siennes, et nous cache celles par lesquelles seules on peut vraiment juger de son estimation. C'est le prix de l'épée que vous cherchez, non de la gaine [étui] : vous n'en donnerez à l'aventure pas un quatrain [quart d'un sou] si vous l'avez dépouillé. Il le faut juger par lui-même, non par ses atours. Et, comme dit très plaisamment un ancien : « Savez-vous pourquoi vous l'estimez grand ? Vous y comptez la hauteur de ses patins [semelles]. » La base n'est pas la statue. Mesurez-le sans ces échasses ; qu'il mette à part ses richesses et honneurs, qu'il se présente en chemise. A-t-il le corps propre à ses fonctions, sain et allègre ? Quelle âme a-t-il ? Est-elle belle, capable et heureusement pourvue de toutes ses pièces ? Est-elle riche du sien ou de l'autrui ? [...] Est-il

> *sage et maître de lui,*
> *Tel que pauvreté, fers* [captivités], *mort ne peuvent faire trembler ?*
> *A-t-il le courage de résister à ses passions ? De mépriser les honneurs ?*
> *En lui-même tout entier reclus, rond, lisse, sans prise aucune,*
> *Comme une boule que rien ne peut empêcher de rouler,*
> *Est-il hors d'atteinte de la fortune ?*
>
> (Horace, *Satires,* II, 7, 83)

Un tel homme est cinq cents brasses au-dessus des royaumes et des duchés : il est lui-même à soi son empire.

> *Le sage, par Pollux ! est l'artisan de son propre bonheur*
> (Plaute, *L'Homme aux trois écus,* II, 16)

Que lui reste-t-il à désirer ?

> *Ne voyons-nous pas que nature*
> *N'exige rien d'autre pour nous que la paix du corps,*
> *L'absence de douleur et la possibilité, pour l'esprit,*
> *Sans souci ni crainte, de jouir de sensations agréables ?*
>
> (Lucrèce, *La Nature des choses,* II, 16)

Tourbe
Foule, multitude.

Vilain
Manant, roturier qui était de condition inférieure à celle des nobles.

Chausse
« Partie du vêtement masculin qui couvrait le corps depuis la ceinture jusqu'aux genoux » (*Le Petit Robert*).

70

Comparez-lui la **tourbe** de nos hommes, stupide, basse, servile, instable et continuellement flottante en l'orage des passions diverses qui la poussent et repoussent, pendant [dépendant] toute d'autrui : il y a plus d'éloignement que du ciel à la terre ; et toutefois l'aveuglement de notre usage est tel que nous en faisons peu ou point d'état là où si nous considérons un paysan et un roi, un noble et un **vilain**, un magistrat et un homme privé, un riche et un pauvre, il se présente soudain à nos yeux une extrême disparité [eux] qui ne sont différents par manière de dire qu'en leurs **chausses**.

MONTAIGNE, Michel de. *Essais,* Paris, Arléa, 2002, p. 195-196.

Textes de Pascal ■ *Pensées*

Blaise Pascal (1623-1662), savant et penseur français, avait rédigé dès l'âge de trente ans, des notes défendant la religion chrétienne. En 1669, les héritiers de Pascal publièrent ses notes sous le titre *Pensées de M. Pascal sur la religion et sur quelques autres sujets qui ont été trouvés après sa mort parmi ses papiers.* On y trouve ses positions face aux grands problèmes de la philosophie et ses jugements sur de grands penseurs.

[Texte n° 1 – Fragment 780]

De la confusion de Montaigne, qu'il avait bien senti le défaut d'une droite méthode. Qu'il l'évitait en sautant de sujet en sujet, qu'il cherchait le bon air. Le sot projet qu'il a de se peindre et cela non pas en passant et contre ses maximes, comme il arrive à tout le monde de faillir, mais par ses propres maximes et par un dessein premier et principal. Car de dire des sottises par hasard et par faiblesse, c'est un mal ordinaire. Mais d'en dire par dessein, c'est ce qui n'est pas supportable et d'en dire de telles que celles-ci.

PASCAL, Blaise. « Pensées », dans *Œuvres complètes*, présentation et notes de Louis Lafuma, Paris, Éditions du Seuil, 1964, p. 599.

[Texte n° 2 – Fragment 680]

Les défauts de Montaigne sont grands. Mots lascifs […] Il inspire une non-chalance du salut, «sans crainte et sans repentir». Son livre n'étant pas fait pour porter à la piété, il n'y était pas obligé; mais on est toujours obligé de n'en point détourner. On peut excuser ses sentiments un peu libres et voluptueux en quelques rencontres de la vie, mais on ne peut excuser ses sentiments tout païens sur la mort. Car il faut renoncer à toute piété si on ne veut au moins mourir chrétiennement. Or il ne songe qu'à mourir lâche-ment et mollement par tout son livre.

PASCAL, Blaise. «Pensées», dans *Œuvres complètes*, présentation et notes de Louis Lafuma, Paris, Éditions du Seuil, 1964, p. 590.

Lecture suggérée

La lecture de l'œuvre suivante est suggérée dans son intégralité ou en extraits importants:

▨ MONTAIGNE, Michel de. *Essais,* Paris, Arléa, 2002, 813 p.

Chapitre 2

L'homme comme être de raison

Descartes ou le premier rationalisme moderne

*Pour la raison ou le sens, d'autant
qu'elle est la seule chose qui nous
rend homme et nous distingue des
bêtes, je veux croire qu'elle est tout
entière en un chacun.*

René DESCARTES,
« Discours de la méthode »,
dans *Œuvres et Lettres*, p. 126.

Descartes et le siècle de la raison

Notice biographique

René Descartes naît le 31 mars 1596 à La Haye, un village de Touraine, en France. Le père de Descartes, Joachim de son prénom, est conseiller du roi au Parlement de Rennes, en Bretagne. Sa mère, Jeanne Brochard – qui meurt un an après la naissance de René –, est la petite-fille d'un magistrat de Poitiers.

À l'âge de dix ans, Descartes est mis en pension au collège des jésuites de La Flèche, réputé pour être «l'une des plus célèbres écoles de l'Europe». La langue d'enseignement est le latin. Le jeune Descartes y apprend les humanités classiques. Au programme d'études se trouve le latin, bien sûr, mais aussi le grec. Les matières (histoire, droit, géographie, physique, astronomie et mathématiques – ces dernières appréciées particulièrement par Descartes «à cause de la certitude et de l'évidence de leurs raisons») sont enseignées à partir des textes anciens tels que ceux d'Aristote (−384 à −322), d'Euclide (IIIᵉ siècle av. J.-C.) ou de Cicéron (−106 à −43), etc. L'éducation religieuse y est omniprésente. Par la pratique de la danse et de l'escrime, on ne néglige pas l'éducation du corps. Les trois dernières années sont surtout consacrées à la philosophie **scolastique** (Aristote et saint Thomas d'Aquin [1225-1274]).

Descartes quitte le collège en 1614 et, deux ans plus tard, il obtient une licence en droit à l'Université de Poitiers. Toutefois, il n'embrasse pas la carrière juridique. Afin de découvrir le monde et d'étudier les mœurs des hommes, il rejoint, en 1618[1], l'armée du prince de Nassau stationnée en Hollande. Profitant d'une période d'accalmie, Descartes dispose, selon ses propres mots, d'un «grand loisir» où il fait surtout des mathématiques et écrit l'*Abrégé de musique,* dans lequel il explique la musique par un calcul de proportions. En 1619, il quitte la Hollande pour le Danemark et s'engage dans les troupes du duc de Bavière. Descartes ne participe à aucune bataille. C'est l'hiver et l'armée est immobilisée. Reclus dans une chambre chauffée par un poêle, Descartes fait un rêve, le 10 novembre, qui lui révèle «les fondements d'une science admirable» devant unifier toutes les connaissances et à laquelle il devra consacrer sa vie.

Descartes rentre en France. Lors de la traversée en bateau, il est attaqué par des marins hollandais. Avec bravoure, il se défend à coups d'épée, sauve sa propre vie et celle de son serviteur.

En 1622, Descartes a vingt-six ans. Grâce à la liquidation de l'héritage maternel, il bénéficie d'une rente confortable qui le dispense de gagner sa vie. Il vit à Paris, en Bretagne et au Poitou.

Fin 1623, Descartes reprend la route, celle de l'Italie. Il est en mesure de constater les purges de l'**Inquisition**, qui brûle sur la place publique les femmes et les hommes accusés d'hérésie. De retour en France, fin 1625, Descartes s'installe à Paris et fait la rencontre du père Mersenne, grand érudit de sciences et de philosophie, avec lequel il entretiendra une correspondance pendant vingt ans. Il poursuit ses travaux en mathématiques, en astronomie et en optique. En 1628, il rédige les *Règles pour la direction de l'esprit.*

Scolastique (la)

Du latin *schola,* « école ».
La scolastique ou « philosophie de l'École » désigne l'enseignement philosophique et théologique donné au Moyen Âge. Conciliant foi et raison, cet enseignement était donné à partir des Écritures saintes et de la philosophie d'Aristote revue, corrigée et augmentée par les théologiens du Moyen Âge (entre autres, saint Thomas d'Aquin).

Inquisition (l')

Organisme judiciaire ecclésiastique créé par la papauté pour lutter contre l'hérésie, c'est-à-dire toute doctrine, opinion ou pratique contraire aux dogmes de l'Église catholique.

---

1. La guerre de Trente Ans éclate en 1618. Ce conflit d'une violence extrême ensanglantera l'Europe entière et anéantira le tiers de la population allemande.

Descartes déambulant dans les rues d'Amsterdam.

En 1628, il fuit la vie mondaine de Paris et se réfugie en Hollande parce qu'il y trouve une plus grande liberté, nécessaire à ses travaux. Il y demeurera plus de vingt ans, changeant souvent de ville (Amsterdam, Leyde, Deventer, Utrecht) et de résidence. Il travaille à la physique mathématique, taille des verres optiques et pratique de nombreuses dissections sur des animaux afin de mieux comprendre le fonctionnement de l'organisme humain.

En 1632, il fait la connaissance d'Hélène Jans, servante d'un libraire d'Amsterdam, qui lui donnera une fille appelée Francine. Celle-ci mourra à l'âge de six ans d'une mauvaise fièvre. Descartes en éprouvera un grand chagrin.

À l'époque de Descartes, la langue utilisée en sciences et en philosophie est le latin. Toutefois, pour être compris par toute personne de bonne volonté, il publie en français, le 8 juin 1637, trois courts ouvrages scientifiques intitulés *La Dioptrique, Les Météores* et *La Géométrie*. Une préface accompagne ces œuvres, préface qui deviendra un «classique» de la philosophie : le *Discours de la méthode*. Les trois premiers exemplaires sont remis au prince d'Orange, au roi Louis XIII et au cardinal de Richelieu. Descartes connaît la gloire. Il ne quitte pas pour autant la Hollande, où il rédige, en latin, les *Méditations métaphysiques* (1641), les *Principes de la philosophie* (1644) et, en français, le traité des *Passions de l'âme* (1649).

En 1649, sur l'invitation pressante de la reine Christine, Descartes se rend non sans quelque appréhension à la cour de Suède pour initier la jeune souveraine à sa philosophie. C'est l'hiver et il fait froid. En outre, le philosophe doit se lever à cinq heures du matin pour donner ses cours. Descartes attrape une pneumonie et meurt à Stockholm, le 11 février 1650, à l'âge de cinquante-trois ans.

Le Grand Siècle ou l'avènement de la modernité

Le XVIIᵉ siècle, que l'on qualifie de siècle de la raison, voit éclore la philosophie cartésienne. En ce siècle, aussi appelé le Grand Siècle, l'esprit change, dit-on. Nous assistons dès lors à un bouleversement radical des mentalités que plusieurs historiens associent au début de la modernité.

La modernité, que l'on nomme aussi les Temps modernes, peut être définie comme l'avènement d'une nouvelle manière de penser l'homme et la place qu'il occupe dans l'univers. En opposition avec l'autorité du passé et la tradition (l'Antiquité gréco-romaine revue, corrigée et augmentée par la **théologie** catholique médiévale), les Temps modernes se caractérisent par l'élaboration d'une conscience, d'une pensée trouvant en elle-même son fondement. Somme toute, ce qui définit essentiellement les Temps modernes, c'est l'instauration de la **subjectivité** dans le processus de la connaissance, autrement dit la croyance en la capacité d'un individu-sujet de saisir la réalité grâce aux pouvoirs de sa raison. On accorde donc à la raison le pouvoir de rendre le réel intelligible en l'observant, le pensant, le nommant et le théorisant à partir de principes rationnels clairement établis.

Cette foi nouvelle dans les pouvoirs de la raison humaine inaugure une ère nouvelle en instaurant le principe d'une raison «individualisée» qui croit au progrès de l'esprit humain. Cette notion de progrès empruntée au développement des

Théologie

« Étude des questions religieuses fondée principalement sur les textes sacrés, les dogmes et la tradition » (*Le Petit Robert*).

Subjectivité

Ce qui appartient au sujet seul : sa conscience, son moi.

sciences du XVIIe siècle colorera toute la pensée philosophique moderne. À l'instar du développement d'un individu, il y aurait progrès, évolution de l'esprit humain, et donc de l'humanité, allant de la jeunesse à la maturité. L'Antiquité correspondait à l'enfance de la pensée humaine et les Temps modernes, à sa maturité.

À partir du début du XVIIe siècle, les Temps modernes correspondent donc à une nouvelle manière de penser l'être humain et le monde. Toutefois, la Renaissance[2] (XVe et XVIe siècle) en avait déjà jeté les bases et Descartes s'en est inspiré pour élaborer sa conception de l'homme et sa vision de l'univers.

La révolution scientifique du XVIIe siècle

Le ciel fut le lieu privilégié où le regard des savants du XVIe et du XVIIe siècle se posa. En effet, des découvertes importantes en astronomie vont transformer à tout jamais la représentation que l'être humain se fait de l'univers et de la place qu'il y occupe.

L'hypothèse de l'héliocentrisme, formulée par le Polonais **Nicolas Copernic** (1473-1543) dans son ouvrage *Sur les révolutions des corps célestes* (publié tout juste après sa mort) et reprise par plusieurs savants, remet en cause le géocentrisme – et la conception de l'homme qui y est attachée – admis par l'Église catholique romaine et l'Occident chrétien depuis sept cents ans.

> Copernic, au XVIe siècle, osa modifier le géocentrisme antique. À partir de données mathématiques, il émit l'hypothèse que le Soleil constitue le centre du monde, que la Terre exécute un mouvement de rotation sur elle-même et qu'elle tourne autour du Soleil. L'*héliocentrisme* est né.

Le *géocentrisme* affirmait que l'univers était formé de sphères concentriques faites d'une substance éthérée et cristalline, au centre desquelles se trouvait la Terre, sphère de matière solide. Toutes ces sphères tournaient autour de la Terre et contenaient les corps célestes : la Lune, Mercure, Vénus, le Soleil, les planètes lointaines et, enfin, les étoiles. Le Soleil, comme n'importe quelle autre planète, tournait donc autour de la Terre (centre fixe et immuable de l'univers). Ce modèle, élaboré par Ptolémée d'Alexandrie (90-168), astronome grec, s'harmonisait avec la conception que la religion chrétienne se faisait de l'homme : créé par Dieu (Lui-même fait homme dans le Christ), il était au «centre» de cette Terre, créée pour lui, et elle-même située au centre de l'univers. Cette vision mythique de l'univers où le centre est **sacré** et où la périphérie est **profane**, où donc la Terre et l'homme sont sacrés, manifestait bien l'ordre cosmique et la hiérarchie du vivant, bref, le «Plan divin».

Sacré
Qui appartient à un domaine supérieur, séparé du profane, et fait l'objet d'une révérence religieuse.

Profane
« Qui est étranger à la religion (opposé à *religieux, sacré*) » (*Le Petit Robert*).

Il fallut attendre un siècle après la mort de Copernic pour que se produise une véritable révolution de l'astronomie. Le développement des mathématiques (l'invention de la **mécanique,** entre autres) et des méthodes d'observation améliorées permirent de dépasser les travaux de Copernic.

> La mécanique est la partie des mathématiques qui étudie le mouvement et l'équilibre des corps (choses matérielles) dans l'espace.

Johannes Kepler (1571-1630), Galileo Galilei (1564-1642), dit Galilée, et René Descartes fondent une nouvelle science du monde et de l'homme qui s'oppose radicalement aux vérités acquises depuis l'Antiquité grecque.

Johannes Kepler, mathématicien allemand de talent et astronome réputé, complète la thèse de Copernic en découvrant les trois lois mathématiques du mouvement des planètes autour du Soleil. Premièrement, les

Copernic et sa théorie de l'héliocentrisme furent à l'origine de la révolution scientifique du XVIIe siècle.

2. L'époque de la Renaissance est présentée dans le chapitre 1.

planètes décrivent non des cercles, mais des ellipses autour du Soleil. Deuxièmement, les planètes ne tournent pas autour du Soleil à une vitesse constante, mais elles se déplacent plus rapidement lorsque leur trajectoire s'en approche. Troisièmement, une relation mathématique invariable existe entre la distance qui sépare une planète du Soleil et la durée de sa révolution autour de cet astre. En langage mathématique, cela donne la formule suivante : le carré de la durée est proportionnel au cube de la distance. Les travaux de Kepler démontrent que les mathématiques (considérées alors comme une science totalement abstraite) peuvent servir à expliquer l'univers concret de la matière. L'astronomie moderne vient de voir le jour.

Galilée, professeur émérite de mathématiques, inventeur et producteur d'instruments scientifiques, physicien et astronome renommé, démontre en quelque sorte la véracité de l'héliocentrisme copernicien. Il observe les astres à l'aide d'une lunette astronomique de sa réalisation. Les découvertes qu'il fait (entre autres, quatre des seize satellites de Jupiter et l'anneau de Saturne) démentent la théorie antique des sphères. Cette découverte confirme l'héliocentrisme : si des planètes ont des satellites et se déplacent sans les perdre en cours de route, alors la Terre peut en faire de même avec la Lune. D'autre part, par ses observations de la Lune et de ses cratères, Galilée contredit l'idée reçue de la perfection du monde céleste ! Enfin, le célèbre savant saura appliquer le calcul mathématique à deux phénomènes terrestres (la chute et la propulsion des corps), montrant ainsi que les mêmes principes mathématiques de connaissance peuvent s'appliquer à la Terre et au ciel.

Les découvertes de Galilée menaçaient tout le système traditionnel d'explication de l'univers qui englobait la religion, la philosophie et la science de l'époque. Galilée subira les foudres des autorités de l'Église catholique romaine qui, tout en s'intéressant aux « nouvelles conceptions », avaient beaucoup de difficulté à les concilier, entre autres, avec une certaine lecture de la Bible.

Galilée est condamné en 1633 par l'Inquisition pour avoir défendu l'héliocentrisme, thèse hérétique, c'est-à-dire opposée à « l'Écriture sainte et divine ». On exige de lui qu'il se rétracte et qu'il vive en résidence surveillée.

L'*héliocentrisme* bouleverse, en effet, la représentation symbolique de la place de l'homme dans l'univers que véhiculait le géocentrisme. Le Soleil devenant le centre de l'univers, la Terre est désormais à la périphérie ; ce faisant, elle perd son caractère sacré. L'homme devient le « gérant » d'un univers profane. Cette « décentration de l'homme », cet exil d'un ordre divin prédéterminé, n'est-elle pas pour lui une invitation à s'inventer en se « recentrant » sur rien d'autre que lui-même, avec sa liberté et sa raison ?

Ce problème explique, entre autres, la réaction de l'Église catholique romaine à la théorie de l'héliocentrisme et les diverses condamnations dont il a été l'objet par la suite. Ce ne sera qu'à la fin du XVIIe siècle qu'elle admettra ce modèle. Entre-temps, la théorie héliocentrique permettra à des chercheurs et à des philosophes d'essayer de concevoir l'être humain en dehors de la vision chrétienne traditionnelle (largement marquée, d'ailleurs, par des présupposés philosophiques grecs et notamment aristotéliciens). Dans ce contexte, Descartes décide de refonder la philosophie sur d'autres principes que ceux qui étaient alors en vigueur.

Descartes : savant, mathématicien et philosophe

Au beau milieu de ce foisonnement d'idées nouvelles sur les plans scientifique et philosophique, que vient faire précisément Descartes, ce philosophe dont on aurait pu dire que rien de ce qui est humain ne lui était étranger ? D'abord, il est lui aussi un grand savant : mathématicien, anatomiste et physicien.

Dans son *Monde ou Traité de la lumière*, écrit en 1633, Descartes corrobore les données de l'héliocentrisme (notamment celle du mouvement de la Terre). Cependant, ayant appris la condamnation de Galilée, Descartes fait preuve de prudence et ne publie pas les résultats de ses recherches. Cet ouvrage n'est édité qu'en 1664, quatorze ans après sa mort.

Retenons surtout de l'œuvre scientifique de Descartes deux apports majeurs : l'invention de la géométrie analytique et la formulation de la loi de la réfraction de la lumière.

À travers ses recherches diverses, Descartes se dit lui-même en quête d'une « science admirable » – il en a même rêvé ! – qui unifierait toutes les connaissances. Or, il établit que la science seule ne peut comprendre tout de l'homme, qu'il faut alors s'en remettre à la **métaphysique** pour tenter de l'appréhender dans sa globalité. Descartes se propose alors de renouveler la métaphysique comme il l'a fait pour les mathématiques et la physique ; il veut qu'une *méthode universelle*[3] aussi solide et irréfutable que celle utilisée en mathématiques lui serve d'assise. En effet, la philosophie **cartésienne** s'inspire de la rigueur mathématique, plus particulièrement de la certitude des démonstrations géométriques. Descartes veut donner un fondement irréfutable à toutes les affirmations auxquelles il arrive. Il espère ainsi définir, avec la plus grande exactitude possible, l'homme et sa situation dans le monde. Il s'agit pour lui d'élucider la combinaison de la matière et de l'esprit en l'homme, deux **substances** fondamentales dont seul l'être humain est pourvu.

Descartes prend comme modèle de démonstration ce qu'il appelle la « mathématique universelle », c'est-à-dire la méthode utilisée par les mathématiques non seulement qui offre la plus grande rigueur pour l'esprit, mais qui serait applicable, selon lui, à tous les objets de la connaissance humaine. La philosophie, si elle veut être une science, doit s'inspirer de l'exactitude inflexible et stricte des mathématiques. En conséquence, le philosophe procédera d'une manière ordonnée en enchaînant les pensées, comme le géomètre déduit ses propositions les unes après les autres jusqu'à ce que son théorème soit démontré. Nous verrons bientôt quatre règles qu'il propose à ce sujet.

Métaphysique

Du grec *meta ta phusika*, « Ce qui est au-delà des questions de la physique ». Partie de la philosophie, aussi appelée *philosophie première*, qui s'intéresse – au-delà des données de l'expérience – aux premières causes et aux premiers principes (Dieu, l'âme, les vérités éternelles, etc.).

Cartésien

Qui se rapporte à la philosophie de Descartes.

Substance

Réalité qui existe par soi-même, à la différence de ce qui, comme les qualités, constitue de simples attributs de la substance.

Le premier rationalisme moderne

Descartes est considéré comme le fondateur du **rationalisme** moderne. Il accorde à l'esprit en tant que raison – et à lui seul – le pouvoir de connaître, pour autant qu'il se mette en quête d'évidences. Pour utiliser un langage plus philosophique, nous pourrions dire qu'en exigeant que l'on s'en tienne uniquement à ce qui est évident à l'esprit du sujet

Le rationalisme est la doctrine d'après laquelle toute connaissance certaine provient de la raison. Conséquemment, selon cette philosophie, l'esprit humain possède la faculté de former des concepts et des principes rationnels lui permettant de rendre intelligibles et compréhensibles les choses et les êtres. Les idées et les jugements seraient soit innés, soit construits par l'esprit ; ils ne proviendraient pas des données de l'expérience.

---

3. La méthode universelle a été conçue d'abord pour un usage scientifique (les mathématiques et la physique), et n'a été appliquée que plus tard à la question métaphysique. La métaphysique, comme science, s'occupe des questions de l'essence (la nature) et de l'existence des substances fondamentales dans l'univers. Nous verrons que Descartes en reconnaît deux : l'esprit et la matière, la substance pensante et la substance étendue.

pensant, Descartes instaure la souveraineté de la raison individuelle. Cette volonté de s'affranchir de toute autorité étrangère à la raison et de ne reconnaître pour vrai que ce qui est évident constitue une véritable révolution philosophique.

En cela, Descartes rompt avec l'esprit scolastique du Moyen Âge qui respectait la tradition aristotélicienne et qui ne s'était pas encore dégagé de la théologie de l'Église catholique romaine. Le rôle attribué à la philosophie au Moyen Âge consistait à fonder rationnellement l'enseignement théologique chrétien. La philosophie médiévale, «servante de la Théologie», cherchait à penser Dieu, l'homme et le monde en recourant certes à la raison, mais, de manière générale, en étroite relation avec la doctrine catholique dont il s'agissait de montrer qu'elle ne contredisait pas la raison (même si la raison se montrait incapable de s'expliquer certaines «vérités» religieuses). On empruntait à l'Antiquité, plus particulièrement à l'**aristotélisme**, des arguments ou des concepts dans la mesure où ceux-ci corroboraient la parole divine (tirée de la Bible) et l'enseignement de l'Église. Le monde médiéval renvoyait ultimement à des vérités (*doctrina*) révélées, immuables et transmises par la voie hiérarchique de l'Église; le monde moderne qu'institue Descartes renvoie à une quête de certitude que l'homme se doit de découvrir par lui-même rationnellement et d'acquérir méthodiquement. Explicitant et défendant ce point de vue, la philosophie cartésienne a exercé une influence décisive non seulement sur la science de son temps, mais sur l'ensemble de la philosophie moderne[4].

Aristotélisme

Doctrine philosophique d'Aristote et de ses disciples, les *aristotéliciens*. Les traités d'Aristote, en particulier l'*Organon* (la logique) et la *Métaphysique*, qui attribue à Dieu, «acte suprême», l'origine du mouvement dans le monde, furent surtout étudiés au Moyen Âge. Saint Thomas d'Aquin, par exemple, lui empruntera le cadre de son système philosophico-théologique.

Conception de l'être humain

Descartes et la recherche de certitudes

L'ensemble de l'œuvre cartésienne poursuit un objectif fondamental : asseoir la connaissance sur des bases solides et, ce faisant, établir la raison sur des critères exacts qui ne peuvent être mis en doute.

Mais que dit Descartes de la raison ? Il pense que nous sommes tous doués de raison, ou de «bon sens» comme il l'appelle :

> Le bon sens est la chose du monde la mieux partagée. [...] Cela témoigne que la puissance de bien juger et de distinguer le vrai d'avec le faux, qui est proprement ce qu'on nomme le bon sens ou la raison, est naturellement égale en tous les hommes ; et ainsi que la diversité de nos opinions ne vient pas de ce que les uns sont plus raisonnables que les autres, mais seulement de ce que nous conduisons nos pensées par diverses voies, et ne considérons pas les mêmes choses. *Ce n'est pas assez d'avoir l'esprit bon, mais le principal est de l'appliquer bien*[5].

La raison est donc présente en chacun de nous. Nous possédons tous la capacité de connaître et de comprendre; nous pouvons tous construire la science vraie à condition de bien utiliser notre raison. Le rationalisme de Descartes est fondé sur la certitude que tout esprit bien conduit peut parvenir à la connaissance de la vérité. Cependant, il y a nécessité de suivre une méthode particulière pour aboutir à ce résultat.

Empiriste

Se dit de la doctrine philosophique selon laquelle toutes les connaissances proviennent de l'expérience. Conséquemment, tout savoir doit être fondé sur l'expérience et l'observation.

---

4. Des philosophies comme celles de Blaise Pascal (1623-1662), Baruch Spinoza (1632-1677), Nicolas Malebranche (1638-1715), Gottfried Wilhelm Leibniz (1646-1716), John Locke (1632-1704) et les **empiristes** anglais, Jean-Jacques Rousseau (1712-1778), Emmanuel Kant (1724-1804), Auguste Comte (1798-1857), Georg Wilhelm Friedrich Hegel (1770-1831) et Edmund Husserl (1859-1938) se sont constituées à partir de problématiques cartésiennes, soit pour les confirmer, soit pour les combattre.

5. René DESCARTES, *Discours de la méthode*, première partie, p. 126. Toutes les citations reproduites dans ce texte proviennent des *Œuvres et Lettres* (Paris, Gallimard, coll. «Bibliothèque de la Pléiade», 1953). Nous avons mis en italique la dernière phrase de cette citation, car cette affirmation montre l'intérêt qu'a eu Descartes pour la méthode.

La méthode cartésienne

C'est dans le *Discours de la méthode* que Descartes livre, entre autres, à ses lecteurs sa propre méthode «pour bien conduire sa raison et chercher la vérité dans les sciences».

La méthode cartésienne définit quatre règles qui vont guider toute la recherche ultérieure :

1. La règle de l'évidence : la raison doit éviter la *précipitation* et la prévention (le préjugé), et n'accepter aucune chose pour vraie à moins qu'elle ne soit *évidente*, c'est-à-dire à moins qu'elle ne se présente à l'esprit avec tant de *clarté* et de *distinction* qu'elle ne laisse planer aucun doute.

   Expliquons ces termes.

   - Se *précipiter*, en matière de raisonnement, c'est conclure avec hâte, sans un examen suffisant.

   - Ce qui est *évident* correspond à une vérité qui apparaît directement à l'esprit par une *intuition* rationnelle. L'évidence naît donc uniquement des lumières de la raison et sa principale caractéristique consiste à être indubitable, c'est-à-dire sûre et certaine (qui ne peut être mise en doute).

   - Une idée est *claire* quand on discerne tous ses éléments ; elle est *distincte* quand elle est précise et différente de toutes les autres. Par exemple, je vois clairement qu'un triangle comporte trois côtés et que son idée n'est pas celle d'un cercle.

2. La règle de l'analyse : la raison doit *diviser* chacune des difficultés examinées en questions élémentaires et séparées afin de mieux les résoudre pour en arriver à la clarté et à la distinction exigées par la première règle.

   - À l'image de la résolution d'un problème mathématique, il s'agit de disséquer un ensemble complexe en ses éléments simples. Plus particulièrement, l'analyse déterminera les éléments fondamentaux d'une situation et leurs propriétés essentielles. Par exemple, Descartes détermine l'élément fondamental de l'univers comme étant la matière, dont la propriété essentielle est d'être étendue et donc soumise aux principes de la géométrie, qui est la science de l'étendue.

3. La règle de la synthèse : la raison doit aller des objets les plus simples aux objets plus complexes par un enchaînement rigoureux et ordonné.

   - La synthèse correspond à la déduction proprement dite. En partant d'un principe certain (le plus simple étant considéré par Descartes comme le plus certainement connu), il s'agit d'en déduire, selon un ordre croissant de complexité, un ensemble de conséquences qui découlent nécessairement les unes des autres (comme la succession de théorèmes dans un manuel de géométrie ou de mathématiques).

4. La règle du dénombrement : la raison doit, sans rien omettre, faire une revue générale de tous les résultats obtenus dans les règles précédentes afin de trouver la solution.

   - Le dénombrement interne vient de la pratique de la démonstration en géométrie où toutes les étapes des théorèmes sont dénombrées, c'est-à-dire numérotées et placées dans le plus strict ordre logique. Il s'agit de s'assurer que «rien ne manque», que tous les maillons de la chaîne sont bien en place.

Frontispice de l'édition originale du *Discours de la méthode* (1637).

Transposons la méthode cartésienne dans un contexte actuel et démontrons par un exemple que cette dernière constitue encore aujourd'hui la méthode privilégiée dans toute recherche digne de ce nom. Un professeur de sciences appliquées demande à ses élèves de faire un travail sur la dépollution d'un lac. Ce dernier est infesté par une plante nuisible. On veut connaître les causes de cette prolifération de plantes afin d'y remédier et de rendre de nouveau le lac accessible aux usagers. Les élèves ont encore intérêt à se servir de la méthode proposée par Descartes.

Premièrement, si la source ou les sources de prolifération de cette plante aquatique ne sont pas évidentes, la méthode cartésienne exige l'établissement « clair et distinct » de tous les éléments qui peuvent agir sur la présence, la croissance et la prolifération de cette plante, indépendamment du lac particulier où l'étude se déroule.

Deuxièmement, à la lumière des connaissances acquises dans la première étape de la méthode, s'ajoute l'analyse des conditions de l'habitat de la plante, c'est-à-dire les conditions qui caractérisent ce lac. On cherchera à distinguer tous les facteurs qui contribuent à la prolifération de cette plante dans ce lac (température de l'eau, oxygénation, degré d'acidité, quantité de phosphate, etc.).

Troisièmement, on établira comment ces derniers facteurs sont liés entre eux (certains pouvant être l'effet d'autres facteurs : inutile d'intervenir sur un effet tant qu'on n'a pas établi la cause préalable). Ainsi, on pourra en déduire le ou les facteurs qui ont l'incidence la plus forte sur la pollution.

Quatrièmement, on vérifiera (d'une manière ordonnée et sans rien omettre) tous les résultats obtenus dans les étapes précédentes afin de trouver des solutions à la contamination du lac en agissant par ordre d'importance sur les éléments qui ont permis la prolifération de cette plante dans ce lac.

Les étapes du doute méthodique

La première règle de la méthode cartésienne (la règle de l'évidence) contient l'idée du doute méthodique. Pour éviter les préjugés et atteindre la vérité, la raison doit, au préalable, mettre tout en doute. Ne nous méprenons pas, il ne s'agit pas ici d'un doute **sceptique.** Il n'est pas question ici, comme chez Montaigne, de conclure à l'impossibilité d'atteindre une vérité définitive. Le doute de Descartes se veut provisoire. Descartes, en effet, utilise sciemment le doute comme méthode pour atteindre la vérité. Montaigne doute, lui aussi. Mais son doute est d'un autre ordre : il a quelque chose de définitif. Montaigne se méfie de son jugement et des inventions de son esprit : il ne croit pas au pouvoir de la raison humaine de connaître avec exactitude les causes de ce qui existe. Notre raison devrait seulement nous servir, dit-il, à mieux nous connaître et à vivre une vie bonne, sans prétendre à la vérité absolue.

> Le sceptique fait du doute une fin en soi, il doute pour douter, alors que Descartes utilise le doute comme un moyen de parvenir à la vérité.

Revenons au doute cartésien, sciemment utilisé comme une méthode, qui permet d'atteindre la certitude, l'« indubitable », comme dit Descartes. En d'autres mots, pour arriver à une certitude indéniable, Descartes a recours au doute méthodique, c'est-à-dire qu'il s'astreint volontairement et systématiquement à douter de tout ce qui peut susciter la moindre incertitude, jusqu'à ce qu'il soit confirmé dans l'évidence de la vérité. Pour ce faire, Descartes remontera aux sources mêmes de toute prétendue connaissance.

1. Mise en doute de la fiabilité des sens : Descartes révoque d'abord le témoignage de ses sens. Il les soumet au doute méthodique parce que nos sens nous abusent parfois (par exemple, l'eau tiède paraît fraîche à la personne qui fait de la fièvre ; les astres nous paraissent petits, alors qu'ils ne le sont pas). Les informations fournies par les sens ne sont donc pas toujours fidèles à la réalité extérieure. «J'ai observé plusieurs fois, écrit Descartes, que des tours, qui de loin m'avaient semblé rondes, me paraissaient de près être carrées, et que des colosses, élevés sur les plus hauts sommets de ces tours, me paraissaient de petites statues à les regarder d'en bas[6].» Ainsi, les jugements fondés sur les sens sont trompeurs. En effet, nous pouvons être trompés par ce que nos sens nous font voir, entendre, goûter, toucher et sentir. Qui plus est, nous rêvons ! Or, dans le rêve, non seulement nous sommes trompés dans toute notre conscience, mais nous n'avons aucun moyen de nous détromper pendant que nous rêvons !

2. Mise en doute de la fiabilité des raisonnements : ce qui, en second lieu, est mis en cause par Descartes, c'est la valeur même ou la sûreté même de la logique humaine qui est à l'origine des démonstrations apparemment certaines des mathématiques. Il arrive, en effet, que je me trompe, sans m'en apercevoir, en raisonnant en mathématiques ou en d'autres domaines. Bien plus, pense Descartes, ne se pourrait-il pas (c'est une pure hypothèse !) que je sois manipulé par un esprit plus puissant que moi (un «mauvais génie») qui me trompe autant dans ma raison que sur le plan de mes sens ?

> Je supposerai donc qu'il y a [...] un certain mauvais génie, non moins rusé et trompeur que puissant, qui a employé toute son industrie à me tromper. Je penserai que le ciel, l'air, la terre, les couleurs, les figures, les sons et toutes les choses extérieures que nous voyons, ne sont que des illusions et tromperies, dont il se sert pour surprendre ma crédulité[7].

Avec cette dernière supposition, c'est tout l'univers de la connaissance – sensible et rationnelle – qui est frappé d'incertitude et doit donc être au moins provisoirement rejeté comme faux !

3. Mise en doute de la fiabilité des opinions : enfin, toutes les fausses opinions que Descartes a tenues jusqu'à maintenant pour véritables (opinions qui sont souvent la rançon d'une raison mal dirigée) sont aussi passées au crible du doute parce qu'elles ne sont peut-être pas plus vraies que les folles images des rêves qui l'assaillent lorsqu'il dort.

Le *cogito* ou la découverte du moi pensant

Descartes part donc d'un doute intégral sur toutes choses et découvre que, dans le doute le plus radical, il ne peut douter de son existence comme être pensant. En effet, peut-être le mauvais génie lui fait-il croire à tort qu'il y a un monde et qu'il a un corps. Mais pour croire pareilles choses, Descartes doit bien être pensant au moins le temps de la tromperie.

---

6. *Méditation sixième*, p. 322.

7. *Méditation première*, p. 272. L'appel au mauvais génie est un artifice utilisé par Descartes pour maintenir son doute systématique.

> La doctrine proprement rationaliste de Descartes repose sur la déduction de toutes choses à partir de la pensée, qui constitue le fondement de toute théorie de la connaissance.

La **pensée** – comme activité d'un sujet – représente la première évidence à laquelle Descartes arrive. C'est le célèbre *cogito* : «Je pense, donc je suis[8].» Le *cogito* cartésien pourrait être reformulé de la façon suivante : si je doute, c'est que je suis en train de penser, et si je pense, c'est que j'existe comme être pensant en train de douter de tout. C'est donc dans l'acte même de penser que Descartes s'assure de sa propre existence.

«J'existe en tant qu'être pensant.» Voilà une première vérité indubitable dont Descartes ne saurait douter. «Mais moi, qui suis-je?» se demande Descartes. Et Descartes de répondre : «Je ne suis, précisément parlant, qu'une chose qui pense, c'est-à-dire un esprit, un entendement ou une raison[9].»

Esprit, entendement, raison, trois mots pour désigner une seule et même chose : la pensée. Le *cogito* implique que, si c'est par ma pensée que je peux avoir la certitude de mon existence, c'est donc ma pensée qui me définit essentiellement comme homme.

C'est mon âme qui pense

Je suis «une substance dont toute l'essence ou la nature n'est que de penser [...] En sorte que ce moi, c'est-à-dire l'âme par laquelle je suis ce que je suis, est entièrement distincte du corps[10]». Je suis pensée pure et rien d'autre, et c'est mon âme qui pense. En effet, dans les *Réponses aux cinquièmes objections*, Descartes précise «que le nom d'*âme* [...] doit seulement être entendu de ce principe par lequel nous pensons : aussi l'ai-je le plus souvent appelé du nom d'*esprit* [...] car je ne considère pas l'esprit comme une partie de l'âme, mais comme l'âme tout entière qui pense[11]».

D'après Descartes, la pensée constitue l'être de l'homme, son essence. Le propre de la nature humaine est de penser. Tout être humain est «une chose qui pense». Mais qu'est-ce qu'une chose qui pense? C'est «une chose qui doute, qui conçoit, qui affirme, qui nie, qui veut, qui ne veut pas[12]». Cela ne veut pas dire que l'être humain ne vit que pour penser, qu'il ne fait que penser. Descartes affirme seulement que l'homme est un être dont le caractère fondamental est l'entendement, c'est-à-dire cette faculté de concevoir et de penser le monde réel à l'aide d'idées. La découverte du *cogito* mène donc à une conception **spiritualiste** de l'être humain.

La primauté du sujet pensant

En établissant l'existence sûre et certaine de l'homme en train de penser et, ce faisant, en le définissant comme un être qui se caractérise par la pensée, Descartes instaure, à l'époque moderne, la raison comme fondement exclusif de la recherche de la vérité. Mais il fait plus encore : il affirme la primauté du moi pensant, du

Spiritualiste
Se dit de la doctrine d'après laquelle l'esprit ou l'âme constitue une dimension essentielle et autonome de la réalité. La philosophie spiritualiste considère l'esprit comme une entité distincte de la matière en général et du corps en particulier et supérieure à ceux-ci.

---

8. *Discours de la méthode,* quatrième partie, p. 147. La traduction latine de «Je pense, donc je suis» est *Cogito ergo sum.*

9. *Méditation seconde,* p. 278.

10. *Discours de la méthode,* quatrième partie, p. 148. Le rapport entre l'âme et le corps sera présenté plus loin, après que Descartes aura démontré que son corps, faisant partie du monde matériel, existe.

11. *Réponses aux cinquièmes objections,* p. 482.

12. *Méditation seconde,* p. 278.

sujet individuel comme dépositaire unique de la raison[13]. Et la raison est pour lui la connaissance pure du réel «clairement» et «distinctement» conçu, c'est-à-dire entièrement «présent à l'esprit» de la personne qui pense indépendamment de l'expérience sensible. Descartes accorde à l'humain le pouvoir de rationaliser, c'est-à-dire la capacité de formuler une pensée vraie à partir de principes distincts de la réalité extérieure. Toutefois, Descartes ne pourra arriver à une certitude que dans la mesure où il se servira de sa méthode rigoureuse qui pose la nécessité de l'évidence et de la clarté. Cela ne veut pas dire que Descartes peut y parvenir toujours. La clarté est donnée par Descartes comme un idéal à atteindre au prix de multiples efforts, idéal jamais totalement conquis par l'esprit humain. Mais il n'en reste pas moins que c'est par ses propres moyens (entre autres, un esprit bien conduit) que le sujet humain réussira à acquérir et à fonder des certitudes indubitables, et pourra en affirmer l'évidence. Dès lors, le rationalisme cartésien propose à chaque humain la responsabilité de penser par lui-même. Désormais, c'est le sujet humain, seul, qui doit poser en lui-même et par lui-même les bases et les critères d'établissement de toute certitude et de toute vérité.

Le *Penseur* d'Auguste Rodin (1840-1917) représente la quintessence de l'individu qui s'appréhende comme être pensant.

La pensée, les idées et le monde matériel

L'être humain est un sujet pensant dont l'existence est certaine. C'est la seule existence dont Descartes est, à ce moment de sa démarche, certain. Mais, à supposer qu'il existe un monde matériel, comment ce sujet pensant peut-il comprendre ce que sont les choses matérielles qui sont susceptibles de prendre des apparences diverses? En d'autres mots, comment pouvons-nous reconnaître une chose matérielle malgré les différentes formes qu'elle est susceptible de prendre? Nous le faisons à travers des idées, c'est-à-dire «tout ce qui est en notre esprit, lorsque nous concevons une chose, de quelque manière que nous la concevions[14]».

Descartes en fait la démonstration en utilisant l'exemple d'«un morceau de cire qui vient d'être tiré de la ruche». Un observateur peut distinctement en percevoir la figure, la grandeur, la couleur, l'odeur, la dureté, la froideur, etc. Mais voilà que, au contact du feu, le morceau de cire se transforme radicalement. «Ce qui y restait de saveur s'exhale, l'odeur s'évanouit, sa couleur se change, sa figure se perd, sa grandeur augmente, il devient liquide, il s'échauffe, et quoiqu'on le frappe, il ne rendra plus aucun son. La même cire demeure-t-elle après ce changement? Il faut avouer qu'elle demeure; et personne ne peut le nier[15].» Mais ce ne sont certes pas les sens ni l'imagination qui permettent de reconnaître le morceau de cire, malgré ses transformations. S'il est possible de se représenter ce liquide comme étant le morceau de cire initial, c'est grâce à l'entendement qui, seul, est en mesure de concevoir une chose matérielle malgré les diverses formes et apparences qu'elle peut prendre. C'est par une «inspection de l'esprit» qu'il est permis de reconnaître et d'affirmer qu'il

---

13. Établissons ici un bref rapport de différence entre Descartes et Montaigne. On le voit, Descartes définit ici l'être humain comme un «je» pensant. C'est pour autant qu'il pense que l'homme est homme. Montaigne, quant à lui, croit que notre moi profond se découvre et, conséquemment, se définit par les actions que nous faisons: «Ce sont mes gestes, dit-il, [qui constituent] mon essence» (*Essais*, II, 6, p. 280).

14. «À Mersenne, juillet 1641», dans *Lettres choisies*, p. 1124.

15. *Méditation seconde*, p. 280.

Étendue

Qualité que possède toute chose matérielle d'être située dans l'espace et d'en occuper une partie. Il s'agit de l'étendue géométrique : « Tout ce qui a longueur, largeur et profondeur » (René DESCARTES, *Règles pour la direction de l'esprit*, p. 98).

s'agit encore de la cire. Selon Descartes, toute chose matérielle est saisie par l'esprit à travers l'idée d'**étendue**, et une telle idée ne provient pas des sens, mais constitue plutôt une idée innée[16] de la raison humaine. Quelle que soit la forme que la cire puisse prendre, Descartes peut l'appréhender comme une substance étendue.

La cire existe-t-elle réellement comme chose matérielle ? Descartes ne l'a pas encore démontré[17]. Ce qu'il vient de confirmer, c'est la force de la pensée capable de se faire une idée d'un objet quel qu'en soit l'aspect extérieur. Il faudra s'en souvenir : ce qui nous permet de comprendre une éventuelle réalité matérielle, ce n'est pas le sensible et ses images ! Et si la pensée peut connaître le monde matériel, c'est grâce aux idées innées que possède l'esprit humain. Descartes affirme que ces idées ne sont pas des fictions inventées par notre imagination, mais qu'elles correspondent à « tout ce qui est conçu immédiatement par l'esprit[18] ».

De l'idée de Dieu à l'existence de Dieu

Parvenu à ce stade, Descartes se demande si, parmi toutes ces idées en lui, il n'y en aurait pas une qui ne puisse avoir été « créée » par lui. Cette démarche l'amène à sa deuxième certitude : l'existence de Dieu.

Retenons des preuves cartésiennes[19] de l'existence de Dieu celle qui met en rapport l'idée de parfait avec ma propre imperfection. Si j'ai en moi, argumente Descartes, l'idée d'une « substance infinie, éternelle, immuable, indépendante, toute connaissante, toute-puissante, et par laquelle moi-même, et toutes les autres choses qui sont (s'il est vrai qu'il y en ait qui existent) ont été créées et produites[20] », et si je suis moi-même un être imparfait et fini, alors je ne peux être la cause de la présence en moi de cette idée. Il faut qu'une cause parfaite et infinie soit à l'origine de cette idée ; donc, Dieu existe.

La cause de l'erreur : une utilisation incorrecte de la volonté (libre arbitre)

Descartes poursuit son raisonnement ou, comme il se plaît à l'appeler, son « ordre des raisons » en affirmant que Dieu, n'étant sujet à aucun défaut ni à aucune imperfection, ne peut le tromper, car « vouloir tromper témoigne sans doute de la faiblesse ou de la malice. Et, partant, cela ne peut se rencontrer en Dieu[21] ». Donc, notons-le bien, l'hypothèse du « mauvais génie » est maintenant ainsi écartée, et Descartes peut faire totalement confiance aux idées claires et distinctes comme étant garanties par Dieu. C'est dire que s'il existe un monde matériel, il devra être conforme à ces fameuses idées.

---

16. Le nom d'innéisme a été donné à cette théorie. Notons que Descartes pose comme idée innée toute idée qui représente les essences immuables et éternelles : par exemple, l'idée de Dieu, l'idée de l'âme, l'idée du corps et l'idée du triangle.

17. Il s'attaquera à cette démonstration dans la *Méditation sixième*.

18. Réponse à l'objection cinquième sur la *Méditation troisième*, p. 407.

Ontologique

Relatif à l'ontologie, cette partie de la philosophie qui recherche l'être en tant qu'être indépendamment de ses déterminations particulières.

19. Une autre preuve dite **ontologique** sera présentée dans la *Méditation cinquième*. Celle-ci reprend la célèbre démonstration de saint Anselme (1033-1109). L'idée d'être parfait implique nécessairement qu'Il existe, car si on le niait, on se contredirait : l'être parfait ne serait pas parfait sans son existence.

20. *Méditation troisième*, p. 294.

21. *Méditation quatrième*, p. 301.

Ayant ainsi réfuté son hypothèse du *mauvais génie* à laquelle il avait précédemment fait appel dans la première méditation afin de radicaliser le doute, Descartes en arrive au raisonnement suivant : si je ne peux tenir Dieu pour responsable du fait « qu'il m'arrive que je me trompe[22] », il s'ensuit que je ne peux en imputer la cause qu'à moi-même. Mais de quelle cause précise à l'intérieur de moi-même provient l'erreur ?

L'erreur ne dépend pas de l'entendement (« la puissance de connaître »), car ce dernier ne fait que proposer des idées, il « n'assure ni ne nie aucune chose[23] ». C'est la volonté (« la puissance d'élire, le libre arbitre ») qui affirme ou nie l'exactitude des idées. Or, Descartes considère que la principale perfection de l'homme est d'avoir un libre arbitre, car la nature de la volonté est « très ample et très parfaite en son espèce ». La volonté est une faculté à ce point parfaite qu'elle fait que je porte en moi « l'image et la ressemblance de Dieu ». La volonté n'étant pas limitée « dans aucunes bornes », elle ne peut être une source d'erreur. L'erreur vient donc plutôt d'un mauvais usage que je fais de ma volonté.

La volonté et la liberté

Donnons une description plus complète de cette faculté humaine aux pouvoirs infinis que l'on nomme « volonté » et que nous utilisons parfois fort mal. Descartes affirme d'abord que la volonté et la liberté sont une seule et même chose : « La volonté étant, de sa nature, très étendue, ce nous est un avantage très grand de pouvoir agir par son moyen, c'est-à-dire librement[24]. »

Ensuite, Descartes dit que « la liberté de notre volonté se connaît sans preuve, par la seule expérience que nous en avons[25] ». En d'autres termes, l'expérience vécue nous démontre clairement que nous possédons tous une « liberté si grande » qu'il nous est toujours permis de choisir, c'est-à-dire d'accepter ou de refuser, d'agir ou de ne pas agir, et ainsi de nous déterminer nous-mêmes selon ce que nous propose notre raison ou, au contraire, à l'encontre de notre raison.

En conséquence, la volonté est définie par Descartes comme le pouvoir de faire ou de ne pas faire (« c'est-à-dire affirmer ou nier [la vérité d'une idée ou d'une proposition], poursuivre ou fuir [une action] ») ce que l'entendement nous suggère sans y être contraint par aucune force extérieure.

Le libre arbitre et l'indifférence

Descartes précise bien que nous sommes d'autant plus libres que nous voyons clairement et distinctement ce à quoi nous devons adhérer. Se trouver dans un état d'indifférence par rapport à ce que nous présente la raison, c'est, au contraire, fort mal assumer notre liberté !

En fait, l'état d'indifférence (l'*indifférence d'inclination*) « que je sens lorsque je ne suis point emporté sur un côté plutôt que vers un autre par le poids d'aucune raison [est] le plus bas degré de la liberté[26] ». Car la personne qui choisit un côté

---

22. *Ibid.*, p. 302.

23. *Ibid.*, p. 304.

24. *Principes de la philosophie*, première partie, art. 37, p. 587.

25. *Ibid.*, art. 39, p. 588.

26. *Méditation quatrième*, p. 305.

plutôt que l'autre tout en étant indifférente aux deux côtés le fait par ignorance. Cette indifférence indique un «défaut dans la connaissance». C'est par manque de lumières qu'un individu choisit sans trouver aucune raison de prendre telle décision ou telle autre. Celui qui sait possède une volonté capable de choisir quel jugement il doit privilégier et quelle action il doit entreprendre.

Plus tard, Descartes précisera sa pensée en présentant une deuxième forme d'indifférence: l'*indifférence d'élection*. Celle-ci correspond au pouvoir de la volonté de décider gratuitement «de nous retenir de poursuivre un bien clairement connu ou d'admettre une vérité évidente, pourvu que nous pensions que c'est un bien d'affirmer par là notre libre arbitre[27]». Descartes fait ici le constat que l'être humain éprouve parfois le besoin d'affirmer à un tel point sa liberté que sa volonté décidera de ne pas agir dans tel sens alors que sa raison sait qu'il serait bien de le faire, ou encore, de refuser de porter tel jugement tout en sachant que ce dernier serait vrai.

L'indifférence d'élection comme l'indifférence d'inclination ne représentent pas, selon Descartes, la liberté par excellence. N'étant contrainte par rien d'extérieur à elle-même, la liberté parfaite n'est ni ignorante ni étourdie, mais éclairée par la raison.

Le juste choix

Que faut-il choisir au juste? Même si la liberté de l'homme est immense, je ne dois pas choisir n'importe quoi. Ma volonté ne doit pas privilégier des choix inconsidérés ou aveugles. Descartes croit que j'utilise mal ma volonté quand je donne «mon jugement sur les choses dont la vérité ne m'est pas clairement connue» ou que je me détermine à agir de telle façon sans y avoir pensé rigoureusement. Il s'agit donc de faire preuve d'un pouvoir de choix éclairé où ma volonté choisit pour des raisons où «le bien et le vrai s'y rencontrent», où le mal et le faux sont donc exclus.

Si la raison propose à la volonté des idées ou des actions bien comprises parce qu'elles sont bien analysées, alors je pourrai juger et choisir sans risque d'erreur. Descartes affirme cette règle par la formule suivante: «La lumière naturelle nous enseigne que la connaissance de l'entendement doit toujours précéder la détermination de la volonté[28].»

Descartes peut maintenant faire confiance à sa raison, puisque Dieu ne le trompe pas. Pour autant que sa raison lui présente des connaissances claires et distinctes, Descartes est assuré désormais qu'il est en mesure de choisir le jugement pertinent et l'action appropriée pour privilégier le vrai et le bien.

De l'existence des choses matérielles

Dans la sixième et dernière méditation, Descartes se sent prêt à démontrer que la matière (choses, objets, corps matériels) existe réellement. Nous avons vu précédemment que Descartes a déjà défini l'étendue comme étant l'idée innée qui nous permet de connaître une chose matérielle même si elle change d'apparence. La matière est alors essentiellement conçue comme une «substance étendue» à laquelle s'appliquent toutes les lois de la géométrie. Mais cela ne prouve pas encore qu'il existe effectivement de la matière hors de l'esprit dans lequel se trouve l'idée

---

27. *Lettre au Père Mesland du 9 février 1645*, p. 1177.

28. *Méditation quatrième*, p. 307.

d'étendue. Cela ne fait que suggérer la possibilité qu'il existe des choses conformes à cette idée.

Descartes se demande ensuite dans quelle mesure «la faculté d'imaginer qui est en moi, et de laquelle je vois par expérience que je me sers lorsque je m'applique à la considération des choses matérielles, est capable de me persuader [de] leur existence[29]». À ce propos, il observe deux choses. D'abord, l'imagination n'est pas essentielle au *cogito*: je pourrais très bien «être pensant» sans «être imaginant». Ensuite, lorsque j'imagine, j'éprouve une sorte de difficulté à me représenter ce que pourtant je conçois clairement et distinctement: par exemple, il est possible d'imaginer une figure à mille côtés et de la distinguer d'une figure à dix mille côtés (alors que pourtant je conçois clairement et distinctement par la raison l'une et l'autre figure)! Ces deux arguments amènent Descartes à penser qu'il y a probablement dans l'imagination l'indice d'une réalité étrangère (le corps, le monde?) qui interagirait avec l'esprit. Cependant, cette probabilité ne lui permet de «tirer aucun argument qui conclue avec nécessité l'existence de quelque corps[30]».

Qu'en est-il maintenant des images qui semblent venir des sens, images «beaucoup plus vives, plus expresses, et même à leur façon plus distinctes, qu'aucune de celles que je pouvais feindre [imaginer] de moi-même [...], ou bien que je trouvais imprimées dans ma mémoire[31]»? Elles ne viennent pas directement de moi, dit Descartes, car ces images-là «me sont souvent représentées sans que j'y contribue en aucune sorte, et même souvent contre mon gré[32]». Par exemple, je ne choisis pas de «voir» devant moi telle ou telle personne: j'en subis l'image! Les images que j'ai des choses sensibles proviennent donc d'une substance distincte de moi-même. Cette substance peut être la chose matérielle réelle et objective ou une autre conscience. Or, puisque j'ai une forte tendance à croire que les images que j'ai des choses matérielles «partent des choses corporelles», Dieu serait trompeur s'Il me disposait à penser ainsi alors que ces images ne seraient pas véritablement produites par des choses matérielles. Dieu, être parfait, me garantit donc ainsi l'existence des choses matérielles[33]. En d'autres mots, la véracité divine me prouve l'existence des choses matérielles.

Avec son *cogito*, Descartes s'est d'abord assuré qu'il était une substance dont l'essence est la pensée et que c'est l'âme qui pense. Puis, après avoir démontré l'existence de Dieu, il vient de démontrer que le monde matériel existe. Or, dans ce monde, il y a une réalité – le corps – avec laquelle «je» suis dans un rapport particulier.

Le rapport entre l'âme et le corps

Étant aux prises avec deux éléments distincts (l'âme et le corps) caractérisant l'homme, Descartes se demande maintenant quelle sorte de relation en résulte.

---

29. *Méditation sixième*, p. 318.

30. *Ibid.*, p. 320.

31. *Ibid.*, p. 321.

32. *Ibid.*, p. 324.

33. Les choses matérielles devront, cependant, être conformes aux idées de l'entendement. Car si les sens me révèlent l'existence des choses matérielles, c'est l'entendement et ses idées qui m'apprennent ce que sont les choses.

Le niveau de l'existence concrète

L'expérience vécue témoigne de l'union substantielle de l'âme et du corps «et comme du mélange de l'esprit avec le corps». Reprenant une formule d'Aristote et de Thomas d'Aquin, Descartes dit: «La nature m'enseigne aussi par les sentiments de douleur, de faim, de soif, etc., que je ne suis pas seulement logé dans mon corps, ainsi qu'un pilote en son navire, mais outre cela, que je lui suis conjoint très étroitement et tellement confondu et mêlé, que je compose comme un seul tout avec lui[34].»

Lorsque Descartes affirme cette union totale de l'âme (esprit) et du corps, il se situe sur le plan de la vie concrète. Sur ce plan, l'homme est composé d'une âme et d'un corps. L'âme et le corps lui permettent d'être en vie, d'exister. Bref, l'être humain agit comme un composé vital qui unit l'âme au corps pour la durée d'une existence humaine. Ainsi, lorsque mon corps éprouve des sentiments, des sensations, des besoins ou des passions, mon âme qui habite mon corps[35] en a conscience et en est troublée. Par exemple, lorsque mon corps éprouve la passion d'amour (cœur qui bat la chamade, mains moites, etc.), mon âme en est aussi «agitée» et elle doit veiller à ce que son jugement ne soit pas affaibli.

Les passions humaines

Considérant comme défectueuses les sciences léguées par les Anciens quant aux passions humaines et voulant expliquer davantage l'union de l'âme et du corps sur le plan de la vie concrète, Descartes publie à Paris, en 1649, son célèbre traité des *Passions de l'âme*. Il utilise l'expression «passions de l'âme» parce qu'il dit vouloir expliquer les passions «qui se rapportent à l'âme même[36]».

Les passions de l'âme résultent de causes corporelles: les mouvements des «esprits animaux». Descartes utilise l'exemple de la peur pour nous faire comprendre son affirmation. En présence d'un objet effroyable (par exemple, un chien méchant qui nous attaque), il y a sécrétion dans l'organisme humain de particules de matière – appelées «esprits animaux» – qui vont vers les nerfs et qui causent divers mouvements du sang qui agissent à leur tour sur les muscles: cela incite à remuer les jambes pour fuir. En même temps, un autre mouvement des esprits animaux permet à l'âme d'être consciente de cette fuite. On peut donc dire que c'est le corps qui est d'abord touché par les passions et qui en est la source; c'est d'abord lui qui les «vit» (quoique mécaniquement) en réaction contre le monde. Cependant, les passions sont ressenties dans notre âme (esprit), c'est-à-dire qu'elles «l'agitent et l'ébranlent si fort[37]» que l'âme en est touchée en les faisant accéder à la conscience[38].

Descartes précise que les passions «ne sont données à l'âme qu'en tant qu'elle est jointe avec lui [le corps][39]». Et dans une lettre adressée à Chanut, il ajoute: «En

---

34. *Méditation sixième*, p. 326.

35. Descartes situe le siège de l'âme dans la glande pinéale (ancien nom de l'épiphyse), laquelle est logée en dessous du cerveau.

36. *Passions de l'âme*, I, art. 25, p. 708.

37. *Ibid.*, I, art. 28, p. 709.

38. À ce propos, on pourrait se demander quelle est, selon Descartes, la situation des animaux. Certes, ils ont comme les humains des organes sensoriels (yeux, oreilles, etc.). Bien sûr, leur corps peut être agité par des «émotions». Mais comme ils sont simplement des machines sans «substance pensante», ils ne peuvent être conscients de leurs perceptions ou émotions physiques. En fait, ils sont, dira Descartes, dans la situation hypothétique d'un homme qui serait perpétuellement «distrait» (on ne remarque pas quand on est distrait: on perçoit alors… comme si on ne percevait pas!).

39. *Passions de l'âme*, II, art. 137, p. 759.

les examinant [les passions], je les ai trouvées presque toutes bonnes, et tellement utiles à cette vie, que notre âme n'aurait pas sujet de vouloir demeurer jointe à son corps un seul moment, si elle ne les pouvait ressentir[40].»

Descartes relève six passions «primitives»: la joie, l'amour, la tristesse, la haine, l'admiration et le désir. Les passions ne sont pas mauvaises en soi. Au contraire, Descartes considère «qu'elles sont toutes bonnes de leur nature, et que nous n'avons rien à éviter que leurs mauvais usages ou leurs excès[41]». Car il revient à la raison de contrôler les mouvements du corps, y compris les mouvements affectifs. Pour ne pas succomber à leur excès, c'est-à-dire les vivre de façon démesurée, et ainsi s'éloigner de la sagesse, il ne s'agit pas de les extirper de son corps, mais seulement de «s'en rendre tellement maître et [de] les ménager avec tant d'adresse, que les maux qu'elles causent sont fort supportables, et même qu'on tire de la joie de tous[42]». Mais qu'est-ce que cela veut dire au juste? Tout simplement ceci: si nous voulons que notre âme s'appartienne en propre, c'est-à-dire qu'elle parvienne à se distinguer de la passion (par exemple, la haine) qu'elle éprouve et qui l'émeut, elle devra apprendre à se distancier de cette passion. Ainsi, pour ne pas se confondre avec la passion qui l'assaille, l'esprit doit (en se servant de sa capacité d'**intellection**) se centrer sur lui-même et ainsi se situer à l'extérieur de la passion, car la passion est un mouvement du corps, et non de l'âme. Un peu comme au théâtre, où l'acteur réussit à se mettre à distance pour ne pas être totalement bouleversé par les émotions que vit le personnage qu'il incarne sur la scène.

Intellection

Acte par lequel l'esprit conçoit. Correspond à la faculté de connaître en tant que telle.

Le niveau métaphysique

Nous venons de constater que, selon Descartes, l'âme est jointe au corps en cette vie. Cependant, se situant sur un autre plan – celui de la connaissance –, il affirme «la réelle distinction entre l'âme et le corps de l'homme». L'âme (substance pensante) et le corps (substance étendue) doivent être appréhendés distinctement par l'entendement. Descartes établit donc une séparation radicale (dualisme) entre l'âme et le corps, puisque, selon lui, leur nature et leurs fonctions diffèrent d'une manière inconciliable.

L'homme se définit essentiellement par son âme qui est différente du corps. L'être de l'homme, c'est son âme. Il est son âme, et cette âme – qui le caractérise en propre – a pour fonction de penser. L'âme est donc la pensée. Descartes, qui réduit l'âme à l'esprit pensant, ne voit pas en elle un principe vital qui animerait ou dirigerait le corps. L'âme possède une nature purement spirituelle et elle peut penser sans le corps. Sur le plan métaphysique, l'âme est donc indépendante du corps.

Le corps, quant à lui, ne définit pas l'être humain. «Je ne suis pas cet assemblage de membres qu'on appelle le corps humain[43].» L'être humain n'est pas son corps, puisque le corps n'est pas nécessaire pour penser. Il faut même s'en méfier, car, comme nous l'avons constaté, les sens peuvent nous fournir de fausses informations. Le corps est «cette machine composée d'os et de chair, telle qu'elle paraît en un cadavre[44]». À l'image d'un **automate**, l'homme en tant que corps obéit aux règles de la mécanique. En effet, Descartes perçoit le corps humain comme une espèce de

Automate

Toute machine qui est animée par un mécanisme intérieur et qui se meut par elle-même.

---

40. «À Chanut, 1er novembre 1646», dans *Lettres choisies*, p. 1248-1249.

41. *Passions de l'âme*, III, art. 211, p. 794.

42. *Ibid.*, III, art. 212, p. 795.

43. *Méditation seconde*, p. 277.

44. *Ibid.*, p. 276.

À l'instar de son prédécesseur Léonard de Vinci (1452-1519), Descartes considère que le corps humain constitue une machine bien ordonnée et bien disposée.

machine ou de mécanique qu'on peut remonter pour la faire se mouvoir. Les membres du corps sont mus par les «esprits animaux» (qui n'ont rien, rappelons-le, de spirituel!) sans l'aide de l'âme «en même façon que le mouvement d'une montre est produit par la seule force de son ressort et la figure de ses roues[45]». Nous avons affaire ici à une explication essentiellement mécaniste du corps et de ses fonctions. Aux yeux de Descartes, le corps est une machine pouvant être entièrement expliquée par les lois physiques du mouvement. Quoi qu'il en soit, tout ce que produit le corps – sensations, émotions, sentiments et images – peut être expliqué mécaniquement de la même manière que nous le ferions pour une bille qui roule sur un plan incliné. Le corps assume, seul, les fonctions vitales qui, d'après Descartes, sont avant tout mécaniques. Le corps est donc la matière mécanique. Gardons en mémoire que le corps, et ce qu'il produit, possède, selon Descartes, une parfaite autonomie[46] et constitue une machine bien ordonnée et bien disposée dont les organes continueraient de fonctionner à merveille même s'il n'y avait en lui aucun esprit, comme cela se passe chez les animaux[47]. En conséquence, il ne revient pas à l'âme d'animer le corps ou d'en gérer le fonctionnement physiologique. Elle peut alors se consacrer totalement à la fonction première pour laquelle Dieu l'a créée: penser et vouloir selon la raison.

La morale provisoire et la règle du meilleur jugement

Descartes définit l'homme comme étant essentiellement un être de pensée qui doit conduire son esprit avec méthode et rigueur s'il veut accéder à la vérité et s'il veut agir selon le bien. Mais, dans la vie de tous les jours, il arrive souvent qu'on doive agir sans disposer d'un temps de réflexion approfondie. Il faut alors, selon Descartes, se munir d'une «morale par provision», c'est-à-dire se donner des **maximes** de conduite provisoires et s'y soumettre résolument même si, faute de temps, ces dernières n'ont pu être examinées d'une manière stricte et serrée.

Maxime
Règle, principe de conduite.

Dans le domaine de l'agir, Descartes ne tolère pas l'indécision, qu'il appelle «irrésolution». Une décision quelconque vaudra toujours mieux, selon lui, que l'indécision lorsqu'on n'est pas encore en mesure de bien juger. En conséquence, Descartes se donne pour sa propre gouverne les maximes[48] suivantes: il faut «obéir aux lois et aux coutumes de son pays […] suivant les opinions les plus modérées et les plus éloignées de l'excès»; il faut être le plus ferme et le plus résolu possible dans ses actions une fois qu'on s'y est déterminé; il faut changer ses désirs et ses pensées plutôt que d'essayer inutilement de changer l'ordre du monde[49].

Précisons que ces règles morales provisoires ne remplacent pas la règle d'action ultime retenue par Descartes et que l'on pourrait appeler la «règle du meilleur

---

45. *Passions de l'âme*, I, art. 16, p. 704.

46. Par exemple, c'est le corps lui-même qui voit par «automatisme» à se nourrir et à se mouvoir.

47. *Méditation sixième*, p. 329.

48. Ces maximes constituent la base d'une morale provisoire en attendant la construction d'une morale définitive. Voir *Discours de la méthode*, troisième partie, p. 141-143.

49. Descartes s'inspire ici du détachement propre aux stoïciens (IVe siècle av. J.-C.-IIe siècle apr. J.-C.), qui enseignaient de ne pas essayer de changer ce qui ne dépend pas de nous et de l'assumer avec force d'âme.

jugement» : «Il suffit de bien juger pour bien faire, et de juger le mieux qu'on puisse pour faire aussi tout son mieux, c'est-à-dire acquérir toutes les vertus[50].»

Agir selon le meilleur jugement demeure pour Descartes la résolution la plus sage et la plus assurée pour régler nos mœurs. Voilà la règle ou le principe fondamental de toute morale digne de ce nom. Notre esprit devra donc chercher prioritairement à connaître la juste valeur des choses en utilisant «ses propres armes», c'est-à-dire en posant «des jugements fermes et déterminés touchant la connaissance du bien et du mal, suivant lesquels l'esprit a résolu de conduire les actions de sa vie[51]».

En affirmant «que mon essence consiste en cela seul, que je suis une chose qui pense ou une substance dont toute l'essence ou la nature n'est que de penser[52]», Descartes privilégie la dimension rationnelle de l'être humain, mais on ne trouve chez lui aucune condamnation morale du monde sensible ni du corps. Si Descartes valorise l'*intelligible* au détriment du *sensible*, c'est uniquement parce que le monde sensible peut nous tromper dans notre quête de certitudes et que, de son point de vue méthodique, l'existence du «je» n'implique pas nécessairement l'existence du monde sensible et du corps. Seul l'entendement, c'est-à-dire cette faculté de pure intellection (et non les sens et l'imagination), peut nous permettre de concevoir les choses de façon explicite et séparée, et ainsi d'arriver à des connaissances sûres et certaines. Et la volonté libre de l'être humain devra viser cet ultime but : atteindre l'indubitable! Et l'indubitable ne pourra s'acquérir que par la méthode.

Descartes aujourd'hui

Aujourd'hui

Demandons-nous quelles résonances peut avoir encore aujourd'hui le rationalisme cartésien.

Descartes et l'esprit scientifique contemporain

Ne peut-on reconnaître l'esprit cartésien dans les bases mêmes de l'esprit scientifique contemporain? Bien sûr! La science actuelle s'inspire des recommandations prescrites par Descartes au XVIIe siècle afin de connaître la réalité avec certitude. Notamment, la science d'aujourd'hui reconnaît qu'il faut toujours utiliser une méthode exacte et précise si l'on veut arriver à un résultat objectif. À l'instar de Descartes, la science d'aujourd'hui défend le principe de causalité dans toute démonstration. Elle valorise aussi la déduction mathématique comme modèle du raisonnement rigoureux. Elle fait appel d'une manière nécessaire aux preuves irréfutables avant de conclure. Et ainsi de suite.

Descartes et notre manière de penser

Plus généralement, Descartes influence de nos jours notre pensée en nous recommandant de nous en remettre exclusivement à ce que la raison comprend, de retenir ce que la raison a appréhendé avec certitude, de nous affranchir des idées reçues, de nous méfier des préjugés et des lieux communs, de développer l'esprit critique, etc. N'est-ce pas là des attitudes de l'esprit que notre culture actuelle valorise et que l'éducation essaie encore aujourd'hui de cultiver?

---

50. *Discours de la méthode,* troisième partie, p. 144.

51. *Passions de l'âme,* I, art. 48, p. 720.

52. *Méditation troisième,* p. 323.

Descartes et la primauté de la raison instrumentale

Selon Descartes, notre raison doit être conduite par une méthode rigoureuse ; on doit penser d'une manière claire et précise et arriver ainsi, par le chemin le plus simple, à un résultat indubitable.

Certaines critiques reprochent à Descartes d'avoir tracé ainsi la voie à ce qu'on nomme aujourd'hui la « raison instrumentale ». Dans *Grandeur et Misère de la modernité*, Charles Taylor qualifie cette raison instrumentale de « raison "désengagée"[53] ». En définissant l'être humain comme étant essentiellement un pur esprit désincarné et détaché des choses qu'il appréhende, Descartes aurait été le propagandiste d'une *raison désengagée* « que nous utilisons lorsque nous évaluons les moyens les plus simples de parvenir à une fin donnée[54] ». Cette raison instrumentale contemporaine atteint son objectif lorsqu'elle permet une efficacité et une productivité maximales.

Bien au-delà de l'univers économique, cette raison instrumentale pénètre désormais la sphère de nos vies privées. Aujourd'hui, nous mesurons notre réussite, notre bien-être, notre rapport aux autres, bref notre bonheur à l'aune de coûts-bénéfices comme si aucune humanité, aucune recherche de sens ne devait guider notre vie.

Selon Charles Taylor, « la primauté de la raison instrumentale se manifeste aussi dans le prestige qui auréole la technologie et qui nous fait chercher des solutions technologiques alors même que l'enjeu est d'un tout autre ordre[55] ». Ainsi, la raison instrumentale envahit les domaines de la politique, de la santé, de l'environnement et de la vie sociale. Aujourd'hui, les partisans d'une raison instrumentale, ardents défenseurs du contrôle, de l'efficacité et de la rentabilité à tout prix, préconisent, par exemple, de privatiser les pratiques médicales en oubliant souvent que le patient est une personne ! Ils recommandent la vente de l'eau potable, le développement accéléré des organismes génétiquement modifiés (OGM), etc. En s'appuyant sur un calcul économique simpliste, ces partisans de la raison instrumentale rejettent les mesures visant à protéger l'environnement. Par exemple, les États-Unis d'Amérique refusent de signer le protocole de Kyoto parce que les dispositions retenues pour réduire les émissions de gaz à effet de serre feraient ralentir l'économie américaine !

Bref, sans aucun souci d'humanité, les tenants de la raison instrumentale envisagent tout comme une marchandise nécessaire au bon fonctionnement de l'économie.

Descartes et l'enseignement de la tradition

Dans la première partie de son *Discours de la méthode*, Descartes critique l'éducation qu'il a reçue au collège de La Flèche. L'enseignement consistait alors à transmettre l'héritage du passé. Certes, il est intéressant, dit Descartes, de « converser avec ceux des autres siècles », mais « lorsqu'on est trop curieux des choses qui se pratiquaient aux siècles passés, on demeure ordinairement fort ignorant de celles qui se pratiquent en celui-ci[56] ». En outre, les trois dernières années d'études étaient consacrées au savoir officiel de l'époque : la philosophie scolastique. Descartes

---

53. Charles TAYLOR, *Grandeur et Misère de la modernité*, trad. Charlotte Melançon, Montréal, Bellarmin, 1992, p. 128.

54. *Ibid.*, p. 15.

55. *Ibid.*, p. 17.

56. *Discours de la méthode*, première partie, p. 129.

reproche à cette doctrine d'avoir des fondements peu solides, de sorte qu'elle ne peut conduire à des énoncés sûrs et certains :

> C'est pourquoi, sitôt que l'âge me permit de sortir de la sujétion de mes précepteurs, je quittai entièrement l'étude des lettres. Et me résolvant de ne chercher plus d'autre science que celle qui se pourrait trouver en moi-même, ou bien dans le grand livre du monde. […] Car il me semblait que je pourrais rencontrer beaucoup plus de vérité dans les raisonnements que chacun fait touchant les affaires qui lui importent, et dont l'événement le doit punir bientôt après s'il a mal jugé, que dans ceux que fait un homme de lettres dans son cabinet, touchant des spéculations qui ne produisent aucun effet, et qui ne lui sont d'autre conséquence, sinon que peut-être il en tirera d'autant plus de vanité qu'elles seront plus éloignées du sens commun, à cause qu'il aura dû employer d'autant plus d'esprit et d'artifice à tâcher de les rendre vraisemblables. Et j'avais toujours un extrême désir d'apprendre à distinguer le vrai d'avec le faux, pour voir clair en mes actions, et marcher avec assurance en cette vie[57].

Cette critique que fait Descartes d'un enseignement exclusivement fondé sur des savoirs érudits appartenant à la tradition a été reprise aujourd'hui par les systèmes d'éducation. Il ne s'agit plus d'enseigner aux jeunes l'héritage du passé en lui-même et pour lui-même, mais de leur apprendre à penser par eux-mêmes, à raisonner, à discerner le vrai du faux en estimant d'après le critère de vérité la valeur des connaissances acquises.

Descartes et l'appel à la rationalité tous azimuts

Toute l'œuvre cartésienne nous dit qu'il faut penser clairement, sinon il n'y a pas de pensée du tout. Cette recommandation ne convient-elle pas en particulier à notre temps où il semble si difficile d'établir un **discours** rigoureux et cohérent sur le monde et sur soi-même ? Devant un tel constat, parents et enseignants exhortent les jeunes à se servir de leur raison. Ils leur demandent d'être rationnels, c'est-à-dire d'accéder à la compréhension raisonnée du monde et d'eux-mêmes en formant des concepts et en produisant des raisonnements argumentés et fondés. Mais on fait souvent cet appel à la rationalité, présentée comme une source nécessaire et incontournable de la connaissance, en condamnant un autre monde perçu comme inférieur ou dégradé : celui des instincts, des émotions, des sentiments, de l'affectivité, bref le monde du *cœur*. Nous parlons ici de tout ce qui apparaît d'abord comme étranger à la représentation rationnelle, qui s'exprime souvent par des « je sens que… », « j'ai le sentiment que… » et que l'on appelle communément le « monde du vécu ». En voyant toujours la nécessité – puisque nous sommes des êtres de raison – de soumettre ce monde du vécu à la lumière de la raison, n'avons-nous pas tendance à désavouer sans réserve ni nuance ce monde du vécu ? Ce faisant, ne valorisons-nous pas de façon parfois abusive la pensée froide et désincarnée ?

En assujettissant toutes les dimensions de la vie humaine aux impératifs de la raison, le **cartésianisme** n'a-t-il pas contribué à étouffer la voix du cœur ? Qui plus est, le cartésianisme n'affirmit-il pas l'éternelle opposition entre l'univers de la raison et celui des sentiments ?

Il a fallu attendre Jean-Jacques Rousseau pour que soit réhabilité « le sentiment de soi-même et de sa propre existence », et pour que nous puissions passer du sujet pensant de Descartes (sujet sans dimension temporelle ni sociale) au sujet « sensible » perfectible et historique de Rousseau.

Discours
Expression de la pensée qui appréhende le réel en procédant d'une manière logique, méthodique et démonstrative.

Le cartésianisme désigne les philosophies qui, succédant à celle de Descartes, ont prolongé la pensée cartésienne. Les philosophies de Spinoza, de Malebranche et de Leibniz ont développé une attitude ultrarationaliste qui est devenue si répandue chez les élites intellectuelles qu'on nommera le siècle suivant le siècle des Lumières (de la raison).

---

57. *Ibid.*, p. 131.

L'essentiel

René Descartes

Le **doute méthodique** cartésien rejette provisoirement comme fausses les sources possibles d'erreur (témoignages des sens, démonstrations logiques, opinions). Puisque je ne peux douter que je doute, le doute permet de poser avec certitude le *cogito* (je pense, donc je suis). Le *cogito* conduit à cette première évidence : je suis une **substance pensante**. Et c'est mon **âme** qui pense grâce aux **idées innées.** L'idée innée de Dieu mène à l'**existence de Dieu,** être parfait qui ne peut me tromper. L'erreur vient d'un mauvais usage de ma **volonté (libre arbitre)** qui choisit le faux et le mal. Dieu, créateur de l'idée claire et distincte de l'étendue qui se présente à mon esprit, me garantit l'**existence des choses matérielles.** En conséquence, j'ai la certitude que mon **corps (substance étendue)** existe et qu'il assume seul les fonctions vitales. Mais moi, je suis une âme (substance pensante). Mon âme qui pense constitue mon essence. C'est mon corps qui ressent d'abord les **passions,** mais celles-ci touchent aussi l'âme. L'âme doit maîtriser les passions.

Réseau de concepts

Résumé de l'exposé

Descartes et le siècle de la raison

Notice biographique

René Descartes naît le 31 mars 1596 à La Haye en France. Il fait des études au collège des jésuites de La Flèche et obtient une licence en droit de l'Université de Poitiers. Descartes se fait soldat afin de voyager et d'étudier les mœurs des hommes. Profitant d'une rente confortable, il se consacre entièrement à la recherche. Il publie des ouvrages scientifiques et philosophiques qui contribueront à la construction de la pensée moderne du XVIIe siècle. Descartes meurt à Stockholm le 11 février 1650.

Le Grand Siècle ou l'avènement de la modernité

La modernité, aussi appelée les Temps modernes, s'oppose à l'autorité du passé et à la tradition (l'Antiquité gréco-romaine revue, corrigée et augmentée par la théologie catholique médiévale).

Les Temps modernes se caractérisent par la croyance en la capacité de l'individu-sujet de connaître le réel grâce à sa raison. Ils se caractérisent aussi par la croyance dans le progrès de l'esprit humain.

La révolution scientifique du XVIIe siècle

Grâce à Copernic, suivi de Kepler, Galilée et Descartes, qui, tous, rejettent le géocentrisme antique, nous assistons à une nouvelle compréhension et à une nouvelle représentation du monde : l'héliocentrisme. Le Soleil devenant le centre de l'univers, la Terre et l'homme qui y habite perdent leur caractère sacré.

Descartes : savant, mathématicien et philosophe

Descartes veut définir, avec la plus grande exactitude possible, l'homme et le monde. À cette fin, il utilise la « mathématique universelle » comme modèle de démonstration parce que les mathématiques offrent une rigueur inflexible et stricte.

Le premier rationalisme moderne

Descartes est le premier philosophe moderne à accorder à la raison de l'individu le pouvoir de connaître, pour autant qu'elle soit dirigée avec rigueur et méthode.

Descartes et la recherche de certitudes

La méthode cartésienne

Afin que notre raison soit bien menée, Descartes nous propose de suivre sa propre méthode qui obéit à quatre règles : l'évidence, l'analyse, la synthèse et le dénombrement.

Les étapes du doute méthodique

Pour arriver à une première vérité indubitable, Descartes met tout en doute : les informations fournies par ses sens, parce qu'elles peuvent être fausses ; les démonstrations mathématiques et les raisonnements déjà faits, parce qu'il a pu se tromper en les établissant ; ses opinions, qui peuvent être aussi fausses que celles qui proviennent de ses rêves.

Le *cogito* ou la découverte du moi pensant

« Je pense, donc je suis. »

Le *cogito* cartésien peut être reformulé de la façon suivante : si je doute, c'est que je suis en train de penser, et si je pense, c'est que j'existe.

« Mais qui suis-je ? » se demande Descartes. Une « chose qui pense, c'est-à-dire un esprit, un entendement ou une raison ».

C'est mon âme qui pense

L'homme est une « substance dont toute l'essence ou la nature n'est que de penser ». D'après Descartes, la pensée constitue donc l'être de l'homme, son essence. Et c'est « l'âme tout entière qui pense ».

La primauté du sujet pensant

En définissant l'être humain comme un « je » pensant, Descartes donne à chaque humain la responsabilité de penser par lui-même et de poser en lui-même et par lui-même les bases et les critères d'établissement de toute certitude.

La pensée, les idées et le monde matériel

Malgré les différentes formes qu'une chose matérielle peut prendre, Descartes affirme que son entendement (sa raison) peut la concevoir grâce à l'idée innée de l'étendue.

De l'idée de Dieu à l'existence de Dieu

Si j'ai en moi l'idée de la perfection et de l'infini alors que je suis moi-même un être imparfait et fini, une cause parfaite et infinie doit être à l'origine de cette idée ; donc, Dieu existe.

La cause de l'erreur : une utilisation incorrecte de la volonté (libre arbitre)

Dieu ne pouvant me tromper et la volonté étant une faculté parfaite, l'erreur vient d'un mauvais usage que je fais de ma volonté (le libre arbitre).

La volonté et la liberté

La volonté et la liberté sont une seule et même chose.

La liberté de notre volonté se connaît sans preuve, par la seule expérience que nous en avons.

La volonté est définie par Descartes comme le pouvoir du libre arbitre d'affirmer ou de nier, de faire ou de ne pas faire ce que la raison propose sans y être obligé par aucune force extérieure.

Le libre arbitre et l'indifférence

Descartes critique les deux formes d'indifférence :

a) l'*indifférence d'inclination,* où je choisis (par ignorance) indistinctement un côté ou un autre, ce qui est « le plus bas degré de la liberté » ;

b) l'*indifférence d'élection,* où, dans l'unique but d'affirmer ma liberté, je ne choisis pas une action que je sais pourtant bonne ou un jugement que je sais pourtant fondé.

Le juste choix

Que faut-il choisir ? Il faut faire preuve d'un pouvoir de choix éclairé par la raison où la volonté de l'être humain choisit le vrai et le bien (non le faux et le mal).

De l'existence des choses matérielles

Ni l'entendement ni l'imagination ne donnent l'assurance de l'existence des choses matérielles.

Les images que je perçois des choses matérielles doivent avoir une cause distincte de moi.

Cette cause ne peut être que les choses réelles et objectives. Car Dieu, être parfait, qui ne peut me tromper, n'aurait pu me disposer à juger réelles les images que j'ai des choses sensibles, si elles ne correspondaient pas à des choses matérielles qui existent réellement.

Le rapport entre l'âme et le corps

Le niveau de l'existence concrète

Sur le plan de la vie concrète, l'homme est composé d'une âme (esprit) et d'un corps parfaitement conjoints.

Les passions humaines

Les passions illustrent l'union intime de l'âme et du corps : c'est le corps qui vit d'abord les passions, mais l'âme en est aussi touchée en les rendant conscientes.

Descartes relève six passions « primitives » : la joie, l'amour, la tristesse, la haine, l'admiration et le désir.

Les passions sont naturellement bonnes. Mais il ne faut pas les vivre de façon excessive. Il faut apprendre à les maîtriser.

Afin que l'âme ne devienne pas la passion qu'elle éprouve et qui l'émeut, elle devra se distancier de cette passion.

Le niveau métaphysique

Sur le plan de la connaissance, Descartes établit un dualisme radical entre l'âme et le corps. L'homme se définit essentiellement par son âme (substance pensante) qui est différente du corps (substance étendue). L'âme seule pense, et le corps assume seul les fonctions vitales.

La morale provisoire et la règle du meilleur jugement

Puisque, dans la vie quotidienne, il faut souvent agir sans délai, Descartes recommande de nous munir d'une « morale par provision », c'est-à-dire de nous donner des préceptes de conduite et de nous y soumettre avec fermeté même si nous n'avons pas eu le temps de les examiner avec rigueur.

Cependant, agir selon le meilleur jugement demeure la résolution la plus sage et la plus assurée pour régler nos actions.

Descartes aujourd'hui

Descartes et l'esprit scientifique contemporain

L'esprit scientifique contemporain suit les recommandations cartésiennes : utiliser une méthode exacte et précise, défendre le principe de causalité, valoriser la déduction mathématique et n'accepter que des preuves irréfutables à l'intérieur d'une démonstration si l'on veut arriver à des résultats sûrs et certains.

Descartes et notre manière de penser

Descartes influence notre manière actuelle de penser en nous recommandant de nous en tenir à ce que la raison comprend afin de nous affranchir des préjugés et de développer notre esprit critique.

Descartes et la primauté de la raison instrumentale

En nous recommandant de penser d'une manière claire, simple et efficace pour arriver à un résultat indubitable, Descartes aurait contribué à mettre en avant les premiers jalons de ce qu'on appelle aujourd'hui la « raison instrumentale ».

Cette raison instrumentale fait que nous choisissons les moyens les plus simples pour parvenir à une efficacité et à une productivité maximales dans des domaines où une recherche de sens et d'humanité devrait pourtant guider nos choix.

Descartes et l'enseignement de la tradition

Descartes condamne l'enseignement exclusivement fondé sur des savoirs érudits appartenant à la tradition. Cette critique est aujourd'hui reprise par les systèmes d'éducation, qui tentent d'apprendre aux élèves à raisonner et à développer leur jugement critique.

Descartes et l'appel à la rationalité tous azimuts

L'appel cartésien à la pensée claire et distincte encourage parents et enseignants à demander aux jeunes de se servir de leur raison. Toutefois, en soumettant toutes les dimensions de la vie humaine aux impératifs de la raison, le cartésianisme ne contribue-t-il pas à étouffer la voix du cœur ?

Activités d'apprentissage

Vérifiez vos connaissances

1. Le projet d'unification de toutes les connaissances auquel Descartes consacrera sa vie entière commence par un rêve. VRAI ou FAUX ?

2. À quarante et un ans, Descartes publie trois courts ouvrages scientifiques en latin. VRAI ou FAUX ?

3. Quelle est cette époque au cours de laquelle naît une nouvelle manière de penser l'homme et la place qu'il occupe dans l'univers et à laquelle participe Descartes ?

4. Quel titre porte la préface qui accompagne les trois courts ouvrages scientifiques de Descartes publiés en 1637 et grâce à laquelle il connaîtra la gloire ?

5. À la Renaissance, une découverte majeure a transformé à jamais la représentation que l'être humain se fait de l'univers et de la place qu'il y occupe. Quelle est-elle ?

6. Descartes s'inspire de la méthode théologique pour définir avec la plus grande exactitude possible l'homme et sa situation dans le monde. VRAI ou FAUX ?

7. Pour avoir instauré la souveraineté de la raison individuelle, René Descartes est considéré comme le père de quelle doctrine ?

8. Tout comme les sceptiques de l'Antiquité, Descartes fait du doute une fin en soi. VRAI ou FAUX ?

9. Quelle est la première évidence à laquelle parvient Descartes ?

10. Selon Descartes, l'être humain ne vit que pour penser. VRAI ou FAUX ?

11. L'exemple du morceau de cire permet à Descartes de dire que toute chose matérielle est saisie par l'esprit à travers l'idée d'étendue. VRAI ou FAUX ?

12. L'être humain se trompe parce qu'il fait un mauvais usage de sa volonté, affirme Descartes. VRAI ou FAUX ?

13. Le degré de liberté le plus élevé, aux yeux de Descartes, c'est celui d'être indifférent à toute chose. VRAI ou FAUX ?

14. Selon Descartes, pour bien conduire notre esprit et accéder à la vérité tout en agissant selon le bien, nous devons nous fier à nos passions primitives. VRAI ou FAUX ?

15. À partir de ce que vous avez appris sur Descartes, indiquez laquelle des citations suivantes n'a pas été écrite par lui.

    a) « Comme de vrai, il semble que nous n'avons de la vérité et de la raison que l'exemple et l'idée des opinions et usances du pays où nous sommes. »

    b) « [...] la diversité de nos opinions ne vient pas de ce que les uns sont plus raisonnables que les autres, mais seulement de ce que nous conduisons nos pensées par diverses voies, et ne considérons pas les mêmes choses. »

    c) « La lumière naturelle nous enseigne que la connaissance de l'entendement doit toujours précéder la détermination de la volonté. »

Analyse et critique de texte

Cette activité exige la lecture préalable de l'extrait du *Discours de la méthode* présenté à la page 71.

Compétences à acquérir

- Démontrer sa compréhension d'un texte de Descartes en transposant dans ses propres mots une partie de ce texte philosophique.
- Évaluer le contenu, c'est-à-dire exprimer son accord ou son désaccord (et en donner les raisons) sur la conception de l'homme avancée par Descartes dans ce texte.

Questions

1. Dans ce texte, Descartes dit qu'il désire « vaquer seulement à la recherche de la vérité ». Dites dans vos propres mots ce qu'il entreprend pour y parvenir.

2. Nommez et expliquez « le premier principe de la philosophie » auquel Descartes arrive dans ce texte.

3. a) Selon Descartes, quelle est la définition de l'être humain dans ce qu'il est essentiellement ? Présentez cette définition telle qu'elle est formulée dans le texte.

Commentaire critique

b) Êtes-vous d'accord avec cette définition de l'homme ? Prononcez-vous sur les trois parties de la définition de l'être humain présentée par Descartes. Vous devez fonder votre jugement, c'est-à-dire défendre votre point de vue, en apportant trois arguments pour appuyer vos affirmations. (Minimum suggéré : une page.)

4. Formulez dans vos propres mots la « règle générale » prise par Descartes afin de s'assurer de la vérité d'une proposition.

Analyse et critique d'un texte comparatif

Cette activité exige la lecture préalable de l'extrait de *L'Éthique* présenté à la page 72.

Compétences à acquérir

- Faire un résumé de la pensée de Descartes relativement aux propos tenus par Spinoza dans ce texte.

- Évaluer le contenu, c'est-à-dire exprimer son accord ou son désaccord (et en donner les raisons) sur les critiques avancées par Spinoza à l'endroit de la philosophie cartésienne.

Questions

1. Dans ce texte, Spinoza interroge Descartes : «Qu'entend-il, je le demande, par l'union de l'Âme et du Corps ? Quelle conception claire et distincte a-t-il d'une pensée très étroitement liée à une certaine petite portion de l'étendue ?» Répondez à Spinoza en faisant un résumé de ce que Descartes dit de l'union de l'âme et du corps.

2. Spinoza semble trouver que Descartes s'est mis en difficulté, d'un côté, en unissant l'âme et le corps et, d'un autre côté, en concevant l'âme distincte du corps. En vous servant de l'exposé présenté dans ce chapitre, tentez d'expliquer à Spinoza qu'il n'y a aucune contradiction entre ces deux théories cartésiennes.

Commentaire critique

3. Êtes-vous d'accord avec les critiques que Spinoza formule à l'endroit de Descartes ? Vous devez fonder votre jugement, c'est-à-dire défendre votre point de vue, en apportant deux arguments pour appuyer vos affirmations. (Minimum suggéré : une page.)

Exercice comparatif : Montaigne et Descartes

Compétence à acquérir

Procéder à une comparaison entre deux conceptions de l'être humain à propos d'un même thème.

Contexte de réalisation

Individuellement, dans un texte d'environ 350 mots (une page et demie), examinez les rapports de ressemblance et de différence entre Montaigne et Descartes au regard du thème suivant : le doute.

Étapes suggérées

1. a) Caractérisez la manière dont Montaigne envisage le doute. Par exemple, demandez-vous dans quelle

   mesure, pour Montaigne, le doute s'exprime par son célèbre «Que sais-je ?».

   b) Caractérisez la manière dont Descartes se sert du doute. Par exemple, demandez-vous en quoi et comment, pour Descartes, le doute est utilisé comme moyen de parvenir à la vérité.

2. a) S'il y a lieu, précisez les liens ou les similitudes entre la manière de Montaigne et celle de Descartes de concevoir le doute.

   b) S'il y a lieu, dégagez les oppositions ou les antagonismes entre la manière de Montaigne et celle de Descartes de considérer le doute.

Jeu de rôle

Compétence à acquérir

Débattre d'un aspect de la pensée de Descartes en participant à un jeu de rôle.

Introduction

Pendant une grande partie de son existence active, Descartes a entretenu une correspondance nombreuse avec les plus grands de ses contemporains. Dans les lettres adressées à Descartes, reines, princesses, savants et érudits apportaient des objections aux théories cartésiennes. Et, à son tour, Descartes répliquait en précisant et en justifiant sa pensée.

Mise en place du jeu de rôle

1. La classe est divisée en deux.

2. La moitié des élèves, regroupés en équipes de trois ou quatre personnes, jouent le rôle des correspondants de Descartes. Ils rédigent une lettre dans laquelle ils s'opposent à un ou à des aspects de sa théorie qui ont été précisés précédemment. Ces oppositions sont argumentées.

3. La moitié des élèves, regroupés en équipes de trois ou quatre personnes, jouent le rôle de Descartes. Ils rédigent une lettre dans laquelle ils défendent, arguments à l'appui, cet aspect ou ces aspects de la philosophie cartésienne.

4. Une fois le travail terminé, un membre de chaque équipe lit à la classe la lettre rédigée par son groupe. L'ordre suivant est respecté : un porte-parole d'une équipe de correspondants, puis un porte-parole d'une équipe de Descartes.

Extraits de textes

Texte de Descartes ■ *Discours de la méthode*

Quatrième partie

Je ne sais si je dois vous entretenir des premières méditations que j'y ai faites ; car elles sont si métaphysiques et si peu communes, qu'elles ne seront peut-être pas au goût de tout le monde. Et, toutefois, afin qu'on puisse juger si les fondements que j'ai pris sont assez fermes, je me trouve en quelque façon contraint d'en parler. J'avais dès longtemps remarqué que, pour les **mœurs**, il est besoin quelquefois de suivre des opinions qu'on sait être fort incertaines, **tout de même que** si elles étaient **indubitables**, ainsi qu'il a été dit ci-dessus[58] ; mais, pour ce qu'alors je désirais **vaquer** seulement à la recherche de la vérité, je pensai qu'il fallait que je fisse tout le contraire, et que je rejetasse comme absolument faux tout ce en quoi je pourrais imaginer le moindre doute, afin de voir s'il ne resterait point, après cela, quelque chose en ma **créance** qui fût entièrement indubitable. Ainsi, à cause que nos sens nous trompent quelquefois, je voulus supposer qu'il n'y avait aucune chose qui fût telle qu'ils nous la font imaginer. Et, parce qu'il y a des hommes qui se méprennent en raisonnant, même touchant les plus simples matières de géométrie, et y font des **paralogismes**, jugeant que j'étais sujet à faillir autant qu'aucun autre, je rejetai comme fausses toutes les raisons que j'avais prises auparavant pour démonstrations. Et enfin, considérant que toutes les mêmes pensées que nous avons étant éveillés, nous peuvent aussi venir quand nous dormons, sans qu'il y en ait aucune pour lors qui soit vraie, je me résolus de **feindre** que toutes les choses qui m'étaient jamais entrées en l'esprit n'étaient non plus vraies que les illusions de mes songes. Mais, aussitôt après, je pris garde que, pendant que je voulais ainsi penser que tout était faux, il fallait nécessairement que moi, qui le pensais, fusse quelque chose. Et remarquant que cette vérité : *je pense, donc je suis*, était si ferme et si assurée que toutes les plus extravagantes suppositions des **sceptiques** n'étaient pas capables de l'ébranler, je jugeai que je pouvais la recevoir sans scrupule pour le premier principe de la philosophie que je cherchais.

Puis, examinant avec attention ce que j'étais, et voyant que je pouvais feindre que je n'avais aucun corps, et qu'il n'y avait aucun monde ni aucun lieu où je fusse ; mais que je ne pouvais pas feindre pour cela que je n'étais point ; et qu'au contraire, de cela même que je pensais à douter de la vérité des

Mœurs
Conduites humaines.

Tout de même que
Comme.

10

Indubitable
Sûr et certain, dont on ne peut pas douter.

Vaquer
S'occuper de.

Créance
Le fait de croire en la vérité de quelque chose.

Paralogisme
20　Faux raisonnement fait de bonne foi.

Feindre
Simuler, imaginer, faire comme si.

Sceptique
Incrédule qui fait le métier de douter sans chercher
30　forcément à dépasser ce doute.

---

58. Descartes fait référence à la deuxième maxime de la morale par provision énoncée dans la troisième partie du *Discours de la méthode* : « Ma seconde maxime était d'être le plus ferme et le plus résolu en mes actions que je pourrais, et de ne suivre pas moins constamment les opinions les plus douteuses, lorsque je m'y serais une fois déterminé, que si elles eussent été très assurées » (p. 142).

autres choses, il suivait très évidemment et très certainement que j'étais ; au lieu que, si j'eusse seulement cessé de penser, encore que tout le reste de ce que j'avais imaginé eût été vrai, je n'avais aucune raison de croire que j'eusse été : je connus de là que j'étais une **substance** dont toute l'**essence** ou la nature n'est que de penser, et qui, pour être, n'a besoin d'aucun lieu, ni ne dépend d'aucune chose matérielle. En sorte que ce moi, c'est-à-dire
40 l'âme par laquelle je suis ce que je suis, est entièrement distincte du corps, et même qu'elle est plus aisée à connaître que lui, et qu'encore qu'il ne fût point, elle ne laisserait pas d'être tout ce qu'elle est.

Après cela, je considérai en général ce qui est requis à une proposition pour être vraie et certaine ; car, puisque je venais d'en trouver une que je savais être telle, je pensai que je devais aussi savoir en quoi consiste cette certitude. Et ayant remarqué qu'il n'y a rien du tout en ceci : *je pense, donc je suis*, qui m'assure que je dis la vérité, sinon que je vois très clairement que, pour penser, il faut être, je jugeai que je pouvais prendre pour règle générale, que les choses que nous concevons fort clairement et fort distinctement sont
50 toutes vraies, mais qu'il y a seulement quelque difficulté à bien remarquer quelles sont celles que nous concevons distinctement.

DESCARTES, René. «Discours de la méthode», dans *Œuvres et Lettres*, Paris, Gallimard, coll. «Bibliothèque de la Pléiade», 1953, p. 147-148.

Substance

Réalité qui existe en soi-même et se conçoit indépendamment de toute autre.

Essence

Ce qui définit un être, ce qui constitue sa nature propre.

Texte de Spinoza ■ *L'Éthique*

Baruch Spinoza (1632-1677), philosophe hollandais, s'est beaucoup intéressé à l'œuvre de Descartes. Dans son premier ouvrage, *Principes de la philosophie de Descartes*, publié en 1663, Spinoza ne se borne pas à une simple exposition des principes de la philosophie cartésienne, il les juge, les examine de manière critique et parfois polémique.

Cinquième partie

«De la puissance de l'entendement ou de la liberté de l'homme»

Préface

En vérité je ne puis assez m'étonner qu'un Philosophe, après s'être fermement résolu à ne rien déduire que de principes connus d'eux-mêmes, et à ne rien affirmer qu'il ne le perçût clairement et distinctement, après avoir si souvent reproché aux Scolastiques de vouloir expliquer les choses obscures par des qualités **occultes**, admette une hypothèse plus occulte que toute qualité occulte. Qu'entend-il, je le demande, par l'union de l'Âme et du Corps ? Quelle conception claire et distincte a-t-il d'une pensée très étroitement liée à une certaine petite portion de l'étendue ? Je voudrais bien qu'il eût expliqué cette union par sa cause prochaine. Mais il avait conçu
10 l'Âme distincte du Corps, de telle sorte qu'il n'a pu assigner aucune cause

Occulte

Qui est caché, secret, inconnu par nature.

singulière ni de cette union, ni de l'Âme elle-même, et qu'il lui a été nécessaire de recourir à la cause de tout l'univers, c'est-à-dire Dieu. Je voudrais, de plus, savoir combien de degrés de mouvement l'Âme peut imprimer à cette glande pinéale et avec quelle force la tenir suspendue. Je ne sais en effet si cette glande est mue par l'Âme de-ci de-là plus lentement ou plus vite que par les esprits animaux et si les mouvements de Passions que nous avons joints étroitement à des jugements fermes ne peuvent pas en être disjoints par des causes corporelles; d'où suivrait qu'après s'être fermement proposé d'aller à l'encontre des dangers et avoir joint à ce décret des mouvements d'audace, à la vue du péril la glande se trouvât occuper une position telle que l'Âme ne pût penser qu'à la fuite; et certes, n'y ayant nulle commune mesure entre la volonté et le mouvement, il n'y a aucune comparaison entre la puissance – ou les forces – de l'Âme et celles du Corps; conséquemment les forces de ce dernier ne peuvent être dirigées par celles de la première. Ajoutez qu'on cherche en vain une glande située au milieu du cerveau de telle façon qu'elle puisse être mue de-ci de-là avec tant d'aisance et tant de manières, et que tous les nerfs ne se prolongent pas jusqu'aux cavités du cerveau.

20

SPINOZA, Baruch. *Œuvres*, t. III – *L'Éthique*, traduction et notes par Charles Appuhn, Paris, Garnier-Flammarion, 1965, p. 305.

Lectures suggérées

La lecture de l'une des œuvres suivantes est suggérée dans son intégralité ou en extraits importants:

▨ DESCARTES, René. *Discours de la méthode*, Paris, Fernand Nathan, coll. «Les Intégrales de philo», n° 3, 1981, 110 p.

▨ DESCARTES, René. *Méditations métaphysiques*, Paris, Fernand Nathan, coll. «Les Intégrales de philo», n° 4, 1983, 126 p.

Chapitre 3

L'homme comme être perfectible

Rousseau ou le rapport entre l'état de nature et l'état de société

Plan du chapitre

Rousseau et les Lumières

L'état de nature et l'état de société

Être ou paraître

Le contrat social ou la liberté et l'égalité retrouvées

Émile ou le modèle d'éducation de l'être humain

Rousseau aujourd'hui

La plus utile et la moins avancée de toutes les connaissances humaines me paraît être celle de l'homme.

Jean-Jacques ROUSSEAU, « Discours sur l'origine et les fondements de l'inégalité parmi les hommes », dans *Œuvres complètes*, p. 122.

Rousseau et les Lumières

Contexte
historique

Notice biographique

Jean-Jacques Rousseau naît à Genève, aujourd'hui en Suisse, le 28 juin 1712. Sa mère meurt quelques jours après lui avoir donné la vie, et c'est une tante, Suzanne Rousseau, qui s'occupe de lui pendant les années de sa petite enfance. En 1722, à la suite d'une querelle avec un capitaine, son père, Isaac Rousseau, s'enfuit de Genève. Jean-Jacques est alors confié, avec son cousin Abraham, au pasteur Lambercier, chez qui il demeure deux ans. Il est ensuite placé en apprentissage, d'abord chez un greffier, puis chez un graveur. À seize ans, fuyant son patron graveur décrit dans *Les Confessions* comme un maître cruel, Rousseau quitte Genève pour de bon.

En 1728, Rousseau rencontre Mme de Warens à Annecy, en France. L'année suivante, il s'installe chez elle. Mme de Warens deviendra sa protectrice et son éducatrice. C'est elle qui va l'initier à l'amour et que Rousseau appellera affectueusement « maman ».

Rousseau exerce divers métiers. Par exemple, il est valet chez Mme de Vercellis. En 1730, il se dit professeur de musique parisien et donne des leçons à Neuchâtel. L'année suivante, il demeure à Paris, où il est au service du neveu d'un colonel suisse. À partir de l'année 1735, Rousseau séjourne à plusieurs reprises aux Charmettes, près de Chambéry, dans la maison de Mme de Warens. Il y acquiert, en autodidacte, ses connaissances en musique et en latin, il apprend la philosophie et les sciences, etc. En 1740, il est **précepteur** des fils de M. de Malby, prévôt général à Lyon.

Précepteur

Maître chargé de la formation d'un enfant d'une famille aisée.

En 1742, Rousseau a trente ans. Il se trouve alors à Paris, et c'est là que commence sa vie mondaine. Il y rencontre Denis Diderot (1713-1784) et se joint à l'équipe de l'*Encyclopédie* (voir, plus loin, « L'*Encyclopédie* : une illustration du progrès de l'esprit humain »). Il présente à l'Académie des sciences de Paris un nouveau système de notation musicale qu'il publie sous le titre *Dissertation sur la musique moderne*.

En 1743, il part pour Venise comme secrétaire de l'ambassade de France. Il n'occupe ce poste qu'une année, car il se brouille avec l'ambassadeur.

En 1745, Rousseau revient à Paris où est présenté son opéra *Les Muses galantes*. La même année, il fait la connaissance de Thérèse Levasseur, lingère, qui lui donnera cinq enfants, qu'il mettra tous à l'hospice des Enfants-Trouvés « par crainte, se dit-il, d'une destinée pour eux mille fois pire et presque inévitable par toute autre voie[1] ». Jusqu'à la fin de sa vie, Rousseau s'est défendu d'avoir été un « père dénaturé » et a cherché à justifier cette décision, mais non, semble-t-il, sans remords ni tristesse[2].

Il faut attendre 1750 pour que le génie philosophique de Rousseau se manifeste. L'Académie de Dijon avait mis au concours cette question : « Le rétablissement des sciences et des arts a-t-il contribué à épurer les mœurs ? » Rousseau y participe,

---

1. Jean-Jacques ROUSSEAU, *Les Rêveries du promeneur solitaire*, Neuvième promenade, t. I, p. 1087. Toutes les citations reproduites dans ce texte proviennent des *Œuvres complètes* (Paris, Gallimard, coll. « Bibliothèque de la Pléiade », 1959-1995). Nous avons veillé à rectifier l'orthographe du texte original afin qu'elle corresponde à celle d'aujourd'hui.

2. *Émile*, t. IV, livre I, p. 262-263.

Dans le *Discours sur les sciences et les arts*, Rousseau démontre que le progrès des sciences et des arts a développé et perfectionné l'extérieur, la surface de l'être humain, mais qu'au fond ce progrès, qui a corrompu la nature intime de la personne, n'a pas contribué à améliorer les conduites humaines, nourrissant, au contraire, les pires passions.

et son ***Discours sur les sciences et les arts,*** critique à l'endroit de leurs prétendus bienfaits, remporte le premier prix, le 9 juillet 1750.

En octobre 1752, son opéra-comique *Le Devin du village* est joué devant le roi Louis XV. La même année, sa pièce *Narcisse* est mise en scène au Théâtre-Français.

En 1755, Rousseau présente pour un nouveau concours de l'Académie de Dijon le *Discours sur l'origine et les fondements de l'inégalité parmi les hommes*. Bien qu'il ne soit pas couronné, il obtient un succès retentissant grâce à la nouveauté et à la vigueur des théories soutenues concernant l'origine et le développement de la société, à la puissance et à l'éclat de ses **invectives** contre les excès de la civilisation, etc. Nous y reviendrons plus loin.

Invective

Suite de paroles agressives lancées sans relâche.

De 1756 à 1762, Rousseau séjourne avec Thérèse Levasseur au nord de Paris. Il habite d'abord à l'Ermitage, une petite maison qu'une amie a fait aménager pour lui dans le parc de son château. Il occupe ensuite, pendant quelques semaines, une dépendance du château du duc et de la duchesse de Luxembourg, qui se sont pris d'amitié pour lui. Rousseau connaît alors une période d'écriture très féconde. C'est là qu'il rédige *Julie ou la nouvelle Héloïse*. C'est là aussi qu'il connaît une passion amoureuse pour Sophie d'Houdetot, sous la figure de laquelle il finira par voir la Julie de son roman. Ce roman d'amour, publié en décembre 1760, avive le sentiment de la nature, pose des questions fondamentales sur les plans moral et social, bouleverse le public par une sensibilité et une sincérité dues à sa facture autobiographique. *Julie ou la nouvelle Héloïse* triomphe à Paris. L'année suivante, Rousseau termine la rédaction de son *Essai sur l'origine des langues*, en relation avec les divers besoins de l'homme.

Du contrat social – œuvre majeure que nous étudierons plus loin – est écrit pendant la même période et est édité au mois de mai 1762. L'*Émile ou De l'éducation*, publié en juin de la même année, provoque un véritable scandale, non seulement à cause de la révolution de l'éducation proposée, mais surtout à cause de la *Profession de foi du vicaire savoyard* (livre IV) qui défend le **déisme**. La police confisque l'*Émile* ; l'ouvrage est dénoncé à la Sorbonne ; l'archevêque de Paris et le Parlement le condamnent ; il est même brûlé à Paris. À la suite d'un décret ordonnant son arrestation, Rousseau s'enfuit à Genève. Les autorités locales ne manifestent pas plus de tolérance à l'endroit de l'œuvre de Rousseau. L'*Émile* et le *Contrat social* sont brûlés à Genève, et Rousseau doit s'enfuir de nouveau.

Déisme

Position philosophique qui admet l'existence de Dieu, mais qui se dégage de tout dogme et de toute religion instituée. Plus particulièrement, la *Profession de foi du vicaire savoyard* recommande l'accès à Dieu par les seules voies du cœur sans l'apport des textes ou des intermédiaires consacrés.

Chassé de toutes parts, Rousseau entreprend un périple forcé qui le mènera, en 1766, jusqu'à Londres auprès du philosophe anglais David Hume (1711-1776). Rousseau accuse Hume de comploter contre lui et se brouille avec ce dernier.

De retour en France en mai 1767, il fait paraître son *Dictionnaire de musique*. L'année suivante, il épouse civilement Thérèse. Puis, il rédige et publie à partir de 1770 trois grands ouvrages autobiographiques dans lesquels il raconte l'histoire de sa vie en s'appuyant sur «l'histoire de son âme»: *Les Confessions*, les *Dialogues de Rousseau juge de Jean-Jacques* et *Les Rêveries du promeneur solitaire*.

Herboriser

Recueillir des plantes là où elles poussent naturellement afin de les faire sécher et de les collectionner entre des feuillets à des fins d'étude.

En 1771, Rousseau écrit les *Considérations sur le gouvernement de Pologne* et les *Lettres élémentaires sur la botanique*. Pour vivre, il copie de la musique; pour fuir l'hostilité générale dont il se croit l'objet, il **herborise** dans la campagne entourant Paris. Jean-Jacques Rousseau meurt le 2 juillet 1778. Il est inhumé dans l'île des Peupliers.

La Révolution française de 1789 fait de Rousseau un héros. Il entre dans la mythologie : on lui voue un culte exceptionnel. En juillet 1790, le buste de Rousseau est promené triomphalement dans Paris. À sa mémoire, une statue y est érigée. Ses cendres sont transférées au **Panthéon** en 1794.

Les principales caractéristiques du XVIIIe siècle

Les lumières de la raison

En ce beau milieu du XVIIIe siècle, dit le siècle des Lumières, la raison humaine et ses réalisations sont saluées par l'Europe occidentale tout entière comme « la suprême faculté de l'homme ». La raison est alors installée comme l'instance supérieure permettant le jugement et la critique. Le philosophe allemand Emmanuel Kant (1724-1804), qui sera influencé par Rousseau[3], parle des Lumières en ces termes :

> Les *Lumières*, c'est la sortie de l'homme hors de l'état de tutelle dont il est lui-même responsable. L'état de tutelle est l'incapacité de se servir de son entendement sans la conduite d'un autre. On est *soi-même responsable* de cet état de tutelle quand la cause tient non pas à une insuffisance de l'entendement mais à une insuffisance de la résolution et du courage de s'en servir sans la conduite d'un autre. [...] Aie le courage de te servir de ton *propre* entendement ! Voilà la devise des Lumières[4].

Cette volonté d'accéder aux lumières de la raison provient en partie du courant **rationaliste** qui s'est développé, au siècle précédent, à la suite de Descartes et qui a permis à l'être humain de conquérir son autonomie sur le plan de la pensée, par le biais de la valorisation de la raison. Le XVIIIe siècle actualisera cette autonomie dans l'exercice concret du jugement et de la critique, et dans la proposition d'idéaux nouveaux souvent en rupture avec le XVIIe siècle.

Les idéaux des Lumières

Dans le domaine religieux, l'idéal de tolérance est mis en avant. Cet idéal s'incarnera dans la lutte contre la superstition, le dogme, le fanatisme et dans la défense du déisme. Rousseau sera un fervent défenseur de la liberté de croyance et du déisme.

Sur le plan politique, on remet en question la légitimité des pouvoirs existants. Des philosophes comme John Locke (1632-1704), David Hume et Montesquieu (1689-1755) fondent des théories politiques qui contestent la **monarchie absolue**. Rousseau reprend et radicalise la critique sociale et politique en vigueur à son époque en proposant l'idée d'un contrat social qui promulgue la liberté, l'égalité et la défense de l'intérêt commun.

Sur le plan philosophique, un autre idéal des Lumières est défendu par le **naturalisme** philosophique : celui qui consiste à voir dans l'homme un être naturel et à valoriser le nouveau **paradigme** nature-bonheur terrestre. Rousseau est un des philosophes qui ont le plus contribué à imposer l'idée de nature perçue comme étant maternelle et innocente, et à y intégrer l'humain. Dans le sillage de cette nature bienveillante, il contribue également à la réhabilitation des sentiments et de la sensibilité « naturelle ».

Panthéon (le)
Temple-monument de Paris, situé sur la montagne Sainte-Geneviève, au centre du Quartier latin. Depuis les funérailles de Victor Hugo (1885), le Panthéon est dédié au souvenir des grands hommes de la nation française.

Rationaliste
Se dit de la doctrine d'après laquelle toute connaissance certaine provient de la raison. Conséquemment, selon cette philosophie, l'esprit humain possède la faculté de former des concepts et des principes rationnels lui permettant de rendre intelligibles et compréhensibles les choses et les êtres. Les idées et les jugements seraient soit innés, soit construits par l'esprit ; ils ne proviendraient pas des données de l'expérience.

Monarchie absolue
Régime politique dirigé par un roi héréditaire qui possède sur ses sujets un pouvoir entier et une autorité sans restriction ni réserve.

Naturalisme
Doctrine selon laquelle il n'existe rien en dehors de la nature. Conséquemment, cette philosophie nie l'existence du surnaturel et de tout principe transcendant et cherche à penser la morale en fonction des besoins vitaux.

Paradigme
Modèle, cadre, système de référence qui guide la pensée à une époque particulière.

---

3. L'influence de Rousseau porta particulièrement sur la conception kantienne de la conscience morale.

4. Emmanuel KANT, *Qu'est-ce que les Lumières et autres textes*, trad. J.-F. Poirier et F. Proust, Paris, Garnier-Flammarion, 1991, p. 43. C'est Kant qui souligne.

L'intérêt philosophique à l'endroit de la nature crée une méfiance à l'égard des idées métaphysiques et des spéculations rationnelles. On soupçonne la raison de produire des chimères, des idées «métaphysiques», des idées «abstraites» qui n'ont aucune réalité. Ainsi naît le rationalisme expérimental, qui apporte de nouveaux principes à la théorie de la connaissance et à la philosophie morale.

L'avènement du rationalisme expérimental

Même si le siècle des Lumières fait l'éloge de la raison, il ne s'agit pas du même «règne» de la raison que celui qui est issu de la tradition cartésienne. Au nom de la raison, on se permet de critiquer la tradition cartésienne ainsi que l'excès de rationalisme prétendant que la raison humaine peut, par ses seules armes que sont le raisonnement et la déduction logique, découvrir les lois de la nature. On a foi dans les capacités de la raison, mais cette dernière doit être assistée et validée par l'expérience.

Isaac Newton fut un grand astronome, mathématicien et physicien. Son œuvre maîtresse, *Philosophiæ naturalis principia mathematica*, publiée en 1687, expose sa théorie de l'attraction universelle.

En s'inspirant de la méthode expérimentale exposée par Francis Bacon (1561-1626) dans son *Novum organum*[5] et de la physique renouvelée par Isaac Newton (1642-1727), les philosophes anglais font une critique substantielle du rationalisme cartésien et ouvrent la voie à une nouvelle façon de concevoir l'humain et son monde. En effet, des philosophies comme celles de John Locke et de David Hume trouvent leurs assises dans l'expérience et dans les faits, qui seuls peuvent permettre la connaissance de la nature et de l'homme.

John Locke innove avec un **empirisme** philosophique qui s'oppose radicalement au rationalisme cartésien. Il rejette la théorie cartésienne des idées innées ou «notions premières». Selon Locke, l'esprit humain est comme une «table rase» qui acquiert des connaissances (desquelles naîtront des «idées simples») grâce à l'expérience, dont les deux sources sont la sensation et la réflexion (voir *Essai sur l'entendement humain*, 1690). La principale préoccupation de Locke a trait à «la conduite de notre vie», qu'il étudie sous l'angle de l'anthropologie philosophique, de la morale et de la philosophie politique (voir *Lettre sur la tolérance*, 1689, et *Traité sur le gouvernement civil*, 1690).

Empirisme

Doctrine philosophique selon laquelle toutes les connaissances proviennent de l'expérience. Conséquemment, tout savoir doit être fondé sur l'expérience et sur l'observation.

David Hume critique, lui aussi, la philosophie de Descartes. Chez Hume, cette critique concerne non seulement la question de l'origine et de la validation des idées et des connaissances, mais aussi l'importance de la fonction rationnelle elle-même. Selon lui, c'est l'imagination – et non la raison – qui «associe» les idées simples (par exemple, j'associe l'idée de feu à l'idée de chaleur). À ce propos, Hume pense que l'établissement des rapports de causalité repose non pas sur la découverte rationnelle d'un rapport nécessaire entre l'effet et la cause, mais sur la simple habitude (celle de voir se répéter une même suite d'événements: par exemple, je dis que le feu «cause» la chaleur parce que j'ai l'habitude de voir le feu et la chaleur régulièrement associés dans l'expérience). Avec de telles affirmations, il ne reste plus une grande part dévolue à la raison! Hume détrône la raison également dans les domaines de la morale et de la religion: nos jugements moraux et notre motivation morale sont basés sur les sentiments, nos convictions religieuses ne sont que des croyances et s'appuient elles aussi sur le sentiment. Croyant, à l'instar de Locke, que l'expérience seule fonde le savoir, Hume observe donc l'être humain dans la vie concrète afin

---

5. À propos de cet ouvrage, Voltaire (1694-1778) écrit dans ses *Lettres philosophiques*: «C'est l'échafaud avec lequel on a bâti la nouvelle philosophie [...] Le chancelier Bacon [...] est le père de la philosophie expérimentale» (Douzième lettre, t. I, Paris, Hachette, p. 154 et suivantes).

de cueillir les impressions et les sensations issues de la réalité qui forment le contenu de son entendement. Cette philosophie empiriste influencera la philosophie de Rousseau.

L'*Encyclopédie* : une illustration du progrès de l'esprit humain

En France, les lumières de la raison se posent sur l'ensemble des connaissances humaines lorsque Diderot et d'Alembert (1717-1783), aidés de plus de deux cents collaborateurs, dont Rousseau[6], publient l'***Encyclopédie ou Dictionnaire raisonné des sciences, des arts et des métiers.*** Ce dictionnaire universel, «œuvre de progrès», veut donner à voir la réalité telle qu'elle est. On désire y répertorier et y analyser toutes les connaissances de l'époque, prévoir les progrès que connaîtra l'esprit humain, dissiper les préjugés, critiquer les institutions établies et diffuser les idéaux des Lumières. Sous l'égide de Diderot et d'Alembert se constitue alors ce qu'on a appelé le «clan des philosophes». Étienne Bonnot de Condillac (1715-1780), Julien Offray de La Mettrie (1709-1751), Paul Henri d'Holbach (1723-1789), pour ne nommer que ceux-là, adoptent des philosophies **matérialistes** qui ne visent qu'à mieux connaître et comprendre la nature humaine.

> L'*Encyclopédie,* dont les vingt-huit volumes grand format furent publiés entre 1751 et 1772, constitue, toutes proportions gardées, l'un des plus ambitieux projets de diffusion des connaissances d'une époque.

Matérialiste

Se dit du courant philosophique qui n'admet d'autre substance ou réalité que la matière. Cette doctrine soutient que notre pensée fait partie intégrante de la matière en tant que produit de son évolution. Le matérialisme s'oppose au spiritualisme. L'origine de cette doctrine remonte à l'Antiquité grecque. Par exemple, Épicure (−341 à −270), s'opposant à l'idéalisme de Platon (−427 à −347), estimait que le monde physique était antérieur à la pensée et possédait une existence propre.

Rousseau et le XVIIIe siècle

Les Lumières firent de la raison et de la science[7] les fondements de la civilisation européenne du XVIIIe siècle, le «siècle le plus éclairé qui fût jamais» (Voltaire). Nous assistons alors au règne de la raison dans les sciences, les techniques et les arts, facteurs de progrès et d'évolution de l'humanité. On croit fermement qu'en développant toutes les facultés de son esprit, l'être humain atteindra une perfection jamais égalée et qu'il assurera ainsi son bien-être et son bonheur.

Rousseau ne partageait pas entièrement cette croyance. Dès son premier *Discours*, il avait lancé un foudroyant réquisitoire contre les sciences, les techniques et les arts de son époque en soutenant que le «progrès» qui leur était associé n'amenait ni perfectionnement moral ni bonheur aux hommes, mais contribuait plutôt au développement du paraître[8]. D'ailleurs, dans une lettre à Voltaire, Rousseau écrira que l'erreur, engendrée par la «fureur de savoir» et ses prétentions, est plus dangereuse pour l'humanité que la simple ignorance.

Dans le *Discours sur l'origine et les fondements de l'inégalité parmi les hommes*, Rousseau contestera encore la vision optimiste des Lumières au sujet du progrès de la civilisation humaine : il y présentera une interprétation de l'histoire des hommes montrant au contraire tous les maux qui accompagnent ce progrès.

Le *Discours sur l'origine et les fondements de l'inégalité parmi les hommes* n'est ni un traité historique dans le sens habituel du terme, ni un ouvrage scientifique ; il constitue plutôt une critique sociale et éthique de la civilisation, qui, selon Rousseau, cache le vrai

Denis Diderot, philosophe et écrivain français, consacra vingt-cinq ans de sa vie (de 1747 à 1772) à la réalisation de l'*Encyclopédie* dont le libraire Le Breton lui avait confié la direction.

---

6. En 1749, d'Alembert fait appel à Rousseau pour rédiger l'article sur la musique. En 1755, il rédige l'article sur l'économie politique.

7. La philosophie des Lumières, dans son ensemble, peut donc être qualifiée de rationalisme expérimental.

8. Nous reviendrons plus loin sur ce concept de paraître.

visage de l'être humain. Cet être humain naturel, tel qu'il aurait pu exister au commencement de l'humanité, et les conditions expliquant sa lente dénaturation, Rousseau en avait eu l'intuition lors d'une randonnée dans la forêt, autour de Saint-Germain :

> Tout le reste du jour, enfoncé dans la forêt, j'y cherchais, j'y trouvais l'image des premiers temps dont je traçais fièrement l'histoire ; je faisais main basse sur les petits mensonges des hommes, j'osais dévoiler à nu leur nature, suivre le progrès du temps et des choses qui l'ont défigurée, et comparant l'*homme de l'homme* avec l'*homme naturel*[9], leur montrer dans son perfectionnement prétendu la véritable source de ses misères[10].

Conception de l'être humain

L'état de nature et l'état de société

La notion d'état de nature avait déjà été traitée par les grands théoriciens du droit naturel comme hypothèse permettant de comprendre l'origine de la société : comment penser l'homme avant toute société et ce qui pourrait expliquer la formation du lien social ? À l'époque de Rousseau, deux conceptions philosophiques de l'état de nature étaient en vigueur : celle de Thomas Hobbes (1588-1679) et celle de John Locke. Hobbes considérait l'état de nature comme un état primitif où des brutes sanguinaires se livraient une guerre continuelle. En conséquence, il défendait un pacte de soumission et d'abdication de la souveraineté individuelle : l'avènement de la société était la réponse et le remède à une violence primitive généralisée par l'abandon à l'autorité de l'usage de la force. Locke, au contraire, se représentait l'homme naturel comme un animal prédisposé à la sociabilité, bienveillant, vivant en paix et portant assistance à son semblable. Se basant sur cet état de nature, Locke préconisait un pacte d'association et de limitation du pouvoir de l'autorité politique.

Rousseau s'oppose aux conceptions de l'état de nature avancées par Hobbes et Locke. Il reproche à Hobbes d'avoir décrit un état de société naissant, sinon déjà avancé, et non l'état de nature avant toute œuvre civilisatrice. Il repousse aussi l'idée de Locke voulant qu'un « instinct social » inné amène les humains à nouer des liens sociaux. Aux yeux de Rousseau, l'être humain est davantage mû par l'instinct de conservation, auquel il doit renoncer en partie s'il veut entrer en société. Et l'individu indépendant qui pense d'abord à se conserver n'acceptera pas facilement les contraintes ni les obligations qu'impose toujours la société, à moins d'y trouver son intérêt propre. Telle sera la problématique soulevée par le *Contrat social* que nous verrons un peu plus loin.

L'état de nature

Mais qu'inclut donc Jean-Jacques Rousseau dans cette notion d'état de nature ? L'homme « tel que l'a formé la Nature » recherché par Rousseau n'est pas celui qui aurait objectivement existé au début de l'humanité ; il représente l'être de l'homme (« la Nature de l'homme ») au-delà de tous les masques qui le dissimulent.

Rousseau explique que cet état de nature est une hypothèse à laquelle on arrive en dépouillant l'être humain tel qu'on le connaît des caractéristiques qui sont dues aux influences de la société ; il est ensuite possible de formuler des « conjectures tirées de la seule nature de l'homme et des êtres qui l'environnent[11] » pour comprendre

---

9. Nous aborderons ces deux concepts dans les deux prochaines parties de ce chapitre.

10. *Les Confessions*, t. I, livre VIII, p. 388.

11. *Discours sur l'origine et les fondements de l'inégalité parmi les hommes*, t. III, première partie, p. 133.

les causes de la croissante inégalité parmi les hommes. Mais cette entreprise n'est pas si facile, et Rousseau l'avoue lui-même dans la préface de son *Discours sur l'origine et les fondements de l'inégalité parmi les hommes* en déclarant que «ce n'est pas une légère entreprise de démêler ce qu'il y a d'originaire et d'artificiel dans la Nature actuelle de l'homme, et de bien connaître un état qui n'existe plus, qui n'a peut-être point existé, qui probablement n'existera jamais, et dont il est pourtant nécessaire d'avoir des notions justes pour bien juger de notre état présent[12]».

Voyons de plus près cet état originaire de l'*homme naturel*, qui s'oppose à l'état artificiel de l'homme tel qu'il est devenu (*l'homme de l'homme*), c'est-à-dire de l'homme que la civilisation a modelé et transformé au cours des siècles.

Rousseau appelle «état de nature» les «routes oubliées et perdues» de l'humanité avant qu'elle soit soumise aux **avatars** de la société organisée («**état de société**») et structurée en fonction d'une culture. L'état de nature correspond somme toute à la nature originelle de l'homme avant que la civilisation en ait défiguré l'être profond. Il s'agit donc de la nature humaine perdue, enfouie sous l'artifice et le paraître de la civilisation ; une nature humaine non encore altérée par les croyances, les préjugés, les lieux communs, les coutumes, les normes sociales et politiques, bref une nature humaine envisagée dans toute sa pureté.

> L'expression «état de société», elle, s'applique à la vie des hommes ayant accédé à une organisation sociale et, en conséquence, à la transmission d'une culture.

Frontispice de l'édition originale du *Discours sur l'origine et les fondements de l'inégalité parmi les hommes* (1755).

Avatar

Synonyme de « mésaventure » ou de « malheur ».

Précisions préliminaires

Avant d'aborder les cinq caractéristiques fondamentales de l'état de nature, Rousseau apporte quelques précisions afin que nous puissions mieux les comprendre. D'abord, Rousseau imagine l'homme naturel (il l'appelle aussi l'homme originaire) comme étant solitaire et non sociable. Il veut décrire les «facultés naturelles» de cet homme originaire avant qu'il s'associe avec ses semblables.

Il ne faut donc pas confondre l'état de nature rousseauiste avec ce qu'ont pu connaître les premières sociétés humaines. L'existence des hommes primitifs ou des sauvages, nous le savons aujourd'hui, est déjà marquée par une organisation sociale fondée sur des coutumes et des traditions, alors que Rousseau présente l'état de nature comme un état d'isolement.

Par ailleurs, Rousseau considère l'homme originaire comme étant un animal oisif, indolent[13], ni bon ni méchant[14]. Il vit au jour le jour. Ses besoins sont très

---

12. *Ibid.*, t. III, préface, p. 123.

13. «Il est inconcevable, dit Rousseau, à quel point l'homme est naturellement paresseux. On dirait qu'il ne vit que pour dormir, végéter, rester immobile ; à peine peut-il se résoudre à se donner les mouvements nécessaires pour s'empêcher de mourir de faim [...] Les passions qui rendent l'homme inquiet, prévoyant, actif, ne naissent que de la société. Ne rien faire est la première et la plus forte passion de l'homme après celle de se conserver» (*Essai sur l'origine des langues*, t. V, p. 401).

14. On a souvent simplifié la pensée de Rousseau en ne retenant de lui que cette phrase : «L'homme est né bon et la société le corrompt.» Rousseau ne considère pas l'homme originaire comme nécessairement bon. Ne connaissant pas encore les notions de bien et de mal, l'homme naturel ne peut être bon ou méchant. Tout au plus, on peut dire de lui qu'il est innocent : «Il paraît d'abord, écrit Rousseau, que les hommes dans cet état n'ayant entre eux aucune sorte de relation morale, ni de devoirs connus, ne pouvaient être ni bons, ni méchants, et n'avaient ni vices ni vertus» (*Discours sur l'origine et les fondements de l'inégalité parmi les hommes*, t. III, première partie, p. 152-154). Rousseau nous livra ce mot magnifique : «Tant qu'ils ne devinrent pas méchants, ils furent dispensés d'être bons» (*Fragments politiques*, t. III, p. 476).

simples et il se suffit à lui-même. Il n'entretient aucune espèce de commerce continu avec ses semblables et ne vit pas en famille. Il ne connaît pas la notion de propriété ni celle de la dépendance à l'égard d'autrui, et, conséquemment, il ignore la servitude.

Autre précision : dans l'état de nature, l'existence de l'homme originaire correspond à «la vie d'un animal borné aux pures sensations»; il développe d'abord ses «fonctions purement animales : apercevoir et sentir[15]». Il ne possède pas encore une raison développée et effective ni n'utilise un langage élaboré.

Les caractéristiques fondamentales de l'état de nature

• La liberté

L'homme originaire diffère toutefois de l'animal, puisque face aux commandes de la nature, l'homme est un «agent libre [qui] se reconnaît libre d'acquiescer ou de résister [et qui a la] puissance de vouloir, ou plutôt de choisir[16]». À l'opposé de Descartes, Rousseau voit dans la liberté – et non pas dans la raison qui viendra plus tard ou dans la pensée que l'animal partage jusqu'à un certain point avec l'homme – la marque distinctive de l'être humain. Les comportements de l'animal dépendent entièrement de son instinct : l'animal ne fait que reproduire ce qui est déjà établi par sa programmation instinctuelle. Au contraire, l'homme possède la liberté d'accepter ou de refuser les commandes de son instinct. C'est dire que seul l'être humain peut choisir d'actualiser ou, au contraire, de reporter la réalisation de ses besoins fondamentaux. Qui plus est, l'homme, insiste Rousseau, a la conscience de posséder cette liberté.

Rousseau fait de cette liberté face à l'instinct la définition essentielle de l'homme naturel. Cette liberté constitue un don que l'être humain tient de la nature. Elle caractérise donc fondamentalement l'homme.

• La perfectibilité

Rousseau voit l'homme naturel comme «un être *libre* dont le cœur est en paix, et le corps en santé[17]». Et puisque l'homme originaire est libre, il a la «faculté de se perfectionner»; il fait preuve de perfectibilité.

Ce caractère, qui concerne l'humanité tout entière et qui définit tout individu, désigne «la faculté qui, à l'aide de circonstances, développe successivement toutes les autres, et réside parmi nous tant dans l'espèce que dans l'individu[18]». Cette faculté n'existe pas chez l'animal : parce qu'il vit sous le joug de l'instinct, sa nature reste immuable. L'homme, au contraire, est transformable. Ce qu'il adviendra de l'être humain dépend donc des situations[19] dans lesquelles il est mis et de ce qu'il saura en faire; en d'autres mots, ce que devient l'homme est fonction de son apprentissage, bref de sa propre histoire. L'animal déterminé par sa nature instinctuelle n'a pas d'histoire. Seul l'humain s'inscrit dans une histoire où il développe, selon les conjonctures, les situations et les événements extérieurs, des propriétés (savoirs, connaissances, techniques, attitudes, mauvaises habitudes, etc.) qui, à l'état de nature, n'étaient que des **virtualités** indéterminées. Par exemple,

Virtualité

Ce qui est à l'état de puissance, de possibilité chez un être. Synonyme de «potentialité».

---

15. *Discours sur l'origine et les fondements de l'inégalité parmi les hommes,* t. III, seconde partie, p. 164.

16. *Ibid.,* t. III, première partie, p. 141-143.

17. *Ibid.,* p. 152.

18. *Ibid.,* p. 142.

19. La liberté, selon Rousseau, est une *liberté en situation* : l'être humain se «reconnaît libre d'acquiescer, ou de résister» à ce qui lui est donné de vivre.

l'être humain a appris à maîtriser et à conserver le feu en léguant ce « savoir-faire » aux générations subséquentes.

À cause de sa nature « plastique » ou malléable, l'homme originaire s'est donc modifié au fil des siècles…

Comment cette transformation s'est-elle opérée ? Qui s'est employé à modifier l'homme ? Rousseau croit que c'est la société qui s'est chargée de transformer l'homme naturel, c'est-à-dire de lui inculquer des traits de civilisation (langage, croyances, idéologies, conduites immorales, etc.). En conséquence, la perfectibilité, cette faculté d'acquérir des éléments que la nature ne donne pas au départ, est considérée par Rousseau comme

> [...] la source de tous les malheurs de l'homme ; [...] c'est elle qui le tire, à force de temps, de cette condition originaire, dans laquelle il coulerait des jours tranquilles, et innocents ; [...] c'est elle qui, faisant éclore avec les siècles ses lumières et ses erreurs, ses vices et ses vertus, le rend à la longue le tyran de lui-même, et de la Nature[20].

Résumons le tout. L'homme naturel était un être perfectible, c'est-à-dire qu'il était libre de se transformer. Il aurait pu se transformer pour le mieux ; il aurait pu s'améliorer et progresser. Au contraire, Rousseau fait le constat que les sociétés dans lesquelles l'homme a vécu lui ont inculqué des traits de civilisation qui l'ont dénaturé et perverti. Siècle après siècle, et pour son plus grand malheur, l'homme s'est développé pour le pire. Il est donc devenu un produit de la société, un sujet qui a été fabriqué à travers l'Histoire.

Rousseau ne voit pas, comme Descartes, l'être humain comme une essence immuable, complètement définie une fois pour toutes. Ce que nous attribuons à la prétendue nature humaine correspond en fait à un devenir, est le résultat d'une histoire. Rousseau fait de l'individu un sujet historique : l'homme est devenu tel que les sociétés l'ont fait. L'être humain d'aujourd'hui n'est donc plus un être de nature – et Rousseau le regrette. Souvent à son préjudice, l'homme naturel est devenu un être de culture : c'est la société qui lui a inculqué des attributs (beaucoup plus de vices que de vertus) qu'il ne possédait pas naturellement. C'est aussi la société qui, au fil du temps, a dépossédé l'être humain de sa liberté naturelle[21].

• L'amour de soi

Revenons à l'homme originaire au moment où il ne possède pas encore une raison développée. « Le premier sentiment de l'homme, écrit Rousseau, fut celui de son existence, son premier soin celui de sa conservation[22]. » L'amour de soi, élan naturel, est défini par Rousseau comme ce qui « intéresse ardemment notre bien-être et la conservation de nous-mêmes[23] ». En fait, l'amour de soi correspond à ce que nous appelons l'instinct de conservation.

L'amour de soi, c'est en quelque sorte s'aimer soi-même et chercher « à étendre son être et ses jouissances, et à s'approprier par l'attachement ce [que l'on] sent devoir être bien pour [soi][24] ». Selon Rousseau, l'homme naturel ne connaît et ne

20. *Discours sur l'origine et les fondements de l'inégalité parmi les hommes*, t. III, première partie, p. 142.

21. Nous présenterons dans la section « Le contrat social ou la liberté et l'égalité retrouvées » le pacte politique et social que Rousseau propose afin que l'être humain retrouve la liberté et l'égalité perdues.

22. *Discours sur l'origine et les fondements de l'inégalité parmi les hommes*, t. III, seconde partie, p. 164.

23. *Ibid.*, t. III, préface, p. 126.

24. *Dialogues*, t. I, dialogue deuxième, p. 805-806.

cherche à combler que les seuls besoins de nourriture, de reproduction et de repos. En tant que passion primitive et innée, l'amour de soi fait partie de la nature profonde de l'homme et ne le quitte jamais tant qu'il est en vie.

Rappelons que Rousseau voit l'individu appartenant à l'état de nature comme un être solitaire qui a très peu de rapports avec ses semblables. Afin de subsister et de se conserver, cet homme naturel porte intérêt à lui-même : il prend soin de lui-même. Il ne se préoccupe que de lui seul et il tente de combler ses besoins fondamentaux. Rousseau n'attribue aucune connotation morale à l'amour de soi : il n'est ni bien ni mal de veiller à se conserver quand on **s'aime soi-même** assez pour ne pas se laisser mourir.

> Cet amour de soi « est bon et utile et comme il n'a point de rapport nécessaire à autrui, il est à cet égard naturellement indifférent ; il ne devient bon ou mauvais que par l'application qu'on en fait et les relations qu'on lui donne » (*Émile ou De l'éducation*, t. IV, livre II, p. 322).

• La pitié

Considérons maintenant l'autre sentiment naturel, « la seule vertu naturelle [...] que les mœurs les plus dépravées ont encore peine à détruire[25] » : la pitié. L'homme originaire ressent de la pitié avant même qu'il soit capable de réfléchir. La pitié lui « inspire une répugnance naturelle à voir périr ou souffrir tout être sensible et principalement [ses] semblables[26] ».

Aux yeux de Rousseau, la pitié est une vertu naturelle universelle et fort utile dans la mesure où elle tempère l'amour de soi qui pourrait ne voir qu'à la conservation exclusive et abusive de sa propre personne. Parce qu'il est capable d'éprouver de la pitié pour autrui, l'homme naturel n'est pas porté à faire du mal à un autre homme ou à un animal, à moins que sa vie ne soit en danger :

> C'est elle [la pitié] qui, dans l'état de Nature, tient lieu de Lois, de mœurs, et de vertu, avec cet avantage que nul n'est tenté de désobéir à sa douce voix. C'est elle qui détournera tout Sauvage robuste d'enlever à un faible enfant, ou à un vieillard infirme, sa subsistance acquise avec peine, si lui-même espère pouvoir trouver la sienne ailleurs[27].

D'autre part, la pitié – ce sentiment qui dort au cœur de tout homme et que l'on nomme aujourd'hui « compassion » – fait que l'individu peut être touché par les malheurs d'autrui. En effet, la vue d'une personne malheureuse ou misérable peut nous attendrir, alors que celle d'une personne heureuse risque de faire naître en nous de l'envie :

> La pitié est douce, parce qu'en se mettant à la place de celui qui souffre on sent pourtant le plaisir de ne pas souffrir comme lui. L'envie est amère, en ce que l'aspect d'un homme heureux loin de mettre l'envieux à sa place lui donne le regret de ne pas y être. Il semble que l'un nous exempte de maux qu'il souffre et que l'autre nous ôte les biens dont il jouit[28].

L'amour de soi est centré sur soi-même ; la pitié est dirigée vers autrui. L'homme naturel est capable de s'aimer lui-même assez pour voir à sa propre conservation et, en même temps, il peut s'émouvoir de la misère ou de la difficulté éprouvée par plus faible que lui. À travers ces deux sentiments inscrits au cœur de l'homme, la nature assure la préservation de l'individu comme celle de l'espèce.

---

25. *Discours sur l'origine et les fondements de l'inégalité parmi les hommes*, t. III, première partie, p. 155.

26. *Ibid.*, t. III, préface, p. 126.

27. *Ibid.*, t. III, première partie, p. 156.

28. *Émile*, t. IV, livre IV, p. 504.

• L'égalité

L'homme naturel possède une autre caractéristique fondamentale: l'égalité. Il est égal à son semblable dans la mesure où aucune inégalité de fait ne vient troubler de façon sensible son existence:

> Il y a dans l'état de Nature une égalité de fait réelle et indestructible, parce qu'il est impossible dans cet état que la seule différence d'homme à homme soit assez grande pour rendre l'un dépendant de l'autre[29].

Rousseau ne suggère pas ici que l'un est identique à l'autre dans l'état de nature, mais qu'il ne peut être question chez les hommes naturels de différences notoires qui s'institutionnalisent en instrument de domination et de servitude des uns par rapport aux autres. En effet, c'est une chose de courir plus vite qu'un autre; c'en est une autre de fonder sur ce fait la domination du plus rapide sur le plus lent!

L'homme originaire est décrit par Rousseau comme un être indépendant, ayant des besoins très simples qu'il arrive à combler par lui-même et qui a donc peu de commerce avec ses semblables. Il rencontre ses compères au hasard de ses déplacements et n'entretient avec eux aucun rapport durable. Or, «les liens de la servitude n'étant formés que de la dépendance mutuelle des hommes[30]», il apparaît comme impossible, dans un tel contexte, que les plus forts physiquement ou les plus rusés oppriment les plus faibles sur une base permanente. Bien sûr, l'un peut enlever à l'autre le fruit qu'il vient de cueillir ou la proie qu'il vient de tuer, mais le plus faible peut aisément fuir celui qui l'assaille. Par ailleurs, puisqu'il n'y a alors aucune propriété et aucune sédentarité, le plus fort ne peut faire du plus faible son esclave. À la question de l'Académie de Dijon qui demandait si l'inégalité entre les hommes reposait sur une «loi» de la nature, Rousseau répondit qu'il n'existe pas d'inégalité dans l'état de nature.

L'état de société

L'homme naturel était un être solitaire et non sociable qui n'avait pas de rapport continu avec ses semblables… Mais quelle a été la cause du groupement en société des premiers humains? se demande Rousseau. C'est à la suite de cataclysmes de toutes sortes que les individus ont été contraints à mettre en commun leurs forces, donc à se regrouper:

> Les associations d'hommes sont en grande partie l'ouvrage des accidents de la nature; les déluges particuliers, les mers extravasées, les éruptions des volcans, les grands tremblements de terre, les incendies allumés par la foudre et qui détruisaient les forêts, tout ce qui dut effrayer et disperser les sauvages habitants d'un pays dut ensuite les rassembler pour réparer en commun les pertes communes. Les traditions des malheurs de la terre si fréquentes dans les anciens temps montrent de quels instruments se servit la **providence** pour forcer les humains à se rapprocher[31].

Il ne faut pas se faire d'illusion sur les causes des premiers regroupements humains. C'est parce qu'il n'arrivait pas à surmonter seul les catastrophes naturelles que l'individu s'est uni aux autres. Les premières «associations d'hommes» naissent donc de leurs incapacités, de leurs misères, de leurs faiblesses individuelles, et non, comme le croyait Locke, d'une tendance à la socialisation.

Providence

«Sage gouvernement de Dieu sur la création» (*Le Petit Robert*).

---

29. *Ibid.*, p. 524.

30. *Discours sur l'origine et les fondements de l'inégalité parmi les hommes*, t. III, première partie, p. 162.

31. *Essai sur l'origine des langues*, t. V, p. 402.

Dans la seconde partie du *Discours sur l'origine et les fondements de l'inégalité parmi les hommes*, Rousseau trace le portrait des premières sociétés humaines. Résumons ce qu'il en dit.

La première forme d'association humaine

Comme nous l'avons mentionné précédemment, ce sont des besoins passagers correspondant à un «intérêt présent et sensible» qui ont donné naissance à la première forme d'association humaine. Devant compter sur l'assistance de ses semblables, l'individu originaire s'unit temporairement aux autres, sans aucune obligation réciproque, afin de répondre à des besoins immédiats. Sa vie est encore errante et vagabonde.

La deuxième forme d'association humaine

La deuxième forme d'union entre les humains correspond «à l'établissement et à la distinction des familles». Les hommes vivent alors dans des huttes faites de branchages et enduites de boue. C'est l'époque des cabanes.

La famille est la première société humaine, «la plus ancienne de toutes les sociétés, et la seule naturelle[32]», dira Rousseau. Grands-parents, mari, femme et enfants constituent une petite société qui se maintient par attachement réciproque et qui se caractérise par un choix volontaire de rester ensemble.

C'est là, selon Rousseau, que s'établit la différenciation des sexes en fonction des tâches. Les femmes gardent la cabane et s'occupent des enfants pendant que les hommes vont chercher la nourriture permettant à toute la famille de survivre.

C'est à cette époque aussi que les gens commencent à s'habituer à des commodités qui deviendront des besoins dont ils ne voudront plus se passer. «Ce fut là le premier joug qu'ils s'imposèrent sans y songer, et la première source de maux qu'ils préparèrent à leurs descendants[33].»

La troisième forme d'association humaine

La troisième forme de groupement humain survient lorsque, devenant sédentaires, des familles différentes se fixent dans un même lieu. Les gens s'assemblent «devant les cabanes ou autour d'un grand arbre». On y chante et on y danse. Et alors:

> Chacun commença à regarder les autres et à vouloir être regardé soi-même, et l'estime publique eut un prix. Celui qui chantait ou dansait le mieux; le plus beau, le plus fort, le plus adroit ou le plus éloquent devint le plus considéré, et ce fut le premier pas vers l'inégalité [...], la vanité et le mépris [...], la honte et l'envie[34].

Ainsi placés en présence d'autrui, les individus commencent à se mesurer entre eux, à se comparer les uns avec les autres, à voir leurs intérêts réciproques se croiser et s'entrechoquer, à cultiver leurs ambitions personnelles, à vouloir obtenir la première et la meilleure place, à vouloir recevoir de la considération des autres:

> Sitôt que les hommes eurent commencé à s'apprécier mutuellement et que l'idée de la considération fut formée dans leur esprit, chacun prétendit y avoir droit; et il ne fut plus possible d'en manquer impunément pour personne. De là sortirent les premiers devoirs de la civilité, même parmi les Sauvages, et de là tout tort volontaire devint un outrage, parce qu'avec le mal qui résultait de l'injure, l'offensé y voyait le

---

32. *Du contrat social*, t. III, livre I, chap. II, p. 352.

33. *Discours sur l'origine et les fondements de l'inégalité parmi les hommes*, t. III, seconde partie, p. 168.

34. *Ibid.*, p. 169-170.

mépris de sa personne souvent plus insupportable que le mal même. C'est ainsi que chacun punissant le mépris qu'on lui avait témoigné d'une manière proportionnée au cas qu'il faisait de lui-même, les vengeances devinrent terribles, et les hommes sanguinaires et cruels[35].

• L'amour-propre

C'est à ce moment que l'*amour de soi* a dégénéré en *amour-propre*. L'amour-propre est la caractéristique fondamentale de l'homme mis en société. «L'amour-propre, écrit Rousseau, n'est qu'un sentiment relatif, **factice**, et né dans la société, qui porte chaque individu à faire plus de cas de soi que de tout autre, qui inspire aux hommes tous les maux qu'ils se font mutuellement[36]» dans la vie en société.

Les ornements dont s'affublent les hommes pendant leurs danses tribales rituelles servent à démontrer d'une manière souvent ostentatoire leur rang social, leur force, leur virilité, leur beauté, etc.

Ne peut-on reconnaître dans cette description de l'amour-propre ce que nous appelons aujourd'hui le rapport individualiste, **égotiste** ou **narcissique** à soi-même? Car l'individu qui éprouve de l'amour-propre se trouve intéressant, s'accorde de l'importance, se préfère aux autres à un point tel qu'il devient vaniteux, ambitieux et superficiel, se coupant ainsi de toute relation saine et authentique avec autrui.

La quatrième forme d'association humaine

La quatrième forme de société humaine naît avec l'avènement de la métallurgie et de l'agriculture. «Ce sont le fer et le blé qui ont civilisé les hommes, et perdu le Genre humain[37].»

À partir du moment où fut inventé l'art de travailler les métaux, ceux qui s'y affairaient durent être nourris par d'autres qui se mirent à cultiver la terre. Ces derniers devinrent plus productifs en utilisant les instruments créés par les artisans. Nous nous trouvons ici devant la première manifestation de dépendance mutuelle entre deux classes d'humains qui donna lieu à la première forme de division du travail (entre les secteurs de l'agriculture et de la métallurgie).

Si la force et les talents des hommes avaient été égaux, les échanges entre ceux qui travaillaient la terre et ceux qui fabriquaient des outils auraient pu être égaux. Mais ce ne fut pas le cas. Tel travailleur de la terre ou tel artisan était plus fort, plus adroit, plus ingénieux qu'un autre, de sorte qu'«en travaillant également, l'un gagnait beaucoup tandis que l'autre avait peine à vivre[38]».

Qui plus est, de la culture des terres découlèrent nécessairement les problèmes de partage et de **propriété** ainsi que les premiers droits du cultivateur à s'approprier le fond de terrain sur lequel il travaillait année après année.

Factice

Synonyme de «faux», «artificiel», «affecté».

Égotiste

Se dit du «culte du moi, poursuite trop exclusive de son développement personnel» (*Le Petit Robert*).

Narcissique

Se dit de quelqu'un qui porte une attention exclusive à sa propre personne et à ses propres besoins, de sorte que toutes ses énergies affectives sont dirigées sur lui-même.

La propriété n'apparaît qu'avec la société civile qui en institue la légitimité par le droit. Plus particulièrement, la propriété est liée, selon Rousseau, à la sédentarité et à l'agriculture. La seconde partie du *Discours sur l'origine et les fondements de l'inégalité parmi les hommes* s'ouvre sur cette phrase remarquable: «Le premier qui ayant enclos un terrain, s'avisa de dire ceci est à moi, et trouva des gens assez simples pour le croire, fut le vrai fondateur de la société civile» (p. 164).

35. *Ibid.*, p. 170.

36. *Ibid.*, t. III, note XV, p. 219.

37. *Ibid.*, t. III, seconde partie, p. 171.

38. *Ibid.*, p. 174.

Les inégalités naturelles ou «physiques» (âge, santé, force, talent, esprit, adresse, etc.) entre les hommes firent donc que tel laboureur produisit plus que tel autre et posséda plus de terre, que tel forgeron, fabriquant plus d'outils et de meilleure qualité, vécut plus à l'aise que tel autre.

Au fil du temps, ceux qui devinrent riches abusèrent de la naïveté des pauvres et des faibles en les soumettant par ruse à des lois protégeant les intérêts et les privilèges des riches. On fit croire à ceux qui n'avaient rien que les lois étaient faites dans l'intérêt et pour la protection de tous, alors que de fait elles venaient «justifier» la domination des possédants et l'oppression de la majorité. C'est donc «l'établissement de la propriété et des Lois[39]» qui constitue la source permanente des inégalités sociales que Rousseau appelle «inégalités morales ou politiques» (les richesses, le rang, les privilèges, le pouvoir):

> Telle fut, ou dut être, l'origine de la Société et des Lois, qui donnèrent de nouvelles entraves au faible et de nouvelles forces au riche, détruisirent sans retour la liberté naturelle, fixèrent pour jamais la Loi de la propriété et de l'inégalité, d'une adroite usurpation firent un droit irrévocable, et pour le profit de quelques ambitieux assujettirent désormais tout le Genre humain au travail, à la servitude et à la misère[40].

Arrivé à ce stade du développement social, l'esprit humain est pleinement développé, l'individualisme règne en maître, chacun occupe un rang conformément aux biens qu'il possède, aux honneurs, aux privilèges ou aux pouvoirs qu'il a pu obtenir. La société politique étant basée sur la *puissance* et la *réputation*, Rousseau conclut que l'état de société s'inscrit désormais dans le paraître.

Être ou paraître

Constatant à regret que l'état de société a ainsi perverti le cœur de l'homme naturel, Rousseau lance un appel afin que nous puisions aux sources de l'état de nature. En effet, selon lui, l'état de nature est l'être de l'homme: il correspond à sa vérité intérieure, à ce qu'il y a de meilleur en lui.

Cela ne constitue cependant pas une invite pour que nous revenions à l'état sauvage, à cette espèce d'âge d'or de l'humanité, car «la nature humaine ne rétrograde pas et jamais on ne remonte vers les temps d'innocence et d'égalité quand une fois on s'en est éloigné[41]». Il faut plutôt voir dans cet état de nature le modèle ou l'idéal qui nous permet de mettre en lumière, par contraste, les faiblesses, les faussetés et les artifices de la société et de ses conventions:

> Tous [...] tâchent en vain de donner le change sur leur vrai but; aucun ne s'y trompe, et pas un n'est le dupe des autres [...] Tous cherchent le bonheur dans l'apparence, nul ne se soucie de la réalité. Tous mettent leur être dans le paraître. Tous, esclaves et dupes de l'amour-propre, ne vivent point pour vivre, mais pour faire croire qu'ils ont vécu[42].

Puisqu'en société les individus évaluent leur propre existence d'après l'opinion des autres, ils doivent feindre d'avoir les qualités susceptibles d'attirer de la considération:

39. *Ibid.*, p. 193.

40. *Ibid.*, p. 178.

41. *Dialogues*, t. I, dialogue troisième, p. 935.

42. *Ibid.*, p. 936.

L'homme du monde est tout entier dans son masque. N'étant presque jamais en lui-même, il y est toujours étranger et mal à son aise, quand il est forcé d'y rentrer. Ce qu'il est n'est rien, ce qu'il paraît est tout pour lui[43].

Selon Rousseau, l'état de société n'est que paraître, faux-semblants et mondanités. En société, les hommes veulent être reconnus comme ayant de la valeur. S'ils en ont peu ou n'en ont point, ils doivent faire semblant d'en avoir. Ce faisant, ils dissimulent ce qu'ils sont vraiment. De nos jours, les maisons que nous habitons, les automobiles que nous conduisons, les vêtements que nous portons, la nourriture que nous mangeons, la musique que nous écoutons, et tant d'autres choses, ne nous servent-ils pas, au-delà de leur utilité et de leur agrément immédiats, à nous identifier, à nous distinguer et à nous faire paraître et valoir socialement (comme «gens de bon goût», «émancipés», «ayant de la valeur», et ainsi de suite) ?

En résumé, l'homme naturel a été obligé de s'associer à ses semblables pour affronter les difficultés de la vie des premiers temps. Placés en société, les hommes ont perdu l'innocence, la liberté et le bonheur de l'état de nature. L'état de société a fait de l'homme un être rusé, fourbe, dur, ambitieux, abusant autrui ou s'en faisant craindre, etc. La société, telle que l'observe Rousseau, est devenue le lieu où des hommes ont dû obéir à d'autres hommes, le lieu où des hommes exploitent d'autres hommes, bref le lieu d'une inégalité et d'une servitude profondes. Le *Contrat social* propose un nouveau pacte social et politique qui tente de transformer la réalité que nous venons de décrire.

Le contrat social ou la liberté et l'égalité retrouvées

«L'homme est né libre, et partout il est dans les fers.» C'est par ce constat que s'ouvre le chapitre premier du *Contrat social*. L'homme originaire était libre et la société l'a «dénaturé». Les hommes mis en société ont été dépouillés de leur liberté naturelle. Ils ont dû obéir aux puissants. Ils ont été trompés par des gouvernants qui, en échange d'une certaine sécurité, les ont asservis et exploités.

Rousseau se demande comment il serait possible de résoudre l'antagonisme apparemment insurmontable entre les conditions d'être et de vie que permettait l'état de nature (liberté, égalité, pitié) et celles qui existent dans l'état de société telles que révélées par l'Histoire au cours des siècles (servitude, inégalité, violence institutionnalisée, etc.). Nous savons que l'Histoire est irréversible, qu'il est impossible de quitter l'état de société pour retourner à l'état de nature primitif, mais peut-on penser une forme d'association sociale qui soit fondée non plus sur la force et la soumission, mais sur la liberté et la raison ?

Rousseau essaie donc de trouver une forme d'organisation politique et sociale qui réconcilierait ces deux mondes séparés : les droits de la nature (liberté, égalité) et les nécessités, les contingences de la vie civile. En somme, la conception rousseauiste du contrat social tente de répondre à la question suivante : comment les hommes, réunis en société, peuvent-ils retrouver un équivalent de l'état de nature exempt de domination et de dépendance qui leur permette de ne pas renoncer à leur liberté et de se soustraire aux maux (l'inégalité, entre autres) engendrés par la société ? Ce n'est certainement pas en adhérant à un contrat de soumission fondé sur le droit du plus fort, car ce type de contrat, qui nie la liberté essentielle de

---

43. *Émile*, t. IV, livre IV, p. 515.

l'humain, est toujours illégitime[44]. En bref, la puissance ne peut constituer le droit et personne ne peut renoncer à la liberté pour se transformer en esclave d'un autre.

La volonté générale

Sujétion
État de l'individu qui est soumis à une autorité, à une domination souveraine. Synonyme d'« assujettissement », de « dépendance » ou d'« oppression ».

Dans la conception rousseauiste de l'État, il n'est pas question d'imposer une **sujétion** à quiconque : le contrat social ne peut être imposé de l'extérieur, chacun doit y adhérer librement et le peuple né de l'association des individus ne peut être soumis à aucune autre autorité que lui-même. Ce sont les volontés des personnes qui doivent librement participer à une « volonté générale ».

Cette volonté générale constitue en même temps le fondement et le résultat du pacte social : elle représente la volonté collective des individus qui se sont « associés » et celle de la nouvelle entité qui est formée grâce à cette association, la société elle-même[45].

Il faut comprendre que la volonté générale n'est pas la somme ou la moyenne des volontés particulières « égoïstes » ; au contraire, elle implique que chacun fait entièrement abstraction de ses intérêts, désirs ou passions pour ne considérer que le bien universel, tel que le conçoit la raison.

En somme, la volonté générale représente la « rationalité » humaine et produit une sorte de « conversion » de l'homme, qui, pour devenir citoyen, doit renoncer à sa volonté individuelle, c'est-à-dire à la défense de ses intérêts égoïstes. La participation à la volonté générale ne repose pas sur « l'intérêt bien compris » mais sur le renoncement ; c'est à ce prix que l'humain accède, avec la vie sociale, au droit et à la moralité.

La loi : expression de la volonté générale

Cette volonté générale, à la base du contrat social, s'exprime sous la forme de lois qui s'appliquent à tous les individus, et elle a pour seul but le bien commun. Selon les propres mots de Rousseau, le contrat social entend faire disparaître l'homme de l'homme pour y substituer un citoyen, membre d'une société où règne la loi, expression de la volonté générale, garantie de la liberté et de l'égalité[46] des individus, seule capable de réunir les avantages de l'état de nature et ceux de l'état civil. À cette fin, il s'agit d'instaurer « une forme d'association qui défend et protège de toute la force commune la personne et les biens de chaque associé, et par laquelle chacun s'unissant à tous n'obéisse pourtant qu'à lui-même et reste aussi libre qu'auparavant[47] ».

Mais est-il possible de renoncer volontairement à la liberté individuelle de faire n'importe quoi en vue de l'établissement d'un ordre social, et de rester malgré tout

---

44. Nous faisons ici allusion à la critique que Rousseau faisait du pouvoir politique despotique défendu par Hobbes.

45. Rousseau désigne parfois cette entité par l'expression « personne publique », pour bien montrer qu'il s'agit d'un être nouveau, indépendant des individus qui le composent, et à qui l'on attribue une volonté propre (voir *Du contrat social*, t. III, livre I, chap. VI, p. 361).

46. Chez Rousseau, liberté et égalité vont de pair : l'une ne peut se maintenir sans l'autre. Mentionnons cependant qu'il ne s'agit pas d'une égalité niveleuse (voir *Discours sur l'origine et les fondements de l'inégalité parmi les hommes*, t. III, note XIX), mais d'une égalité de droit : « C'est précisément parce que la force des choses tend toujours à détruire l'égalité que la force de la législation doit toujours tendre à la maintenir » (*Du contrat social*, t. III, livre II, chap. XI, p. 391-392).

47. *Du contrat social*, t. III, livre I, chap. VI, p. 360.

libre ? Rousseau croit fermement que oui parce que « **l'obéissance à la loi qu'on s'est prescrite est liberté**[48] », écrit-il. Ce principe permet à Rousseau d'affirmer que chacun ne perd pas véritablement sa liberté à l'intérieur du contrat social, puisqu'il a consenti librement à se départir d'une liberté capricieuse pour l'intérêt commun, qui correspond somme toute à son propre intérêt. De plus, grâce à la loi, chacun est protégé contre la soumission à d'autres individus.

> Emmanuel Kant fut un lecteur assidu de Rousseau ; il voyait en ce dernier le « Newton de la morale ». D'ailleurs, Kant reprendra ce principe et l'appliquera à l'ordre moral : en tant que sujet rationnel, la personne choisit d'être elle-même l'auteur de la loi morale. Ainsi, l'autonomie de la volonté est posée comme fondement de la moralité.

En adhérant au contrat social, l'individu y trouve en quelque sorte un bien supérieur (l'égalité civile qui octroie les mêmes droits et les mêmes devoirs à tout un chacun, qu'il soit fort ou faible, riche ou pauvre) à celui dont il s'est départi (l'égalité naturelle ne lui permettant de combler ses besoins qu'à la mesure de ses moyens propres). Par le contrat social, les individus deviennent tous égaux devant la loi[49], puisque par contrat chacun renonce également à disposer capricieusement de lui-même et des autres[50]. Le pacte social institue donc des conditions égales pour tous, et cette réciprocité assure la liberté de chacun. En d'autres termes, le contrat social remplace l'autorité de l'homme sur l'homme (source de domination et de servitude) par l'autorité de la loi (source de l'égalité garantissant la liberté).

Le contrat social : une démocratie directe

Le contrat social constitue une sorte de convention de tous avec tous, où chacun – devenant ainsi une partie indivisible du tout – accepte de perdre sa puissance et ses privilèges individuels[51] pour donner naissance à la volonté générale. Ce pacte social se réduit aux termes suivants :

> *Chacun de nous met en commun sa personne et toute sa puissance sous la suprême direction de la volonté générale ; et nous recevons en corps chaque membre comme partie indivisible du tout*. À l'instant, au lieu de la personne particulière de chaque contractant, cet acte d'association produit un corps moral et collectif composé d'autant de membres que l'assemblée a de voix, lequel reçoit de ce même acte son unité, son *moi* commun, sa vie et sa volonté[52].

La dernière partie de cette citation suggère que la volonté générale devra s'exprimer par le corps social dans sa totalité. C'est le peuple tout entier (l'assemblée de citoyens) qui devient souverain. Le pouvoir ne peut être délégué à des représentants. La loi à laquelle le peuple obéit est donc l'expression de la volonté générale. Le contrat social institue une démocratie directe et non une démocratie représentative.

Il faut croire que Rousseau, citoyen de Genève, a inspiré le système de « démocratie directe » de la Suisse contemporaine. En effet, en Suisse, le dernier mot revient non pas au gouvernement, mais au peuple. Depuis 1874, plus de cinq cents consultations populaires par voie de référendums ont eu lieu. Unique au monde, ce recours à la volonté directe des citoyens a pour conséquence que les idées

---

48. *Ibid.*, t. III, livre I, chap. VIII, p. 365.

49. *Ibid.*, t. III, livre II, chap. IV, p. 372-375.

50. *Ibid.*, t. III, chap. XVI.

51. Rousseau dit : « L'aliénation totale de chaque associé avec tous ses droits à toute la communauté [...] » (*Du contrat social*, t. III, livre I, chap. VI, p. 360).

52. *Du contrat social*, t. III, livre I, chap. VI, p. 361.

Votée par l'Assemblée constituante, le 26 août 1789, la Déclaration des droits de l'homme et du citoyen énonçait en termes rousseauistes les « droits naturels et imprescriptibles de l'homme » : liberté, propriété, sûreté, résistance à l'oppression (article 2). Et l'article 1 proclamait ceci : « Les hommes naissent et demeurent libres et égaux en droit. Les distinctions sociales ne peuvent être fondées que sur l'utilité commune. »

nouvelles échouent plusieurs fois avant d'obtenir un consensus. Cela fait en sorte que les choses ne bougent pas rapidement en Suisse! Mais, à long terme, cette prudence légendaire du peuple suisse évite au gouvernement de s'engager avec trop d'empressement sur des voies aléatoires et controversées.

La philosophie politique rousseauiste – qui énonce un « devoir être » (ce qui doit se produire pour légitimer le pouvoir politique) – trouva son achèvement dans la Déclaration des droits de l'homme et du citoyen proclamée par la Révolution française de 1789. En décrivant le lien social qui devrait unir l'individu à la collectivité, le *Contrat social* proposait une nouvelle convention qui abolirait les privilèges qu'octroient la naissance, la richesse et la puissance, fondements de toutes les injustices et de tous les malheurs dont a souffert l'humanité. En cela, le *Contrat social* constitue le premier volet d'une philosophie qui s'adresse d'abord au citoyen en voulant faire son éducation civile. L'*Émile ou De l'éducation* correspond au second volet, où Rousseau stipule ce que devrait être l'éducation de l'individu.

Émile ou le modèle d'éducation de l'être humain

« Tout est bien sortant des mains de l'Auteur des choses, tout dégénère entre les mains de l'homme. » Ces mots ouvrent magistralement l'ouvrage qui occupe une place centrale dans l'œuvre de Rousseau et qui, en fait, constitue une sorte de synthèse de sa pensée: *Émile ou De l'éducation.*

Au XVIIIe siècle, on ne reconnaît guère de droits à l'enfance; les parents de l'aristocratie et de la grande bourgeoisie se déchargent de leurs responsabilités en confiant leurs enfants à une nourrice pour ensuite les enfermer dans des collèges ou des couvents, ou encore les laisser sous la domination de maîtres ou de gouvernantes avides de discipline. Jean-Jacques Rousseau invalide les pratiques éducatives de son époque parce qu'elles correspondent à un dressage de l'enfant qui viole sa nature propre. Il publie un « traité d'éducation » révolutionnaire où il défend le droit à une véritable enfance, le droit à la liberté, l'éducation orientée vers la seule humanité plutôt que vers le rang et l'ordre, etc.

On le devine, l'ouvrage n'est pas qu'un simple traité de recettes pédagogiques. Au-delà des visées éducatives, Rousseau y présente une conception philosophique de l'homme. Dans le livre premier de l'*Émile,* il apporte la précision suivante: « Notre véritable étude est celle de la condition humaine. […] Il faut donc généraliser nos vues, et considérer dans notre élève l'homme abstrait, l'homme exposé à tous les accidents de la vie humaine[53]. »

---

53. *Émile,* t. IV, livre I, p. 252.

À la faveur d'un traité à la fois philosophique et pédagogique, Rousseau trace le portrait de l'homme idéal, c'est-à-dire de celui qui aurait réussi à conserver les éléments de l'état de nature grâce à une saine éducation, où il aurait appris à résister par lui-même aux vices que la société inculque. *Émile* s'inscrit dans une espèce de trilogie. Les deux premiers *Discours* critiquent avec vigueur l'œuvre de la civilisation, qui dénature l'homme et le prive de la liberté et de l'égalité. Le *Contrat social* présente le «devoir être» sur le plan social et propose la seule forme politique pouvant offrir aux citoyens la liberté et l'égalité civiles.

Émile ou De l'éducation décrit les principes essentiels d'une pédagogie développant chez l'enfant, l'adolescent et le jeune adulte les qualités de l'homme naturel : ce sont ces qualités qui pourront faire de lui un authentique citoyen, libre et préoccupé par le bien commun.

Le modèle éducatif rousseauiste

Donnons un aperçu de ce modèle éducatif.

Principe premier : le respect de la liberté naturelle de l'enfant

D'abord, il s'agit d'asseoir sur le principe de la liberté toutes les conditions requises en vue d'une heureuse éducation de l'individu orientée vers la vie. Aussi, le précepteur se servira de la nature seule comme inspiratrice et théâtre de l'apprentissage de l'enfant. Il s'abstiendra de lui commander quoi que ce soit, par exemple de lui imposer de l'extérieur des préceptes artificiels comme l'obligation de se servir de «vaines formules de politesse». Quand le maître accorde quelque chose, il le fait avec plaisir dès la première sollicitation de l'enfant ; quand le maître doit dire non, il le fait avec répugnance, mais son refus est irrévocable.

Face à l'ordre naturel et à la nécessité des choses (le maître est fort et l'enfant est faible), l'enfant peut comprendre ses limites tout en restant libre : il apprend à accepter ce contre quoi il ne peut rien. Comme l'écrit Rousseau, «la dépendance des choses n'ayant aucune moralité ne nuit point à la liberté et n'engendre point de vices[54]». Au contraire, les menaces, les tourments et les châtiments dont se sert un maître cruel maintiendront l'enfant dans un esclavage amer et douloureux qui lui fera perdre son innocence et qu'il tentera de fuir par n'importe quels moyens.

Principe deuxième : le respect de l'évolution naturelle de l'enfant

Le deuxième principe éducatif demande au maître d'aimer l'enfance en considérant l'enfant comme un **enfant** et non comme un adulte. «Laissez mûrir l'enfance dans l'enfant !» s'écrie Rousseau. Cela implique qu'il faut respecter l'évolution naturelle de l'individu, c'est-à-dire, pour utiliser un langage contemporain, les étapes ou les stades du développement de l'enfant. Afin de suivre cette progression naturelle, le précepteur recourra à ce que la nature elle-même éveille tour à tour chez l'être humain. En d'autres mots, il adaptera son enseignement aux facultés de chaque âge.

> Rousseau fut le premier penseur à affirmer la spécificité de l'enfant et de son être propre. À l'époque de Rousseau, on avait tendance à réduire l'enfant à la notion vague de «modèle réduit d'adulte».

1. De zéro à deux ans : les capacités corporelles devraient faire l'objet d'une attention particulière jusqu'à l'âge de deux ans : l'enfant apprendra d'abord à fortifier son corps par l'exercice physique. Tous les jours, le précepteur conduira l'enfant dans

---

54. *Ibid.*, t. IV, livre II, p. 311.

un pré afin qu'il puisse courir, sauter, crier à sa guise, bref s'ébattre en toute liberté. Mais il faudra aussi apprendre à l'enfant à maîtriser son affectivité naissante (par exemple, ses peurs) et le guider dans ses premiers balbutiements langagiers.

2. De deux à douze ans: comme «première» éducation, Rousseau prône une **éducation négative** contre les dangers qui menacent Émile. D'une part, le précepteur empêche que le préjugé (l'erreur de l'esprit) ou le vice (l'erreur du cœur), toujours issus de l'extérieur, ne viennent entraver cet apprentissage. On tiendra donc l'enfant loin des influences pernicieuses de la société et des livres… D'autre part, le précepteur ne donne rien à apprendre, mais se contente de placer Émile dans des conditions (généralement celles de la nature) où l'enfant découvrira tout par lui-même; entre autres, il apprendra à lire et à écrire lorsqu'il en éprouvera le besoin… Pendant cette longue période de dix ans, l'accent sera mis sur le développement des sens, «les premières facultés qui se forment et se perfectionnent en nous», facultés qu'il convient de cultiver avant l'intelligence abstraite qui se développe le plus difficilement et le plus tard, selon Rousseau. Les sensations que procurent la vue, l'ouïe, l'odorat et le toucher sont évaluées par Rousseau comme permettant une perception juste de la réalité et de soi-même, d'autant plus que c'est en comparant ses diverses sensations que l'enfant développe son esprit – ce qui donnera naissance ultérieurement à l'idée. Contrairement à Descartes, Rousseau considère que les idées ne sont pas innées[55]:

> Notre élève n'avait d'abord que des sensations, maintenant il a des idées: il ne faisait que sentir, maintenant il juge. Car de la comparaison de plusieurs sensations successives ou simultanées, et du jugement qu'on en porte, naît une sorte de sensation mixte ou complexe que j'appelle idée[56].

3. De douze à quinze ans: Rousseau croit qu'il ne faut pas précipiter l'apprentissage de la raison, car cette faculté n'est pas appropriée à l'enfance: «de toutes les instructions propres à l'homme, celle qu'il acquiert le plus tard et le plus difficilement est la raison même[57]».

Il ne faut donc pas prématurément, alors que l'enfant n'est pas prêt à «entendre raison», exiger de lui qu'il se mesure «aux objets intellectuels». Un élève contraint par son maître à se servir de sa raison fera souvent semblant de «raisonner» parce qu'il y verra son intérêt, sans pour autant en éprouver le besoin véritable.

Rousseau suggère d'attendre la treizième année de l'enfant avant de considérer le développement de son esprit et de travailler à l'éveil de sa curiosité intellectuelle. On l'initiera aux sciences et à leurs méthodes, mais également à la société et au monde du travail.

4. À partir de quinze ans: à cet âge où se manifestent, selon Rousseau, les grands bouleversements pubertaires, l'adolescent sera progressivement initié aux sentiments moraux et religieux, en dehors de toute Église ou de tout dogme. Ayant été éduquée d'une bonne manière, la conscience morale d'Émile, qui, somme toute, correspond au sentiment intuitif et immédiat de ce qui est bien, saura être pour lui un guide sûr.

> «La première éducation doit être purement négative. Elle consiste, non point à enseigner la vertu ni la vérité, mais à garantir le cœur du vice et l'esprit de l'erreur» (*Émile*, t. IV, livre II, p. 323).

---

55. La théorie rousseauiste de la connaissance s'oppose radicalement au rationalisme classique, dont celui de Descartes, et épouse la philosophie empiriste de Condillac.

56. *Émile*, t. IV, livre III, p. 481.

57. *Julie ou la nouvelle Héloïse*, t. II, cinquième partie, lettre III, p. 562.

Tout ce processus d'apprentissage, qui s'échelonne sur une période de vingt ans, sera organisé suivant l'intérêt spontané ressenti par l'élève. La personne n'est-elle pas motivée à apprendre dans la mesure où elle y trouve son intérêt[58] ?

Principe troisième : la prédominance de la conscience sur la science

Le troisième principe de l'éducation rousseauiste consiste à développer la conscience plutôt que d'accumuler de la science. Ce qui importe, c'est d'être bon. Or, pour Rousseau, le lien entre bonté et savoir est si ténu qu'on peut être bon et ignorant comme on peut être savant et malhonnête. Ce n'est pas le savoir en tant que tel qui importe ni la culture en soi, mais l'honnêteté et la sincérité du cœur. « L'homme naturel, s'exclame Rousseau, est honnête, non savant ! » Le précepteur verra donc en priorité à empêcher que l'enfant ne tombe sous l'empire des préjugés et des mœurs factices qui viendraient fausser son apprentissage.

Principe quatrième : apprendre à apprendre

Le quatrième principe éducatif repose sur l'hypothèse qu'il vaut mieux apprendre à apprendre que de se bourrer le crâne, car il importe d'avoir « une tête bien faite plutôt que bien pleine ! » Au savoir en tant que somme des connaissances acquises, Rousseau préfère la perspicacité, la profondeur et l'ouverture d'esprit :

> Émile a peu de connaissances, mais celles qu'il a sont véritablement siennes ; il ne sait rien à demi. Dans le petit nombre de choses qu'il sait et qu'il sait bien, la plus importante est qu'il y en a beaucoup qu'il ignore et qu'il peut savoir un jour, beaucoup plus que d'autres hommes savent et qu'il ne saura de sa vie, et une infinité d'autres qu'aucun homme ne saura jamais. Il a un esprit universel, non par les lumières, mais par la faculté d'en acquérir ; un esprit ouvert, intelligent, prêt à tout, et, comme dit Montaigne[59], sinon instruit du moins instruisable. Il me suffit qu'il sache trouver l'*à quoi bon* sur tout ce qu'il fait, et le *pourquoi* sur tout ce qu'il croit. Encore une fois mon objet n'est point de lui donner la science, mais de lui apprendre à l'acquérir au besoin, de la lui faire estimer exactement ce qu'elle vaut, et de lui faire aimer la vérité par-dessus tout[60].

Une considération philosophique englobante : faire de l'enfant un homme

Au-dessus des quatre principes de l'éducation que nous venons de présenter, Rousseau formule une considération qui constitue l'objectif ultime de tout processus d'éducation de l'être humain. Cette considération philosophique pourrait se résumer à la maxime suivante : apprendre à être une personne à part entière et apprendre à vivre heureux, tel est le métier de l'être humain.

> En sortant de mes mains, il [Émile] ne sera, j'en conviens, ni magistrat, ni soldat, ni prêtre ; il sera premièrement homme : tout ce qu'un homme doit être, il saura l'être au besoin tout aussi bien que qui que ce soit ; et la fortune aura beau le faire changer de place, il sera toujours à la sienne[61].

En conclusion, nous pouvons dire que parce que le précepteur, négligeant le rang et la fortune, n'aura cultivé chez Émile que ce qui le fait homme (comme tous les hommes), parce qu'il aura écarté les influences sociales qui exacerbent les passions et l'amour-propre, parce qu'il n'aura jamais forcé les étapes du développement de

---

58. « À quoi cela sert-il ? » entend-on souvent de la bouche des enfants et même des jeunes adultes d'aujourd'hui.

59. Montaigne recommandait que le précepteur eût lui aussi « la tête bien faite [plutôt] que bien pleine » (*Essais*, livre I, chap. 26, p. 222).

60. *Émile*, t. IV, livre III, p. 487.

61. *Ibid.*, t. IV, livre I, p. 252.

ses facultés, Émile sera le plus naturel des hommes éduqués, mais aussi le plus raisonnable. Pour la même raison, Émile sera également le citoyen idéal. Estimant la loi nécessaire, habitué à obéir à la nécessité des choses et à reconnaître sa liberté dans cette soumission «à ce qui est», il sera capable de transposer cette reconnaissance sur le plan politique, sa volonté raisonnable se fondant aisément dans la volonté générale. Sur le plan moral, l'amour de soi non contrarié et non dénaturé sous forme d'amour-propre pourra se prolonger dans l'amour des autres. Émile ne trouvera pas, évidemment, de société à sa mesure, mais il pourra tout de même vivre en paix au milieu de ses concitoyens et, lui qui connaît la liberté de cœur, être leur exemple. (La figure 3.1 met en rapport l'état de nature, l'état de société, le contrat social et l'éducation du citoyen.)

Figure 3.1 Parallèle entre l'état de nature, l'état de société et le contrat social

Rousseau aujourd'hui

Rousseau et l'éducation libertaire

L'ensemble des maximes pédagogiques proposées par Rousseau a contribué à l'élaboration, un siècle et demi plus tard, des thèses éducatives de Maria Montessori (1870-1952), qui servent aujourd'hui d'assise à plusieurs garderies et classes de maternelle. On y applique une méthode d'enseignement fondée sur l'éducation sensorielle, sur le développement de la mémoire et sur la valorisation de la liberté active de l'enfant.

N'oublions pas non plus l'apport important de la philosophie de l'éducation de Rousseau à l'idéologie de l'école alternative, qui s'est développée au Québec à partir des années 1970 et qui suscite encore aujourd'hui un certain intérêt auprès de parents insatisfaits de l'école dite traditionnelle. Rappelons que l'école alternative défend elle aussi le principe de liberté : on ne doit pas contraindre l'enfant à apprendre. Elle mise également sur la curiosité et sur la spontanéité naturelles de l'enfant.

Rousseau au cœur d'un débat sur l'éducation

La pédagogie rousseauiste est d'une actualité criante. Elle se situe au cœur d'un débat qui éveille bien des passions : l'enseignement doit-il se faire au présent, dans la joie et dans le plaisir d'apprendre ou, au contraire, doit-il générer peine et douleur, puisque apprendre est toujours le fruit de l'effort et que c'est le prix à payer pour la construction de son avenir ? Le choix de Rousseau éducateur est clair : l'enseignement doit répondre à une curiosité, à un intérêt, à un désir, bref à un besoin de l'élève qui choisit d'apprendre. Et cet apprentissage se doit d'être heureux et ne viser que l'ici-maintenant :

Les classes de maternelle d'aujourd'hui s'inspirent du modèle éducatif rousseauiste.

> Il [Émile] est parvenu à la maturité de l'enfance, il a vécu la vie d'un enfant, il n'a point acheté la perfection aux dépens de son bonheur ; au contraire ils ont concouru l'un à l'autre. En acquérant toute la raison de son âge, il a été heureux et libre autant que sa constitution lui permettait de l'être[62].

Dans les dernières pages de l'*Émile*, Rousseau revient de nouveau sur le fait que le développement de l'individu doit s'accomplir au présent, et dans la joie et le plaisir :

> Dans l'incertitude de la vie humaine, évitons surtout la fausse prudence d'immoler le présent à l'avenir ; c'est souvent immoler ce qui est à ce qui ne sera point. Rendons l'homme heureux dans tous les âges, de peur qu'après bien des soins il ne meure avant de l'avoir été[63].

Rousseau et l'éducation utilitaire

En ce début du XXIe siècle, l'éducation conçue par les technocrates et pratiquée dans nos établissements d'enseignement rend-elle l'élève heureux comme l'aurait souhaité Rousseau ? Met-on l'élève en contact avec des savoirs nouveaux afin qu'il découvre des connaissances jusqu'alors ignorées, connaissances qui transformeront son être profond ? Le projet éducatif qui lui est proposé s'inscrit-il dans un esprit de pure

---

62. *Ibid.*, t. IV, livre II, p. 423.
63. *Ibid.*, t. IV, livre V, p. 781.

Reconnaissant à l'homme la valeur suprême, se portant à la défense de la dignité humaine, la culture humaniste tente de développer en soi et dans les autres ce qui est spécifiquement humain.

Utilitaire
Se dit d'une organisation qui met en avant le culte de l'utile, du pratique, du commode et du fonctionnel.

gratuité ? Y valorise-t-on le plaisir d'apprendre qui procure joie et bonheur ? Les maisons d'enseignement occidentales éduquent-elles l'élève ou l'instruisent-elles ? Développe-t-on chez lui le jugement et le sens critique ou l'enferme-t-on dans un univers comptable ? Lui inculque-t-on une **culture humaniste** ou une culture technocratique ? Répondre à ces questions, c'est porter un regard critique sur le monde occidental de l'éducation que Rousseau aurait sans doute condamné.

En effet, une idéologie **utilitaire** de la réussite sévit en ce moment dans l'école : il faut que ce que l'élève apprend serve directement à sa future carrière ; il faut que ses apprentissages scolaires soient applicables et que, au bout du compte, cela rapporte à la société. On tient désormais le discours du rendement et de la rentabilité. On présente des «plans de réussite». On évoque la formation par programmes, une instruction «sur mesure», des savoir-faire précis, des apprentissages et des compétences utilitaires, etc. Rousseau se serait sûrement opposé à un tel modèle éducatif. Bien entendu, il ne s'agit pas de nier l'importance de former des gens aptes à exercer les divers métiers et professions. Mais la tâche éducative peut-elle se limiter à cela ?

Rousseau se serait préoccupé du type d'humain qu'on veut former. Au sortir de l'école, que deviendront les jeunes adultes qui auront accepté de s'adapter au moule de l'éducation utilitaire ? Quelle sorte d'hommes et de femmes deviendront les élèves qu'on aura instruits en fonction des impératifs du marché et auxquels on aura transmis de simples techniques ponctuelles et des connaissances utiles et circonstancielles ?

Rousseau et les problématiques socioculturelles et politiques

En ce qui regarde les problématiques soulevées sur les plans socioculturel et politique, la philosophie rousseauiste suscite un foisonnement de questions auxquelles on tente encore de répondre aujourd'hui : quels sont les rapports fondamentaux entre nature et culture ? L'être humain est-il d'abord ce qui relève de sa nature propre ou est-il le fruit d'un conditionnement culturel ? Les droits individuels sont-ils conciliables avec les obligations sociales ? Des individus peuvent-ils former une société ? L'individu peut-il et doit-il déléguer sa volonté politique à des représentants (députés) ? Qu'est-ce qu'une autorité politique légitime ? L'autonomie individuelle peut-elle survivre dans une entité collective ? Etc.

Nous avons vu que l'amour-propre constitue aux yeux de Rousseau le facteur primordial corrompant le lien social. Pour contrer l'amour-propre, il s'agira d'établir des rapports entre les personnes qui soient régis par des lois civiles aussi inviolables que celle de la nature. Et le passage de l'état de nature à l'état de société sera assuré par l'individu qui sentira la nécessité de s'unir aux autres par le contrat social signé dans l'intérêt de tous et qui, ce faisant, deviendra citoyen à part entière.

Cette lecture rousseauiste de la naissance de la société civile n'est-elle pas encore tout empreinte de subjectivisme et d'idéalisme ? La connaissance précise de l'évolution historique des sociétés, de leurs structures, des lois objectives qui en règlent l'existence échappait à Rousseau.

Même si sa vision anthropologique a préparé la venue de Karl Marx, que nous étudierons dans le prochain chapitre, il fallut attendre ce dernier et son *matérialisme dialectique et historique* pour mieux comprendre la naissance des sociétés humaines, les déterminismes sociaux, les fondements «scientifiques» des lois et des pratiques dans une société à une époque particulière. Il fallut attendre des penseurs comme Marx pour qu'un portrait de l'humain décrit comme un être essentiellement social et historique nous soit donné.

L'essentiel

Jean-Jacques Rousseau

Selon Rousseau, l'**état de nature** représente l'être (l'essence) de l'homme, c'est-à-dire sa nature originelle avant que la civilisation l'ait pervertie. L'homme naturel se définit par la **liberté**. Cette caractéristique le rend **perfectible**, c'est-à-dire susceptible d'être transformé. Les sociétés à venir se chargeront de le transformer pour le pire. (L'homme est donc devenu peu à peu un produit de la culture et de l'Histoire.) L'homme naturel possède l'**amour de soi.** Il ressent de la **pitié** pour plus faible que soi. Il est **égal** à son semblable.

Les premières associations humaines ont créé un **état de société** qui a dénaturé les qualités originaires de l'homme naturel. Dès lors sont apparus l'**amour-propre,** la **propriété** et les **lois** protégeant les intérêts et les privilèges des riches. En découlèrent l'**inégalité sociale** et la **servitude.** Le **paraître** prédomine désormais sur l'**être.**

Afin de retrouver les droits de la nature, Rousseau propose un **contrat social** fondé sur la **volonté générale,** qui institue l'autorité de la **loi** garantissant la **liberté** et l'**égalité civiles.**

Dans le but de former un citoyen idéal, libre et préoccupé par le bien commun, Rousseau présente un **modèle d'éducation** qui tente de développer chez l'élève les qualités de l'homme naturel.

Réseau de concepts

Résumé de l'exposé

Rousseau et les Lumières

Notice biographique

Jean-Jacques Rousseau naît à Genève, aujourd'hui en Suisse, le 28 juin 1712. Orphelin de mère et n'étant pas soutenu par un milieu privilégié, il exerce divers métiers et acquiert ses connaissances en autodidacte. Rousseau est un créateur aux multiples talents qui produira des œuvres en de nombreux domaines (théâtre, musique, littérature, philosophie).

Jean-Jacques Rousseau meurt le 2 juillet 1778.

Les principales caractéristiques du XVIIIᵉ siècle

Les lumières de la raison

La raison, qui est considérée comme « la suprême faculté de l'homme », permet l'exercice concret du jugement et de la critique.

Les idéaux des Lumières

Les idéaux des Lumières défendent, entre autres, la tolérance religieuse, la légitimité du pouvoir politique et le paradigme nature-bonheur terrestre-sensibilité.

L'avènement du rationalisme expérimental

Le rationalisme expérimental croit à la raison, mais dans la mesure où elle est assistée, contrôlée et validée par l'expérience.

L'*Encyclopédie* : une illustration du progrès de l'esprit humain

Le progrès de l'esprit humain est illustré à merveille par l'*Encyclopédie,* qui répertorie et analyse toutes les connaissances de l'époque.

Rousseau et le XVIIIᵉ siècle

À l'opposé des encyclopédistes, Rousseau ne croit pas que les sciences, les techniques et les arts soient nécessairement des facteurs de progrès, qu'ils aient amélioré les conduites des hommes. En conséquence, il propose une critique éthique et sociale de la civilisation qui a dénaturé l'être humain.

L'état de nature et l'état de société

L'état de nature

L'état de nature correspond à la nature originelle de l'homme avant que la civilisation en ait défiguré l'être profond.

Précisions préliminaires

La description de l'état de nature présentée par Rousseau s'appuie sur l'hypothèse que l'homme naturel, étant un être solitaire et non sociable, vit un état d'isolement et, en conséquence, ne connaît pas la dépendance ni la servitude.

Les caractéristiques fondamentales de l'état de nature

- La liberté
  Contrairement à l'animal qui est déterminé par son instinct, l'homme naturel possède la liberté de choisir de répondre ou non à son instinct. C'est la liberté qui définit essentiellement l'homme naturel : être humain, c'est être libre de modifier sa nature.

- La perfectibilité
  L'homme naturel étant libre, il dispose de la faculté de *se perfectionner*, c'est-à-dire de se transformer, d'acquérir, selon les circonstances extérieures, des propriétés créées par l'homme. Ce que la société a inculqué au cours des siècles à l'homme originaire l'a dénaturé et perverti. En société, l'homme s'est transformé pour le pire en y acquérant plus de vices que de vertus. L'être humain (lorsqu'il est mis en société) est donc un produit de la culture et de l'Histoire.

- L'amour de soi
  L'homme naturel voit à répondre à ses besoins fondamentaux afin de se conserver.

- La pitié
  La pitié est une « vertu naturelle » qui permet à l'homme originaire de s'émouvoir de la misère ou des difficultés éprouvées par plus faible que soi. La pitié fait contrepoids à l'amour de soi qui pourrait se transformer en amour-propre.

- L'égalité
  L'homme originaire est égal à son semblable : il n'existe pas dans l'état de nature de différences assez grandes entre les individus pour que l'un domine l'autre de façon permanente.

L'état de société

Afin de survivre aux catastrophes naturelles et de pouvoir triompher de divers dangers, les individus ont été obligés de se regrouper pour ainsi former la première association d'hommes.

La première forme d'association humaine

Il s'agit d'une union temporaire visant à répondre à des besoins immédiats, soit survivre aux cataclysmes.

La deuxième forme d'association humaine

Elle consiste en la formation de la famille. On vit dans des cabanes. La première différenciation des sexes apparaît alors. On s'habitue à des commodités.

La troisième forme d'association humaine

Des familles s'installent dans un même lieu, deviennent sédentaires. Naissent alors la considération et l'amour-propre.

- L'amour-propre
  Aussitôt que les hommes se sont unis aux autres, ils ont commencé à se mesurer les uns aux autres et à vouloir obtenir la considération des autres. C'est alors que l'amour de soi a dégénéré en amour-propre. L'amour-propre est la caractéristique essentielle de l'homme vivant en société. C'est un sentiment faux qui amène à s'attacher exclusivement et abusivement à soi-même, et à cacher ce que l'on est vraiment sous le masque que l'on se croit obligé de porter. L'amour-propre est à l'origine de tous les maux de la vie en société.

La quatrième forme d'association humaine

Elle correspond à l'invention de la métallurgie et à l'avènement de l'agriculture, bref à la division du travail et à la dépendance généralisée. C'est la naissance de la propriété privée. L'inégalité s'installe parmi les hommes. On instaure des lois protégeant les pouvoirs et les privilèges des riches, et établissant la servitude et la misère des pauvres.

Être ou paraître

L'état de nature est l'être (l'essence) de l'homme. Il correspond à sa vérité intérieure, à ce qu'il y a de meilleur en lui.

L'état de société n'est que paraître. Mis en société, les hommes dissimulent ce qu'ils sont vraiment. Pour être quelqu'un, ils doivent faire semblant de posséder les qualités attirant la considération d'autrui.

Le contrat social ou la liberté et l'égalité retrouvées

Le *Contrat social* veut répondre à la question suivante : comment les hommes peuvent-ils retrouver en société les caractéristiques essentielles de l'état de nature, exempt de domination et de dépendance, tout en acceptant d'être soumis à des lois nécessaires au bon ordre social ?

La volonté générale

Les humains peuvent retrouver les caractéristiques essentielles de l'état de nature en adhérant à un pacte social où chacun, devenant une partie indivisible du tout, accepte de perdre le pouvoir de faire capricieusement n'importe quoi pour donner naissance à la volonté générale.

La loi : expression de la volonté générale

La loi, devenant l'expression de la volonté générale, garantit la liberté et l'égalité civiles de tout un chacun.

Le contrat social : une démocratie directe

La volonté générale ne peut être déléguée : c'est le peuple dans sa totalité (démocratie directe) qui assure la souveraineté politique.

Émile ou le modèle d'éducation de l'être humain

Émile ou De l'éducation expose les principes essentiels d'une pédagogie développant chez l'être humain les qualités de l'homme naturel.

Le modèle éducatif rousseauiste

Principe premier : le respect de la liberté naturelle de l'enfant
La liberté et la nature doivent servir de fondements à l'apprentissage.

Principe deuxième : le respect de l'évolution naturelle de l'enfant
L'enfant doit être considéré comme un enfant et non comme un adulte. Il faut donc respecter l'évolution naturelle de l'enfant. Il faut aussi que l'élève éprouve de l'intérêt pour ce qu'on lui propose.

Principe troisième : la prédominance de la conscience sur la science
L'éducation doit développer le sentiment du bien plutôt que la science, c'est-à-dire l'acquisition de savoirs constitués.

Principe quatrième : apprendre à apprendre
Il vaut mieux apprendre à apprendre que d'avoir la tête bien pleine.

Une considération philosophique englobante : faire de l'enfant un homme
Une considération philosophique chapeaute les quatre principes précédents : l'objectif ultime de l'éducation est d'apprendre à l'élève à être une personne à part entière et heureuse.

Rousseau aujourd'hui

Rousseau et l'éducation libertaire

Le modèle éducatif présenté par Rousseau a inspiré le développement des garderies, des maternelles et des écoles alternatives qui défendent le principe de la liberté de l'élève.

Rousseau au cœur d'un débat sur l'éducation

La pédagogie rousseauiste se situe au cœur d'un débat actuel concernant l'éducation. Le développement de l'individu doit-il se faire au présent, dans la joie et le plaisir d'apprendre (ce que défend Rousseau), ou doit-il être le résultat d'obligations et d'efforts imposés à l'élève (ce que défend l'école traditionnelle) ?

Rousseau et l'éducation utilitaire

De nos jours, les établissements d'enseignement et les élèves sont sous la domination d'une idéologie éducationnelle utilitaire que Rousseau aurait condamnée. On veut y enseigner des savoir-faire et des compétences qui doivent servir à la future carrière. Mais quel type d'humain veut-on former ainsi ?

Rousseau et les problématiques socioculturelles et politiques

Rousseau a soulevé, au XVIIIᵉ siècle, de nombreuses problématiques socioculturelles et politiques qui sont toujours d'actualité. L'être humain relève-t-il de sa nature propre ou est-il le fruit d'un conditionnement ? Les droits individuels sont-ils conciliables avec les obligations sociales ? L'individu peut-il et doit-il déléguer sa volonté politique ? L'autonomie individuelle peut-elle survivre dans une entité collective ?

Activités d'apprentissage

Vérifiez vos connaissances

1. Dans son texte célèbre de 1750, *Discours sur les sciences et les arts,* Rousseau défend le progrès des sciences et des arts en soutenant qu'il permet de développer la nature intime de la personne. VRAI ou FAUX ?

2. Quelle est la doctrine défendue par Rousseau dans sa *Profession de foi du vicaire savoyard* en 1762 ?

3. Au XVIIIᵉ siècle, la « suprême faculté de l'homme » est le sentiment. VRAI ou FAUX ?

4. Quelle est la devise des Lumières, selon Kant ?

5. Dans le domaine religieux, Rousseau s'inscrit en faux contre la tendance de son époque en ne défendant pas la liberté de croyance. VRAI ou FAUX ?

6. L'empirisme philosophique marque l'avènement du rationalisme expérimental, trait caractéristique de l'époque de Rousseau. VRAI ou FAUX ?

7. L'homme naturel recherché par Rousseau est celui qui aurait objectivement existé au début de l'humanité. VRAI ou FAUX ?

8. Selon Rousseau, la première forme d'association humaine est née d'un « intérêt présent et sensible » correspondant à des besoins passagers. VRAI ou FAUX ?

9. À quoi correspond la deuxième forme d'association humaine, selon Rousseau ?

10. Quelle est la notion centrale de la troisième forme d'association humaine pour Rousseau ?

11. Pour Rousseau, la propriété n'est pas liée à la sédentarité et à l'agriculture. VRAI ou FAUX ?

12. Selon Rousseau, l'état de société pervertit le cœur de l'homme naturel et fait ressortir le paraître au détriment de l'être. VRAI ou FAUX ?

13. Quel est le fondement et le résultat du pacte social proposé par Rousseau ?

14. Selon Rousseau, le métier de l'être humain consiste à apprendre à être une personne à part entière et à être heureux. VRAI ou FAUX ?

15. À partir de ce que vous avez appris sur Rousseau, indiquez laquelle des citations suivantes n'a pas été écrite par lui.

    a) « L'obéissance à la loi qu'on s'est prescrite est liberté. »

    b) « Ce tribunal que l'homme sent en lui est la conscience. »

    c) « C'est précisément parce que la force des choses tend toujours à détruire l'égalité que la force de la législation doit toujours tendre à la maintenir. »

Analyse et critique de texte

Cette activité exige la lecture préalable de l'extrait du *Discours sur l'origine et les fondements de l'inégalité parmi les hommes* présenté à la page 104.

Compétences à acquérir

- Comparer des éléments du texte que Rousseau met en parallèle, c'est-à-dire examiner leurs ressemblances et leurs différences.

- Évaluer le contenu des attributs que Rousseau accorde à l'homme civilisé dans ce texte, c'est-à-dire exprimer sur eux son accord ou son désaccord (et en donner les raisons).

Questions

1. Rousseau établit une comparaison entre l'animal et l'homme.

    a) Décrivez dans vos propres mots les deux points de ressemblance et les deux points de différence entre l'animal et l'homme qui sont présentés dans la première partie de ce texte.

Commentaire critique

    b) Reprenez une à une ces deux ressemblances et ces deux différences, et dites ce que vous en pensez en justifiant vos affirmations. (Minimum suggéré : une page.)

2. Dans la note IX, Rousseau trace le « tableau moral » de l'homme civil vivant dans la société humaine.

    a) Décrivez dans vos propres mots six des douze caractères (défauts) que Rousseau attribue à l'homme mis en société.

Commentaire critique

    b) Reprenez un à un ces six caractères fondamentaux « sinon de la vie humaine, au moins des prétentions secrètes du cœur de tout humain civilisé », et évaluez-les. (Minimum suggéré : une page.)

Analyse et critique d'un texte comparatif

Cette activité exige la lecture préalable de l'extrait de *Idée d'une histoire universelle au point de vue cosmopolitique* présenté à la page 106.

Compétences à acquérir

- Repérer les deux notions rousseauistes qui correspondent à l'expression « insociable sociabilité » utilisée par Kant dans ce texte.

- Transposer dans ses propres mots l'explication kantienne de l'« insociable sociabilité » de l'homme.

- Comparer l'interprétation kantienne de la problématique nature-culture (société) avec celle de Rousseau, c'est-à-dire examiner leurs différences.

- Évaluer le contenu de l'interprétation kantienne de la problématique nature-culture (société), c'est-à-dire exprimer sur elle son accord ou son désaccord (et en donner les raisons).

Questions

1. L'« insociable sociabilité » de l'homme constitue une réinterprétation kantienne de quelles caractéristiques attribuées par Rousseau à l'état de nature ?

2. Transposez dans vos propres mots l'explication que Kant donne de « l'insociable sociabilité » de l'homme.

3. En quoi et comment l'interprétation kantienne de la nature-culture (société) diffère-t-elle de celle de Rousseau ?

Commentaire critique

4. Que pensez-vous de l'interprétation que fait Kant du rapport nature-culture (société) ? En d'autres mots, êtes-vous d'accord avec l'explication donnée par Kant ? Vous devez fonder vos jugements, c'est-à-dire apporter au moins deux arguments pour appuyer vos affirmations. (Minimum suggéré : une page.)

Exercice comparatif : Descartes et Rousseau

Compétence à acquérir

Procéder à une comparaison entre deux conceptions modernes de l'être humain à propos d'un même thème.

Contexte de réalisation

Individuellement, dans un texte d'environ 350 mots (une page et demie), examinez les rapports de ressemblance et de différence entre la conception cartésienne et la conception rousseauiste de l'être humain à propos du thème du sujet.

Étapes suggérées

1. a) Caractérisez la conception cartésienne de l'être humain au regard du thème du sujet. Par exemple, demandez-vous en quoi et comment, pour Descartes, l'homme est un sujet rationnel, c'est-à-dire un être (un « je ») dont l'essence est la pensée.

   b) Caractérisez la conception rousseauiste de l'être humain au regard du thème du sujet. Par exemple, demandez-vous dans quelle mesure l'homme libre et perfectible de l'état de nature est devenu, selon Rousseau, un sujet historique, c'est-à-dire un être de culture qui a été façonné par la société.

2. a) S'il y a lieu, précisez les liens ou les similitudes entre la conception cartésienne et la conception rousseauiste de l'être humain à propos du thème du sujet.

   b) S'il y a lieu, dégagez les oppositions ou les antagonismes entre la conception cartésienne et la conception rousseauiste de l'être humain à propos du thème du sujet.

Extraits de textes

Texte de Rousseau ■ *Discours sur l'origine et les fondements de l'inégalité parmi les hommes*

Métaphysique

Qui a pour objet l'étude de la nature de l'homme sur un plan rationnel et non sensible ; recherche des bases de toute activité humaine.

Moral

Qui concerne l'action (mœurs, habitudes, règles de conduite) et le sentiment des hommes.

Préjudice

Ce qui est nuisible aux intérêts de quelqu'un. Désavantage.

Entendement

Faculté de comprendre. Esprit. Raison.

Je n'ai considéré jusqu'ici que l'homme physique ; tâchons de le regarder maintenant par le côté **métaphysique** et **moral**.

Je ne vois dans tout animal qu'une machine ingénieuse, à qui la nature a donné des sens pour se remonter elle-même, et pour se garantir, jusqu'à un certain point, de tout ce qui tend à la détruire, ou à la déranger. J'aperçois précisément les mêmes choses dans la machine humaine, avec cette diffé-rence que la Nature seule fait tout dans les opérations de la bête, au lieu que l'homme concourt aux siennes, en qualité d'agent libre. L'un choisit ou rejette par l'instinct, et l'autre par un acte de liberté ; ce qui fait que la bête ne peut s'écarter de la règle qui lui est prescrite, même quand il lui serait avantageux de le faire, et que l'homme s'en écarte souvent à son **préjudice**. C'est ainsi qu'un pigeon mourrait de faim près d'un bassin rempli des meilleures viandes, et un chat sur des tas de fruits, ou de grains, quoique l'un et l'autre pût très bien se nourrir de l'aliment qu'il dédaigne, s'il s'était avisé d'en essayer ; c'est ainsi que les hommes dissolus se livrent à des excès, qui leur causent la fièvre et la mort ; parce que l'esprit déprave les sens, et que la volonté parle encore, quand la Nature se tait.

Tout animal a des idées puisqu'il a des sens, il combine même ses idées jusqu'à un certain point, et l'homme ne diffère à cet égard de la bête que du plus au moins : quelques philosophes ont même avancé qu'il y a plus de différence de tel homme à tel homme que de tel homme à telle bête[64] ; ce n'est donc pas tant l'**entendement** qui fait parmi les animaux la distinc-tion spécifique de l'homme que sa qualité d'agent libre. La Nature com-mande à tout animal, et la bête obéit. L'homme éprouve la même impression, mais il se reconnaît libre d'acquiescer, ou de résister ; et c'est sur-tout dans la conscience de cette liberté que se montre la spiritualité de son âme : car la physique explique en quelque manière le mécanisme des sens et la formation des idées ; mais dans la puissance de vouloir ou plutôt de choi-sir, et dans le sentiment de cette puissance on ne trouve que des actes pure-ment spirituels, dont on n'explique rien par les lois de la mécanique.

Mais, quand les difficultés qui environnent toutes ces questions laisseraient quelque lieu de disputer sur cette différence de l'homme et de l'animal, il y a une autre qualité très spécifique qui les distingue, et sur laquelle il ne peut y avoir de contestation, c'est la faculté de se perfectionner ; faculté qui, à l'aide des circonstances, développe successivement toutes les autres, et réside parmi nous tant dans l'espèce que dans l'individu, au lieu qu'un ani-mal est, au bout de quelques mois, ce qu'il sera toute sa vie, et son espèce, au bout de mille ans, ce qu'elle était la première année de ces mille ans. Pourquoi l'homme seul est-il sujet à devenir imbécile ? N'est-ce point qu'il retourne ainsi dans son état primitif, et que, tandis que la bête, qui n'a rien acquis et qui n'a rien non plus à perdre, reste toujours avec son instinct,

---

64. Il s'agit de Montaigne commentant Plutarque.

l'homme reperdant par la vieillesse ou d'autres accidents, tout ce que sa *perfectibilité* lui avait fait acquérir, retombe ainsi plus bas que la bête même ? Il serait triste pour nous d'être forcés de convenir, que cette faculté distinctive, et presque illimitée, est la source de tous les malheurs de l'homme ; que c'est elle qui le tire, à force de temps, de cette condition originaire, dans laquelle il coulerait des jours tranquilles, et innocents ; que c'est elle, qui faisant éclore avec les siècles ses lumières et ses erreurs, ses vices et ses vertus, le rend à la longue le tyran de lui-même, et de la Nature (IX).

(Note IX) – Un auteur célèbre[65] calculant les biens et les maux de la vie humaine et comparant les deux sommes, a trouvé que la dernière surpassait l'autre de beaucoup, et qu'à tout prendre la vie était pour l'homme un assez mauvais présent. Je ne suis point surpris de sa conclusion ; il a tiré tous ses raisonnements de la constitution de l'homme **civil** : s'il fut remonté jusqu'à l'homme naturel, on peut juger qu'il eût trouvé des résultats très différents, qu'il eût aperçu que l'homme n'a guère de maux que ceux qu'il s'est donnés lui-même, et que la Nature eût été justifiée. Ce n'est pas sans peine que nous sommes parvenus à nous rendre si malheureux. Quand d'un côté l'on considère les immenses travaux des hommes, tant de sciences approfondies, tant d'arts inventés ; tant de forces employées ; des abîmes comblés, des montagnes rasées, des rochers brisés, des fleuves rendus navigables, des terres défrichées, des lacs creusés, des marais desséchés, des bâtiments énormes élevés sur la terre, la mer couverte de vaisseaux et de matelots ; et que de l'autre on recherche avec un peu de méditation les vrais avantages qui ont résulté de tout cela pour le bonheur de l'espèce humaine ; on ne peut qu'être frappé de l'étonnante disproportion qui règne entre ces choses, et déplorer l'aveuglement de l'homme qui, pour nourrir son fol orgueil et je ne sais quelle vaine admiration de lui-même, le fait courir avec ardeur après toutes les misères dont il est susceptible, et que la bienfaisante Nature avait pris soin d'écarter de lui.

Les hommes sont méchants ; une triste et continuelle expérience dispense de la preuve ; cependant l'homme est naturellement bon, je crois l'avoir démontré ; qu'est-ce donc qui peut l'avoir dépravé à ce point sinon les changements survenus dans sa constitution, les progrès qu'il a faits, et les connaissances qu'il a acquises ? Qu'on admire tant qu'on voudra la société humaine, il n'en sera pas moins vrai qu'elle porte nécessairement les hommes à se haïr à proportion que leurs intérêts se croisent, à se rendre mutuellement des services apparents et à se faire en effet tous les maux imaginables. Que peut-on penser d'un commerce où la raison de chaque particulier lui dicte des maximes directement contraires à celles que la raison publique prêche au **corps de la société**, et où chacun trouve son compte dans le malheur d'autrui ? Il n'y a peut-être pas un homme aisé à qui des héritiers avides et souvent ses propres enfants ne souhaitent la mort en secret ; pas un vaisseau en mer dont le naufrage ne fût une bonne nouvelle pour quelque négociant ; pas une maison qu'un **débiteur** de mauvaise foi ne voulût voir brûler avec tous les papiers qu'elle contient ; pas un peuple qui ne se réjouisse des désastres de ses voisins. C'est ainsi que nous trouvons notre avantage dans le préjudice de nos semblables, et que la perte de l'un fait presque toujours la prospérité de l'autre : mais ce qu'il y a de plus dangereux encore, c'est que les calamités publiques font l'attente et l'espoir d'une multitude de particuliers. Les uns veulent des maladies, d'autres la mortalité, d'autres la guerre, d'autres la famine [...] Qu'on pénètre donc au travers de nos frivoles démonstrations de bienveillance ce qui se passe au fond des cœurs, et qu'on réfléchisse à ce que doit être un état de choses où tous les hommes sont forcés de se **caresser** et de se détruire mutuellement, et où ils naissent ennemis par devoir et fourbes par intérêt.

Civil
Relatif à la vie en société organisée.

Corps de la société
Groupe social formant un ensemble organisé au point de vue des institutions.

Débiteur
Personne qui doit quelque chose à quelqu'un. Emprunteur.

Caresser
Faire des démonstrations d'affection et de bienveillance plus ou moins sincères. Flatter. Courtiser.

---

65. Rousseau fait allusion à Maupertuis (1698-1759) et à son *Essai de philosophie morale,* dont le deuxième chapitre s'intitule «Que dans la vie ordinaire la somme des maux surpasse celle des biens».

Si l'on me répond que la société est tellement constituée que chaque homme gagne à servir les autres ; je répliquerai que cela serait fort bien s'il ne gagnait encore plus à leur nuire. Il n'y a point de profit si légitime qui ne soit surpassé par celui qu'on peut faire illégitimement, et le tort fait au prochain est toujours plus lucratif que les services. Il ne s'agit donc plus que de trouver les moyens de s'assurer l'impunité, et c'est à quoi les puissants emploient toutes leurs forces, et les faibles toutes leurs ruses.

100 L'homme sauvage, quand il a dîné, est en paix avec toute la Nature, et l'ami de tous ses semblables. S'agit-il quelquefois de disputer son repas ? Il n'en vient jamais aux coups sans avoir auparavant comparé la difficulté de vaincre avec celle de trouver ailleurs sa subsistance ; et comme l'orgueil ne se mêle pas du combat, il se termine par quelques coups de poing. Le vainqueur mange, le vaincu va chercher fortune, et tout est pacifié : mais chez l'homme en société, ce sont bien d'autres affaires ; il s'agit premièrement de pourvoir au nécessaire, et puis au superflu ; ensuite viennent les délices, et puis les immenses richesses, et puis des sujets, et puis des esclaves ; il n'a pas un moment de relâche ; ce qu'il y a de plus singulier, c'est que moins les besoins sont naturels et pressants, plus les passions augmentent, et, qui pis est, le pouvoir de les satisfaire ; de sorte qu'après de longues prospérités, après avoir englouti bien des 110 trésors et désolé bien des hommes, mon héros finira par tout égorger jusqu'à ce qu'il soit l'unique maître de l'univers. Tel est en abrégé le tableau moral, sinon de la vie humaine, au moins des prétentions secrètes du cœur de tout homme civilisé.

ROUSSEAU, Jean-Jacques. *Discours sur l'origine et les fondements de l'inégalité parmi les hommes,* première partie, Paris, Gallimard, coll. « Folio/Essais », 1992, p. 71-72 ; note IX, p. 132-133.

Texte de Kant ■ *Idée d'une histoire universelle au point de vue cosmopolitique*

Emmanuel Kant (1724-1804), philosophe allemand, consacra sa vie à l'étude, à l'écriture et à l'enseignement. Fondateur de la philosophie critique, Kant voulut découvrir ce dont l'esprit humain était capable : ce qu'il peut savoir, ce qu'il doit faire, ce qu'il peut espérer.

Quatrième proposition

L'insociable sociabilité des hommes

Le moyen dont se sert la nature pour mener à bien le développement de toutes ses dispositions est leur **antagonisme** dans la société, pour autant que celui-ci se révèle être cependant en fin de compte la cause d'un ordre légal de celle-ci. J'entends ici par antagonisme l'*insociable sociabilité des hommes,* c'est-à-dire leur tendance à entrer en société, tendance cependant liée à une constante résistance à le faire qui menace sans cesse de scinder cette société. Cette disposition réside manifestement dans la nature humaine. L'homme possède une inclination à s'associer, car dans un tel état il se sent plus homme, c'est-à-dire ressent le développement de ses dispositions naturelles. Mais il a aussi une forte tendance à se *singulariser* (s'isoler), car il 10 rencontre en même temps en lui-même ce caractère insociable qu'il a de vouloir tout diriger seulement selon son point de vue ; par suite, il s'attend à des résistances de toute part, de même qu'il se sait lui-même enclin de son côté à résister aux autres. Or, c'est cette résistance qui éveille toutes les

Antagonisme
État d'opposition de deux forces, de deux principes.

forces de l'homme, qui le conduit à surmonter sa tendance à la paresse et, sous l'impulsion de l'ambition, de la soif de domination ou de la **cupidité**, à se tailler un rang parmi ses compagnons qu'il supporte peu volontiers, mais dont il ne peut pourtant pas non plus se passer. Or c'est précisément là que s'effectuent véritablement les premiers pas qui mènent de l'état brut à la culture, laquelle réside au fond dans la valeur sociale de l'homme; c'est alors que se développent peu à peu tous les talents, que se forme le goût et que, par une progression croissante des **lumières**, commence même à se fonder une façon de penser qui peut avec le temps transformer la grossière disposition naturelle au discernement moral en **principes pratiques** déterminés et, finalement, convertir ainsi en un tout *moral* un accord à la société *pathologiquement* extorqué. Sans ces qualités, certes en elles-mêmes peu sympathiques, d'insociabilité, d'où provient la résistance que chacun doit nécessairement rencontrer dans ses prétentions égoïstes, tous les talents resteraient à jamais enfouis dans leurs germes au milieu d'une existence de bergers d'**Arcadie**, dans un amour mutuel, une **frugalité** et une **concorde** parfaites : les hommes, doux comme les agneaux qu'ils font paître, n'accorderaient guère plus de valeur à leur existence que n'en a leur bétail ; ils ne combleraient pas le vide de la création, eu égard à son but en tant que nature raisonnable. Que la nature soit donc remerciée pour ce caractère peu accommodant, pour cette vanité qui rivalise jalousement, pour ce désir insatiable de posséder ou même de dominer. Sans elle, toutes les excellentes dispositions naturelles sommeilleraient éternellement à l'état de germes dans l'humanité. L'homme veut la concorde, mais la nature sait mieux que lui ce qui est bon pour son espèce : elle veut la discorde. Il veut vivre sans effort et à son aise, mais la nature veut qu'il soit obligé de sortir de son **indolence** et de sa frugalité inactive pour se jeter dans le travail et dans les peines afin d'y trouver, il est vrai, des moyens de s'en délivrer en retour par la prudence. Les mobiles naturels qui l'y poussent, les sources de l'insociabilité et de la résistance générale d'où jaillissent tant de maux, mais qui cependant suscitent une nouvelle tension de forces et, par là même, un plus ample développement des dispositions naturelles, trahissent donc bien l'ordonnance d'un sage créateur et non, par exemple, la main d'un esprit méchant qui aurait saboté son magnifique ouvrage ou l'aurait gâté par jalousie.

KANT, Emmanuel. «Idée d'une histoire universelle au point de vue cosmopolitique», trad. Luc Ferry, dans *Critique de la faculté de juger*, Paris, Gallimard, coll. «Folio/Essais», 1996, p. 482-483.

Cupidité
Désir immodéré de l'argent et des richesses.

Lumières
Connaissances acquises. Le savoir.

Principe pratique
Règle morale qui oriente l'action, la conduite des hommes.

Arcadie
Région montagneuse de la Grèce antique représentée, à partir de la poésie pastorale grecque et latine, comme le pays du bonheur pur et paisible.

Frugalité
Qualité de celui qui se contente d'une nourriture simple.

Concorde
Paix, harmonie résultant de la bonne entente entre les membres d'une société.

Indolence
Disposition à éviter le moindre effort physique ou moral.

Lectures suggérées

La lecture de l'une des œuvres suivantes est suggérée dans son intégralité ou en extraits importants :

■ ROUSSEAU, Jean-Jacques. *Discours sur l'origine et les fondements de l'inégalité parmi les hommes*, Paris, Gallimard, coll. «Folio/Essais», 1992, 283 p.

■ ROUSSEAU, Jean-Jacques. *Du contrat social*, Paris, Flammarion, coll. «G-F», 1992, 187 p.

Chapitre 4

L'homme comme être social

Marx ou le matérialisme historique

L'individu est l'être social. Sa vie – même si elle n'apparaît pas sous la forme directe d'une manifestation commune de l'existence, accomplie simultanément avec d'autres – est une affirmation de la vie sociale.

Karl MARX, « Économie et philosophie (Manuscrits de 1844) », dans *Œuvres (Économie)*, p. 82.

Karl Marx et sa lutte contre le capitalisme du XIXᵉ siècle

Contexte historique

Notice biographique

Karl Marx naît le 5 mai 1818 à Trèves, en Rhénanie[1], dans une famille juive convertie au protestantisme **luthérien.** Trèves est le centre administratif de la région viticole de la Moselle. Même si cette petite ville paisible ne

> Fondateur de l'Église luthérienne, Martin Luther (1483-1546) a proclamé l'autorité de la seule Écriture sainte et défendu le salut individuel uniquement par la foi.

compte alors que douze mille habitants, elle n'est pas à l'abri des grands courants de l'époque. Ainsi, en 1832 et dans les années qui suivent, la bourgeoisie libérale locale et les vignerons de la Moselle revendiquent les conditions permettant d'entrer de plain-pied dans le régime capitaliste naissant. Par ailleurs, les premières idées socialistes des saint-simoniens et des fouriéristes se répandent dans la région comme dans le reste de la Prusse. La naissance de ces deux nouveaux courants de pensée opposés (le capitalisme libéral et le socialisme) a exercé une influence sur le développement politique ultérieur de Marx.

Karl est le troisième des neuf enfants de Heinrich Marx, homme libéral, cultivé, imprégné du rationalisme du siècle des Lumières. Avocat à Trèves, il a su s'établir une situation honorable confirmée par son titre de conseiller municipal et son poste de **bâtonnier.**

Marx suit les traces de son père. Le 22 octobre 1836, il s'inscrit à l'université de Berlin et se présente à des cours de droit et d'anthropologie. Un professeur exceptionnel, E. Gans – qui présentait l'étude du droit comme étant intimement liée au développement rationnel de l'histoire –, fait connaître au jeune Marx la philosophie de **Hegel.** Dès le premier semestre à l'université, Marx commence à se désintéresser du droit ; il est surtout captivé par la philo-sophie et par l'histoire. Avec sérieux, il se met à l'étude de la doctrine hégélienne. La philosophie de Hegel est alors la philoso-phie officielle de l'État prussien. Les prin-cipaux postes de professeurs des universités sont accordés aux hégéliens.

> Georg Wilhelm Friedrich Hegel (1770-1831) a occupé jusqu'à sa mort la chaire de philo-sophie de l'université de Berlin. Il a laissé un immense système philosophique qui a dominé la scène philosophique allemande jusqu'aux environs de 1850.

En 1836, Marx se fiance secrètement avec une amie d'enfance, Jenny von Westphalen, réputée la plus jolie fille de Trèves, et dont la famille appartient à la riche « aristocratie » rhénane. Marx écrit des poèmes dédiés à sa fiancée qu'il lui expédie en gage d'amour. Cependant, lorsque la famille Westphalen apprend l'engagement de Jenny envers le jeune Marx, elle s'y oppose catégoriquement. On n'accepte pas ce Marx, étudiant pauvre à l'avenir incertain et de famille juive. Malgré cette opposition, le mariage de Karl Marx et de Jenny von Westphalen a lieu le 23 juin 1843 – sept années après leurs fiançailles !

Pendant ses études à l'université de Berlin, Marx fréquente de jeunes docteurs en théologie, en philosophie et en histoire qui sont de fervents adeptes de la philo-sophie de Hegel. Parmi eux se trouve Bruno Bauer (1809-1882), qui constituera, avec Ludwig Feuerbach (1804-1872) et quelques autres, ce que l'on a appelé la

---

Capitaliste

Relatif au capitalisme, système économique et social fondé initialement sur des entreprises possédées par le groupe social appelé la bourgeoisie. Ces entreprises se concurrencent sur un marché libre qui est associé à des institutions politiques libérales.

Socialiste

Relatif au socialisme, théorie de l'organisation sociale qui fait prévaloir le bien de l'ensemble de la collectivité contre les intérêts particuliers. Le socialisme s'oppose au capitalisme et à la propriété privée de tout ce qui entre dans le processus de la production des marchandises.

Saint-simonien

Disciple de la « physiologie sociale » de Claude-Henri de Rouvroy, comte de Saint-Simon (1760-1825), qui défend un industrialisme optimiste où s'harmoniseront dans l'idéal du bien commun les intérêts des propriétaires d'entreprise avec ceux des ouvriers. Ainsi, l'union de tous les individus qui sont engagés dans des activités productives conduira à une nouvelle société solidaire.

Fouriériste

Disciple de Charles Fourier (1772-1837), qui critique la société de son temps en la présentant comme une forme sociale inférieure et qui, en contrepartie, préconise une communauté utopique dans laquelle chacun pourra laisser ses passions s'épanouir.

Bâtonnier

Avocat élu par ses confrères pour être le directeur et le représentant de leur confrérie.

---

1. La Rhénanie est une région de l'Allemagne située de chaque côté du Rhin. En 1815, le traité de Vienne fit de la Rhénanie une province prussienne – la Prusse étant alors un État endetté et économiquement arriéré. Cependant, la Rhénanie connut au cours du XIXᵉ siècle un développement économique et social qui en fit la province la plus prospère de l'Allemagne.

Progressiste

Se dit d'une personne, d'une attitude, d'une action ou d'une organisation qui veut transformer la société selon un idéal de progrès économique, social et politique.

Réactionnaire

Se dit d'une personne, d'une attitude, d'une action ou d'une organisation qui s'oppose au progrès social et préconise la conservation ou le rétablissement des institutions traditionnelles.

Révolutionnaire

Se dit d'une personne, d'une attitude, d'une action ou d'une organisation qui est partisane de changements radicaux et soudains dans le domaine social ou dans le domaine politique.

Maison natale de Marx.

gauche hégélienne. Cette gauche critique et **progressiste** s'élève contre les tendances **réactionnaires** de la Prusse; elle se sert de la doctrine hégélienne pour alimenter son propre travail sur les thèmes du dépassement et de la disparition de la religion, ainsi que sur le changement **révolutionnaire** de la société. Ce cercle de «jeunes hégéliens» dont fait partie Marx[2] s'oppose à une droite conservatrice, composée des disciples orthodoxes (les «vieux hégéliens») qui acceptent sans mot dire la doctrine du maître Hegel.

Au printemps 1840, Frédéric-Guillaume IV, nouveau roi de Prusse, discrédite les hégéliens (plus particulièrement la gauche hégélienne), à qui il reproche leurs tendances libérales et antireligieuses. Dès lors, les hégéliens sont systématiquement écartés de l'enseignement universitaire.

Marx ne peut donc embrasser la carrière universitaire à laquelle il se destinait, même si, en 1841, il obtient, de l'université d'Iéna, un doctorat en philosophie en soutenant une thèse sur la *Différence des philosophies de la nature de Démocrite et d'Épicure*[3]. Au lieu de cela, il exerce le métier de journaliste politique à la *Gazette rhénane* de Cologne. En octobre 1842, il en devient le rédacteur en chef. Ses articles décrivent et dénoncent la misère de vignerons de la Moselle, défendent la liberté de la presse, condamnent les politiques réactionnaires du gouvernement prussien, etc. En 1843, un interdit gouvernemental met fin à la production et à la diffusion du journal.

À l'automne 1843, Marx s'installe à Paris avec son épouse; il y fréquente des groupes socialistes et rencontre Friedrich Engels (1820-1895), qui deviendra son ami et le cosignataire de nombreux volumes. À Paris, Marx dirige les *Annales franco-allemandes,* qui publient, en 1844, *Sur la question juive* et *Contribution à la critique de la philosophie du droit de Hegel.* L'année suivante, Marx et Engels écrivent *La Sainte Famille.* En 1847, la Ligue des communistes leur commande le *Manifeste du parti communiste.* Pour Marx et Engels, c'est le début d'une longue et fructueuse collaboration intellectuelle et militante dont le but est d'éduquer, de former et d'organiser le mouvement ouvrier afin que les travailleurs se libèrent de leurs chaînes.

Étant expulsé de France en raison d'activités révolutionnaires, Marx part pour Bruxelles grâce à une souscription organisée par Engels. Cependant, en février 1848, le gouvernement belge, à son tour, le frappe d'expulsion. Sans moyens, il doit se réfugier à Londres en 1849. Maintenant père de trois enfants, il y vit avec sa famille dans une grande pauvreté. La lutte politique occupe une grande part de son temps et de ses énergies, car il est entièrement dévoué à la cause des travailleurs; ainsi, en 1864, il œuvre à la fondation de la Ire Internationale (Association internationale des travailleurs). Mais, pour survivre, il écrit, entre 1851 et 1862, près de cinq cents articles pour le *New York Daily Tribune* et le *People's Paper.* En outre, il prépare de nombreux «travaux sérieux» en histoire (*Les Luttes de classes en France,*

---

2. Marx critiquera plus tard ses compagnons de formation en leur reprochant, entre autres, leur idéalisme (voir *La Sainte Famille* et *Thèses sur Feuerbach*).

3. Démocrite (v. −460 à v. −370), philosophe grec de l'Antiquité, a élaboré une physique matérialiste, l'*atomisme,* qui conçoit la nature comme un mouvement infini de particules matérielles indivisibles et éternelles se combinant entre elles pour produire les corps visibles. C'est là une forme de *déterminisme* (voir la définition de ce terme plus loin dans le chapitre) qu'on peut qualifier de mécaniste parce qu'il vise à expliquer toute chose par de simples combinaisons d'atomes et laisse ainsi peu de place à la liberté. Or, dans sa thèse, Marx rejette le déterminisme mécaniste de Démocrite et tente, à l'instar d'Épicure (−341 à −270), de fonder l'existence de la liberté de l'homme.

1848-1850) et en économie (*Contribution à la critique de l'économie politique*, publié en 1859; *Le Capital*, tome I, publié en 1867 : les trois autres tomes seront rédigés après sa mort par Friedrich Engels et Karl Kautsky [1854-1938] à partir de notes et de documents laissés par Marx).

Marx meurt à Londres en 1883 assis dans le fauteuil de son bureau où il travaillait.

Le capitalisme du XIXe siècle

Marx a voulu comprendre la société capitaliste de son temps («l'époque bourgeoise»), en expliquer la structure et les lois afin de la transformer[4]. Il propose un nouveau modèle d'organisation économique et sociale qui contribuerait à la réalisation globale de l'être humain. Pour ce faire, Marx étudie la modernité de son époque, qu'il décrit de la manière suivante :

> Ce bouleversement continuel de la production, cet ébranlement ininterrompu de tout le système social, cette agitation et cette perpétuelle insécurité distinguent l'époque bourgeoise de toutes les précédentes. Tous les rapports sociaux traditionnels et figés avec leur cortège de notions et d'idées antiques et vénérables se dissolvent; tous ceux qui les remplacent vieillissent avant même de pouvoir s'ossifier. Tout ce qui avait solidité et permanence s'en va en fumée, tout ce qui était sacré est profané, et les hommes sont enfin forcés de jeter un regard lucide sur leurs conditions d'existence et leurs rapports réciproques[5].

Décrivons brièvement les nouvelles conditions d'existence instaurées par la bourgeoisie[6]. À la fin du XVIIIe siècle, l'Angleterre connaît une **révolution industrielle** sans précédent dans les domaines du textile, du charbon et du fer. L'invention d'une machine à filer (*mule-jennies*) et la mise au point de métiers à tisser mécanisés transforment radicalement la production de fils et de tissus de coton. Les propriétaires des manufactures ont besoin d'une main-d'œuvre abondante. Des milliers d'ouvriers s'agglutinent dans les villes. On leur construit des logements insalubres.

Fils d'un riche industriel allemand, Friedrich Engels fut le compagnon de route indéfectible de Marx. À maintes reprises, il lui apporta même une aide financière.

L'expression «révolution industrielle» fut utilisée dans les années 1820 pour comparer les bouleversements industriels qui ont alors eu lieu avec les changements politiques produits par la Révolution française de 1789.

On assiste aussi à une exploitation accrue des mines de charbon, lequel sert de combustible destiné à actionner les machines à vapeur ainsi que les hauts fourneaux pour la métallurgie (les fonderies). À partir du milieu du XIXe siècle, ces conditions se propagent sur le continent européen.

Marx observe les ouvriers de son époque, qui font face à un univers éclaté, fragmenté en raison de l'industrialisation débridée, de l'organisation inhumaine du travail et de la misère presque généralisée. Il est difficile de s'imaginer les conditions

---

4. La notion de *praxis* sert à exprimer le mouvement qui va de l'explication théorique à l'action modifiant l'état de choses présent. Nous examinerons cette notion dans la partie de ce chapitre intitulée «L'être humain et le travail».

5. Karl MARX et Friedrich ENGELS, *Manifeste du parti communiste*, Paris, Union Générale d'Éditions, coll. «10-18», 1962, p. 22-23.

6. Des romanciers de grand talent ont tracé le portrait de cette époque trouble. Mentionnons Charles Dickens (1812-1870), qui dénonce l'exploitation capitaliste et les misères sociales de son époque dans *Les Temps difficiles* (1854). Dickens a aussi créé des personnages d'enfants de la rue (Oliver Twist, Nicholas Nickleby, David Copperfield, etc.) qui ont rejoint et ému un vaste public, car ces enfants itinérants, pauvres et bafoués, mais malgré tout débrouillards, finissent, à force de courage et d'honnêteté, par échapper à leurs épouvantables conditions d'existence. Pensons aussi à Émile Zola (1840-1902), qui décrit les conditions de vie pitoyables des mineurs dans *Germinal* (1885).

Le sort réservé aux enfants des couches populaires entache d'un irrémédiable scandale la révolution industrielle capitaliste. À partir de l'âge de six ans, on les oblige à travailler dans des conditions misérables. Mis à l'amende, emprisonnés, battus, fouettés pour la moindre défaillance, les enfants deviennent les esclaves du capitalisme «sauvage».

de vie de la majorité des travailleurs en Angleterre, en Belgique, en Allemagne et en France du milieu à la fin du XIX⁰ siècle. Que l'on pense aux centaines de milliers d'hommes, de femmes et d'enfants qui s'engouffraient dans les mines de charbon ou dans les manufactures de textile, travaillant quatorze heures par jour, six jours par semaine, dans des conditions épouvantables pour un salaire qui suffisait à peine à leur survie[7]. «Notre époque, l'époque de la bourgeoisie, se distingue par la simplification des antagonismes de classe. La société tout entière se divise de plus en plus en deux vastes camps ennemis, en deux grandes classes diamétralement opposées: la bourgeoisie[8] et le prolétariat[9].» Cette crise sociale, qui marque profondément la deuxième moitié du XIX⁰ siècle, constitue, aux yeux de Marx, une situation révolutionnaire sans précédent. Il faut changer ce monde! Marx s'y attaque et, bien sûr, il dérange l'ordre établi, c'est-à-dire le système économique, social et politique qui permet l'exploitation d'une classe (le prolétariat) par une autre classe (la bourgeoisie).

Marx laisse à l'humanité une œuvre capitale dont la pensée et l'action ont marqué d'une manière décisive (mais controversée) la fin du XIX⁰ siècle et la majeure partie du XX⁰ siècle. N'oublions pas que près de la moitié de l'humanité a vécu au XX⁰ siècle sous l'**hégémonie** de régimes politiques qui se réclamaient (souvent injustement) de sa philosophie! À titre d'exemple, qu'il suffise de rappeler les partis socialistes d'État des pays qu'on désignait sous le nom de «Bloc de l'Est[10]», qui se sont servis (en le trahissant) du marxisme comme d'une doctrine d'organisation sociale et politique.

Marx a révolutionné la manière de concevoir l'individu et les liens qui l'unissent à la société. Il les a repensés en fonction d'une nouvelle grille d'analyse du monde et de l'homme qui se voulait scientifique et qu'on a appelée «matérialisme historique» ou, pour utiliser l'expression d'Engels, «dialectique matérialiste». Voyons brièvement de quoi il s'agit.

Hégémonie

Suprématie, domination, autorité.

---

7. Une étude intitulée *On the Sanitary Condition of the Labouring Population of Great Britain in 1842* indiquait que l'âge moyen de décès pour «les ouvriers et leurs familles» à Manchester (prototype de la ville industrielle britannique) était de dix-sept ans, alors que les travailleurs ruraux décédaient en moyenne à trente-huit ans.

8. Dans les notes afférentes au *Manifeste du parti communiste*, la bourgeoisie est définie comme «la classe des capitalistes modernes, propriétaires de moyens de production et exploitant le travail salarié». Le prolétariat, quant à lui, est décrit comme «la classe des travailleurs modernes qui, n'ayant aucun moyen de production, sont obligés de vendre leur travail pour survivre» (p. 63).

9. *Manifeste du parti communiste*, p. 21.

10. Ces pays européens ont vécu sous l'empire de l'Union des républiques socialistes soviétiques ou URSS (avec, pour centre, Moscou, capitale de l'actuelle Russie) jusqu'au 5 septembre 1991. Après soixante-quatorze années passées sous un régime centralisé «communiste», le Congrès des députés a sabordé la fédération soviétique pour instaurer une nouvelle union de républiques souveraines.

Le matérialisme historique ou l'interprétation dialectique de l'histoire

Conception de l'être humain

La notion de dialectique, qui jouera un rôle si important dans la pensée de Marx et d'Engels, provient de la philosophie de Hegel. La **dialectique hégélienne** est à la fois la loi de la pensée et la loi du devenir de la réalité (plus précisément de l'Histoire). Hegel considère la pensée et l'Histoire comme dynamiques. Celles-ci s'accroissent constamment de déterminations nouvelles ; chacune de ces déterminations, qui est appelée « position » (thèse), recèle déjà en soi son « opposition » (antithèse), et les deux – se niant l'une l'autre – sont « supprimées[11] » en se dépassant (synthèse) dans une nouvelle détermination.

> La dialectique hégélienne se résume par le schéma « position/opposition/dépassement ». La formule « thèse/antithèse/synthèse » utilisée couramment est la création de commentateurs de Hegel.

Ainsi, selon Hegel, l'Histoire doit être pensée comme une succession de moments dont chacun s'érige en s'opposant à celui qui l'a précédé. Chaque nouveau moment nie le précédent tout en en conservant des éléments ; ce faisant, il le fait passer à un stade plus élevé. Par exemple, la cité grecque nie les empires asiatiques en refusant que le chef soit considéré comme un dieu. Toutefois, elle leur emprunte l'idée du pouvoir politique. Et en créant la notion de citoyen, la cité grecque dépasse les empires asiatiques.

Même si Marx et Engels ont été profondément influencés par les concepts hégéliens de dialectique, de contradiction, d'aliénation, de primauté du processus historique, etc., ils n'en ont pas moins condamné vigoureusement l'**idéalisme** de Hegel, qui concevait l'Histoire (le devenir de l'humanité) comme la réalisation progressive de l'Esprit ou de l'Idée[12] (une sorte de « divinité philosophique », diront Marx et Engels). Ces derniers reprochent à Hegel d'avoir remplacé l'homme réel, vivant dans le monde réel, par l'Idée, et la réalité humaine par la « Conscience » qui se découvre elle-même. Par cette critique, Marx et Engels pensent rompre définitivement avec la philosophie **spéculative** et transforment radicalement la pratique de la philosophie en « remettant la dialectique sur ses pieds ».

> Selon Marx et Engels, est « idéaliste » toute théorie qui considère que les idées (les représentations, les concepts) déterminent les hommes, le monde réel ne devenant alors qu'un produit du monde des idées.

Spéculatif
Qui appartient à la théorie, à la recherche abstraite.

Marx et Engels, qui sont **matérialistes,** réinterprètent la dialectique en des termes matérialistes. Ainsi, Engels propose l'exemple du grain d'orge pour illustrer de façon matérialiste la dialectique hégélienne. La réalité se transforme par le choc de forces opposées. Le grain d'orge tombe dans la terre et il pourrit (il y est « détruit », « nié »). À partir de ce premier état, la plante pousse, et de sa négation, la mort, résulte de nouveau le grain, mais à un niveau supérieur, puisqu'il est multiplié.

> Le matérialisme constitue un courant philosophique soutenant que la matière est la base de toute la réalité, qu'il n'existe pas d'esprit antérieur à la matière et que la pensée humaine elle-même relève de l'univers physique objectif.

> « Les hommes font leur propre histoire […] dans des conditions directement données et héritées du passé » (Karl MARX, *Le 18 brumaire de Louis Bonaparte*, Paris, Éditions Sociales, 1963, p. 13).

Quant à Marx, il présente une transposition de la philosophie de l'Histoire de Hegel en proposant une lecture de la marche de l'**histoire de l'humanité** fondée sur les rapports sociaux concrets qui découlent du développement de deux classes **antagonistes** (position [thèse]/opposition [antithèse]) mises en présence à une époque donnée. De l'affrontement de ces deux classes sociales naîtra une nouvelle organisation économique (dépassement [synthèse]).

Antagoniste
Se dit de l'opposition de deux forces rivales.

---

11. Le terme « supprimer » doit ici être pris dans le double sens du mot allemand *aufheben* : « mettre fin à » et « conserver ».

12. Les termes de Concept, d'Absolu et de Totalité sont aussi utilisés par Hegel.

Le matérialisme historique de Marx

La «base matérielle» à partir de laquelle Marx échafaude sa théorie correspond aux conditions pratiques de l'existence humaine, c'est-à-dire aux conditions de vie économiques et sociales qui se sont modifiées au cours de l'histoire à la suite de l'affrontement de classes sociales qui défendaient des intérêts contradictoires.

La philosophie marxienne[13] est un matérialisme historique, puisqu'elle explique l'évolution des sociétés à partir de l'organisation économique qu'ont connue les différentes sociétés au cours de l'histoire de l'humanité.

La division du travail

Selon Marx, chacune des sociétés humaines s'est construite à partir d'une division du travail. La division du travail correspond à la fonction occupée par chacun dans la production des richesses à une période donnée de l'histoire de l'humanité. Plus particulièrement, la division du travail est la méthode de production de biens par laquelle le processus de travail est découpé en opérations distinctes de façon à rendre celui-ci plus rentable.

Le mode de production

Une division du travail particulière s'est alors constituée en un mode de production spécifique. Les modes de production correspondent aux différentes manières de produire les biens et les services au cours de l'histoire (par exemple, les modes de production esclavagiste, féodal et capitaliste).

La propriété des moyens de production

Un mode de production particulier a pu exister grâce à un type de propriété des moyens de production. Les moyens de production correspondent à tout ce qui intervient dans le processus de travail : les ressources naturelles (matières premières), les instruments de production (machines, outils, manufactures, etc.) et la main-d'œuvre disponible.

Les rapports sociaux de production

Une forme particulière de propriété des moyens de production a déterminé à son tour des rapports sociaux de production où se sont opposées deux classes rivales. Les rapports sociaux de production correspondent à la manière dont les individus entrent en relation avec les autres dans le cadre d'une organisation économique donnée (par exemple, les rapports maître/esclave, seigneur/serf, capitaliste/ouvrier). En fait, ce sont les relations qui s'établissent entre les individus dans le processus de production; ils concernent les formes de la propriété et celles des échanges et de la distribution des richesses produites. Dans le régime capitaliste, par exemple, les rapports entre le propriétaire des moyens de production et les travailleurs se concrétisent sous la forme du salariat. Selon Marx, ce salariat vient camoufler la réalité de l'exploitation des travailleurs par les capitalistes. Dans la seconde moitié du XIXe siècle, en effet, le mode de production capitaliste crée des conditions d'existence misérables et dégradantes pour des millions de prolétaires, alors qu'une minorité (la classe bourgeoise), parce qu'elle est propriétaire des mines, des industries et de la finance, vit dans l'aisance et la liberté.

---

13. Tout au long de cet exposé, nous utiliserons l'expression «philosophie marxienne» pour désigner la pensée de Karl Marx telle qu'elle se révèle dans ses œuvres, le terme «marxiste» servant à nommer les diverses interprétations et applications qui ont dérivé de la théorie marxienne.

Les divers stades de développement de la division du travail présentent autant de formes différentes de la propriété; autrement dit, chaque nouveau stade de la division du travail détermine également les rapports des individus entre eux[14] [...]

Le passage d'un mode de production à un autre résulte d'une lutte des classes entre les possédants des moyens de production et les non-possédants. Il survient lorsque la division du travail se développe suffisamment pour amener les conditions nécessaires à l'avènement d'un nouveau mode de production. De ce fait, de nouvelles classes sociales apparaîtront.

La figure 4.1 présente les concepts du matérialisme historique.

Figure 4.1 Les concepts du matérialisme historique

Division du travail

Mode de production

Propriété des moyens de production

Rapports sociaux de production

Classes sociales antagonistes

Ainsi, selon Marx, la tribu primitive constitue la première forme d'organisation sociale de l'humanité. À ce stade rudimentaire de développement, la seule division du travail existante est celle qui est liée à la force physique nécessaire pour chasser, pêcher, élever du bétail ou cultiver un lopin de terre. En somme, nous avons affaire à un élargissement de la division naturelle du travail qui existe déjà en la famille.

Ainsi vint un temps où plusieurs tribus se réunirent pour constituer les villes dans lesquelles subsiste et se développe l'esclavage. Cette époque de l'**Antiquité** a vu, en effet, apparaître une propriété à la fois communautaire et privée. L'État (la collectivité des citoyens actifs) possède les esclaves, et certains citoyens possèdent en privé des biens meubles, alors que d'autres sont les propriétaires de biens immobiliers. Cette organisation sociale se caractérise par la propriété absolue des citoyens libres (les maîtres) sur toutes les sources de richesse, y compris les esclaves, qui sont considérés comme de simples instruments de travail. À ce moment de l'histoire, la division du travail est plus avancée que dans la tribu primitive et «les rapports de classes entre citoyens et esclaves ont atteint leur complet développement[15]». Le nom de *mode de production esclavagiste* est donné à cette forme

Antiquité
Époque historique qui fait référence aux anciennes civilisations d'Égypte, de Mésopotamie, de Grèce et de Rome.

---

14. Karl MARX et Friedrich ENGELS, *L'Idéologie allemande*, trad. H. Auger, G. Badia, J. Baudrillard et R. Cartelle, Paris, Éditions Sociales, coll. «Essentiel», 1988, p. 72.

15. *Ibid.*, p. 73.

d'organisation sociale, d'abord embryonnaire chez la tribu, qui a connu son plein épanouissement dans l'Antiquité.

Mais un jour, toute la structure sociale fondée sur l'esclavagisme s'est effondrée lorsque s'est développée d'une manière plus accentuée la **propriété foncière**. Le mode de production esclavagiste a alors été remplacé par le mode de production féodal.

Le *mode de production féodal* correspond à l'organisation en vigueur au **Moyen Âge**. La classe dominante est la noblesse terrienne. Le seigneur concède à ses serfs («petits paysans asservis qui constituent la classe directement productive[16]») des parcelles de terre que ces derniers cultivent pour leur propre survie. En retour, ils doivent obéissance au seigneur et sont obligés de travailler sans salaire sur ses terres. Ce travail obligatoire dû au seigneur est appelé «corvée».

Dans les villes s'organise une hiérarchie semblable à celle de la campagne : des apprentis sont sous l'autorité de maîtres artisans réunis dans des corporations. Petits industriels et petits commerçants, les artisans accumulent peu à peu des capitaux et constituent une nouvelle classe sociale appelée la bourgeoisie. Le mode de production féodal fait alors place au mode de production capitaliste.

Le *mode de production capitaliste* se caractérise par la constitution de deux nouvelles classes sociales antagonistes : la bourgeoisie qui possède les moyens de production et le prolétariat qui ne possède que sa force de travail. Cet antagonisme dialectique ne pourra, selon Marx, être dépassé que par la révolution sociale qui permettra la constitution d'un État ouvrier (étape du «socialisme»). Cette étape transitoire devra conduire à l'édification d'une société sans classes où les hommes seront égaux et libres (étape du «communisme»).

Le *mode de production communiste* établira une propriété collective des moyens de production où les capacités de l'être humain, qui ne seront plus asservies, pourront enfin se développer librement. Cette société sans classes demandera à chacun de contribuer au progrès de la communauté suivant ses capacités propres et, en contrepartie, celle-ci donnera à chacun suivant ses besoins (voir la figure 4.2).

La primauté de la vie économique

Marx considère que l'être humain – comme tous les autres animaux – doit assurer sa subsistance. Pour y parvenir, les humains ont mis en place des organisations économiques qui se sont succédé à travers les siècles. En somme, l'économie correspond aux diverses manières qu'ont prises les hommes pour ne pas se laisser mourir de faim et de froid. C'est pourquoi Marx fait reposer la société sur les conditions économiques en vigueur à une époque donnée.

L'apport fondamental de la philosophie marxienne a été justement d'établir que le type d'organisation économique, c'est-à-dire le mode de production matérielle, constitue la base sur laquelle se construit l'ensemble de l'édifice social ; en d'autres mots, que l'infrastructure économique détermine la superstructure juridique, politique et idéologique :

Dans la production sociale de leur existence, les hommes nouent des rapports déterminés, nécessaires, indépendants de leur volonté ; ces rapports de production correspondent à un degré donné du développement de leurs forces productives matérielles. L'ensemble de ces rapports forme la structure économique de la société,

---

16. *Ibid.*, p. 75.

Propriété foncière
Droit d'user, de jouir et de disposer de parcelles de terre.

Moyen Âge
Période historique comprise entre la chute de l'Empire romain d'Occident (476) et la découverte de l'Amérique (1492).

Figure 4.2 Le schéma marxien de l'évolution des sociétés

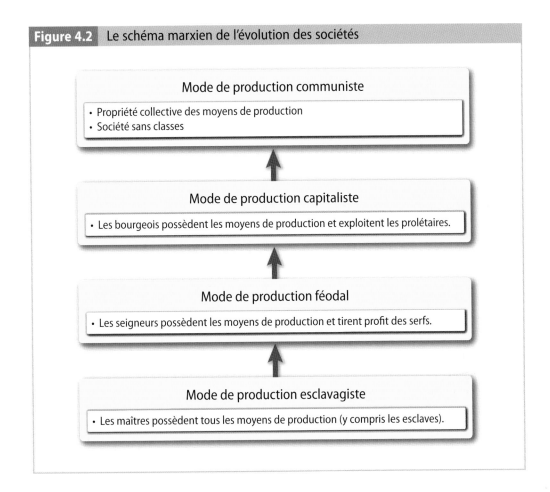

la fondation réelle sur laquelle s'élève un édifice juridique et politique, et à quoi répondent des formes déterminées de la conscience sociale[17].

Le mode de production mis en place à une époque donnée est assorti de rapports sociaux, issus de l'organisation du travail, qui déterminent les conditions d'existence particulières des agents de la production. Mais l'influence de l'infrastructure économique ne s'arrête pas là. C'est elle qui détermine la superstructure, c'est-à-dire l'ensemble de l'organisation juridique, politique et idéologique propre à une société donnée. Ainsi, l'État, les lois, les idées, les valeurs et les mœurs que connaît une société ne sont pas des éléments neutres, mais ils découlent de l'infrastructure économique et lui permettent de se reproduire. Plus particulièrement, les conceptions que l'on se fait de l'être humain proviennent du mode de production économique qui les a générées et s'expliquent par lui. En simplifiant un peu, nous pourrions dire que c'est parce que nous vivons dans une infrastructure économique capitaliste que nous trouvons normal de penser l'homme et son existence sous l'angle du « chacun pour soi », du « qui veut peut », du « profit réciproque » et de la « rentabilité obligée ».

Par ailleurs, il faut ajouter que, si le type d'organisation économique (l'infrastructure) détermine les activités politiques, juridiques, culturelles, philosophiques, etc., (la superstructure) d'une société donnée, en revanche ces activités

---

17. Karl MARX, « Critique de l'économie politique », dans *Œuvres (Économie)*, t. I, trad. Maximilien Rubel et Louis Évrard, Paris, Gallimard, coll. « Bibliothèque de la Pléiade », 1972, p. 272-273.

> Ensemble des idées, des valeurs et des croyances propres à une société ou à une classe donnée. L'idéologie est présentée comme rationnelle, alors qu'elle exprime, en fait, les intérêts de la classe dominante. Elle se traduit en une doctrine politique (par exemple, le libéralisme économique) qui dicte les actions d'un gouvernement, d'un parti, d'une classe sociale, etc.

viennent consolider, par le biais de l'**idéologie,** l'infrastructure économique. En d'autres mots, il existe un va-et-vient constant entre la superstructure et l'infrastructure, les deux s'influençant mutuellement. L'infrastructure économique est l'assise de la société, mais il n'en demeure pas moins que les idées en vigueur renforcent et reproduisent généralement le mode économique de production dans une société particulière (voir la figure 4.3). Dans cette perspective, la pensée de Descartes, par exemple, avec son insistance sur le « sujet » rationnel et libre, pourrait être vue comme la justification idéologique de la bourgeoisie montante qui doit lutter contre les vieux modèles sociaux (par exemple, les privilèges des nobles) nuisant à son ascension.

Nous illustrerons encore cette idée maîtresse de Marx en établissant un rapport entre le type d'éducation valorisé dans les collèges classiques du Québec dans les années 1960 et celui qu'a institué la réforme des cégeps en 1994. Une lecture marxiste nous amènerait à considérer la culture humaniste dite libérale véhiculée dans les collèges classiques comme la chasse gardée d'une élite francophone dédiée exclusivement aux professions libérales (médecine, droit, notariat) étant donné qu'elle ne possédait ni ne dirigeait l'économie capitaliste de l'époque. Poursuivant cette interprétation, nous pourrions dire que les propriétaires de l'industrie québécoise actuelle – porte-parole de l'idéologie dominante – ont fait pression sur le gouvernement afin que l'éducation postsecondaire soit davantage orientée selon les besoins du marché. En conséquence, l'enseignement donné dans les cégeps tente désormais de développer des compétences mesurables et utilisables dans le monde du travail capitaliste du début du XXIe siècle.

L'homme comme être social et historique

Comme tous les philosophes de la tradition occidentale, Marx se questionne sur la nature humaine. Il se demande ce qu'est l'essence de l'être humain, ce qui le caractérise fondamentalement. Cependant, il ne peut accepter que l'essence de l'homme se trouve dans une idée ou un concept sous lequel se rangeraient tous les individus. Adhérer à une telle vision de l'être humain, c'est croire qu'une abstraction **générique** se loge dans tous les individus comme une qualité ou une puissance qui les fait exister tels qu'ils sont. Or, selon Marx, répétons-le, les idées humaines sont le reflet des choses et des événements réels ; en conséquence, l'idée d'homme, la « conscience » que l'homme a de lui-même, est déterminée par ses activités, ses conditions de vie, ses rapports sociaux. La définition marxienne de l'être humain correspond à une conception **déterministe** de l'être humain.

À l'opposé de cette vision marxienne, Descartes, qui est un philosophe idéaliste, accorde à l'être humain une essence *a priori,* soit la raison. Descartes ne tient aucunement compte dans sa définition de l'homme des conditions concrètes d'existence. Marx, qui est un philosophe matérialiste, se trouve à mille lieues de Descartes, puisque sa conception de l'homme s'appuie essentiellement sur ce qui existe entre les humains à un moment historique donné, du fait de leurs rapports réciproques dans la société.

Marx décrit l'être humain comme un « animal social » qui appartient à une classe et à une société données. Lorsqu'il écrit, dans les *Manuscrits de 1844,* que « l'individu est l'être social », cela signifie que l'individu, puisqu'il s'imbrique dans des rapports sociaux déterminés, se caractérise fondamentalement par sa relation avec

Générique

Ce qui est commun à un groupe d'êtres ou d'objets et qui en constitue le genre.

Déterministe

Se dit d'une théorie qui considère l'être humain comme résultant de manière nécessaire de causes antérieures qui l'ont façonné.

A priori

Qui est antérieur à toute expérience. S'oppose à *a posteriori,* qui est postérieur à l'expérience.

Figure 4.3 Le schéma de la conception marxienne de la société

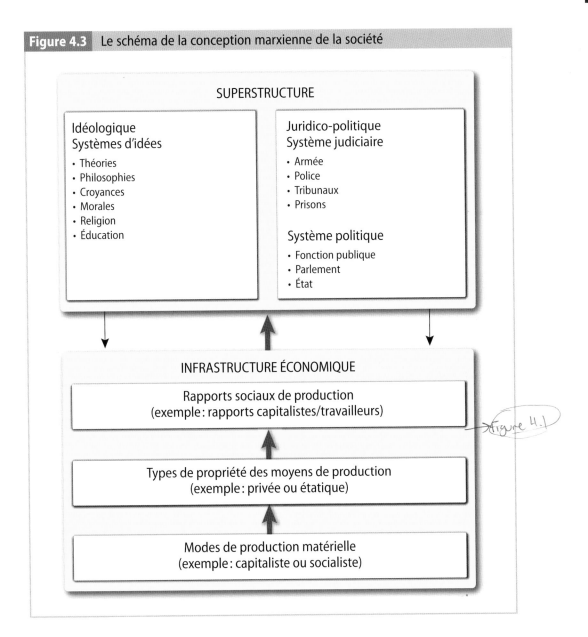

la société. La *VIe Thèse sur Feuerbach* apporte un éclairage additionnel en affirmant ceci : « L'essence humaine n'est pas une abstraction inhérente à l'individu singulier. Dans sa réalité, c'est l'ensemble des rapports sociaux[18]. » D'une part, cela veut dire que ce qui distingue l'être humain ne peut être trouvé dans un ensemble de caractères abstraits et universels qui conviendraient à tous les individus. Les hommes individuels et réels ne sont pas des exemplaires de la catégorie Homme. D'autre part, cela signifie que l'essence de l'être humain ne provient pas de son moi individuel ou de l'ensemble des individus isolés qui participent à une collectivité particulière, mais elle réside bel et bien dans les rapports sociaux qu'entretiennent ces individus. En d'autres termes, ce qui caractérise fondamentalement la nature intime de l'être humain est produit dans et par les rapports sociaux. Dans *L'Idéologie allemande*, nous assistons à un rejet catégorique du concept d'Homme abstrait. Ce texte rompt définitivement avec l'attitude purement spéculative d'appréhension du monde et de l'homme, pour mieux faire apparaître le monde et l'homme réels. Le

18. Karl MARX, «Thèses sur Feuerbach», dans *L'Idéologie allemande*, p. 52.

concept d'Homme abstrait est remplacé par celui d'homme en tant qu'être social historiquement déterminé.

En somme, c'est dans le processus de vie réelle, autrement dit dans les conditions sociales objectives d'existence, qu'il faut chercher l'essence concrète de l'homme. Désormais, Marx tente de cerner les hommes qui existent et agissent réellement «dans leur contexte social donné, dans leurs conditions de vie données qui en ont fait ce qu'ils sont[19]». Ce qui intéresse Marx, «ce sont les hommes, non pas isolés et figés de quelque manière imaginaire, mais saisis dans leur processus de développement réel dans des conditions déterminées, développement visible empiriquement[20]». C'est pour cette raison qu'il faut, selon Marx, ne plus se référer à la philosophie spéculative, qui ne fait qu'interpréter, à l'aide de catégories abstraites, l'homme et le monde, mais enfin présenter une conception scientifique (et, conséquemment, objective) des êtres humains concrets et de leur développement historique.

Marx poursuit l'entreprise amorcée par Rousseau et par Hegel qui consiste à montrer le caractère évolutif et historique de l'être humain. L'homme se définissant comme un être historique, les conditions sociales matérielles d'existence deviennent alors la «base concrète de ce que les philosophes se sont représenté comme "substance" et "essence de l'homme"[21]». Les caractères sociaux, que les rapports de production transmettent aux individus à un moment précis de l'histoire, les déterminent et les définissent irrémédiablement. Ils forment l'*être de l'homme*.

> La façon dont les individus manifestent leur vie reflète exactement ce qu'ils sont. Ce qu'ils sont coïncide donc avec leur production, aussi bien avec ce qu'ils produisent qu'avec la façon dont ils le produisent. Ce que sont les individus dépend donc des conditions matérielles de leur production[22].

Insistons! Les êtres humains, selon Marx, ne sont pas seulement conditionnés par les rapports sociaux, ils sont carrément déterminés par eux, à un point tel que leur conscience même dépend entièrement des conditions de leur vie sociale. «Ce n'est pas la conscience des hommes qui détermine leur existence, c'est au contraire leur existence sociale qui détermine leur conscience[23].»

Prenons comme exemple un ouvrier non spécialisé, marié, père de deux enfants, qui gagne un salaire de 40 000 $ par année et qui doit subvenir seul aux besoins de sa famille. L'augmentation du coût du panier de provisions pourrait s'avérer catastrophique et le budget familial hebdomadaire pourrait en souffrir gravement. Au contraire, cette augmentation sera jugée négligeable par le propriétaire de l'usine où travaille l'ouvrier en question.

Par cet exemple, nous voyons que la conscience n'est pas une activité psychique ou intellectuelle qui s'exerce en dehors de la réalité. Elle découle d'une pratique particulière, d'une manière de vivre propre à une classe ou à une société donnée. La conscience est, en quelque sorte, un produit social. Elle se construit dans le concret. La représentation que nous nous faisons des choses, des événements et des êtres humains ne nous vient donc pas de nous-mêmes en tant qu'êtres

---

19. *L'Idéologie allemande*, p. 85.

20. *Ibid.*, p. 79.

21. *Ibid.*, p. 103-104.

22. *Ibid.*, p. 71.

23. «Critique de l'économie politique», dans *Œuvres (Économie)*, t. I, p. 273.

autonomes de pensée, mais elle provient de notre «processus de vie réelle[24]», c'est-à-dire de la façon dont nous produisons notre vie matérielle. En d'autres termes, ce que nous faisons ou fabriquons pour gagner notre vie et subvenir à nos besoins s'inscrit dans une organisation économique et sociale dont notre conscience est tributaire. Ce que nous appelons fièrement notre propre manière de penser, ce que nous défendons comme nos propres opinions, tout cela n'est en fait que le résultat d'un déterminisme issu de la structure sociale et des conditions de production ambiantes:

> La production des idées, des représentations et de la conscience est d'abord directement et intimement mêlée à l'activité matérielle et au commerce matériel des hommes, elle est le langage de la vie réelle. Les représentations, la pensée, le commerce intellectuel des hommes apparaissent ici encore comme l'émanation directe de leur comportement matériel. Il en va de même de la production intellectuelle telle qu'elle se présente dans la langue de la politique, celle des lois, de la morale, de la religion, de la métaphysique, etc., de tout un peuple. Ce sont les hommes qui sont les producteurs de leurs représentations, de leurs idées, etc., mais les hommes réels, agissants, tels qu'ils sont conditionnés par un développement déterminé de leurs forces productives et du mode de relations qui y correspond[25] […]

Ainsi en est-il de la conception de l'amour et du mariage qui a changé du tout au tout quand on est passé du mode de production féodal (les mariages arrangés et la nécessité d'unir les terres) au mode de production capitaliste (le couple et la famille nucléaire contemporains comme unités de consommation). Donnons un autre exemple actuel de la détermination de la conscience par le mode de production. Si les habitants de la Corée du Nord (pays «communiste» jusqu'à maintenant dirigé par la «dynastie stalinienne» de Kim Jong-il) n'ont pas les mêmes représentations et conceptions des choses et des hommes, s'ils n'ont pas les mêmes critères d'évaluation de la réalité que les Américains, c'est parce qu'ils vivent dans un régime économique et social différent de celui des Américains. En résumé, il est possible d'affirmer avec Marx que «les idées, les conceptions et les notions des hommes, en un mot leur conscience change avec tout changement survenu dans leurs conditions de vie, leurs relations sociales, leur existence sociale[26]».

L'être humain et le travail

La question du travail occupe un rôle déterminant dans la philosophie marxienne et, en particulier, dans la conception de l'être humain qui y est mise en avant. Selon Marx, en effet, le travail constitue la différence spécifique de l'homme; en d'autres mots, l'espèce humaine se distingue de toutes les autres espèces animales en ceci qu'elle produit elle-même les biens nécessaires à sa survie et transforme elle-même, au cours de l'histoire, ses propres conditions d'existence. Marx s'oppose ainsi au rationalisme de Descartes qui voyait dans l'activité pensante et rationnelle la caractéristique propre à l'homme.

Bien sûr, l'être humain possède la raison, mais cette raison, selon Marx, c'est dans l'activité concrète de transformation du milieu qu'elle se réalise et se développe. Pour Marx, on ne peut pas séparer la pensée de l'action ou la vie intellectuelle du travail concret; les activités d'ordre intellectuel, comme la science, les arts

---

24. *L'Idéologie allemande*, p. 77-78.

25. *Ibid.*, p. 77.

26. *Manifeste du parti communiste*, p. 44.

ou la philosophie, servent elles aussi à transformer notre monde et, par conséquent, à nous transformer nous-mêmes. Marx nomme «*praxis*[27]» cette nécessaire union de la pensée et de la pratique, du savoir et de l'action.

Le travail : humanisation de la nature et spécificité de l'homme

> Le travail est considéré par Marx comme un processus créateur qui sert d'intermédiaire entre l'homme et le monde.

Le **travail** doit être une «activité libre et consciente» par laquelle l'être humain transforme la nature. En effet, c'est par le travail que l'homme agit sur la nature, qu'il l'humanise en quelque sorte afin qu'elle devienne son œuvre. La nature reçoit par l'intermédiaire du travail l'empreinte humaine : elle s'en trouve profondément, durablement marquée. Dans *L'Idéologie allemande*[28], Marx donne l'exemple du cerisier qui, comme la plupart des arbres fruitiers, a été transplanté en Europe par le *commerce* des hommes inscrits dans une société donnée à une époque donnée.

Par le travail, l'être humain transforme la nature afin que celle-ci réponde à ses besoins ; ce faisant, il se transforme lui-même :

> C'est précisément en façonnant le monde des objets que l'homme commence à s'affirmer […] Grâce à cette production, la nature apparaît comme son œuvre et sa réalité. […] L'homme ne se recrée pas seulement d'une façon intellectuelle, dans sa conscience, mais activement, réellement, et il se contemple lui-même dans un monde de sa création[29].

Actualiser (s')

Matérialiser dans des actes les virtualités (pouvoirs, talents, qualités, etc., que possède un individu) qui n'étaient pas encore réalisées dans la vie.

C'est donc en fabriquant un monde d'objets, en façonnant la nature à son image, que l'être humain s'affirme comme être conscient qui **s'actualise** dans le réel. Le travail est «l'activité propre à l'homme» qui doit lui permettre d'exprimer ses capacités intellectuelles et physiques et, par conséquent, de se réaliser lui-même. Outre qu'il répond à la satisfaction de ses besoins, l'homme se crée lui-même par le travail productif. Il se fait par le travail dans la mesure où c'est en produisant qu'il se définit en tant qu'être humain :

> Le travail est de prime abord un acte qui se passe entre l'homme et la nature. L'homme y joue lui-même vis-à-vis de la nature le rôle d'une puissance naturelle. Les forces dont son corps est doué, bras et jambes, tête et mains, il les met en mouvement, afin de s'assimiler des matières en leur donnant une forme utile à sa vie. En même temps qu'il agit par ce mouvement sur la nature extérieure et la modifie, il modifie sa propre nature, et développe les facultés qui y sommeillent. Nous ne nous arrêtons pas à cet état primordial du travail où il n'a pas encore dépouillé son mode purement instinctif. Notre point de départ, c'est le travail sous une forme qui appartient exclusivement à l'homme. Une araignée fait des opérations qui ressemblent à celles du tisserand, et l'abeille confond par la structure de ses cellules de cire l'habileté de plus d'un architecte. Mais ce qui distingue dès l'abord le plus mauvais architecte de l'abeille la plus experte, c'est qu'il a construit la cellule dans sa tête avant de la construire dans la ruche. Le résultat auquel le travail aboutit préexiste idéalement dans l'imagination du travailleur. Ce n'est pas qu'il opère seulement un changement de forme dans les matières naturelles ; il y réalise du même coup son propre but dont il a conscience, qui détermine comme loi son mode d'action, et auquel il doit subordonner

---

27. Chez Marx, la *praxis* correspond à l'ensemble des pratiques qui permettent à l'être humain, par son travail, d'entrer dans une relation dialectique avec la nature en la transformant et, ce faisant, en se transformant lui-même.

28. *L'Idéologie allemande*, p. 83. Un autre exemple peut illustrer l'humanisation de la nature. À leur arrivée en Nouvelle-France, les Français n'ont trouvé que des forêts à perte de vue… Sur une très brève période (à peine quatre siècles), les occupants ont «colonisé» l'Amérique du Nord en procédant à une déforestation majeure du territoire et en transformant radicalement le milieu naturel.

29. Karl MARX, «Économie et philosophie (Manuscrits de 1844)», dans *Œuvres (Économie)*, t. II, trad. Joan Malaquais et Claude Orsini, Paris, Gallimard, coll. «Bibliothèque de la Pléiade», 1972, p. 64.

sa volonté. Et cette subordination n'est pas momentanée. L'œuvre exige pendant toute sa durée, outre l'effort des organes qui agissent, une attention soutenue, laquelle ne peut elle-même résulter que d'une tension constante de la volonté. Elle l'exige d'autant plus que, par son objet et son mode d'exécution, le travail entraîne moins le travailleur, qu'il se fait moins sentir à lui comme libre jeu de ses forces corporelles et instinctuelles, en un mot, qu'il est moins attrayant[30].

Le travail comme médiation sociale : grandeur idéale et misère réelle

Par le biais du travail, l'homme peut donc être perçu comme un être en relation avec la nature et avec lui-même. Mais le travail met aussi l'être humain en relation avec ses semblables. Il instaure les liens de « sociabilité », de « réciprocité » et de solidarité humaine sans lesquels aucune production matérielle ne serait possible. Laissons la parole à Marx, qui décrit ce que devrait être *idéalement* le travail dans un contexte de solidarité réciproque :

> Supposons que nous produisions comme des êtres humains : chacun de nous s'affirmerait doublement dans sa production, soi-même et l'autre. 1° Dans ma production, je réaliserais mon individualité, ma particularité ; j'éprouverais, en travaillant, la jouissance d'une manifestation individuelle de ma vie, et, dans la contemplation de l'objet, j'aurais la joie individuelle de reconnaître ma personnalité comme puissance réelle, concrètement saisissable et échappant à tout doute. 2° Dans ta jouissance ou ton emploi de mon produit, j'aurais la joie spirituelle immédiate de satisfaire par mon travail un besoin humain, de réaliser la nature humaine et de fournir au besoin un autre objet de sa nécessité. 3° J'aurais conscience de servir de médiateur entre toi et le genre humain, d'être reconnu et ressenti par toi comme un complément à ton propre être et comme une partie nécessaire de toi-même, d'être accepté dans ton esprit comme dans ton amour. 4° J'aurais, dans mes manifestations individuelles, la joie de créer la manifestation de ta vie, c'est-à-dire de réaliser et d'affirmer dans mon activité individuelle ma vraie nature, ma sociabilité humaine [*Gemeinwesen*]. Nos productions seraient autant de miroirs où nos êtres rayonneraient l'un vers l'autre[31].

Le travail *devrait* donc servir de médiation sociale. Tant sur le plan de la production que sur celui de la distribution des biens et des services s'installent des rapports entre ouvriers, des rapports entre patrons, des rapports, enfin, entre patrons et ouvriers. La relation entre ces différents protagonistes économiques *pourrait* être harmonieuse et permettre le plein développement de l'individu. Hélas, à l'époque de Marx, elle est dégradante et produit un être mutilé qui se déshumanise mentalement et physiquement. Selon Marx, le système économique et social du milieu du XIXe siècle domine et exploite le travailleur. Ce système capitaliste produit un homme malade, morcelé, qui ne se possède pas, et qui se perd dans sa relation avec le travail et l'objet qu'il produit. « Le travail, seul lien qui les unisse [les individus] encore aux forces productives et à leur propre existence, a perdu chez eux toute apparence de manifestation de soi et ne maintient leur vie qu'en l'étiolant[32]. » Dans un tel contexte de dépersonnalisation, le travailleur devient étranger aux objets que fabriquent ses mains, étranger à son activité première qui est de manifester son être propre en produisant et d'entrer ainsi en

30. Karl MARX, « Le Capital », troisième section, dans *Œuvres (Économie)*, t. I, trad. Joseph Roy revue par Maximilien Rubel, Paris, Gallimard, coll. « Bibliothèque de la Pléiade », 1972, p. 727-728.

31. Karl MARX, « Notes de lecture », dans *Œuvres (Économie)*, t. II, Paris, Gallimard, coll. « Bibliothèque de la Pléiade », 1972, p. 33.

32. *L'Idéologie allemande*, p. 150.

> Marx utilise la notion d'aliénation dans ses premiers écrits. Dans ses œuvres dites de maturité, il utilise l'expression «réification» ou «chosification», qui désigne la réalité de l'être humain réduit à l'état de chose, d'objet à l'intérieur des rapports sociaux établis par le système capitaliste industriel.

rapport avec la nature et avec les autres hommes. Marx utilise le concept d'**aliénation** pour désigner, notamment, cette dépossession de soi-même et des fruits de son travail.

Les différentes formes de l'aliénation humaine

Parce que la doctrine marxienne veut donner la possibilité à l'«homme total» de se réaliser dans l'histoire, elle analyse, afin de mieux les combattre, les formes majeures d'aliénation qui pèsent sur l'homme. Mais qu'est-ce que l'aliénation? L'aliénation désigne l'état de l'individu qui, par suite des circonstances extérieures, cesse de s'appartenir en propre, est étranger à lui-même, devient l'esclave d'une puissance étrangère qu'il ne maîtrise pas. Or, selon Marx, le travailleur-prolétaire (majoritaire dans l'Allemagne, la France et l'Angleterre du XIXᵉ siècle) est justement un être aliéné sur les plans économique, politique et religieux. Le prolétaire est donc sous le joug de déterminismes issus du système économique, politique et religieux dans lequel il vit, totalement dépossédé de lui-même.

L'aliénation économique

D'après Marx, l'émancipation de l'homme passe d'abord par une libération de l'aliénation économique, car c'est elle qui engendre toutes les autres formes d'aliénation, et son abolition entraînera nécessairement la suppression de ces dernières. Or, dans les conditions de l'économie capitaliste, l'être humain est aliéné par le travail lui-même. Ce système économique, dominé par la division du travail et par la propriété privée des moyens de production, fait en sorte que l'homme **s'objective** de façon inhumaine. Expliquons brièvement ces deux premiers éléments de l'aliénation économique.

Objectiver (s')

En parlant de l'individu, manifester extérieurement un fait de conscience subjectif.

La division du travail

La division du travail en tant que telle s'actualise «au moment où s'opère une division entre travail manuel et travail intellectuel», et où, conséquemment, «la jouissance et le travail, la production et la consommation échoient en partage à des individus différents[33]». À l'intérieur du mode de production artisanal, le cordonnier, par exemple, entretenait un rapport direct et global avec son œuvre; il se représentait en esprit le type de chaussures qu'il se proposait de créer durant sa journée de travail. Il en imaginait la structure, la forme, la couleur, les différentes étapes par lesquelles il passerait, etc. Bref, il pensait le travail à accomplir. Ensuite, ses mains se mettaient à l'ouvrage. En étant conscient de son ouvrage, il exécutait avec minutie chaque geste, chaque tâche nécessaire à la réalisation de la paire de chaussures. À la fin de sa journée de travail, l'artisan cordonnier pouvait regarder son œuvre avec fierté, puisqu'elle était entièrement de lui (notez bien: elle lui appartenait) et qu'il pouvait s'y reconnaître.

Il en est tout autrement avec la venue du machinisme, puis de la grande industrie, où l'ouvrier n'a plus à penser son travail, et où il doit se soumettre à une parcellisation de plus en plus poussée de celui-ci. Dès lors, il ne doit exécuter qu'un élément limité et défini de l'ensemble des tâches essentielles à la production de l'objet, d'où l'obligation de répéter mécaniquement le même geste à longueur de journée.

---

33. *Ibid.*, p. 91.

Le travail génère alors la plus inhumaine monotonie. Le travailleur devient lui-même une machine faisant fonctionner une machine. Ainsi, l'ouvrier devient un être divisé, enchaîné toute sa vie durant à une fonction productive partielle. Le travail en tant qu'activité le déshumanise, le rend étranger à lui-même :

> Dans son travail, l'ouvrier ne s'affirme pas, mais se nie ; il ne s'y sent pas satisfait, mais malheureux ; il n'y déploie pas une libre énergie physique et intellectuelle, mais mortifie son corps et ruine son esprit. C'est pourquoi l'ouvrier n'a le sentiment d'être à soi qu'en dehors du travail ; dans le travail, il se sent extérieur à soi-même. Il est lui quand il ne travaille pas et, quand il travaille, il n'est pas lui. Son travail n'est pas volontaire, mais contraint. *Travail forcé*, il n'est pas la satisfaction d'un besoin, mais seulement un *moyen* de satisfaire des besoins en dehors du travail. Le caractère étranger du travail apparaît nettement dans le fait que, dès qu'il n'existe pas de contrainte physique ou autre, le travail est fui comme la peste. Le travail extérieur, le travail dans lequel l'homme s'aliène, est un travail de sacrifice de soi, de mortification. Enfin, le caractère extérieur à l'ouvrier du travail apparaît dans le fait qu'il n'est pas son bien propre, mais celui d'un autre, qu'il ne lui appartient pas, que dans le travail, l'ouvrier ne s'appartient pas lui-même, mais appartient à un autre[34].

La division du travail fait que les ouvriers ne peuvent exercer leur travail comme une « manifestation de soi », dans la mesure où ce qu'ils produisent devient « un être étranger », une « puissance indépendante » qui se situe à l'extérieur d'eux-mêmes. En d'autres mots, le rapport de l'ouvrier aux objets qu'il fabrique est un rapport aliéné, en ce sens que ces objets, situés en face de lui, contiennent la force de travail dont il a été dépouillé, et qu'en plus ces objets ne lui appartiennent pas en propre. Parce qu'il est aliéné, le travail ne remplit pas le rôle qu'il devrait remplir sur le plan de la production et sur celui de l'actualisation de la spécificité humaine (réalisation de soi, de son potentiel, de ses capacités, de sa sociabilité, etc.[35]).

Le travail sur une chaîne de montage d'automobiles est une illustration actuelle de la division du travail. À ce titre, il constitue un travail aliéné dans la mesure où l'ouvrier doit répéter une tâche partielle à longueur de journée.

La propriété privée des moyens de production

Marx aborde la problématique de la propriété privée à travers l'analyse de la division du travail. La propriété privée est « la raison, la cause du travail aliéné[36] ». C'est donc dire qu'elle se présente à Marx comme la source première ou le fondement de l'aliénation. Précisons de quel type de propriété privée il s'agit. Marx n'a jamais condamné la propriété privée des biens de consommation. Tout ce qui concourt, d'une manière nécessaire, à la satisfaction des besoins et à la survie des hommes n'est pas remis en question par Marx. L'individu peut donc être l'heureux propriétaire d'une chaîne stéréo, d'un vélo, d'une voiture, d'une maison, etc. Ce type de propriété n'entraîne aucune forme d'exploitation.

D'après Marx, c'est la propriété privée des moyens de production qui, seule, pose problème. Elle est une source d'aliénation dans la mesure où la majorité

---

34. « Économie et philosophie (Manuscrits de 1844) », dans *Œuvres (Économie)*, t. II, p. 60-61.

35. Ce rapport au travail déshumanisé favorise la recherche de « divertissements » parfois abrutissants et donc eux-mêmes « aliénants ». En effet, comment l'être humain – dont la capacité de transformer le monde est pourtant naturelle – ne chercherait-il pas ailleurs (et pas toujours sainement) des sources compensatoires de satisfaction ?

36. « Économie et philosophie (Manuscrits de 1844) », dans *Œuvres (Économie)*, t. II, p. 67.

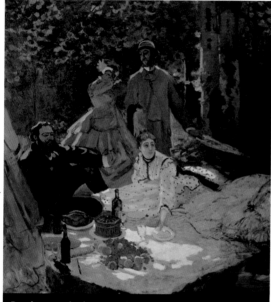

Pendant que les bourgeois du XIXᵉ siècle se prélassaient à la campagne, les prolétaires travaillaient quatorze heures par jour dans les manufactures et les mines.

Renouveler sa force de travail signifie se loger, se reposer, se nourrir, s'habiller, etc., bref, tout ce qui est strictement nécessaire pour revenir le lendemain au travail avec la capacité de produire de nouveau.

des hommes et des femmes doivent, pour gagner leur vie, s'en remettre à la volonté du bourgeois capitaliste qui est le propriétaire des ressources naturelles et des instruments de production (usine, machines, outils), alors que l'ouvrier ne possède en propre que sa force de travail :

> Un être se considère comme indépendant dès qu'il est son propre maître, et il n'est son propre maître que s'il doit son existence à lui-même. Un homme qui vit de la grâce d'un autre se considère comme dépendant[37].

La plus-value et le profit, ou le « vol du travailleur »

Pour compléter l'explication sur l'aliénation économique dont souffre la classe prolétarienne, il faut se référer au concept de la plus-value (le moyen capitaliste de faire du profit), qui peut être défini comme la différence entre ce que le travailleur coûte pour produire et ce qu'il rapporte en produisant. Selon Marx, le capitaliste exploite l'ouvrier, car il lui paie un salaire dont la valeur est moindre que celle des biens produits par l'ouvrier dans sa journée de travail. À titre d'exemple, supposons qu'un ouvrier requière, pour **renouveler sa force de travail** quotidiennement, une valeur qui corresponde à six heures de travail (le « travail nécessaire »). Or, le capitaliste du milieu du XIXᵉ siècle fait travailler l'ouvrier quatorze heures par jour. Ces huit heures supplémentaires sont du « surtravail » dont le fruit constitue la plus-value que le capitaliste met dans sa poche : en bref, pour Marx, la plus-value est carrément du travail non payé à l'ouvrier. Selon Marx, en régime capitaliste, la recherche de profits – qui constitue l'objectif de toute entreprise – se fait sur le dos du travailleur, qui est littéralement volé[38] par son patron. En abusant des travailleurs, le groupe restreint de patrons (bourgeois capitalistes) se constitue en classe sociale dominante. Pour contrer cette exploitation éhontée de l'ouvrier, Marx propose l'abolition pure et simple du salariat, car une simple hausse du salaire ne constituerait « qu'une *meilleure rémunération d'esclaves* ; ce ne serait ni pour le travailleur ni pour le travail une conquête de leur vocation et de leur dignité humaines[39] ».

L'aliénation politique

L'aliénation politique découle de l'aliénation économique. La dépendance économique entraîne nécessairement la dépendance politique. Nous avons vu précédemment que l'État fait partie de la superstructure générée par une société qui se fonde sur des classes économiquement antagonistes. Plus particulièrement, la classe qui domine sur le plan économique s'empare du pouvoir politique et utilise l'État afin de maintenir ses privilèges. Dans cette perspective, par exemple, les grandes réformes qu'a connues l'État québécois durant les années 1960 (notamment en

---

37. *Ibid.*, p. 88.

38. « La propriété, c'est le vol ! » s'écriait Pierre Joseph Proudhon (1809-1865).

39. « Économie et philosophie (Manuscrits de 1844) », dans *Œuvres (Économie)*, t. II, p. 68. Remarquons que, selon Marx, le capitaliste lui-même est aliéné dans cette organisation du travail : par exemple, son activité le prive du contact direct avec la matière à transformer et il est engagé dans une lutte déshumanisante avec les concurrents. Lui aussi doit être libéré.

éducation) seront vues comme la conséquence de l'ascension et de l'affirmation de la «nouvelle» bourgeoisie commerçante et industrielle.

L'État bourgeois n'est donc pas un appareil neutre au service de toute la société. Il est l'incarnation illusoire de la communauté, car en réalité la classe possédante s'en sert comme instrument de domination de la classe prolétarienne. L'État bourgeois agit exclusivement en fonction des intérêts de la bourgeoisie. «Le gouvernement moderne, dit Marx, n'est qu'un comité qui gère les affaires de la classe bourgeoise tout entière[40].» En conséquence, les prolétaires doivent, s'ils veulent s'affirmer et s'émanciper à la fois comme individus et comme groupe social, «conquérir le pouvoir politique [en renversant l'État], s'ériger en classe dirigeante de la nation, devenir [eux-mêmes] la nation[41]». De toute façon, «les prolétaires n'ont rien à perdre que leurs chaînes[42]!». Et les derniers mots du *Manifeste* constituent un cri de ralliement lancé aux travailleurs du monde entier: «Prolétaires de tous les pays, unissez-vous[43]!»

Cependant, l'État bourgeois ne pourra être efficacement et définitivement renversé par la révolution prolétarienne que si une autre aliénation est liquidée: l'aliénation religieuse.

L'aliénation religieuse

Même si c'est l'aliénation économique qu'il importe de comprendre et de supprimer en premier lieu, la dénonciation de l'illusion religieuse et la lutte contre l'aliénation qui en découle exigent, selon Marx, une vigueur particulière. Pourquoi? Parce que la religion – en demandant, en règle générale, aux croyants de se résigner, de se soumettre, d'accepter leurs conditions misérables d'existence – paralyse tout essai de révolution et toute possibilité de progrès.

La religion est une institution idéologique et, en cela, elle exprime et reflète la misère économique et sociale des croyants, et y apporte une réponse. En effet, le besoin religieux qu'éprouvent les masses asservies s'explique par la nécessité, pour elles, de s'évader de leur réalité pitoyable:

> La religion est le soupir de la créature accablée par le malheur, l'âme d'un monde sans cœur, comme elle est l'esprit d'une existence sans esprit. Elle est l'opium du peuple. L'abolition de la religion en tant que bonheur illusoire du peuple est une exigence de son bonheur réel. Exiger que le peuple renonce à ses illusions sur sa condition, c'est exiger qu'il abandonne une condition qui a besoin d'illusions. […] La religion n'est que le soleil illusoire qui se meut autour de l'homme, aussi longtemps que celui-ci ne se meut pas autour de lui-même[44].

Pour supporter leur indigence terrestre, les gens du peuple s'inventent un bonheur illusoire en compagnie d'un Dieu imaginaire qu'ils rencontreront dans un au-delà fantasmagorique. Selon Marx, la religion soustrait donc l'homme à lui-même pour le transporter dans un monde fictif où il se berce d'illusions. Ainsi, en cherchant à soumettre les croyants à un monde de chimères, la religion transforme l'homme – qui devrait être libre et autonome – en un être qui n'a plus aucune prise sur son existence et sur son destin. Le prolétaire, économiquement, socialement et politiquement exploité,

40. *Manifeste du parti communiste*, p. 22.

41. *Ibid.*, p. 43.

42. *Ibid.*, p. 62.

43. *Ibid.*, p. 62.

44. Karl MARX, «Critique de la philosophie hégélienne du droit», dans *Pages de Karl Marx*, trad. Maximilien Rubel, Paris, Payot, 1970, p. 105.

Le peuple souffre et prie en silence dans l'espoir d'un monde meilleur dans l'au-delà.

ne prend même pas conscience de l'aliénation dans laquelle il est plongé. Il souffre et prie en silence, en espérant la venue d'un monde meilleur après la vie terrestre. Cette mise à l'écart de la prise de conscience et de l'action de la classe prolétarienne n'est pas sans combler d'aise et de bonheur la classe dirigeante! Marx dénonce vigoureusement la collusion historique entre le pouvoir économique et le pouvoir religieux. En effet, les possédants s'appuient sur la religion officielle pour justifier leur domination, pour endormir le peuple, pour l'empêcher de réfléchir sur les injustices dont il est victime et de revendiquer ses droits par la révolution. C'est dans cette mesure que la religion est «l'opium du peuple»!

Un exemple historique

Le cas du Québec offre maints exemples de la collusion historique entre l'Église, le gouvernement et la classe possédante afin que les Canadiens français, «nés pour un petit pain», demeurent «des porteurs d'eau». À titre d'exemple, rappelons des faits qui illustrent cette alliance.

Au XXe siècle, les travailleurs du textile sont parmi les plus bas salariés du Québec. En 1946, la Montreal Cottons (filiale de la Dominion Textile) offre de 0,21 $ à 0,30 $ l'heure aux ouvriers et aux ouvrières (des enfants y travaillent aussi à partir de l'âge de treize ans) de sa manufacture située à Valleyfield, au sud-ouest de Montréal. La semaine normale de travail est de cinquante-cinq heures, mais il n'est pas rare que les ouvriers doivent faire des semaines de soixante heures, voire de soixante-douze heures, pour subvenir aux besoins de leur famille. Les conditions de travail sont très dures: l'usine a été construite au siècle précédent, les machines à filer font un bruit d'enfer et les installations sont dépourvues de système d'aération… Désireux d'améliorer leur sort, les ouvriers fondent un syndicat indépendant. Le 1er juin 1946, après quatre années d'organisation, de demandes de reconnaissance de leur syndicat, d'échecs répétés, une grève est déclenchée.

Dans les églises de Valleyfield, sur la directive du vicaire général Paul-Émile Léger, les curés mènent une vive lutte contre l'implantation de ce syndicat indépendant. Il faut dire que la Montreal Cottons fait des cadeaux au clergé: entre autres, la compagnie offre gratuitement aux institutions religieuses toute la lingerie dont elles ont besoin. Par ailleurs, seules sont acceptées les «unions» (syndicats) catholiques strictement contrôlées par l'Église: toute force communautaire doit passer nécessairement par le clergé, qui ne craint rien de plus qu'une coalition civile autonome. Les curés ordonnent donc à leurs paroissiens de ne pas quitter leur travail sous peine d'être excommuniés. Ils leur rappellent que Dieu aime les pauvres, les misérables et que, conséquemment, la porte des cieux leur est grande ouverte…

La Montreal Cottons peut aussi compter sur l'appui de la bourgeoisie locale constituée des *boss* (cadres) de la filature et des autres usines de la ville, des professionnels, des commerçants et des administrateurs publics. Tous ces gens se fréquentent et contrôlent la Chambre de commerce de Valleyfield. Ils ne voient pas d'un bon œil que les ouvriers deviennent une force sociale indépendante qui revendique des droits. Ces gens se perçoivent comme appartenant à une classe privilégiée qui n'a de comptes à rendre à personne. Ils n'ont pas intérêt à ce que les choses changent.

La compagnie reçoit aussi l'appui du ministère du Travail, qui déclare la grève illégale. Le premier ministre Maurice Duplessis, fervent catholique, défendant des valeurs conservatrices, proclame que cette grève est l'œuvre des communistes. Il donne l'ordre à la police provinciale de franchir les piquets de grève pour permettre aux quatre cents *scabs* (briseurs de grève) d'entrer dans l'usine. L'affrontement ultime a lieu le matin du 11 août. Les fiers-à-bras formant la police privée de la compagnie épaulés par deux cent cinquante policiers provinciaux (la presque totalité des effectifs de la police provinciale de Duplessis) armés de mitraillettes et munis de gaz lacrymogène ont pour mission d'enfoncer les piquets de grève. L'émeute débute lorsque les policiers lancent du gaz lacrymogène sur les grévistes. La riposte ne tarde pas : une pluie de pierres est lancée sur les policiers. Il faut dire que, entre-temps, une foule d'environ cinq mille personnes (des travailleurs des autres usines, des femmes et des enfants) s'était assemblée aux abords de l'usine…

Cet exemple permet de constater que, dans le Québec du milieu du XXᵉ siècle, une lutte acharnée contre la classe possédante, contre la classe politique et contre le clergé fut nécessaire pour que les travailleurs se libèrent peu à peu des formes d'aliénation dont ils étaient l'objet.

La liberté et la libération collective

À l'instar de Hegel – dont nous avons parlé précédemment –, Marx veut établir un lien entre l'Histoire et la liberté. Hegel divise le déroulement chronologique de l'histoire humaine en quatre grandes périodes[45] qui, selon son interprétation, correspondent à l'acquisition progressive par l'homme de sa liberté.

Marx emprunte à Hegel l'idée d'une division de l'Histoire (par le biais des quatre modes de production) et le principe selon lequel celle-ci doit mener à l'acquisition de la liberté. Seulement, Marx reproche à Hegel d'avoir pensé que la liberté de tous était chose faite, alors qu'en réalité elle n'a pas encore été instituée de manière concrète. Après tout, libérer sa conscience n'est pas libérer sa vie ! Marx critique donc la confusion hégélienne entre liberté théorique et libération réelle[46]. Et, sa vie durant, l'unique objectif historique de Marx fut de rejeter l'artificialité de la première afin de faire advenir véritablement la seconde. Cela explique l'importance du prolétariat, vecteur principal de cette libération. Cela explique aussi ce mode de production dont il fallait hâter l'avènement, le mode communiste.

Comme on le voit, s'il faut prendre fait et cause pour la classe ouvrière, c'est parce que la *praxis* prolétarienne va dans le sens même de l'Histoire, qui doit mener à la libération des humains, c'est-à-dire à leur liberté concrète traduite dans leur vie quotidienne.

Résumons le tout. Par le travail, l'être humain devrait pouvoir exprimer librement ses capacités intellectuelles et physiques, et ainsi se réaliser lui-même. Plus précisément, en transformant la nature par la production d'œuvres dans lesquelles il se reconnaît, l'homme se construit comme être libre. Par ailleurs, en travaillant avec d'autres hommes dans une communauté où les rapports sociaux de production sont harmonieux et égalitaires, l'être humain peut réaliser sa liberté.

---

45. Les quatre périodes sont le monde oriental, où seul l'empereur est libre, le monde grec et le monde romain, où seuls les citoyens sont libres, de même que le monde germanique (entendre «moderne»), où tous sont libres.

46. Marx revient souvent dans son œuvre sur le fait que la Révolution française a bien donné naissance à l'affirmation de droits abstraits (liberté, égalité, fraternité, etc.) – qu'il appelle d'ailleurs de manière très révélatrice des droits «bourgeois» –, mais n'a pas pour autant mis en place les conditions concrètes de libération devant mener à l'usage effectif de ces droits.

Cependant, Marx fait le constat suivant : le capitalisme fait de l'homme un être prisonnier économiquement, politiquement et spirituellement. Le projet marxien consiste à libérer concrètement l'être humain de ces formes d'aliénation et des institutions qui les fondent. Le but ultime de Marx est donc l'émancipation de l'homme dans la société, c'est-à-dire la libération des formes d'aliénation dont il est l'objet afin qu'il retrouve son intégrité et sa dignité. En ce sens, Marx peut être considéré comme l'un des grands fondateurs de la modernité critique : il dénonce l'aliénation économique et politique qui afflige la majorité des humains, et il fustige l'aliénation religieuse en démontrant l'illusion dans laquelle elle plonge les miséreux. Marx espérait qu'un jour les conditions sociales seraient propices à la réalisation de l'homme total qui se développerait en toute liberté à la fois intellectuellement et manuellement dans un travail socialement productif. Ainsi seraient réunis les éléments essentiels à la construction d'une société juste, vraiment humaine, rien qu'humaine, où les individus seraient heureux parce qu'ils pourraient s'y épanouir.

> Marx a critiqué avec vigueur la philosophie politique de Rousseau, l'accusant de naturalisme idéologique d'origine bourgeoise.

La conception marxienne de l'être humain ne se fonde-t-elle pas sur une croyance implicite en la bonté originaire de l'homme ? En cela, Marx rejoint Rousseau, mais il s'y oppose aussi dans la mesure où **Rousseau** défendait l'individu libre et perfectible qui aurait réussi à contrer les pressions et les conditionnements de la civilisation. Au contraire, Marx propose des moyens permettant à la collectivité de se libérer du joug capitaliste. En effet, il pensait que le jour où l'on assisterait à la suppression collective des entraves économique, politique et religieuse, l'être humain pourrait s'affirmer sans abuser du pouvoir et sans l'utiliser exclusivement à ses propres fins. C'est donc la libération collective de l'humanité prolétarienne qui intéresse Marx. Il croit que, en agissant collectivement sur leurs conditions d'existence aliénées, les hommes réussiront à se libérer de leurs chaînes.

Aujourd'hui

Marx aujourd'hui

Nous reconnaissons aujourd'hui que les buts poursuivis par Marx étaient nobles, mais que les moyens mis en avant par certains dirigeants politiques pour instaurer le communisme sont pour le moins condamnables (par exemple, le **stalinisme**).

> De 1922 à 1953, Joseph Staline (1879-1953) a établi un régime politique autoritaire et répressif en URSS (Union des républiques socialistes soviétiques).

Il faut dire que la philosophie marxienne propose des solutions qui, en pratique, peuvent conduire à des excès. En effet, Marx accorde à la classe prolétarienne un rôle messianique : c'est à elle que revient le mandat d'assurer le salut de milliers de travailleurs. À cette fin, les intérêts personnels doivent être subordonnés aux intérêts de la classe sociale prolétarienne. Avec Marx, le collectif l'emporte sur l'individuel ! Cela l'amène à juger nécessaire la **dictature du prolétariat** et la constitution temporaire d'un État centralisé et autoritaire jusqu'à ce que les conditions nécessaires à l'établissement du communisme aient été réalisées.

Messianique
Relatif à la venue d'un messie qui viendrait libérer les hommes et le monde, comblant ainsi les plus profonds désirs.

> À la suite d'une révolution, les travailleurs liquident le régime politique en place et instaurent une dictature du prolétariat, c'est-à-dire un nouveau régime aux pouvoirs absolus qui défend les intérêts des prolétaires.

Marx et l'État bureaucratique contemporain

Cette étape du processus révolutionnaire (phase du socialisme), où Marx croyait nécessaire l'institution d'un État aux pouvoirs illimités, peut être mise en relation avec l'État bureaucratique et tentaculaire des sociétés industrialisées de l'époque actuelle. En dépit des efforts concertés de « réorganisation » (entendre « dégraissage ») de l'appareil gouvernemental, l'État technocratique contemporain régit de plus en plus la totalité des activités humaines ; il atomise et dépersonnalise les individus dans un contexte social où les politiques ont tout prévu. Par conséquent, le citoyen « ordinaire » se sent aujourd'hui de moins en moins préoccupé par les affaires publiques ; il éprouve une impuissance devant la mécanique implacable de l'appareil gouvernemental des sociétés capitalistes modernes ; c'est pourquoi il se réfugie dans la sphère privée de son existence. Ce désenchantement du citoyen face à ses obligations politiques fait qu'il s'en remet entièrement à des « professionnels » des affaires publiques (technocrates, députés, ministres, etc.) qui gèrent la collectivité. Le citoyen est désormais incapable de percevoir la société comme étant sa société. Il a perdu toute conscience sociale et politique. En lieu et place, le citoyen des pays industrialisés contemporains de tradition démocratique réclame à gogo des droits en omettant d'y associer des devoirs ou des responsabilités ! Grand consommateur de biens et de services, le citoyen ordinaire est devenu aujourd'hui un consommateur de droits. Il se laisse bercer par l'illusion de l'État providence, dispensateur de services multiples, qui voit à tout et qui le prend sous son aile bienveillante. D'où l'épineuse question : comment concilier les nécessités technocratiques d'un État moderne avec la participation active des citoyens, condition d'une authentique démocratie ?

Marx et la préfiguration de la mondialisation

À son époque, Marx proposait que l'on dépasse le cadre des États-nations et il parlait déjà de l'internationalisation de l'économie autant que de celle de la lutte contre le capitalisme (« Prolétaires de tous les pays, unissez-vous ! »). N'est-ce pas là une évidente préfiguration de la **mondialisation** de l'économie contemporaine ?

Mondialisation
Développement à l'échelle mondiale de l'organisation capitaliste des activités économiques permis par l'abolition graduelle des mesures protectionnistes qui empêchaient la libre circulation des biens et des services, du capital et de la main-d'œuvre.

Les conditions pitoyables des travailleurs de la révolution industrielle du XIXe siècle et de leurs enfants ont été décrites au début de ce chapitre. Or, à cause, entre autres, de la mondialisation de l'économie – sous-traitance oblige –, ce genre de conditions existe malheureusement encore aujourd'hui dans beaucoup de pays de la planète. En effet, de nombreux emplois ont quitté les pays riches occidentaux vers les pays émergents. Conséquemment, des millions d'hommes, de femmes et d'enfants travaillent actuellement dans des conditions effroyables et pour des salaires dérisoires. Ils produisent à moindre coût les biens de consommation dont nous raffolons ! À titre d'exemples, signalons d'abord l'existence des *sweatshops*, dénoncés par Amnistie internationale[47]. Ces « ateliers de misère » sont implantés essentiellement en Asie et en Amérique centrale, mais aussi en Afrique et dans quelques pays qui ont appartenu à l'Europe de l'Est soviétique. On y fabrique des produits textiles, des articles de cuir, des jouets, de l'équipement automobile ou des composantes électroniques. Près de vingt-sept millions de personnes (principalement des femmes et des jeunes filles) y sont traitées comme des esclaves.

Soulignons aussi l'exploitation scandaleuse de la main-d'œuvre (principalement féminine) qui travaille pour les sous-traitants (indonésiens, chinois, cambodgiens, thaïlandais, bulgares et turcs) des géants de l'industrie des articles de sport, comme Nike, Reebok, Adidas, Fila, Puma, Asics ou Mizumo, dont le marché mondial s'élève à cinquante-huit milliards de dollars par année. En période de forte demande, il n'est pas rare que ces ouvrières besognent de seize à dix-huit heures par jour, sept jours sur sept, pour un maigre salaire de cinquante dollars par mois !

---

47. *Agir*, Amnistie internationale, Section canadienne francophone, vol. 25, n° 1, mars 2004.

Mentionnons aussi l'exploitation éhontée des enfants du Bangladesh et du Pakistan qui travaillent dans l'industrie du tapis. Rappelons enfin une étude du Fonds des Nations Unies pour l'enfance, publiée le 23 avril 2004, révélant qu'un trafic d'êtres humains (essentiellement des femmes et des enfants) sévit dans 89% des pays africains examinés par l'UNICEF. Les principales destinations de ce trafic sont l'Europe (34%) et les pays arabes (26%). Ces femmes et ces enfants alimentent les marchés de la prostitution, travaillent (souvent sans salaire) comme domestiques ou servent de main-d'œuvre à bon marché dans des exploitations agricoles.

Les conditions de travail inhumaines que Marx décriait au XIXe siècle ne sont-elles pas encore présentes au XXIe siècle?

Marx et la définition de l'homme par le travail

La philosophie marxienne, nous l'avons vu, accorde une importance fondamentale au travail, qui constitue la spécificité de l'être humain. Et, de fait, le travail qui «humanise» la nature ne devrait-il pas constituer un lieu privilégié de connaissance et de construction de soi-même? Aujourd'hui, le travail demeure une donnée capitale dans la définition de l'homme. Même si l'on a fait miroiter dans les années 1970 l'idée de l'entrée de l'Occident dans une ère de loisirs, il reste que le travail que l'on fait est révélateur de ce que l'on est. Certains iront même jusqu'à affirmer que la fonction sociale que l'on occupe nous constitue comme personnes. Le concept d'identité professionnelle résume à lui seul l'ampleur du phénomène: «Je suis informaticien», «Je suis médecin», «Je suis ingénieur»… Pour plusieurs, c'est comme si l'ensemble de leur personnalité se résumait au travail qui leur permet, entre autres, de gagner leur vie.

Ne va-t-on pas, de nos jours, jusqu'à proclamer que, «sans travail, nous ne sommes rien»? Qui plus est, dans la foulée de l'analyse marxienne des classes sociales, on constate que la société capitaliste nord-américaine actuelle se construit en marginalisant certains groupes sociaux: les chômeurs, les assistés sociaux, les femmes qui demeurent à la maison pour s'occuper de leurs enfants… Ces catégories de personnes, sans travail dit productif, sont souvent dévalorisées, considérées comme des citoyens de second ordre qui ne devraient pas bénéficier des largesses de l'État. Une attitude aussi sévère n'est possible que si l'on réduit l'être humain aux dimensions de son être historique qui produit, transforme et consomme.

Certains reprochent à Marx d'avoir surestimé les facteurs économiques dans sa définition de l'homme. En s'intéressant presque exclusivement à l'activité économique de l'être humain dans un contexte essentiellement social, ne se fait-il pas de l'homme une vision qui s'en trouve quelque peu simplifiée? Ce faisant, Marx aurait commis l'erreur de considérer que la libération économique collective entraîne automatiquement la liberté, la justice, la coopération entre les individus.

Il ne s'agit pas, bien entendu, de sous-estimer l'importance de la dimension économique et des luttes nécessaires dans ce domaine. Mais une telle vision ne négligerait-elle pas l'importance chez l'être humain d'une volonté individuelle à l'écoute de ses propres instincts et de ses propres besoins, volonté qui aspire à s'affirmer et à exprimer la vie qu'elle porte en son sein quelles que soient les conditions économiques, sociales et politiques? Friedrich Nietzsche se fera l'ardent défenseur de cette forte volonté individuelle.

L'essentiel

Karl Marx

Selon Karl Marx, l'**homme** devrait trouver la **plénitude de son être social** dans le **travail**. Or, l'organisation du travail dans un mode de production capitaliste aliène l'être humain et l'empêche de manifester son être propre. À cette **aliénation économique** s'ajoutent une **aliénation politique** et une **aliénation religieuse** du travailleur (puisque la classe possédante se sert de l'État et de l'Église comme instruments de domination de la classe prolétarienne). Toutefois, l'homme aliéné peut changer sa condition : l'histoire démontre que les conditions de vie économiques et sociales se transforment à la suite de la **lutte des classes** qui défendent des intérêts contradictoires.

Cette conception dite matérialiste et historique définit l'homme à partir des rapports qu'il entretient dans un mode de production donné. En effet, chacune des sociétés humaines s'est construite à partir d'une **division du travail**, qui s'est constituée en un **mode de production spécifique** fondé sur un type particulier de **propriété des moyens de production**, qui a déterminé à son tour des **rapports sociaux de production** où se sont opposées deux **classes sociales antagonistes**. Ainsi, au cours de l'histoire, le **mode de production esclavagiste** s'est **transformé** en un **mode de production féodal**, qui s'est lui-même transformé en un **mode de production capitaliste**, qui devrait se transformer ultimement en un **mode de production sans classes** (appelé le **communisme**) où les hommes seraient égaux et libres.

Réseau de concepts

Résumé de l'exposé

Karl Marx et sa lutte contre le capitalisme du XIXᵉ siècle

Notice biographique

Karl Marx (1818-1883), philosophe, économiste, militant politique, a laissé à l'humanité une œuvre capitale dont la pensée et l'action ont marqué d'une manière décisive (mais controversée) la fin du XIXᵉ siècle et la majeure partie du XXᵉ siècle.

Le capitalisme du XIXᵉ siècle

Marx analyse et critique les conditions d'existence misérables instaurées par le régime capitaliste de son époque.

Il dénonce l'exploitation éhontée de la classe prolétarienne par la classe bourgeoise et il propose un nouveau modèle d'organisation économique et sociale qui permettrait la réalisation intégrale de l'être humain.

Le matérialisme historique ou l'interprétation dialectique de l'histoire

Marx réinterprète la dialectique idéaliste hégélienne en des termes matérialistes. Il propose une lecture de l'histoire fondée sur les rapports sociaux qui résultent du développement de deux classes antagonistes s'affrontant à une époque donnée.

Le matérialisme historique de Marx

Pour appréhender le monde réel, il faut partir de la «base matérielle» de l'existence humaine, c'est-à-dire des conditions de vie économiques et sociales.

Chacune des sociétés humaines s'est construite à partir d'une **division du travail** qui s'est constituée en un **mode de production** spécifique fondé sur un type de **propriété des moyens de production.** Celui-ci a déterminé à son tour des **rapports sociaux de production** où se sont opposées deux classes rivales (maîtres/esclaves, seigneurs/serfs, bourgeois/prolétaires).

La primauté de la vie économique

L'infrastructure économique (le mode de production matérielle) constitue la base de l'édifice social et détermine la superstructure idéologique et juridico-politique.

En revanche, les activités politiques, juridiques, culturelles, philosophiques, etc., de la superstructure viennent consolider, par le biais de l'idéologie, l'infrastructure économique.

L'homme comme être social et historique

Selon Marx, l'essence de l'homme ne se trouve pas dans une idée ou un concept Homme sous lequel se rangeraient tous les individus.

L'individu est un «animal social», c'est-à-dire qu'il se définit par son appartenance à une classe et selon les rapports sociaux dans lesquels il est inscrit:

a) Ce sont les conditions sociales et matérielles d'existence qui définissent l'homme.

b) L'homme est un être historique.

c) L'existence sociale détermine la conscience des hommes.

L'être humain et le travail

Par le travail, l'homme devient un être de *praxis*: il agit concrètement dans la réalité tout en possédant une connaissance théorique de son action.

Le travail: humanisation de la nature et spécificité de l'homme

Par le travail, l'homme humanise la nature et se définit lui-même comme un être conscient qui devrait pouvoir actualiser ses capacités intellectuelles et physiques.

Le travail comme médiation sociale: grandeur idéale et misère réelle

Le travail devrait permettre d'établir des liens de sociabilité, de réciprocité et de solidarité humaine. En réalité, le travailleur du XIXᵉ siècle est un être isolé qui se perd dans son travail et l'objet qu'il produit.

Les différentes formes de l'aliénation humaine

En régime capitaliste, l'homme est aliéné. Il vit sous le joug de déterminismes. Il devient l'esclave d'une puissance étrangère sur les plans économique, politique et religieux.

L'aliénation économique

L'aliénation économique s'explique par **la division du travail** entre le travail manuel et le travail intellectuel, **la propriété privée des moyens de production** et **la plus-value et le profit,** qui est du travail non payé à l'ouvrier. En somme, l'être humain se déshumanise dans son travail.

L'aliénation politique

L'aliénation politique vient du fait que la classe possédante (la bourgeoisie) s'empare du pouvoir politique et utilise l'État comme instrument de domination de la classe prolétarienne.

L'aliénation religieuse

La religion est «l'opium du peuple». Les possédants se servent de la religion pour justifier leur domination, pour endormir le peuple et pour l'empêcher de revendiquer ses droits par la révolution.

La liberté et la libération collective

La liberté marxienne se traduit par la libération et l'émancipation collectives, la rupture des chaînes qui asservissent la classe sociale exploitée des travailleurs.

Marx aujourd'hui

Marx et l'État bureaucratique contemporain

Un parallèle peut être établi entre la vision centralisée du pouvoir politique défendue par Marx dans la « phase du socialisme » et l'État bureaucratique et tentaculaire du monde industrialisé d'aujourd'hui.

La société étant gérée par des « professionnels » des affaires publiques, l'individu-citoyen se sent désenchanté et impuissant face à ses obligations politiques. Il devient un consommateur de droits, lesquels sont dissociés des devoirs qui y sont rattachés. Il est important de dépasser cet état de choses.

Marx et la préfiguration de la mondialisation

Dans le contexte de la mondialisation de l'économie et de la sous-traitance à l'étranger, les travailleurs des pays émergents deviennent les « prolétaires » exploités du XXIe siècle.

Marx et la définition de l'homme par le travail

À l'instar de Marx, nous accordons aujourd'hui une place capitale au travail dans la définition de l'homme. La fonction sociale que l'on occupe nous constitue essentiellement comme personnes. Sans travail, nous ne sommes rien. Ainsi, la société capitaliste nord-américaine se développe en marginalisant des catégories de personnes jugées non productives.

Activités d'apprentissage

Vérifiez vos connaissances

1. En 1841, Marx obtient son doctorat en philosophie en soutenant une thèse sur le livre célèbre de Hegel, *La Phénoménologie de l'esprit*. VRAI ou FAUX ?

2. L'objectif principal de la collaboration de Marx avec Engels est d'éduquer, de former et d'organiser le mouvement ouvrier afin que les travailleurs se libèrent de leurs chaînes. VRAI ou FAUX ?

3. Pour Marx, quelle notion permet d'exprimer le mouvement qui va de l'explication théorique à l'action modifiant l'état de choses présent ?

4. Quelle est la nouvelle grille d'analyse du monde et de l'homme que Marx a mise en application ?

5. Quel penseur a eu le plus d'influence sur la pensée de Karl Marx ?

6. Selon Marx, chacune des sociétés humaines s'est construite à partir d'une division du travail. VRAI ou FAUX ?

7. Donnez deux exemples de rapports sociaux de production analysés par Marx.

8. Sous quel nom Marx désigne-t-il l'ensemble de l'organisation juridique, politique et idéologique propre à une société donnée ?

9. Marx affirme que l'essence de l'être humain réside dans les rapports sociaux qu'entretiennent les individus ; ce faisant, il rompt de façon définitive avec le concept d'Homme abstrait. VRAI ou FAUX ?

10. Selon Marx, la caractéristique spécifique de l'être humain, c'est-à-dire ce qui le distingue des autres espèces animales, est la raison. VRAI ou FAUX ?

11. Quel concept Marx utilise-t-il pour dénoncer la différence entre ce que le travailleur coûte pour produire et ce qu'il rapporte en produisant ?

12. Selon Marx, l'État bourgeois est un appareil neutre au service de toute la société. VRAI ou FAUX ?

13. Quelle expression lapidaire Marx utilise-t-il pour parler de la religion ?

14. D'après Marx, le vecteur principal de la libération collective et effective de l'humanité est le prolétariat. VRAI ou FAUX ?

15. À partir de ce que vous avez appris sur Marx, indiquez laquelle des citations suivantes n'a pas été écrite par lui.

    a) « Les hommes font leur propre histoire [...] dans des conditions directement données et héritées du passé. »

    b) « Un être se considère comme indépendant dès qu'il est son propre maître, et il n'est son propre maître que s'il doit son existence à lui-même. »

    c) « Deviens sans cesse celui que tu es, sois le maître et sculpteur de toi-même. »

Analyse et critique de texte

Cette activité exige la lecture préalable de l'extrait de *L'Idéologie allemande* présenté à la page 137.

Compétences à acquérir

- Démontrer sa compréhension d'un texte de Marx et d'Engels en transposant dans ses propres mots une partie de ce texte philosophique.

- Appliquer la doctrine à une situation réelle, c'est-à-dire trouver un exemple qui illustre la véracité ou l'inexactitude d'une thèse défendue dans ce texte.

- Évaluer le contenu, c'est-à-dire exprimer son accord ou son désaccord (et en donner les raisons):
    - sur la conception marxienne de la conscience de l'homme;
    - sur la thèse marxienne de la domination spirituelle de la classe dominante.

Questions

1. Dans ce texte (4e fragment), Marx postule ceci: «Ce n'est pas la conscience qui détermine la vie, mais la vie qui détermine la conscience.»

    a) Dites dans vos propres mots ce que Marx entend par là.

    #### Commentaire critique

    b) Êtes-vous d'accord avec la manière dont Marx se représente la conscience de l'homme ainsi que son origine? Vous devez fonder votre jugement, c'est-à-dire apporter deux arguments pour appuyer vos affirmations. (Minimum suggéré: une page.)

2. Dans ce texte (6e fragment), Marx affirme ceci: «Les pensées de la classe dominante sont aussi, à toutes les époques, les pensées dominantes, autrement dit la classe qui est la puissance *matérielle* dominante de la société est aussi la puissance dominante *spirituelle*.»

    a) Dites dans vos propres mots ce que Marx entend par là.

    b) Illustrez par un exemple actuel (en conséquence autre que ceux qui sont utilisés par Marx) la véracité ou l'inexactitude de cette thèse.

Analyse et critique de texte

Cette activité exige la lecture préalable de l'extrait de *Pour une théorie critique de la société* présenté à la page 139.

Compétences à acquérir

- Démontrer sa compréhension d'un texte de Marcuse en transposant dans ses propres mots une partie de ce texte philosophique.

- Évaluer le contenu, c'est-à-dire exprimer son accord ou son désaccord (et en donner les raisons) sur une thèse avancée par Marcuse dans ce texte.

Questions

1. Dans vos propres mots, donnez les caractéristiques théoriques du concept de l'individu en tant que propriétaire présenté par Marcuse dans ce texte.

2. Selon Marcuse, seule la bourgeoisie a pu actualiser les caractéristiques théoriques de la culture individualiste. Dans vos propres mots, reprenez les raisons sur lesquelles Marcuse fonde son affirmation.

Commentaire critique

3. À l'instar de Marcuse, êtes-vous d'accord pour dire que dans la «société américaine contemporaine [...], l'"individualité" est devenue périmée dans le domaine économique (et pas seulement là)»? Vous devez fonder votre jugement, c'est-à-dire apporter deux arguments pour appuyer vos affirmations. (Minimum suggéré: une page.)

Exercice comparatif: Rousseau et Marx

Compétence à acquérir

Procéder à une comparaison entre deux conceptions modernes de l'être humain à propos d'un même thème.

Contexte de réalisation

Individuellement, dans un texte d'environ 350 mots (une page et demie), examinez les rapports de ressemblance et de différence entre la conception rousseauiste et la conception marxienne de l'être humain à propos du thème de la société.

Étapes suggérées

1. a) Caractérisez la conception rousseauiste de l'être humain au regard du thème de la société. Par exemple, demandez-vous en quoi et comment, selon Rousseau,

la société dénature l'être humain en défigurant son être profond.

b) Caractérisez la conception marxienne de l'être humain au regard du thème de la société. Par exemple, demandez-vous dans quelle mesure, selon Marx, la société définit essentiellement l'être humain en lui imposant des conditions concrètes d'existence.

2. a) S'il y a lieu, précisez les liens ou les similitudes entre la conception rousseauiste et la conception marxienne de l'être humain à propos du thème de la société.

b) S'il y a lieu, dégagez les oppositions ou les antagonismes entre la conception rousseauiste et la conception marxienne de l'être humain à propos du thème de la société.

Extraits de textes

Texte de Marx et d'Engels ■ *L'Idéologie allemande*

[4ᵉ fragment]

Voici donc les faits; des individus déterminés qui ont une activité productive selon un mode déterminé entrent dans des rapports sociaux et politiques déterminés. Il faut que, dans chaque cas particulier, l'observation **empirique** montre dans les faits, et sans aucune spéculation ni mystification, le lien entre la structure sociale et politique et la production. La structure sociale et l'État résultent constamment du processus vital d'individus déterminés; mais de ces individus non point tels qu'ils peuvent s'apparaître dans leur propre représentation ou apparaître dans celle d'autrui, mais tels qu'ils sont *en réalité*, c'est-à-dire, tels qu'ils œuvrent et produisent matériellement; donc tels qu'ils agissent dans des limites, des présuppositions et des conditions matérielles déterminées et indépendantes de leur volonté.

La production des idées, des représentations et de la conscience est d'abord directement et intimement mêlée à l'activité matérielle et au commerce matériel des hommes, elle est le langage de la vie réelle. Les représentations, la pensée, le commerce intellectuel des hommes apparaissent ici encore comme l'émanation directe de leur comportement matériel. Il en va de même de la production intellectuelle telle qu'elle se présente dans la langue de la politique, celle des lois, de la morale, de la religion, de la métaphysique, etc., de tout un peuple. Ce sont les hommes qui sont les producteurs de leurs représentations, de leurs idées, etc., mais les hommes réels, agissants, tels qu'ils sont conditionnés par un développement déterminé de leurs forces productives et du mode de relations qui y correspond, y compris les formes les plus larges que celles-ci peuvent prendre. La conscience ne peut jamais être autre chose que l'Être conscient et l'Être des hommes est leur processus de vie réel. Et si, dans toute l'idéologie, les hommes et leurs rapports nous apparaissent placés la tête en bas comme dans une *camera obscura*[48], ce phénomène découle de leur processus de vie historique, absolument comme le renversement des objets sur la rétine découle de son processus de vie directement physique.

À l'encontre de la philosophie allemande qui descend du ciel sur la terre, c'est de la terre au ciel que l'on monte ici. Autrement dit, on ne part pas de ce que les hommes disent, s'imaginent, se représentent, ni non plus de ce qu'ils sont dans les paroles, la pensée, l'imagination et la représentation

Empirique
Qui se situe sur le plan de l'expérience et de l'observation.

48. Chambre noire.

Idéologique

Relatif à l'ensemble des idées, des croyances et des doctrines propres à une époque, à une société ou à une classe donnée.

Fantasmagorie

Production de l'imagination : image irréelle, fantastique et surnaturelle.

Sublimation

Synonyme de « transposition », de « transformation ».

Métaphysique

Partie de la philosophie qui fait la recherche rationnelle, au-delà des données de l'expérience, des causes premières, des fondements et des principes des choses. En ce sens, la métaphysique est la science de l'être en tant qu'être.

d'autrui, pour aboutir ensuite aux hommes en chair et en os ; non, on part des hommes dans leur activité réelle ; c'est à partir de leur processus de vie réel que l'on représente aussi le développement des reflets et des échos **idéologiques** de ce processus vital. Et même les **fantasmagories** dans le cerveau humain sont des **sublimations** résultant nécessairement du processus de leur vie matérielle que l'on peut constater empiriquement et qui est lié à des présuppositions matérielles. De ce fait, la morale, la religion, la **métaphysique** et tout le reste de l'idéologie, ainsi que les formes de conscience qui leur correspondent, perdent aussitôt toute apparence d'autonomie. Elles n'ont pas d'histoire, elles n'ont pas de développement ; ce sont au contraire les hommes qui, en développant leur production matérielle et leurs rapports matériels, transforment, avec cette réalité qui leur est propre, et leur pensée et les produits de leur pensée. Ce n'est pas la conscience qui détermine la vie, mais la vie qui détermine la conscience. Dans la première façon de considérer les choses, on part de la conscience comme étant l'individu vivant, dans la seconde façon, qui correspond à la vie réelle, on part des individus réels et vivants eux-mêmes et l'on considère la conscience uniquement comme leur conscience […]

[6ᵉ fragment]

Les pensées de la classe dominante sont aussi, à toutes les époques, les pensées dominantes, autrement dit la classe qui est la puissance *matérielle* dominante de la société est aussi la puissance dominante *spirituelle*. La classe qui dispose des moyens de la production matérielle dispose, du même coup, des moyens de la production intellectuelle, si bien que, l'un dans l'autre, les pensées de ceux à qui sont refusés les moyens de production intellectuelle sont soumises du même coup à cette classe dominante. Les pensées dominantes ne sont pas autre chose que l'expression idéale des rapports matériels dominants, elles sont ces rapports matériels dominants saisis sous forme d'idées, donc l'expression des rapports qui font d'une classe la classe dominante ; autrement dit, ce sont les idées de sa domination. Les individus qui constituent la classe dominante possèdent, entre autres choses, également une conscience, et en conséquence ils pensent ; pour autant qu'ils dominent en tant que classe et déterminent une époque historique dans toute son ampleur, il va de soi que ces individus dominent dans tous les sens et qu'ils ont une position dominante, entre autres, comme êtres pensants aussi, comme producteurs d'idées, qu'ils règlent la production et la distribution des pensées de leur époque ; leurs idées sont donc les idées dominantes de leur époque. Prenons comme exemple un temps et un pays où la puissance royale, l'aristocratie et la bourgeoisie se disputent le pouvoir et où celui-ci est donc partagé ; il apparaît que la pensée dominante y est la doctrine de la division des pouvoirs qui est alors énoncée comme une « loi éternelle ». Nous retrouvons ici la division du travail […] comme l'une des puissances capitales de l'histoire. Elle se manifeste aussi dans la classe dominante sous forme de division entre le travail intellectuel et le travail matériel, si bien que nous aurons deux catégories d'individus à l'intérieur de cette même classe. Les uns seront les penseurs de cette classe, les idéologues actifs, qui réfléchissent et tirent leur substance principale de l'élaboration de l'illusion que cette classe se fait sur elle-même, tandis que les autres auront une attitude plus passive et plus réceptive en face de ces pensées et de ces illusions, parce qu'ils sont, dans la réalité, les membres actifs de cette classe et qu'ils ont moins de temps pour se faire des illusions et des idées sur leurs propres personnes. À l'intérieur de cette classe, cette scission peut même aboutir à une certaine opposition, à une certaine hostilité des deux parties en présence. Mais, dès que survient un conflit pratique où la classe tout entière est menacée, cette opposition tombe d'elle-même, tandis que l'on voit s'envoler l'illusion que les idées dominantes ne seraient pas les idées de la classe dominante et qu'elles auraient un pouvoir distinct du pouvoir de cette classe. L'existence d'idées révolutionnaires à une époque déterminée présuppose déjà l'existence d'une classe révolutionnaire [...]

Admettons que, dans la manière de concevoir la marche de l'histoire, on détache les idées de la classe dominante de cette classe dominante elle-même et qu'on en fasse une entité. Mettons qu'on s'en tienne au fait que telles ou telles idées ont dominé à telle époque, sans s'inquiéter des conditions de la production ni des producteurs de ces idées, en faisant donc abstraction des individus et des circonstances mondiales qui sont à la base de ces idées. On pourra alors dire, par exemple, qu'au temps où l'aristocratie régnait, c'était le règne des concepts d'honneur, de fidélité, etc., et qu'au temps où régnait la bourgeoisie, c'était le règne des concepts de liberté, d'égalité, etc. C'est ce que s'imagine la classe dominante elle-même dans son ensemble. [...] En effet, chaque nouvelle classe qui prend la place de celle qui dominait avant elle est obligée, ne fût-ce que pour parvenir à ses fins, de représenter son intérêt comme l'intérêt commun de tous les membres de la société ou, pour exprimer les choses sur le plan des idées : cette classe est obligée de donner à ses pensées la forme de l'universalité, de les représenter comme étant les seules raisonnables, les seules universellement valables.

MARX, Karl et Friedrich ENGELS. *L'Idéologie allemande*, trad. H. Auger, G. Badia, J. Baudrillard et R. Cartelle, Paris, Éditions Sociales, coll. « Essentiel », 1988, p. 76-79, 111-113.

Texte de Marcuse ■ « Le concept d'individualisme et son évolution »

Herbert Marcuse (1898-1979) est un philosophe américain d'origine allemande. Conjuguant des sources marxiennes et freudiennes, Marcuse développe une critique de la civilisation industrielle et de la société de consommation qui « manipule les consciences ». Ses principaux ouvrages sont *Raison et Révolution* (1941), *Éros et Civilisation* (1955), *Le Marxisme soviétique* (1958), *L'Homme unidimensionnel* (1964), *Pour une théorie critique de la société* (1969), *Contre-révolution et Révolte* (1973).

Le conflit qui se manifeste au sein des traditions philosophiques[49] reflète celui qui se développe dans la réalité sociale. La liberté était censée être la qualité essentielle de l'individu, en théorie et en pratique, dans la pensée et

49. Marcuse fait référence au conflit entre deux conceptions de l'individu : celle de l'individu en tant que « sujet de la lutte capitaliste pour l'existence », élaborée par Hobbes, Locke, Adam Smith et Bentham, et celle de l'individu comme « sujet de l'autonomie individuelle, morale et intellectuelle », mise en avant par la philosophie des Lumières, Leibniz et Kant.

Corollaire
Conséquence directe.

dans l'action ; elle devait être une qualité de l'homme intérieur et extérieur. En ce sens, l'individu était le **corollaire** de l'entreprise privée : la responsabilité morale et la personnalité autonome devaient avoir leur fondement effectif dans la liberté économique et politique. L'individu est *propriétaire*, non seulement en ce sens qu'il possède des ressources et des biens matériels, qu'il dispose des services nécessaires à la réalisation (démonstration, confirmation) de sa liberté dans la société, mais en ce sens qu'il a acquis ces choses en vertu de son propre travail et du contrôle qu'il exerce sur le travail d'un autre (déjà chez **Locke**) et qu'il les a faites siennes – qu'il en a fait l'expression matérielle de sa personnalité productive, créatrice. Ce concept de l'individu en tant que propriétaire, qui domine la théorie philosophique de l'individu de **Hobbes** à Hegel, pouvait difficilement recevoir une application générale dans une société acquisitive où la majorité de la population restait privée d'une telle autonomie. Mais il existait une classe – longtemps dirigeante –, celle des entrepreneurs agraires et industriels, dont on pouvait dire qu'ils étaient maîtres de leur entreprise : individuellement responsables de leurs décisions, de leurs choix, de leurs risques, récompensés de leur décision si elle était bonne, punis si elle était mauvaise, selon le verdict du marché de la libre compétition. À travers la liberté de l'entreprise privée, cette classe (en gros, la «bourgeoisie») développa les forces productives sur un fondement individualiste, dans les conditions du capitalisme libéral qui régna dans les pays industriels jusqu'à la fin du XIXe siècle. Ces maîtres de l'économie étaient en même temps des individus autonomes dans leur propre foyer : ils déterminaient l'éducation de leurs enfants, le niveau de leur train de vie, leur ligne de conduite – ils imposèrent le **Principe de Réalité** d'une manière passablement autoritaire. Étant «leurs propres maîtres» aussi bien dans leurs affaires que chez eux, ils pouvaient se passer du gouvernement, de *public relations*, de *mass media* standardisés : c'est pourquoi ils pouvaient être considérés comme les représentants vivants de la culture individualiste.

Aujourd'hui, il n'est pas nécessaire d'entrer dans de longues discussions pour montrer que les conditions dans lesquelles cette forme d'entreprise individuelle a pu fleurir ont disparu. La société américaine contemporaine a dépassé le stade de productivité où des unités individuelles de production s'affrontent dans une libre compétition ; avec la transformation du capitalisme libéral en capitalisme organisé, l'«individualité» est devenue périmée dans le domaine économique (et pas seulement là) ; elle s'est étiolée par suite de la croissance rapide et bouleversante de la productivité du travail et par suite de la croissance des moyens et des instruments qui utilisent cette productivité. En face de cette évolution historique, nous devons nous demander où et comment nous pouvons envisager, dans la société industrielle de notre type, le développement de l'individualité créatrice.

MARCUSE, Herbert. *Pour une théorie critique de la société,* trad. Cornélius Heim, Paris, Denoël/Gonthier, coll. «Bibliothèque Méditations», 1971, p. 184-186.

Locke, John

(1632-1704) Philosophe anglais et penseur empiriste. Ce partisan du libéralisme politique s'est porté à la défense de la propriété privée.

Hobbes, Thomas

(1588-1679) «L'homme est un loup pour l'homme», telle est la nature originelle de l'être humain ! En conséquence, ce philosophe anglais pense que l'établissement d'un contrat social devrait permettre aux individus d'abandonner leurs droits naturels dans l'intérêt de la paix.

Principe de Réalité

Expression freudienne signifiant l'exigence de l'adaptation à la réalité à l'encontre de la recherche inconditionnelle du plaisir.

Lectures suggérées

La lecture de l'une des œuvres suivantes est suggérée dans son intégralité ou en extraits importants :

▦ MARX, Karl et Friedrich ENGELS. *Manifeste du parti communiste,* Paris, Union Générale d'Éditions, coll. « 10-18 », 1962, 189 p.

▦ MARX, Karl et Friedrich ENGELS. *L'Idéologie allemande,* trad. H. Auger, G. Badia, J. Baudrillard et R. Cartelle, Paris, Éditions Sociales, coll. « Essentiel », 1988, 279 p.

Chapitre 5

L'homme comme être d'instincts, de désirs et de passions

Nietzsche ou la philosophie à coups de marteau

Plan du chapitre

Nietzsche et le nihilisme européen de la fin du XIXe siècle

Le dépassement de soi dans l'affirmation de ses instincts, de ses désirs et de ses passions

La volonté de puissance

Le surhumain

Nietzsche aujourd'hui

L'homme est une corde tendue entre la bête et le surhomme, une corde au-dessus d'un abîme. Danger de le franchir, danger de rester en route, danger de regarder en arrière...

Friedrich NIETZSCHE, *Ainsi parlait Zarathoustra*, p. 20.

Nietzsche et le nihilisme européen de la fin du XIXᵉ siècle

Contexte historique

Notice biographique

Friedrich Nietzsche naît le 15 octobre 1844 à Röcken, dans le royaume de Saxe (Allemagne orientale). Son père, pasteur luthérien[1], meurt alors que Friedrich n'a que cinq ans. Entouré de sa mère (elle-même fille de pasteur), de sa sœur Élisabeth et de deux tantes aux mœurs sévères, il passe une enfance et une adolescence calmes et pieuses.

En octobre 1858, obtenant une bourse de la ville de Naumburg, Nietzsche entre au collège de Pforta pour y poursuivre ses études secondaires. Ce collège est réputé pour la qualité de son enseignement en langue et en littérature allemandes, mais on y fait surtout l'étude des **humanités**. Les premiers contacts avec le théâtre et la philosophie des Grecs seront déterminants pour le jeune Nietzsche.

En septembre 1864, Nietzsche entreprend des études en **théologie** et en **philologie** classique (grec ancien et latin), d'abord à l'université de Bonn, puis à Leipzig. Un seul de ses professeurs fait impression sur lui : le philologue Ritschl. Nietzsche s'intéresse aux leçons de Ritschl parce que celui-ci ne fait pas que présenter l'histoire des formes littéraires gréco-romaines, il aborde aussi l'étude de la pensée et des institutions de l'Antiquité. Inspiré par son maître, Nietzsche se met à la tâche de découvrir les sources de Diogène Laërce (début du IIIᵉ siècle apr. J.-C.), le grand historien des philosophes grecs. Il passe de nombreux mois à chercher, à scruter, à déchiffrer des documents. Le 1ᵉʳ août 1867, il dépose son essai qui porte en exergue cette maxime évocatrice de l'œuvre à venir : «Tu dois devenir ce que tu es[2].» Cet ouvrage lui vaut le premier prix du concours annuel de l'université de Leipzig.

Pendant ces années de formation, la lecture de l'ouvrage d'Arthur Schopenhauer (1788-1860) *Le Monde comme volonté et comme représentation* (1818) marque profondément Nietzsche. Il n'approuvera pas les thèses défendues par Schopenhauer, mais il s'inspirera de certains thèmes traités par ce dernier, dont la «volonté absolument libre» et le «vouloir-vivre». À cette époque, Nietzsche prend aussi connaissance de la philosophie d'Emmanuel Kant (1724-1804), fondateur d'une morale du devoir; il s'intéresse également au rationalisme expérimental[3] anglais, selon lequel la connaissance doit n'être fondée que sur les faits et l'expérimentation.

Nietzsche doit interrompre ses études pour faire son service militaire. Le 9 octobre 1867, il entre au 4ᵉ régiment d'artillerie de campagne. Dans une lettre écrite à cette époque, il dit apprécier cette nouvelle vie, car elle nécessite «un appel constant à l'énergie de l'individu» et constitue «un contrepoison décisif à l'érudition froide, étroite, pédante». Cependant, au mois de mars 1868, Nietzsche subit un grave accident de cheval au cours d'un exercice de cavalerie. Cet accident est suivi d'une longue convalescence qui met un terme à son service militaire. Le 19 octobre 1868, il est de retour à Leipzig pour y terminer ses études.

Humanités (les)
Étude de la langue et de la littérature grecques et latines.

Théologie
«Étude des questions religieuses fondée principalement sur les textes sacrés, les dogmes et la tradition» (*Le Petit Robert*).

Philologie
«Étude d'une langue par l'analyse critique des textes» (*Le Petit Robert*).

---

1. Notons que la conception de l'être humain prônée par Luther (1483-1546) et par Calvin (1509-1564) s'appuyait sur le principe que le bonheur de l'homme ne devait pas être considéré comme le but de la vie terrestre, qui devait être consacrée aux œuvres pieuses et vertueuses, au développement de ses talents pour le bien commun, dans le respect des autorités et dans l'attente (non assurée) d'une récompense céleste.

2. Ces mots sont du poète grec Pindare (−518 à −438).

3. Voir, dans le chapitre 3, la section «L'avènement du rationalisme expérimental» (au XVIIIᵉ siècle).

Hellénisme

Ensemble de la civilisation grecque, plus particulièrement le siècle de Périclès (v. −495 à −429), qui marqua le triomphe de l'hellénisme.

Apollon, dieu de la lumière et de la clarté, est le fils de Zeus, le dieu suprême du polythéisme grec. Incarnant l'idéal grec de la beauté, il symbolise la mesure, l'ordre et l'harmonie.

Dans la mythologie grecque, Dionysos est le dieu de l'ivresse, du rire, de l'exaltation et de la démesure.

La vision tragique grecque proposait le portrait d'un homme ayant le courage d'assumer le destin implacable et le tragique de la vie avec ses contradictions et ses douleurs.

Femme libre et intellectuellement douée, Lou Andreas-Salomé (1861-1937) a publié une vingtaine d'ouvrages et une centaine d'articles traitant principalement d'art et de littérature, de religion et de psychologie. Elle est devenue, dans la cinquantaine, une disciple, confidente et correspondante de Freud, fondateur de la psychanalyse (voir le chapitre 6).

Lou Andreas-Salomé est sans doute une des femmes les plus importantes dans la vie de Nietzsche.

Le 12 février 1869, Nietzsche obtient un poste de professeur de langue et de littérature grecques à l'université de Bâle. Au même moment, passionné par la musique et lui-même bon pianiste et improvisateur, il se lie d'amitié avec Richard Wagner (1813-1883), chez qui il admire le génie musical, le sens du tragique et la volonté héroïque à l'œuvre dans ses opéras. Cette amitié ne durera toutefois que quelques années.

En 1872, Nietzsche publie *La Naissance de la tragédie*. Cet ouvrage porte un regard neuf sur l'Antiquité grecque. La culture hellénique n'est pas seulement constituée de l'art **apollinien,** qui véhicule la sérénité, l'harmonie, la « juste mesure » et la sagesse rationnelle. Nietzsche montre que l'**hellénisme** a aussi donné naissance à la tragédie (Eschyle, Sophocle, etc.), qui, sur un fond **dionysiaque,** met en scène l'homme luttant contre un destin implacable. Selon Nietzsche, la tragédie grecque réunit de façon sublime l'esprit dionysiaque et l'esprit apollinien. Mais vient la philosophie grecque rationnelle (représentée par les présocratiques, Socrate, Platon, etc.) qui remplacera la **vision tragique,** source de dépassement de soi. *La Naissance de la tragédie* perturbe l'interprétation traditionnelle de la civilisation hellénique et, conséquemment, ne fait pas l'unanimité parmi les philologues de l'époque. Nietzsche est fortement contesté ; sa réputation professionnelle est ébranlée.

Nietzsche a trente ans et il souffre d'incessants maux de tête et de troubles oculaires. Au printemps 1879, il se voit obligé de quitter son poste de professeur. Dès lors, recherchant un climat favorable à sa santé précaire ainsi qu'à l'éclosion de son œuvre, il entreprend de nombreux voyages en Suisse, en France et en Italie. Ces neuf années d'errance correspondent à une période fébrile de création où le philosophe solitaire et souffrant arrive à un sommet de fécondité intellectuelle. Il écrit coup sur coup *Humain trop humain*, *Le Voyageur et son ombre*, *Aurore*, *Le Gai Savoir*, *Ainsi parlait Zarathoustra*, *Par-delà le bien et le mal*, *La Généalogie de la morale*, *Le Cas Wagner*, *Le Crépuscule des idoles*, *L'Antéchrist*, *Nietzsche contre Wagner* et *Ecce homo* (qui ne paraîtra qu'en 1908).

À la fin de mars 1882, Nietzsche fait la connaissance de **Lou Andreas-Salomé,** une belle et brillante Russe dont il devient éperdument amoureux. Mais Lou ne l'aime pas, lui préférant son ami le poète et philosophe Paul Rée (1849-1901). Nietzsche sortira meurtri de cet imbroglio sentimental qui éclate en octobre 1883.

Les principaux traits de la personnalité de Nietzsche – ainsi qu'une importante analyse de son itinéraire intellectuel fait de ruptures et de dépassements incessants – nous sont révélés par Lou Andreas-Salomé dans le premier livre (Vienne, 1894) qui lui fut consacré. Nietzsche y est décrit comme un homme ambivalent.

D'une part, « [ses] gestes, et d'une façon générale, tout son maintien, donnaient une impression de silence et de réserve. Il ne se départait jamais d'une grande courtoisie et d'une douceur presque féminine[4] ».

---

4. Lou ANDREAS-SALOMÉ, *Friedrich Nietzsche*, Paris, Réimpressions Gordon et Breach, 1970, p. 17.

Cependant, Lou Andreas-Salomé dit également de lui qu'il était «l'homme des extrêmes» : autant son tempérament se caractérisait par la douceur et la bienveillance, autant il pouvait être fougueux, exalté et violent.

En ce qui concerne son œuvre philosophique, que dire de son style et de sa forme littéraire ? Dans une très large mesure, Nietzsche rompt avec la tradition philosophique de l'exposé suivi (comme chez Descartes) pour adopter plutôt la forme **aphoristique** de «pensées détachées». En effet, ses ouvrages sont très souvent constitués de courts paragraphes formant un tout en eux-mêmes et sans liens logiques explicites avec les paragraphes qui précèdent et qui suivent. Quant à son style, on trouve un peu de tous les tons et de toutes les manières littéraires chez cet auteur : tantôt analyse sobre d'un scientifique, tantôt emportement indigné d'un «redresseur de torts», tantôt harangue d'un prophète visionnaire, tantôt cri du cœur d'un poète lyrique, tantôt provocation d'un batailleur de rue... Si l'on ajoute à cela le fait que Nietzsche recourt volontiers à des métaphores et à des paraboles, et qu'il éprouve un certain goût pour les énigmes et les paradoxes, on comprendra que son œuvre peut présenter, sur un point ou sur l'autre, quelques difficultés d'interprétation.

> **Aphoristique**
> Qui se rapporte à l'aphorisme, consistant à exprimer des idées de façon concise et parfois lapidaire.

Le 3 janvier 1889, Nietzsche est terrassé par une crise de folie[5]. Dorénavant, ce ne sera plus que délires, convulsions et paralysie progressive. Il n'écrira plus jamais. La maladie l'enferme dans un mutisme presque complet. Il est d'abord interné dans une maison de santé à Iéna. Par la suite, sa mère et sa sœur le soigneront pendant onze ans. Nietzsche meurt à Weimar le 25 août 1900 sans savoir qu'il est devenu célèbre.

Le nihilisme

Par ses écrits, Nietzsche s'est fait le dénonciateur d'un nihilisme «passif» et l'annonciateur passionné d'un nihilisme «actif». De quoi s'agit-il au juste ?

L'État allemand, sorti vainqueur des guerres contre l'Autriche (1866) et contre la France (1870), prétendait servir de modèle de civilisation à l'Europe. Cet esprit allemand devait donner l'exemple de hautes vertus patriotiques, morales et artistiques. Or, il n'en fut rien. L'Allemagne sombre dans l'exaltation nationaliste, la bureaucratie, l'obsession technique, le petit bonheur du confort matériel. Au lieu d'offrir des valeurs nouvelles et nobles, cette Allemagne ne fait qu'incarner, aux yeux de Nietzsche, la décadence morale de l'Europe tout entière.

Le nihilisme passif

Nietzsche affirme que l'humanité européenne de son époque souffre d'un nihilisme passif, symptôme de la décadence de cette civilisation. Ce nihilisme – qu'il condamne vigoureusement – est une attitude qui, dans l'histoire, s'est caractérisée d'abord par la croyance en des valeurs supérieures. Selon Nietzsche, cette croyance en un monde idéal témoigne précisément de la négation de celui dans lequel l'être humain se trouve. L'expression «nihilisme» veut dire essentiellement que la vie terrestre n'est rien, car seules comptent les valeurs auxquelles l'homme aspire. Mais quelles sont ces valeurs et que représentent-elles, selon Nietzsche ?

 Les valeurs supérieures [comme la Vérité, le Bien] au service desquelles l'homme devait vivre, surtout quand elles disposaient de lui au prix de lourdes peines : ces valeurs sociales, on les a, en vue de leur amplification, érigées au-dessus de l'homme, comme

---

5. Quelle a été la cause de cette démence ? Nous ne le saurons sans doute jamais avec assurance, mais plusieurs commentateurs croient qu'il s'agissait d'une méningite syphilitique contractée dès 1865.

si elles étaient les commandements de Dieu, en tant que la «réalité», en tant que le monde «vrai», en tant qu'espoir et avenir du monde[6].

Rejetant à regret le fondement **transcendant** des valeurs dites supérieures auxquelles il croyait, le *Dernier Homme*[7] entre alors dans un processus de dépréciation de ses anciennes valeurs et de leur hiérarchie. Ne sachant plus désormais à quelles valeurs s'accrocher, le Dernier Homme en vient à penser que tout est vain, que tout est dénué de sens et de but. Or, si plus rien n'a de sens, aucune valeur ne peut prétendre être supérieure à une autre: **tout est égal, tout se vaut.** Une telle attitude relativiste incite à être pessimiste, à considérer que tout est absurde, à vivre une grande lassitude, à plonger dans le confort et l'indifférence consistant à croire qu'il ne sert plus à rien de se demander «pourquoi?». Aux yeux de Nietzsche, ce nihilisme décadent constitue «la pensée la plus paralysante qui soit[8]». Il faut renverser et dépasser ce nihilisme passif, et le remplacer par un nihilisme actif.

> Ne peut-on voir dans le nihilisme décrié par Nietzsche les signes avant-coureurs du nihilisme actuel (appelé aussi «relativisme»), qui considère qu'une opinion en vaut une autre, qu'aucune valeur ou aucun idéal n'est supérieur à un autre?

Le nihilisme actif

Nietzsche recommande un nihilisme actif ou «extatique» qui, au lieu de s'apitoyer passivement sur l'absence de sens, s'instaure lui-même comme une dissolution, une destruction volontaire et active des anciennes tables de valeurs.

Les principales tables de valeurs qui fondent la civilisation européenne et qui, selon Nietzsche, doivent être fracassées sont celles que véhiculent:

1. le christianisme, qui valorise de petites vertus[9] comme la charité, le devoir, l'espérance, l'humilité, la pitié et le **ressentiment**: «La foi chrétienne, dans son principe, est sacrifice de l'esprit, de toute sa liberté, de tout son orgueil, de toute confiance en soi; par surcroît, elle est asservissement, risée et mutilation de soi[10]»;

2. l'ascétisme, qui considère que le développement moral ne se fait qu'au prix d'une lutte contre les exigences du corps, les valeurs d'austérité, de mortification, de pénitence et de privation étant dès lors encouragées;

3. le **scientisme**, qui ne croit qu'en ce qui est exact, vérifiable, mesurable, et en ce qui s'exprime dans des lois universelles, l'objectivité devenant alors le seul critère qui permette une représentation fidèle de la réalité;

4. le **rationalisme**, qui accorde à la raison seule le pouvoir de connaître et qui met en avant une valeur unique: la Vérité;

5. une certaine conception, à la fois philosophique et politique, de la liberté.

Au sujet du rationalisme, Nietzsche s'oppose particulièrement à toutes les systématisations rationalistes (dont celle de Descartes), qui comportent un

---

Transcendant

Du latin *transcendere*, «s'élever au-dessus de». Caractère de ce qui est supérieur, de ce qui appartient à un degré plus élevé. Par exemple, Dieu est transcendant au monde et aux êtres immanents.

Ressentiment

Souvenir rancunier des torts qu'on a subis. Amertume.

Scientisme

Attitude dogmatique qui considère la «science» (en particulier les sciences physicochimiques) comme étant le seul modèle de connaissance valable qui réussira à supprimer la part d'inconnu dans le monde et dans l'homme.

Rationalisme

Doctrine d'après laquelle toute connaissance certaine provient de la raison. Conséquemment, selon cette philosophie, l'esprit humain possède la faculté de former des concepts et des principes rationnels lui permettant de rendre intelligibles et compréhensibles les choses et les êtres. Les idées et les jugements seraient soit innés, soit construits par l'esprit; ils ne découleraient pas des données de l'expérience.

---

6. Friedrich NIETZSCHE, *Le Nihilisme européen*, trad. Angèle Kremer-Mariatti, Paris, Union Générale d'Éditions, coll. «10-18», 1976, p. 173-174.

7. Nous reparlerons plus loin du *Dernier Homme*, de *l'homme du commun* ou de *l'homme du ressentiment*. Ces trois dénominations renvoient à un seul et même homme: l'homme de la fin du XIXe siècle. Selon Nietzsche, cet homme est incapable de supporter la vie dans sa réalité sensible; il évite tous les risques et se contente de son plat bonheur.

8. *Le Nihilisme européen*, p. 156.

9. L'analyse critique que fait Nietzsche de certaines de ces «petites vertus» sera présentée dans la section «La mort de Dieu».

10. Friedrich NIETZSCHE, *Par-delà le bien et le mal*, trad. Geneviève Bianquis, Paris, Union Générale d'Éditions, coll. «10-18», 1967, p. 72.

excès de confiance dans les pouvoirs de la raison humaine. En effet, pour notre penseur, la raison est un sous-produit de la vie, créée par celle-ci comme outil de survie. Or, oubliant les origines et les limites de la raison, on a édifié artificiellement sur ses prétentions illusoires un «monde-vérité» (Dieu, l'esprit, les «idées pures», la nature, la liberté, la justice, etc.) qu'on a opposé et super-posé au monde sensible qualifié de «monde des apparences», considéré comme plus ou moins illusoire, mensonger, dangereux et méprisable :

> La «vérité» n'est pas quelque chose qui est là et qu'il faut trouver et découvrir, – mais quelque chose qu'il faut créer, qui donne son nom à une opération, mieux encore à la volonté de remporter une victoire, volonté qui, par elle-même, est sans fin : intro-duire la vérité, c'est un processus *ad infinitum*, une détermination active, – et non point la venue à la conscience de quelque chose qui serait fixe et déterminé[11].

Arrêtons-nous un peu plus longuement à l'analyse critique que Nietzsche pro-pose de la liberté. D'abord, le philosophe critique impitoyablement la notion tra-ditionnelle de libre arbitre. Le libre arbitre serait le pouvoir de se placer, pour ainsi dire, au-dessus de tout **déterminisme** biologique, psychologique ou social, et de se décider à agir par un acte de volonté qui ne serait finalement produit que par la pure initiative du **sujet**, et non par quelques causes étrangères ou quelques motifs contraignants.

Pour Nietzsche, il est clair qu'un tel pouvoir constitue une *illusion*. Cette illu-sion s'explique de diverses manières. Elle s'explique avant tout – comme le pensait déjà Baruch Spinoza au XVIIᵉ siècle – par l'*ignorance des mécanismes* à l'œuvre dans la prise de décision, ignorance qui nous fait croire à une spontanéité là où en fait il n'y a qu'imprévisibilité. Elle s'explique aussi par le *sentiment de supériorité* provenant de la croyance erronée que je puis commander et être obéi automatiquement par moi-même ou encore par le *sentiment de facilité* qui accom-pagne la pensée, par contraste avec la difficile résistance des choses, des événe-ments ou des suites de l'action, jugés ainsi «non libres».

Cela dit, à ces considérations psychologiques, Nietzsche ajoute des explica-tions de nature historique. Il écrit, par exemple, que la notion de libre arbitre est une invention des théologiens, nécessaire corollaire de la notion de péché : qui dit «libre arbitre» dit «responsabilité» et «culpabilité», perte de l'état d'innocence de l'homme face à ses «instincts» devenus suspects, hantise de la punition (l'en-fer), torture de la conscience (ai-je vraiment «consenti» ?).

En ce qui concerne les libertés politiques, Nietzsche considère qu'une fois en place les **institutions libérales** et les droits démocratiques (droit de vote, liberté de parole, par exemple) «minent sourdement la *volonté de puissance*[12]» et favorisent l'«abêtissement grégaire[13]». Ces libertés acquises encouragent le nivellement, l'in-signifiance, l'indifférence et le relativisme nihiliste. Cependant, tant que ces insti-tutions et ces droits sont des enjeux de lutte, et qu'il faut se battre pour leur obtention, l'idée politique de liberté permet, selon Nietzsche, l'affirmation et le développement de ce qu'il y a de fort dans la vie.

Déterminisme
« Ordre des faits suivant lequel les conditions d'existence d'un phénomène sont déterminées, fixées absolument de telle façon que, ces conditions étant posées, le phénomène ne peut pas ne pas se produire » (*Le Petit Robert*).

Sujet
Être individuel, concret, singulier, défini comme une intériorité possédant des qualités personnelles et considéré comme l'auteur de ses actes.

Institutions libérales
Ensemble des structures sociales, politiques et économiques établies par la loi (le droit public), en régime démocratique.

11. Friedrich NIETZSCHE, *La Volonté de puissance. Essai d'une transmutation de toutes les valeurs*, trad. Henri Albert, Paris, Librairie Générale Française, coll. «Le Livre de poche/Classiques de philoso-phie», 1991, p. 310.

12. La volonté de puissance est un concept fondamental de la conception nietzschéenne de l'être humain. Il sera présenté plus loin dans une section distincte.

13. Friedrich NIETZSCHE, *Le Crépuscule des idoles*, trad. Jean-Claude Hemery, Paris, Gallimard, coll. «Idées», nᵒ 384, 1977, p. 124-126.

> Socrate a été le premier philosophe occidental à imposer la raison et la vérité comme sources de la vertu et du bonheur.

Nietzsche veut renverser toutes ces tables de valeurs décadentes. Il cherche à édifier une culture nouvelle en procédant à une transmutation radicale des idéaux, des valeurs, des idoles éternelles qui fondent la civilisation européenne depuis **Socrate** (−470 à −399). De là vient le titre du présent chapitre : «Nietzsche ou la philosophie à coups de marteau». L'expression «philosopher à coups de marteau[14]» peut être interprétée dans le sens d'une critique radicale qui fracasse les idoles et les faux dieux afin de procéder à la construction et à l'affirmation de son propre vouloir.

La philosophie nietzschéenne conteste donc la tradition philosophique, qui assujettit l'homme à des principes extérieurs à lui-même. Pour Nietzsche, ce n'est pas la recherche de la vérité ou du bien (telle que poursuivie par Descartes) qui doit animer l'être humain ; ce sont les passions du vouloir-vivre. D'ailleurs, à y regarder de près, la recherche des grands idéaux traditionnels a toujours été motivée par des intérêts vitaux...

La tradition philosophique occidentale et le christianisme ont trop longtemps surestimé la raison au détriment du corps, dans le but (avoué ou non) de maîtriser les passions. Pour retrouver la source de vie originale, Nietzsche renverse ce schéma millénaire en réhabilitant chez l'être humain «les anciens instincts qui jusqu'ici faisaient sa force, sa joie et son caractère redoutable[15]».

Conception de l'être humain

Idéaliste

Se dit de la tendance philosophique qui réduit toute existence à la pensée : soit que les idées ont plus d'être que le monde sensible, soit que ce dernier n'a de réalité que dans la conscience que nous en avons.

Instinctuel

Qui appartient à l'instinct, forte impulsion conduisant à agir d'une manière conforme à la nature de l'homme, tendance innée, commune à tous les hommes.

Le dépassement de soi dans l'affirmation de ses instincts, de ses désirs et de ses passions

Les grandes philosophies **idéalistes** ainsi que la morale judéo-chrétienne ont, sous une forme ou sous une autre, valorisé le monde de l'esprit et condamné le monde sensible. Par exemple, la philosophie de Descartes, en postulant le *cogito*, fait de la pensée l'essence de l'homme. Descartes n'accorde aucun crédit à la connaissance issue des sens et il nous recommande de maîtriser nos passions. Le dogme chrétien, quant à lui, apparente le monde vrai à un royaume de Dieu comme ultime récompense d'une vie terrestre vertueuse. En associant le péché au corps et en réprouvant toutes les joies autres que spirituelles, la morale chrétienne, selon Nietzsche, poursuit depuis vingt siècles un unique objectif : le dressage de l'homme **instinctuel** et, conséquemment, la production de l'*homme du ressentiment*.

L'homme du ressentiment

Si la philosophie idéaliste, la religion et la morale ont ainsi dévalorisé les sens et les instincts, c'est par faiblesse et décadence, pense Nietzsche. Éliminer de la vie les sentiments, les passions et les pulsions demeure la solution à laquelle recourent les volontés faibles et dégénérées. C'est vouloir produire un type d'homme «faible» qui se coupe d'une partie importante de lui-même, de la part la plus concrète, soit le sensible. Précisons tout de suite que, chez Nietzsche, la notion de faible ne désigne pas quelqu'un qui serait opprimé socialement et économiquement, ou encore handicapé physiquement ou mentalement ; ce concept fait plutôt référence à un type d'homme domestiqué, soumis à des valeurs petites, tristes,

---

14. «Comment philosopher à coups de marteau?» est le sous-titre d'un ouvrage de Nietzsche intitulé *Le Crépuscule des idoles* (1888).

15. Friedrich NIETZSCHE, *La Généalogie de la morale*, trad. Henri Albert, Paris, Gallimard, coll. «Idées», 1969, p. 121.

mesquines, coupables et rancunières. Il s'agit en fait de l'*homme du ressentiment,* du *Dernier Homme* ou de l'*homme du commun,* qui éprouve de l'amertume, de la rancœur face à la vie. Il renonce à tout ce qui demande de la maîtrise, à tout ce qui est changeant et **équivoque** : le corps, les sens et les passions. À l'endroit de tout ce qui est fort, créateur, exceptionnel, il se montre envieux, méprisant et accusateur. N'ayant pas le courage d'assumer l'existence terrestre, l'homme du ressentiment réclame des certitudes toutes faites, intemporelles et immuables. Incapable d'affronter les forces multiples et contraires de la vie, il préconise « la vie intérieure » et le repliement timide sur soi. Nietzsche condamne avec vigueur l'homme du ressentiment.

Équivoque
Qui est porteur
d'ambiguïté, d'ambivalence.

L'homme du corps

À l'opposé de la « petite vie » de l'homme du ressentiment, Nietzsche plaide en faveur d'un accroissement de la vie. Il se porte à la défense du « sens de la terre » que procure le corps.

C'est le corps qui définit essentiellement l'homme : « Je suis corps tout entier et rien d'autre[16]. » Je n'ai pas un corps, je suis mon corps. Nietzsche traite du corps comme d'un « Soi » (*das Selbst*) qui constitue « une grande raison », alors que la pensée consciente généralement associée au moi n'est qu'« une petite raison [...], n'est qu'un instrument de ton corps, et un bien petit instrument, un jouet de ta grande raison [le corps][17] ».

Le corps est une grande raison en ce sens qu'il est un guide assuré. On peut s'y fier, s'en servir comme d'une raison qui nous indique notre propre vérité. Les raisons d'agir du corps sont vraies et authentiques ; notre corps juge bien ce qui nous rend heureux : l'actualisation de nos désirs et de nos pulsions.

Nietzsche se porte donc à la défense du corps, car c'est lui qui est le maître du moi (l'esprit, la conscience). Le corps ne ment pas sur ses besoins et désirs. Mon corps a soif, il a faim, il est fatigué : il le ressent, il le « sait ». L'unique souci du corps est de vivre. Et vivre, c'est plonger dans l'abondance chaotique de forces et de contradictions que la vie recèle en son sein ; c'est accorder le droit de cité aux instincts et aux passions que les morales ont depuis longtemps réprouvés sous prétexte que l'animalité de l'homme l'empêchait d'accéder à l'au-delà. Or, puisque aucun monde suprasensible ne se superpose au monde terrestre, l'objectif de l'être humain, selon Nietzsche, est d'accroître toutes les forces créatrices de la vie qui dorment en lui et qui sont sources de dépassement de soi. Pour lui, ces forces instinctives constituent la seule réalité puisqu'elles sont le triomphe de la vie sur la mort. Il s'agit de vivre sa vie en écoutant la voix de son corps, en se dépensant sans retenue ni avarice, loin du souci de se conserver. « Osez donc d'abord croire en vous-mêmes, dit Nietzsche – en vous-mêmes et en vos entrailles ! Quiconque n'a pas foi en lui-même ment toujours[18]. »

La mort de Dieu

La condition nécessaire à un tel dépassement de soi par l'affirmation de ses désirs, instincts et passions implique toutefois l'obligation de « faire mourir Dieu », c'est-à-dire de nier l'existence d'un Dieu, maître suprême qui fonde la Morale.

---

16. Friedrich NIETZSCHE, *Ainsi parlait Zarathoustra,* trad. Maurice Betz, Paris, Gallimard, coll. « Le Livre de poche classique », 1965, p. 44.

17. *Ibid.,* p. 44.

18. *Ibid.,* p. 145.

Mon moi, écrit Nietzsche, m'a enseigné une nouvelle fierté, je l'enseigne aux hommes : ne plus enfouir leur tête dans le sable des choses célestes, mais la porter fièrement, une tête terrestre qui crée les sens de la terre[19]!

Selon Nietzsche, Dieu – plus précisément le Dieu de la Bible et du christianisme – doit être nié parce qu'Il est à l'origine de morales d'esclaves fondées sur de petites valeurs telles que la patience et la résignation, qui commandent d'accepter les contraintes et les misères de l'existence ; l'humilité, qui, en réprimant tout mouvement d'orgueil, conduit à l'abaissement volontaire de soi devant sa propre faiblesse ou insuffisance ; la charité, qui appelle au sacrifice de soi, voire à l'oubli de soi ; l'espérance en un monde surnaturel, inventé de toutes pièces, venant après la vie terrestre, qui nous libérerait enfin de notre souffrance et de notre impuissance. En somme, Dieu et ses morales instituées assoient leur souveraineté sur la faiblesse et sur l'ignorance des hommes.

Sous la domination d'un Dieu tout-puissant, ces morales s'édifient sur la base d'un nivellement des esprits («l'esprit de troupeau», dit Nietzsche) : la même doctrine pour tous à laquelle chacun doit se soumettre sans esprit critique. Ces morales empêchent l'expression des valeurs individuelles fortes. Elles font de l'homme un être bonasse qui s'est coupé de la vie.

D'ailleurs, ces morales impliquent généralement l'obéissance passive et la soumission aveugle à des dogmes et à des règles qui briment l'expression des instincts, des désirs et des passions, bref qui nient la vie. En ce sens, elles ne peuvent convenir qu'aux «malades et moribonds qui ont méprisé le corps et la terre[20]». Les individus qui veulent s'inventer et se créer audacieusement, qui veulent faire coïncider en eux leur être (c'est-à-dire ce qu'ils sont profondément) et leur devenir (c'est-à-dire le désir d'être plus), n'accepteront plus d'être sous le joug d'un Dieu, maître de leur destinée. Ils cesseront de croire non seulement en Dieu, mais également en tous les maîtres, en toutes les idoles, afin de pouvoir s'appartenir pleinement, de pouvoir être «ce moi qui crée, qui veut, qui donne la mesure et la valeur des choses[21]».

Il faut donc cesser de croire en Dieu, fondement de la morale, si l'on veut rester fidèle à la vie, aux instincts, aux désirs et aux passions au-delà du bien et du mal. Une précision s'impose ici. Nietzsche valorise l'exaltation des sentiments et l'ivresse de la vie, l'effervescence du corps et des instincts parce que ces derniers correspondent à une énergie vitale, à une force de vie qui permet l'affirmation et le dépassement de soi dans la création[22]. Mais il ne nous invite pas à extérioriser brutalement ou à déchaîner anarchiquement les forces de vie contenues en nous par une frêle pellicule de civilité. Au contraire, il nous exhorte à les diriger de manière qu'elles s'expriment comme «volonté de puissance» unifiée.

La volonté de puissance

La volonté de puissance constitue le concept-clé de la vision nietzschéenne de l'être humain. Mais il faut prendre garde de ne pas l'interpréter au premier degré. La volonté de puissance ne correspond pas, par exemple, à un désir de dominer

---

19. *Ibid.*, p. 42.

20. *Ibid.*, p. 42.

21. *Ibid.*, p. 42.

22. Voir plus loin «Le surhumain est libre et créateur».

psychologiquement les autres en les écrasant de sa supériorité intellectuelle. Il ne s'agit pas non plus de souhaiter être le maître du monde ou devenir puissant, mais d'exercer la puissance de sa volonté, d'être plus fort, autrement dit de vouloir avec force sa propre progression. La force dont parle Nietzsche se situe « en dehors de toutes les conventions sociales » :

> Les plus forts [sont] les plus modérés, ceux qui n'ont pas besoin de dogmes extrêmes, ceux qui non seulement admettent, mais aiment aussi une bonne part de hasard, de non-sens. Ceux qui peuvent songer à l'homme, en réduisant quelque peu sa valeur, sans qu'ils se sentent par là diminués et affaiblis [...] – des hommes qui sont certains de leur puissance et qui, avec une fierté consciente, représentent la force à laquelle l'homme est parvenu[23].

La volonté de puissance est la possession de soi et le surpassement de soi

La volonté de puissance, c'est la volonté de possession de soi pour mieux se surpasser soi-même. Cet « acte de se surmonter soi-même » permet à l'individu de découvrir son être propre. Et d'après Nietzsche, l'être humain devient ce qu'il est profondément en osant vivre un « égoïsme souverain ». Car, pour s'affirmer soi-même, il ne faut penser qu'à soi, il faut tout subordonner à son intérêt et à son développement individuels. Il faut trouver que :

> Le fruit le plus mûr de l'arbre est l'individu souverain, l'individu qui n'est semblable qu'à lui-même, l'individu affranchi de la moralité des mœurs, l'individu autonome et supermoral (car « autonome » et « moral » s'excluent), bref l'homme à la volonté propre, indépendante et persistante, l'homme qui peut promettre, – celui qui possède en lui-même la conscience fière et vibrante de ce qu'il a enfin atteint par là, de ce qui s'est incorporé en lui, une véritable conscience de la liberté et de la puissance, enfin le sentiment d'être arrivé à la perfection de l'homme[24].

Les notions d'appropriation, de force, de conquête, de lutte, de prépondérance et de croissance colorent la volonté de puissance nietzschéenne. L'« acte de se surmonter soi-même » possède, en effet, une double signification : combattre les obstacles qui s'opposent à ce que l'individu devienne ce qu'il est vraiment et, ce faisant, passer à une forme supérieure d'être. En d'autres mots, je lutte pour devenir ce que je suis et je travaille à être plus.

Concrètement, l'actualisation de la volonté de puissance implique deux stades : le rejet des « tu dois » et la création de valeurs nouvelles.

La volonté de puissance est le rejet des « tu dois »

Il faut rejeter catégoriquement toutes les lois morales, toutes les règles et prescriptions morales, bref tous les « tu dois » qui nous ont été enseignés. Nietzsche nous exhorte à nous libérer des lois morales qui nous ont été imposées afin que nous puissions nous appartenir en propre.

Pour quelle raison Nietzsche s'oppose-t-il à tous ces « tu dois » ? Parce qu'ils conduisent à une « tyrannie et à un arbitraire [...] qui inculquent le besoin des horizons limités[25] ». Dans tous les cas, les innombrables « tu dois » et « tu ne dois pas » proviennent de ce que Nietzsche appelle « la morale *contre nature*, c'est-à-dire presque toute morale enseignée, honorée, prêchée jusqu'à ce jour *contre* les instincts

Arbitraire
Règle non fondée et artificielle présentée comme un absolu.

23. *La Volonté de puissance. Essai d'une transmutation de toutes les valeurs*, p. 48.

24. *La Généalogie de la morale*, p. 78-79.

25. *Par-delà le bien et le mal*, p. 113.

de la vie [...] Elle est une *condamnation*, tantôt secrète, tantôt brutale et fracassante, de ces instincts[26]». Cette morale correspond à une *éthique du troupeau* fondée sur de petites valeurs qui s'adressent à de petites gens. Il est évident que cette morale et ses nombreux «tu dois» forment des contraintes qui rétrécissent les perspectives de la liberté.

> Zarathoustra était un prophète et un réformateur religieux iranien qui aurait vécu au VIe siècle avant notre ère. Sa doctrine se caractérisait par une conscience aiguë du bien et du mal, et par la notion de choix moral. Dans *Ainsi parlait Zarathoustra*, Nietzsche se sert du personnage (il est Zarathoustra) pour dénoncer les valeurs millénaires de la morale établie, pour affirmer la transformation totale des valeurs et la nécessité du dépassement de soi.

La volonté de puissance est la création de valeurs nouvelles

La volonté est créatrice, – ainsi parle **Zarathoustra.** Tout ce «qui fut» est fragment, énigme et cruel hasard, – jusqu'à ce que la volonté créatrice ajoute: «Mais c'est là ce que j'ai voulu.» – Jusqu'à ce que la volonté créatrice ajoute: «C'est là ce que je veux! C'est ainsi que je le voudrai[27].»

Une telle volonté affirme «la puissance d'un vouloir» qui crée ses propres valeurs sans chercher l'approbation des autres. Ces valeurs ne peuvent naître d'un rationalisme de glace, car, d'après Nietzsche, la volonté rationnelle, lucide et réfléchie a vu le jour grâce au dressage par la société de la *sauvagerie primitive* de l'homme. La volonté de puissance, en n'obéissant qu'à elle-même, retrouve la force, la vigueur et le courage de la sauvagerie primitive. Elle n'accepte pas d'être domptée et transformée en une esclave soumise aux contraintes rationnelles et sociales. Par conséquent, les valeurs nouvelles créées sous son influence intensifieront la volonté de vivre, déborderont d'une énergie vitale, glorifieront la réalisation des instincts au détriment des valeurs de la raison. Méfions-nous de la raison, car elle se veut logique et linéaire; elle fige alors le devenir des choses en une analyse froide et statique!

La vie s'exprime davantage par les instincts que par la raison. Quel qu'il soit, l'instinct est source de liberté, l'instrument de progrès[28].

Un exemple de volonté de puissance

La vie du célèbre écrivain américain Henry Miller (1891-1980) illustre bien la volonté de puissance nietzschéenne. Né dans le quartier populaire de Brooklyn, à New York, Miller ne semble pas promis à un grand destin. Alors qu'il peine à gagner sa vie comme chef des coursiers à la Western Union Telegraph, il décide à trente-trois ans de devenir romancier. Il se rend en France et mène, dans le Paris du début des années 1930, une vie de bohème où il divinise les plaisirs de la chair et de l'esprit réunis. Le monde qu'il côtoie est celui des bas-fonds de la ville: celui des illuminés, des obsédés, des poètes et des prostituées. Il y trouve la liberté, la faim et la misère. Mais rien ne réussit à le détourner de son projet d'écrire qui lui permet de s'appartenir en propre et de n'accepter de servitudes que celles qu'il se serait données lui-même. Homme fort, ardent, passionné, imprévisible, il empoigne la vie et la croque à belles dents. Il ne s'interdit pas de désirer et de jouir en repoussant les civilités, les interdits. Son existence sert de toile de fond à ses romans. Miller écrit comme il vit: avec audace, acharnement, vigueur, dérèglement. Son premier roman, *Tropique du Cancer* (1934), fait scandale. Jugée obscène, l'œuvre de Miller est interdite aux États-Unis pendant plus de trente ans. En 1964, la Cour suprême de l'Illinois autorise la diffusion de *Tropique du Cancer*. La qualité de l'œuvre de Miller est enfin reconnue. Il deviendra le grand Henry Miller.

26. *Le Crépuscule des idoles*, p. 49-50.

27. *Ainsi parlait Zarathoustra*, p. 165-166.

28. *Par-delà le bien et le mal*, p. 69.

La volonté de puissance consiste à affronter avec vigueur les désirs et les pulsions qui habitent notre corps, et non pas à tenter de les contrôler, de les maîtriser comme le recommande Descartes en nous distanciant des passions qui nous animent. Et non pas à tenter de les éliminer ou de les refouler, comme le fait l'homme faible, en inventant l'idée du mal pour expulser de sa vie ces forces dont il a peur. Et non pas, enfin, à nous laisser aller à tous ses caprices et à nous abandonner à tous les plaisirs qui passent : ce serait encore esclavage et faiblesse. Au contraire, il s'agit de déployer ces forces instinctuelles et de les transformer en énergie créatrice comme l'a fait le grand romancier Henry Miller :

> En vérité, [...] il faut aimer la terre comme des créateurs, comme des générateurs, joyeux de créer ! Où y a-t-il de l'innocence ? Là où il y a la volonté d'engendrer. Et celui qui veut créer ce qui le dépasse, celui-là possède à mes yeux la volonté la plus pure[29].

Henry Miller témoigne d'une volonté inébranlable d'être ce qu'il veut être : un écrivain qui exprime ce qu'il pense et ressent.

Cette volonté, pourrait-on ajouter, exige son propre dépassement dans le surhumain.

Le surhumain

« *"Tous les dieux sont morts ; nous voulons à présent que le Surhomme vive !* Que ceci soit un jour, au grand midi, notre suprême volonté !" Ainsi parlait Zarathoustra[30]. » Le surhomme n'est pas un individu, un être suprême ou un gourou qui viendrait sauver le monde. Il représente symboliquement la cime de toute l'humanité. Il évoque le modèle, le portrait de l'être humain idéal. Zarathoustra est le prophète du surhomme ; il annonce la venue d'un nouveau type d'humanité qui n'existe pas encore. Conséquemment, il nous semble préférable d'utiliser l'expression « surhumain » plutôt que celle de « surhomme[31] ». Voyons ses principales caractéristiques.

Le surhumain est l'affirmation de l'individualité

Le surhumain s'oppose de façon absolue à ce que Nietzsche appelle l'homme du commun, c'est-à-dire l'être faible, égalisé et passif, bref l'être totalement réduit à la bête de troupeau. Il correspond à cet état dans lequel j'ai la volonté et le courage de me mettre afin de me dépasser moi-même. De simple humain que je suis, je travaille à devenir plus que ce que je suis. Ce faisant, je me veux unique. Je suis celui qui s'affirme dans son individualité héroïque, qui va au bout de sa différence sans ressentir le besoin d'une ratification venant de l'extérieur, et encore moins le besoin de l'approbation servile de disciples mystifiés.

> Je vous enseigne le Surhomme. L'homme est quelque chose qui doit être surmonté. Qu'avez-vous fait pour le surmonter[32] ?

---

29. *Ainsi parlait Zarathoustra*, p. 144.

30. *Ibid.*, p. 94.

31. De toute façon, les traducteurs utilisent tantôt « surhumain » tantôt « surhomme » ! Notons aussi que le terme allemand ainsi traduit — *Übermensch* — n'a pas de connotation spécifiquement « masculine ».

32. *Ainsi parlait Zarathoustra*, p. 18.

Le surhumain est un hymne à la vie

Le surhumain, affirmant la volonté de puissance dans sa plénitude, est un chant à la gloire de la vie. Il s'emploie à exalter la vie. Il magnifie les pulsions et les passions parce qu'elles constituent justement la source de toute énergie vitale. Le surhumain est l'instinct de vie, la volonté de vivre par excellence ; il est celui qui intensifie la vie. Or, Nietzsche décrit la vie au moyen des termes de création, de force, d'appropriation, de combativité, de rejet de tout ce qui est faible. Vivre, c'est faire sa place et, par sa seule volonté, détrôner toutes les idoles et tous les dieux.

Le surhumain et l'éternel retour

Tandis que les «faibles en vie» et les dénigreurs de la terre se sont souvent consolés de leur manque d'être par la perspective d'un au-delà futur (le ciel pour eux, «justes et victimes»), le surhumain, lui, veut et peut assumer la «terrible révélation» de l'éternel retour des choses.

Cette idée que «tout revient» est d'abord pour Nietzsche le test par excellence de l'amour inconditionnel de la vie. Mais cette idée peut également servir d'inspiration à un art d'agir (et non à une morale d'action, inexistante chez Nietzsche) à la hauteur des exigences de la vie : ce que je vis maintenant est-il assez «vivant» et «créateur» pour que je puisse souhaiter son éternel retour ?

> Que dirais-tu si un jour, si une nuit un démon se glissait jusque dans ta solitude la plus reculée et te dise : «Cette vie telle que tu la vis maintenant et que tu l'as vécue, tu devras la vivre encore une fois et d'innombrables fois ; et il n'y aura rien de nouveau en elle, si ce n'est que chaque douleur et chaque plaisir, chaque pensée et chaque gémissement et tout ce qu'il y a d'indiciblement petit et grand dans ta vie devront revenir pour toi, et le tout dans le même ordre et la même succession — cette araignée-là également, et ce clair de lune entre les arbres, et cet instant-ci et moi-même. L'éternel sablier de l'existence ne cesse d'être renversé à nouveau — et toi avec lui, ô grain de poussière de la poussière !» — Ne te jetterais-tu pas sur le sol, grinçant des dents et maudissant le démon qui te parlerait de la sorte ? Ou bien te serait-il arrivé de vivre un instant formidable où tu aurais pu répondre : «Tu es un dieu, et jamais je n'entendis choses plus divines !» Si cette pensée exerçait sur toi son empire, elle te transformerait, faisant de toi, tel que tu es, un autre, te broyant peut-être : la question posée à propos de tout, et de chaque chose : «*voudrais-tu ceci encore une fois et d'innombrables fois ?*» pèserait comme le poids le plus lourd de ton agir ! Ou combien ne te faudrait-il pas témoigner de bienveillance envers toi-même et la vie, pour ne désirer plus rien que cette dernière, éternelle confirmation, cette dernière, éternelle sanction[33] !

Amoureux de la vie, sans rechercher aucune échappatoire, le surhumain est capable de désirer et d'assumer l'éternel retour de toutes choses, y compris de tous les instants de sa vie. Ainsi, le surhumain réconcilie le temps terrestre, qu'il vit entièrement, et l'éternité, que les religions et une grande part de la tradition philosophique avaient dissociés et opposés.

Par ailleurs, cette intuition nietzschéenne de l'éternel retour veut mettre l'individu face à l'entière responsabilité de ses actes terrestres : ce que je vis maintenant est-il assez porteur de sens pour que je puisse vouloir le reproduire une infinité de fois ? Selon Nietzsche, je dois privilégier uniquement les expériences qui, à mes yeux, mériteraient d'être répétées à l'infini. L'éternel retour place donc le surhumain devant l'exigence du dépassement de soi dans la plénitude de l'instant.

---

33. Friedrich NIETZSCHE, *Le Gai Savoir*, trad. Pierre Klossowski, Paris, Union Générale d'Éditions, coll. «10-18», 1973, p. 330-331.

Le surhumain est élitiste

Le surhumain est élitiste dans la mesure où il pense que «toute élévation du type humain a toujours été et sera toujours l'œuvre d'une société aristocratique qui croit à de multiples échelons de hiérarchie et de valeurs entre les hommes [...] condition indispensable au progrès en dignité du type humain[34]». Une hiérarchie *naturelle* existe donc entre les êtres humains.

Dans une même société, on trouve des individus d'exception qui s'élèvent par rapport à l'individu-masse nivelé, uniformisé, servile et amorphe. Nietzsche se sert de l'*aristocrate* comme modèle de ce type d'individus supérieurs qu'il appelle aussi *les hommes d'élite*. Notons qu'il n'est pas question ici d'une aristocratie fondée sur l'hérédité ou sur l'argent. Est aristocrate l'individu qui possède de manière exceptionnelle la volonté de puissance, celui qui a de l'envergure et qui connaît sa valeur. L'aristocrate a foi en lui-même. Il est fier et altier. Il a le respect de lui-même.

Cet homme d'exception possède une force de caractère extraordinaire. Il fait preuve d'une grande discipline, d'une maîtrise de soi et d'une ténacité remarquables. Doué de ressources intérieures hors du commun, animé par une personnalité courageuse, cet homme d'élite s'affirme et croît en tant qu'homme supérieur:

> Tout ce qu'il trouve en soi, il l'honore; une telle morale consiste dans la glorification de soi-même. Elle met au premier plan le sentiment de la plénitude, de la puissance qui veut déborder, le bien-être d'une tension interne, la conscience d'une richesse désireuse de donner et de se prodiguer; l'aristocrate aussi vient en aide au malheureux, non par pitié le plus souvent, mais poussé par la profusion de force qu'il sent en lui. L'aristocrate révère en soi l'homme puissant et maître de soi, qui sait parler et se taire, qui aime exercer sur soi la rigueur et la dureté, et qui respecte tout ce qui est sévère et dur[35].

L'*homme du commun*, aussi appelé le *Dernier Homme*, au contraire, valorise le relâchement, l'assoupissement et le repos. Il est pessimiste, méfiant et amorphe. Au lieu de vivre en pleine lumière, son esprit se plaît dans les compromis et les échappatoires. Il garde le silence, attend, se rapetisse. Constamment, l'homme du commun démontre la faiblesse et nomme «patience», parfois même «vertu», ce qui, en fait, n'est que lâcheté:

> Ce qu'il honore, quant à lui, c'est la pitié, la main complaisante et toujours ouverte, la bonté du cœur, la patience, l'assiduité, l'humilité, l'affabilité, car ce sont les qualités les plus utiles et presque les seuls moyens de supporter le poids de l'existence[36].

Le surhumain est dur

Autre caractéristique du surhumain: la dureté. Le surhumain est dur envers lui-même et envers les autres. «Ô mes frères, je place au-dessus de vous cette table nouvelle: *devenez durs*[37]!» Encore là, il faut dépasser la lecture que nous en donnerait le langage courant. La dureté du surhumain n'en fait pas un monstre qui s'imposerait à lui-même et imposerait à autrui des souffrances atroces.

La dureté à laquelle Nietzsche nous invite correspond à la nécessité d'être exigeant envers soi-même et envers les autres. En somme, Nietzsche nous propose

---

34. *Par-delà le bien et le mal*, p. 207.

35. *Ibid.*, p. 211.

36. *Ibid.*, p. 213.

37. *Ainsi parlait Zarathoustra*, p. 248.

une culture de l'exigence et de l'effort soutenus. La dureté permet d'éviter de se complaire dans la paresse et le bâclage. Car celui qui est dur envers lui-même ne peut se satisfaire de petits efforts.

Il faut être dur parce que «les créateurs sont durs [sachant que] le plus dur seul est le plus noble[38]». Il faut être dur si l'on ne veut pas tomber dans la facilité de la douceur et de la pitié. Il faut être dur envers soi, c'est-à-dire avoir la force, le courage et la ténacité de faire ce qu'il faut faire pour être soi-même et se dépasser. Il faut être dur si l'on ne veut pas s'apitoyer sur son propre sort en disant: «Je ne suis pas capable. Le défi est trop élevé étant donné mes capacités. Je ne réussirai jamais.»

S'il faut être dur envers soi-même, il faut aussi être dur envers les autres afin qu'ils se surpassent. Un documentaire de la télévision suisse-romande présenté à Télé-Québec illustre à merveille cette philosophie de la **dureté.** On y montrait l'attitude de parents envers leur enfant trisomique. Au lieu de le couver, de le protéger sans cesse contre le monde extérieur et contre lui-même, le père et la mère l'obligeaient à participer à toutes les activités de la famille: randonnées à vélo, alpinisme, ski alpin, etc. L'apprentissage de ces différentes disciplines sportives ne se fait pas sans difficulté, puisque les individus atteints de cette affection congénitale ont tendance à se décourager devant l'effort, à abandonner, même, dès le premier échec. À première vue, certaines scènes de ce documentaire paraissaient d'une grande dureté. Par exemple, l'enfant vient de faire une chute spectaculaire en ski, ou de tomber de son vélo: il souffre, se plaint, désire arrêter. Ne se laissant pas amadouer, ses parents exigent alors de lui qu'il se relève et qu'il recommence. Mais quelle joie, quelle immense satisfaction pouvions-nous lire sur le visage de cet enfant lorsque, après de multiples efforts et de nombreux échecs, il réussit enfin à se surpasser!

> En réprouvant la mollesse, le fléchissement du caractère, la timidité peureuse, la dureté permet, selon Nietzsche, d'aller plus loin, de se dépasser.

Cet adolescent trisomique fait preuve de dureté envers lui-même en relevant le défi d'un entraînement rigoureux que nécessite cette discipline sportive de compétition.

Le surhumain est amoral

Le surhumain est amoral, en ce sens qu'il ne se soumet pas aux principes de la morale établie, c'est-à-dire à ceux qui sont considérés comme acceptables et convenables par la culture ambiante. Selon Nietzsche, les morales instituées sont des «chaînes», des «impuretés» que l'éducation transmet à l'individu, impuretés qui l'empêchent de découvrir la pureté de soi-même.

L'individu qui adhère à l'état de surhumain ne fait pas le mal pour faire le mal, mais il ne suit pas nécessairement la morale en place qui dit ce qui est bien et ce qui est mal.

Dans ses écrits, Nietzsche critique avec virulence la morale instituée. De fait, c'est «par-delà le bien et le mal» qu'il nous incite à penser et à agir. Cela ne veut pas dire que le surhumain ne ferait que des actes contraires à la morale

---

38. *Ibid.*, p. 247-248.

dominante, mais que, même extérieurement conformes à la morale, ces actes ne seraient pas dictés par celle-ci. Ainsi, donner à manger à l'individu qui a faim pourrait s'accorder avec la morale en vigueur et être accompli par-delà le bien et le mal si ce n'est pas fait par devoir et par «obligation morale», mais par «surabondance vitale».

Bref, le surhumain est amoral dans la mesure où il a un «esprit libre» qui est

> [...] curieux jusqu'au vice, chercheur jusqu'à la cruauté, prêt à saisir à pleines mains ce qui répugne le plus, capable de digérer ce qu'il y a de plus indigeste, apte à tous les métiers qui exigent de la pénétration et des sens aiguisés, prêt à tous les risques[39] [...]

À l'évidence, cet esprit libre est un être exceptionnel qui ne cherche pas à devenir «**meilleur**», mais qui est à l'écoute de lui-même afin de déterminer et de construire les fondements de sa propre morale.

> D'après Nietzsche, «rendre meilleur» signifie «domestiquer», «affaiblir», «décourager», «raffiner», «amollir», «efféminer» (rendre meilleur serait donc presque synonyme de «dégrader»...) (*La Généalogie de la morale*, p. 216).

Le surhumain est libre et créateur

On se souviendra ici de la critique nietzschéenne du libre arbitre. Le libre arbitre étant une illusion, on ne saurait en faire un attribut du surhumain. On peut néanmoins dire libre le «modèle» de Nietzsche. En quel sens alors?

D'abord, le surhumain est libre en tant qu'être affranchi. Affranchi des préjugés communs. Affranchi de la morale. Affranchi des petits rêves hédonistes et démocratiques. Affranchi de la honte de soi, de l'humiliation et du sentiment de culpabilité. Affranchi du besoin de certitude à tout prix et de son corrélat: le besoin de croire. Affranchi des «vénérables traditions» et du respect qu'elles commandent. Affranchi de tous les «enracinements» qui empêchent le nomadisme le plus total.

Ensuite, le surhumain est libre en tant qu'être indépendant. Ainsi, dans la mesure où il se veut un «esprit libre», et pour favoriser les conditions optimales d'affirmation de sa force, le surhumain se tiendra loin des contraintes comme celles du mariage et de la vie familiale! De même, cette indépendance le poussera à ne pas vouloir de «disciples» ou d'«esclaves» de quelque sorte que ce soit.

Finalement, le surhumain est libre en tant qu'il est maître, c'est-à-dire que se révèle à travers lui une vie exubérante, joyeuse, combative, triomphante et féconde. Il est un *grand homme*, un *génie*, un *maître*: non pas le maître des autres, c'est-à-dire le conducteur du troupeau[40], mais le maître de soi et de ses actes. Il est celui qui se donne sa propre loi, dont le fondement est la pure affirmation de soi:

> L'homme le plus grand, c'est le plus solitaire, le plus caché, le plus isolé, celui qui se place au-delà du bien et du mal, le maître de ses propres vertus, l'homme au vouloir surabondant[41].

Le surhumain est un maître dans le sens où il est un grand créateur.

Cette liberté faite d'affranchissement, d'indépendance et d'innocente création, Nietzsche l'a évoquée dans une magnifique allégorie dite des trois métamorphoses:

---

39. *Par-delà le bien et le mal*, p. 70.

40. Rappelons que le surhumain ne possède ni le pouvoir politique ni la richesse. Il ne domine pas le monde.

41. *Par-delà le bien et le mal*, p. 150.

«Je vais vous énoncer trois métamorphoses de l'esprit: comment l'esprit devient *chameau*, comment le chameau devient *lion* et comment enfin le lion devient *enfant*[42].»

Résumons et interprétons cette allégorie.

Le chameau symbolise l'individu agenouillé qui se charge du fardeau des valeurs établies et qui se contente d'obéir aux «tu dois». Il est cette «bête robuste qui renonce et qui se soumet».

Afin de «conquérir la liberté et être le maître de son propre désert», le chameau doit devenir lion, c'est-à-dire celui qui oppose un «Non!» au devoir d'obéir aux commandements issus de la morale sociale. En rejetant les valeurs de cette morale sociale (nihilisme actif) et en y opposant un puissant «Je veux!», il se rend libre pour des créations nouvelles.

Cependant, la force et la férocité du lion ne suffisent pas à faire de lui un créateur de valeurs nouvelles. Il lui faut devenir enfant, retrouver l'innocence de l'enfance, voir le monde comme «un nouveau commencement et un jouet».

L'allégorie des trois métamorphoses illustre les étapes par lesquelles l'individu doit passer s'il veut conquérir «son propre monde», brandir sa propre volonté, inventer sa propre morale et ses propres valeurs.

Le règne du surhumain est celui de la création qui incarne la possibilité même de l'avenir. «Le créateur, écrit Nietzsche, est celui qui donne un but aux hommes et qui donne son sens et son avenir à la terre: lui seul crée le bien et le mal de toutes choses[43].» Le surhumain est foncièrement et intégralement créateur; il est un créateur impétueux:

Il sent qu'il détermine lui-même ses valeurs, il n'a pas à chercher l'approbation; il juge: «Ce qui m'est nuisible est nuisible en soi.» Il a conscience que c'est lui qui confère de l'honneur aux choses, c'est lui qui crée les valeurs[44].

Les valeurs n'existent pas en soi. Ce sont les hommes qui les inventent en proclamant que ceci est bien ou que cela est beau. Selon Nietzsche, la vie constitue le seul critère de mesure des valeurs. Les valeurs qui vont contre la vie, qui l'empêchent de se manifester ou qui la freinent sont à rejeter. Les valeurs qui affirment la vie et qui lui permettent de se développer sont à préconiser.

L'art et la création

Le surhumain symbolise le grand génie solitaire qui possède le pouvoir de créer et d'exalter la beauté qui stimule la volonté de vivre. Mais plus que cela, c'est l'art qui, à travers lui, est reconnu par Nietzsche comme la valeur suprême, puisque c'est dans la création artistique que l'on peut le mieux et le plus librement aller au-delà de soi:

Dans cet état, l'on enrichit tout de sa propre plénitude, tout ce que l'on voit, tout ce que l'on veut, on le voit gonflé, tendu, fort, plein à craquer de force. L'homme qui connaît cet état transfigure les choses jusqu'à ce qu'elles lui renvoient l'image de sa puissance – jusqu'à ce qu'elles ne soient plus que des reflets de sa perfection. Ce qui l'oblige à tout transfigurer, à tout rendre parfait, c'est l'art. Même tout ce qui n'est pas devient, malgré tout, pour l'homme une occasion de jouir de son être: dans l'art, l'homme tire jouissance de se voir parfait[45].

---

42. *Ainsi parlait Zarathoustra*, p. 35-37.

43. *Ibid.*, p. 227.

44. *Par-delà le bien et le mal*, p. 211.

45. *Le Crépuscule des idoles*, p. 92-93.

L'art est le «grand stimulant de la vie»; il pousse le créateur à se surmonter lui-même, à plonger à l'intérieur de son propre chaos pour en faire surgir des réalités nouvelles, autres, magnifiées. De fait, nous assistons par l'intermédiaire du surhumain à la glorification de l'artiste par Nietzsche. Mieux que n'importe qui, l'artiste chante l'ivresse de la vie à travers sa création. Il exprime les sentiments, les instincts et les impulsions cachés au plus profond de son être; il plonge au cœur des forces primitives de la vie où aucune voie n'est tracée à l'avance, où il n'y a ni loi ni maître, que sa propre volonté de créer. À titre d'exemple, pensons au peintre français Paul Gauguin (1848-1903), qui, en 1883, quitte son emploi d'agent de change. Ne pouvant plus supporter de n'être qu'un peintre du dimanche, il abandonne femme et enfants pour se consacrer entièrement à son œuvre. Une nécessité s'impose à lui: devenir Gauguin. Animé d'une vigoureuse volonté, il affronte mille sacrifices et souffrances pour aller au bout de lui-même et de son art. Parlant de sa vie, Gauguin dit qu'il a voulu établir le droit de tout oser.

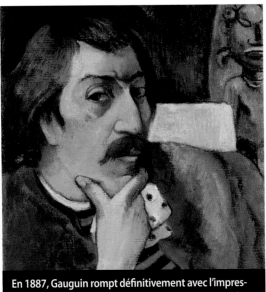

En 1887, Gauguin rompt définitivement avec l'impressionnisme pour créer son propre esthétisme pictural, qui cherche à rejoindre les sources primitives de l'art. Ci-dessus: un autoportrait de l'artiste peint en 1890.

Nietzsche aujourd'hui

Aujourd'hui

À quoi peut bien correspondre aujourd'hui la philosophie nietzschéenne? Quel est le rapport entre le vibrant appel à l'affirmation et au dépassement de soi que nous lance Nietzsche et ce que nous sommes devenus aujourd'hui?

Une remise en question de soi

De nos jours, l'individu vivant dans un pays industrialisé occidental est tellement aux prises avec des conditionnements et des contrôles sociaux qu'il s'en trouve dépersonnalisé. Le même moule pour tous; tous dans le même moule! L'«individu moyen» possède une conscience satisfaite et obscurcie par les «bienfaits» de la société de consommation. Assagi, docile, exigeant toujours «quelque chose de sûr», vivant dans des limites fixées d'avance, l'individu contemporain valorise un bonheur standardisé.

Dès lors, la conception nietzschéenne de l'être humain nous exhorte à ne jamais nous contenter de notre petit confort, de nos petites joies, de nos petits mensonges. Cette philosophie nous met en garde contre la facilité et contre nous-mêmes. Et, ce faisant, Nietzsche pose le problème le plus brûlant pour nous, hommes et femmes modernes, menacés par un optimisme ouaté et un confort bourgeois qui rendent impossibles la croissance et le dépassement de soi: comment être créateurs de nos propres valeurs quand règne, dans la civilisation que nous habitons, la loi du moindre effort et du contentement, quand tout nous incite à nous asseoir sur nos acquis au lieu de nous amener à travailler à nous développer, à accroître nos potentialités?

La conception nietzschéenne de l'être humain appelle une remise en question de notre condition et de notre situation pour que nous devenions des êtres uniques. «L'individu ose à présent être individuel et se distinguer de la généralité[46].»

---

46. *Par-delà le bien et le mal*, p. 217.

Plutôt que de vivre dans le conformisme et l'abêtissement, Nietzsche nous convie à choisir les sentiers abrupts sur lesquels peu de gens acceptent de s'aventurer. Il nous invite à toujours côtoyer le risque et à le susciter sans cesse. Il nous demande d'aimer la vie difficile et dangereuse, car elle permet le dépassement de soi.

Et cela sera possible si nous consentons à plonger dans l'imprévisible, dans l'inattendu, dans «l'innocence du devenir»; si nous embrassons totalement le hasard au lieu de l'éviter ou de le contredire. Il faut avoir foi en chaque instant de la vie et s'y abandonner sans prudence, car dans l'instant senti comme nécessaire et vécu pleinement, l'être humain découvre la force d'appréhender avec la même intensité les autres instants à venir. Chemin faisant, il s'ouvre à la volonté de puissance, qui commande de ne pas laisser pourrir au fond de soi les désirs, les potentialités et les talents, mais de les actualiser avec vigueur et passion.

En somme, Nietzsche nous invite à vivre dans la tempête, balayés par le vent du large, ébranlés par un incessant questionnement issu de nos propres profondeurs.

Un renforcement de l'individualisme contemporain

Cette invitation possède cependant une facette moins reluisante. Il faut admettre que Nietzsche propose une philosophie de l'homme farouchement individualiste qui pourrait venir renforcer l'individualisme contemporain tant valorisé en ce début du XXIe siècle.

L'individualisme contemporain proclame l'affirmation, la liberté et la souveraineté de l'individu dans un univers entièrement désacralisé. Cet individualisme, fruit de maintes luttes et pierre angulaire de notre actuelle civilisation, ne s'est-il pas enfermé dans ce qu'Alexis de Tocqueville (1805-1859) nommait les «petits et vulgaires plaisirs[47]»? Quels idéaux animent aujourd'hui la vie des humains? Attentifs à leur seule personne, éprouvant un souci de soi démesuré, les individus que nous sommes devenus s'enferment désormais dans le monde du quant-à-soi et de l'hédonisme tous azimuts. En conséquence, nous pourrions décrire notre rapport à nous-mêmes et à autrui comme étant profondément narcissique.

L'Occident, en effet, donne naissance à des Narcisses, qui, tombant amoureux de leur propre image, s'avèrent incapables d'aimer autrui. Leurs principales préoccupations consistent à bichonner leur corps et à cultiver leur «authenticité». Ils s'adonnent donc exclusivement à des pratiques (jogging, *body-building*, aérobique, yoga athlétique, aquagym, méditation, thérapies de croissance personnelle, etc.) visant l'amélioration de leurs potentialités privées. Ils préfèrent se développer seuls plutôt que de prendre le risque de se limiter ou de se perdre dans les autres. Ils se veulent un «je» autosuffisant donné au regard

Narcisse, personnage mythologique, est tombé en amour avec sa propre image se reflétant dans l'eau d'une fontaine. Il s'y noya et fut transformé en la fleur qui porte son nom.

---

47. Alexis de TOCQUEVILLE, *De la démocratie en Amérique*, vol. 2, Paris, Gallimard, coll. «Folio/ Histoire», 1991, p. 385.

de l'autre, mais un autre non engageant, un autre gardé à distance. Au lieu de s'investir dans la relation avec autrui, les Narcisses d'aujourd'hui misent avant tout sur eux-mêmes. Ils pensent que ce repli sur soi est une protection efficace contre l'éventuel envahissement de l'autre dans leur vie. Cet individualisme narcissique contemporain a été décrié par plusieurs (Daniel Bell, Christopher Lasch et Gilles Lipovetsky, notamment) comme correspondant à un repliement sur soi qui conduit inévitablement à une inconscience des enjeux et des grandes problématiques de notre monde. C'est comme si, étant uniquement préoccupé par soi, l'individu entretenait un rapport au monde où il ne puise que ce qui peut alimenter son propre moi.

Un autre auteur, Charles Taylor[48], voit derrière cet individualisme actuel, malgré les formes d'expression controversées qu'il peut prendre, un idéal moral de quête de «véracité à soi-même[49]». Taylor utilise le concept d'authenticité pour décrire cet idéal auquel correspond la «recherche de l'épanouissement de soi». Il ne se fait pas pour autant le défenseur de la «culture de l'authenticité», qui «veut qu'une société libérale reste neutre sur les questions qui concernent la nature d'une bonne vie». La poursuite de l'authenticité personnelle est toutefois considérée par Taylor comme un idéal moral qui, bien que s'étant dégradé, «reste extrêmement valable et capable de redresser notre conduite».

Nietzsche aurait sûrement apprécié cette «recherche de l'épanouissement de soi», ce besoin de «véracité à soi-même», cette «poursuite d'authenticité» qui caractériseraient l'individualisme contemporain. Mais cette quête devrait se faire sous la poussée des instincts, des passions énergiques et des pulsions créatrices qui permettent l'affirmation, le dépassement de soi et de la vie que l'on porte en soi, et pour autant qu'elle ne prétende pas s'achever dans la consommation, le contentement facile de soi et l'opium de la sécurité.

Tout au long de ce chapitre, nous avons vu que Nietzsche a prôné le règne de la vie libérée de toute entrave et affranchie des idoles condamnant son éclosion et sa vigueur. Cet appel nietzschéen à la vie instinctuelle démasquée, mise à nue, n'annonçait-il pas déjà Freud, qui, au début du XXᵉ siècle, propose une analyse des profondeurs de l'âme humaine ?

---

48. Charles Taylor est un philosophe et un politicologue canadien de réputation internationale. Il a enseigné à l'Université McGill et à l'Université de Montréal. Dans *Sources of the Self : The Making of Modern Identity* (Boston, Harvard University Press, 1989), Taylor présente une réflexion profonde sur l'homme et le monde modernes.

49. Charles TAYLOR, *Grandeur et Misère de la modernité*, trad. Charlotte Melançon, Montréal, Bellarmin, coll. «L'essentiel», 1992, p. 28-38.

L'essentiel

Friedrich Nietzsche

Nietzsche propose un **nihilisme actif** qui **renverse les anciennes tables de valeurs.** À la place, il défend le **dépassement de soi** dans l'**affirmation des instincts, des désirs et des passions,** qui constituent des forces vitales et créatrices. Conséquemment, c'est le **corps** qui définit essentiellement l'être humain. Le corps s'exprime en une **volonté de puissance.** La volonté de puissance est la volonté de **possession de soi** et de **surpassement de soi.** Elle s'exprime par l'**égoïsme,** le **rejet des « tu dois »** et la **création de valeurs nouvelles.** La volonté de puissance trouve son achèvement dans le **surhumain,** qui représente le modèle idéal de l'humanité. Il est une pure **affirmation de l'individualité.** Il est un **hymne à la vie.** Il s'inscrit dans l'**éternel retour,** puisque l'instant est assez vivant et créateur pour qu'il puisse souhaiter le revivre éternellement. Il est **élitiste,** car il croit à l'existence d'êtres exceptionnels. Il est **dur,** c'est-à-dire exigeant envers lui-même et autrui. Il est **amoral,** agissant par-delà la morale établie. Comme l'artiste, il est **libre et créateur,** entièrement voué au dépassement de soi.

Réseau de concepts

Résumé de l'exposé

Nietzsche et le nihilisme européen de la fin du XIX\ siècle

Notice biographique

Fils d'un pasteur luthérien, Friedrich Nietzsche naît en Allemagne le 15 octobre 1844. Philosophe solitaire, tourmenté et souffrant, il propose une œuvre immense et provocante qui fracasse les dieux, les idoles, afin que l'individu devienne ce qu'il est. Nietzsche meurt à Weimar le 25 août 1900.

Le nihilisme

Le nihilisme passif

Selon Nietzsche, la fin du XIX\ siècle connaît une forme particulière de nihilisme passif (symptôme de la décadence de la civilisation européenne) où les valeurs dites supérieures qui orientaient traditionnellement la vie des hommes sont désormais dépréciées. Cela amène une perte du sens, le relativisme et le pessimisme.

Le nihilisme actif

Le nihilisme passif doit être dépassé, selon Nietzsche, par un nihilisme actif ou extatique, qui détruit volontairement (afin d'édifier une culture nouvelle) les anciennes tables de valeurs : le christianisme, l'ascétisme, le scientisme, le rationalisme et une certaine conception de la liberté.

Le dépassement de soi dans l'affirmation de ses instincts, de ses désirs et de ses passions

L'homme du ressentiment

Renoncer au corps, aux sens et aux passions, et dénigrer tout ce qui est fort, c'est être un *homme du ressentiment* qui éprouve de l'amertume face à la vie et qui n'a pas la force d'assumer l'existence terrestre.

L'homme du corps

Au contraire, Nietzsche valorise les forces créatrices de la vie que permet le corps. Il plaide en faveur du corps, qui définit essentiellement l'être humain.

La mort de Dieu

Se dépasser soi-même par l'affirmation de ses instincts, de ses désirs et de ses passions demande de ne plus croire en Dieu parce qu'Il est à l'origine de morales d'esclaves fondées sur de petites valeurs faisant appel à l'esprit de troupeau et commandant de se soumettre à des dogmes et à des règles qui nient la vie.

La volonté de puissance

1. La volonté de puissance, c'est la puissance de la volonté qu'on exerce pour se posséder et se surpasser soi-même. Cette affirmation de soi nécessite de ne penser qu'à soi.

2. Concrètement, l'actualisation de la volonté de puissance implique :

    a) le rejet des « tu dois », qui vont « contre les instincts de la vie » et qui limitent la liberté individuelle ;

    b) la création de ses propres valeurs sans chercher l'approbation des autres.

Le surhumain

Le surhumain représente le modèle, l'état idéal auquel doit tendre le genre humain.

Le surhumain est l'affirmation de l'individualité

Il est un être unique qui affirme sa différence. Ce faisant, il s'oppose à l'*homme du commun,* c'est-à-dire à l'être faible et passif qui fait partie du troupeau.

Le surhumain est un hymne à la vie

Il vit pleinement sa vie en affirmant ses pulsions et ses passions qui sont des sources d'énergie créatrice.

Le surhumain et l'éternel retour

Ce que le surhumain vit maintenant est à ce point intense et créateur qu'il pourrait vouloir le revivre éternellement. L'éternel retour place le surhumain devant l'exigence du dépassement de soi dans l'instant.

Le surhumain est élitiste

Il croit qu'une hiérarchie « naturelle » existe entre les êtres humains. Il y a ceux qui possèdent une *âme aristocratique,* qui ont de l'envergure, qui connaissent leur valeur et ont foi en eux-mêmes. Et il y a l'*homme du commun,* méfiant, pessimiste, qui valorise le relâchement et la petitesse.

Le surhumain est dur

Il est exigeant envers lui-même et envers les autres. S'opposant à la mollesse et à la facilité, la dureté lui permet de se dépasser.

Le surhumain est amoral

Il est un « esprit libre » qui agit par-delà les morales établies, lesquelles sont des « impuretés » empêchant l'individu d'être lui-même la source de sa propre morale.

Le surhumain est libre et créateur

Il est affranchi, indépendant et maître-créateur de ses propres valeurs. Comme l'artiste, il ose plonger à l'intérieur de lui-même pour faire naître une nouvelle manière de voir et de faire.

L'art et la création

L'art représente la valeur suprême parce qu'il permet à l'être humain d'aller au-delà de lui-même. Il est le « grand stimulant de la vie » qui fait surgir des réalités nouvelles.

Nietzsche aujourd'hui

Une remise en question de soi

La philosophie nietzschéenne de l'homme nous met en garde contre notre bonheur standardisé fait de petits conforts. Elle appelle une remise en question de notre conscience satisfaite et obscurcie par les « bienfaits » de la société de consommation.

Un renforcement de l'individualisme contemporain

Farouchement individualiste, la philosophie nietzschéenne de l'homme peut aussi renforcer l'individualisme narcissique actuel qui se caractérise par le repli sur le quant-à-soi et l'hédonisme tous azimuts.

Activités d'apprentissage

Vérifiez vos connaissances

1. Selon Luther et Calvin, le but de la vie est le bonheur sur terre. VRAI ou FAUX ?

2. Nietzsche a commencé sa carrière universitaire par l'étude de la logique, et s'est ensuite orienté vers la philosophie. VRAI ou FAUX ?

3. Nietzsche a été fortement inspiré par les grands tragiques grecs comme Eschyle et Sophocle. VRAI ou FAUX ?

4. Nihiliste, Nietzsche croit qu'il n'y a pas d'espoir pour l'humanité. VRAI ou FAUX ?

5. Accordant beaucoup d'importance au christianisme, Nietzsche s'appuie sur la valeur du ressentiment pour améliorer le sens moral des individus. VRAI ou FAUX ?

6. Nietzsche croit que le libre arbitre est une illusion étant donné que l'on ne mesure pas suffisamment les mécanismes sous-jacents qui motivent nos actions. VRAI ou FAUX ?

7. Quels sont les trois noms que Nietzsche donne au type d'homme qu'il condamne vigoureusement ?

8. Quelle est la condition nécessaire au dépassement de soi exigée par Nietzsche afin de se prémunir contre l'influence néfaste de l'« esprit de troupeau » ?

9. Selon Nietzsche, il faut absolument croire en Dieu, fondement de la morale, si l'on veut rester fidèle à la vie. VRAI ou FAUX ?

10. Quelle est la double signification de la « volonté de puissance » chez Nietzsche ?

11. Pour Nietzsche, nous devons nous en remettre au « surhumain », c'est-à-dire au divin, pour glorifier nos actions. VRAI ou FAUX ?

12. L'allégorie utilisée par Nietzsche pour faire valoir les métamorphoses qu'exige la condition de « surhumain » est celle de la chenille, de la chrysalide et du papillon. VRAI ou FAUX ?

13. En tant que créateur, l'être humain doit « se surmonter » lui-même. Selon Nietzsche, quel est le meilleur moyen d'y parvenir ?

14. En somme, Nietzsche propose une philosophie de la simplicité, selon laquelle il faut s'en remettre aux autres. VRAI ou FAUX ?

15. À partir de ce que vous avez appris sur Nietzsche, indiquez laquelle des citations suivantes n'a pas été écrite par lui.

   a) « Le bon sens est la chose du monde la mieux partagée. »

   b) « Quand on ne place pas le centre de gravité de la vie dans la vie, mais dans l'au-delà — dans le néant —, on a enlevé à la vie son centre de gravité. »

   c) « L'art n'a pas pour fin de laisser des œuvres que le temps ruine, mais de créer des artistes en tous les hommes et d'éveiller dans le vulgaire le génie endormi. »

Analyse et critique de texte

Cette activité exige la lecture préalable de l'extrait d'*Ainsi parlait Zarathoustra* présenté à la page 166.

Compétences à acquérir

- Démontrer sa compréhension d'un texte de Nietzsche en illustrant par une citation appropriée la thèse qui y est défendue.
- Transposer dans ses propres mots une partie de ce texte philosophique.
- Évaluer le contenu, c'est-à-dire exprimer son accord ou son désaccord (et en donner les raisons) sur quelques interprétations de l'être humain avancées par Nietzsche dans ce texte.

Questions

1. a) Nietzsche pense-t-il que nous sommes tous égaux en tant qu'êtres humains ? Illustrez la réponse qu'il donne à cette question par un passage (une citation) de ce texte.

Commentaire critique

b) Que pensez-vous de la position de Nietzsche ? En d'autres mots, croyez-vous que les êtres humains sont égaux ou inégaux entre eux ? Vous devez fonder vos jugements, c'est-à-dire apporter deux arguments pour appuyer vos affirmations. (Minimum suggéré : une demi-page.)

2. Nietzsche dit que « Dieu a été [le] plus grand danger » pour les hommes supérieurs ; que ces derniers ne sont « ressuscités que depuis qu'il [Dieu] gît dans la tombe ».

a) Expliquez dans vos propres mots le sens qu'on doit donner à cette affirmation.

Commentaire critique

b) Qu'en pensez-vous personnellement ? Êtes-vous pour ou contre cette affirmation ? Apportez deux arguments pour appuyer vos affirmations. (Minimum suggéré : une demi-page.)

3. a) Globalement, comment Nietzsche dénomme-t-il la résignation, la modestie, la prudence, l'application et les égards ? À qui les attribue-t-il ? En d'autres mots, quelles personnes vivent la résignation, la modestie, la prudence, l'application et les égards ?

Commentaire critique

b) Et vous, que pensez-vous de la résignation, de la modestie, de la prudence, de l'application et des égards ? Reprenez chacun de ces éléments d'abord en les définissant (consultez un dictionnaire), ensuite en les évaluant séparément (dites ce que vous en pensez et pourquoi). (Minimum suggéré : une demi-page.)

Analyse et critique d'un texte comparatif

Cette activité exige la lecture préalable de l'extrait de *Grandeur et Misère de la modernité* présenté à la page 168.

Compétences à acquérir

- Démontrer sa compréhension du texte de Charles Taylor en répondant à des questions précises.
- Comparer la conception taylorienne avec la conception nietzschéenne de l'authenticité personnelle, c'est-à-dire examiner les différences entre ces conceptions.
- Évaluer le contenu, c'est-à-dire exprimer son accord ou son désaccord (et en donner les raisons) sur la conception taylorienne et sur la conception nietzschéenne de l'authenticité personnelle.

Questions

1. a) Selon Taylor, à quelle condition peut-on défendre l'authenticité personnelle ?

b) Selon Taylor, à partir de quelles exigences peut se construire une identité authentique ?

2. Dans quelle mesure la conception qu'a Taylor de l'authenticité personnelle s'oppose-t-elle à celle qui est mise en avant par Nietzsche ?

Commentaire critique

3. Quelle est votre opinion là-dessus ? Partagez-vous la position de Taylor ou celle de Nietzsche ? Vous devez fonder vos jugements, c'est-à-dire apporter au moins deux arguments pour appuyer vos affirmations. (Minimum suggéré : une page.)

Exercice comparatif: Descartes et Nietzsche

Compétence à acquérir

Procéder à une comparaison entre deux conceptions modernes de l'être humain à propos d'un même thème.

Contexte de réalisation

Individuellement, dans un texte d'environ 350 mots (une page et demie), examinez les rapports de ressemblance et de différence entre la conception cartésienne et la conception nietzschéenne de l'être humain à propos du thème du corps.

Étapes suggérées

1. **a)** Caractérisez la conception cartésienne de l'être humain au regard du thème du corps. Par exemple, demandez-vous dans quelle mesure le corps est, pour Descartes, une source d'erreurs dont il faut se méfier et comment se situe l'esprit par rapport au corps.

    b) Caractérisez la conception nietzschéenne de l'être humain au regard du thème du corps. Par exemple, demandez-vous en quoi et comment le corps est, pour Nietzsche, l'instrument de la vie, la source de l'esprit qui est «symptôme» du corps.

2. **a)** S'il y a lieu, précisez les similitudes entre la conception cartésienne et la conception nietzschéenne de l'être humain à propos du thème du corps.

    b) S'il y a lieu, dégagez les oppositions entre la conception cartésienne et la conception nietzschéenne de l'être humain à propos du thème du corps.

Extraits de textes

Texte de Nietzsche ■ *Ainsi parlait Zarathoustra* [50]

De l'homme supérieur

(1)

Lorsque je vins pour la première fois parmi les hommes, je fis la folie du solitaire, la grande folie: je me mis sur la place publique.

Et comme je parlais à tous, je ne parlais à personne. Mais le soir, des danseurs de corde et des cadavres furent mes compagnons; et moi-même j'étais presque un cadavre. Mais, avec le matin, une vérité m'apparut: alors j'appris à dire: «Que m'importent la place publique et la populace, le vacarme de la populace et les longues oreilles de la populace!»

Hommes supérieurs, apprenez de moi ceci: sur la place publique personne ne croit aux hommes supérieurs. Si vous voulez parler sur la place publique, 10   soit! Mais la populace clignera de l'œil: «Nous sommes tous égaux.»

«Hommes supérieurs? – ainsi parle la populace en clignant de l'œil, – il n'y a pas d'hommes supérieurs, nous sommes tous égaux, un Homme vaut l'autre, devant Dieu nous sommes tous égaux!»

Devant Dieu! Voici que ce Dieu est mort. Mais devant la populace nous ne voulons pas être égaux. Hommes supérieurs, éloignez-vous de la place publique!

(2)

Devant Dieu! – Voici que ce Dieu est mort. Hommes supérieurs, ce Dieu a été votre plus grand danger.

---

50. Rappelons que, dans *Ainsi parlait Zarathoustra*, Nietzsche est Zarathoustra.

Vous n'êtes ressuscités que depuis qu'il gît dans la tombe. C'est maintenant seulement que vient le grand midi, à présent l'homme supérieur devient maître!

Avez-vous compris cette parole, ô mes frères? Vous êtes effrayés: votre cœur est-il pris de vertige? L'abîme bâille-t-il ici à vos yeux? Le chien de l'enfer aboie-t-il à vos trousses?

Allons! Hommes supérieurs! Maintenant seulement la montagne de l'avenir humain va enfanter. Dieu est mort: maintenant nous voulons que le Surhomme vive.

3

Les plus soucieux demandent aujourd'hui: «Comment conserver l'homme?» Mais Zarathoustra demande, ce qu'il est le seul et le premier à demander: «Comment l'homme sera-t-il surmonté?»

Le Surhomme me tient au cœur, c'est *lui* qui est pour moi la chose unique, – et non point l'homme: non pas le prochain, non pas le plus misérable, non pas le plus affligé, non pas le meilleur.

Ô mes frères, ce que je puis aimer en l'homme, c'est qu'il soit une transition et un déclin. Et, en vous aussi, il y a beaucoup de choses qui me font aimer et espérer.

Vous avez méprisé, ô hommes supérieurs, c'est là ce qui me fait espérer. Car les grands méprisants sont aussi les grands adorateurs.

Vous avez désespéré, c'est ce qu'il faut honorer en vous. Vous n'avez pas appris comment vous pourriez vous rendre, vous n'avez pas appris les petites prudences.

Aujourd'hui, les petites gens sont devenus les maîtres, ils prêchent tous la résignation, et la modestie et la prudence, et l'application, et les égards et la longue énumération des petites vertus.

Ce qui relève de la femme ou du valet, et surtout le mélange populacier: c'est là ce qui veut à présent devenir maître de toutes les destinées humaines – ô dégoût! dégoût! dégoût!

Cela demande et redemande, et ne se lasse pas de demander: «Comment conserver l'homme le mieux, le plus longtemps, le plus agréablement?» C'est ainsi qu'ils sont les maîtres d'aujourd'hui.

Ces maîtres d'aujourd'hui, surmontez-les-moi, ô mes frères, – ces petites gens: c'est eux qui sont le plus grand danger pour le Surhomme.

Surmontez-moi, hommes supérieurs, les petites vertus, les petites prudences, les égards pour les grains de sable, le fourmillement des fourmis, le misérable contentement de soi, «le bonheur du plus grand nombre»!

Et désespérez plutôt que de vous rendre. Et, en vérité, je vous aime, parce que vous ne savez pas vivre aujourd'hui, ô hommes supérieurs! Car c'est ainsi que vous vivez le mieux!

NIETZSCHE, Friedrich. *Ainsi parlait Zarathoustra*, trad. Maurice Betz, Paris, Gallimard, coll. «Le Livre de poche classique», 1965, p. 326.

Texte de Taylor ■ « L'authenticité »

Né au Québec en 1931, Charles Taylor est un philosophe, un historien et un politicologue de réputation internationale. Il a enseigné la philosophie à l'Université McGill et à l'Université de Montréal. L'université d'Oxford, l'université Berkeley (Californie), l'université Goethe (Francfort) et l'université de Princeton l'ont accueilli comme professeur invité. En 2007, il a coprésidé la Commission de consultation sur les pratiques d'accommodement reliées aux différences culturelles (couramment appelée la Commission sur les accommodements raisonnables), créée par le gouvernement du Québec.

Son œuvre maîtresse, *Sources of the Self : The Making of Modern Identity* (Harvard University Press, 1989), traduite en six langues, a été publiée en français sous le titre *Les Sources du Moi : la formation de l'identité moderne*. Taylor y présente une réflexion profonde sur l'homme et le monde modernes. Les autres ouvrages importants de Charles Taylor sont : *Grandeur et Misère de la modernité, Rapprocher les solitudes, Multiculturalisme et Politique de la reconnaissance, The Secular Age*.

Apologie

Propos qui se porte à la louange et à la défense d'une thèse ou d'un comportement.

Subjectiviste

Se dit du principe découlant du subjectivisme qui ramène les jugements de valeur à des assentiments individuels.

Relativisme

Doctrine selon laquelle les valeurs – étant relatives aux circonstances sociales et à la vie de chaque individu – ne sont pas universelles.

Dans certaines de ses formes, ce discours[51] [de l'authenticité] tourne à une **apologie** du choix pour lui-même : toutes les options se valent, parce qu'elles se font librement et que le choix leur confère à lui seul une valeur. Le principe **subjectiviste** qui sous-tend le **relativisme** doux est manifestement à l'œuvre ici. Mais du coup se trouve niée l'existence d'un horizon préexistant de signification, grâce auquel certaines choses valent plus que d'autres ou certaines rien du tout, préalablement à tout choix. [...]

Pour l'instant, retenons qu'on ne peut défendre l'authenticité en ignorant les horizons de signification. Même le sentiment que le sens de ma vie tient au
10   choix personnel que j'ai fait – c'est le cas lorsque l'authenticité se fonde sur la liberté autodéterminée – dépend de ma prise de conscience qu'il existe *indépendamment de ma volonté* quelque chose de noble et de courageux, et donc de significatif dans le fait de donner forme à ma propre vie. Deux représentations de la vie humaine s'opposent ici : d'une part, le courage de celui qui se crée, d'autre part, le laisser-aller de celui qui cède aux facilités du conformisme. Nul n'invente cette opposition : on la découvre, et on perçoit aussitôt sa vérité. L'horizon est donné. [...]

Il importe certes de choisir ma vie, comme le soutient John Stuart Mill dans *On Liberty*[52], mais à moins que certaines options ne soient plus significatives
20   que d'autres, l'idée même de choix personnel sombre dans la futilité et donc dans l'incohérence. L'idéal du libre choix ne fait sens que si certains *critères* valent plus que d'autres. Je ne peux pas prétendre avoir choisi ma vie et déployer tout un vocabulaire nietzschéen seulement parce que j'ai pris un bifteck-frites plutôt que de la poutine au déjeuner. Ce n'est pas moi qui détermine quelles questions comptent. Si c'était vrai, aucune alors n'importerait et l'idée même du libre choix en tant qu'*idéal moral* perdrait toute consistance.

---

51. Le discours dont il est question est celui de «l'acceptation moderne de l'authenticité en tant que différence, originalité, reconnaissance de la diversité».

52. «Il suffit d'avoir une dose suffisante de sens commun et d'expérience pour tracer le plan de vie le meilleur, non pas parce qu'il est le meilleur en soi, mais parce qu'il est personnel» (John Stuart MILL, *De la liberté*, trad. Laurence Lenglet, à partir de la traduction de Dupond White, Paris, Gallimard, coll. «Folio/Essai», 1990, p. 165).

L'idéal du libre choix suppose donc qu'il y ait d'autres critères de sens au-delà du simple fait de choisir. Cet idéal ne vaut pas par lui-même : il exige un horizon de critères importants, qui aident à définir dans quelle mesure l'autodétermination est signifiante. À la suite de Nietzsche, je serais vraiment un grand philosophe si je parvenais à redéfinir le système des valeurs. Mais il faudrait pour cela redéfinir des valeurs qui se rapportent aux questions importantes, et non pas le menu de chez McDonald's ou la mode de l'année prochaine.

L'**agent** qui cherche le sens de sa vie, qui essaie de se définir de façon significative, doit se situer par rapport à un horizon de questions essentielles. C'est ce qu'il y a d'autodestructeur dans les formes de la culture contemporaine qui se referment sur l'épanouissement de soi en s'opposant aux exigences de la société ou de la nature, et qui tournent le dos à l'histoire et aux exigences de la solidarité. Ces formes égocentriques et «narcissiques» sont, en effet, bien superficielles et futiles ; elles «aplatissent et rétrécissent» la vie, comme l'écrit Bloom[53]. Mais ce n'est pas parce qu'elles appartiennent à la culture de l'authenticité. C'est plutôt parce qu'elles esquivent ses exigences. Tourner le dos à tout ce qui transcende le moi, c'est justement supprimer les conditions de significations et courtiser du coup la futilité. Dans la mesure où les gens aspirent à un idéal moral, cet enfermement en soi est une contradiction dans les termes ; il détruit les conditions dans lesquelles cet idéal peut se réaliser.

En d'autres termes, je ne peux définir mon identité qu'en me situant par rapport à des questions qui comptent. Éliminer l'histoire, la nature, la société, les exigences de la solidarité, tout sauf ce que je trouve en moi, revient à éliminer tout ce qui pourrait compter. Je pourrai me définir une identité qui ne sera pas futile seulement si j'existe dans un monde dans lequel l'histoire, les exigences de la nature, les besoins de mes frères humains ou mes devoirs de citoyen, l'appel de Dieu, ou toute autre question de cet ordre-là, existent vraiment. L'authenticité ne s'oppose pas aux exigences qui transcendent le moi : elle les appelle.

TAYLOR, Charles. *Grandeur et Misère de la modernité,* trad. Charlotte Melançon, Montréal, Bellarmin, 1992, p. 54-58.

Agent
Individu qui agit.

Lectures suggérées

La lecture de l'une des œuvres suivantes est suggérée dans son intégralité ou en extraits importants :

■ NIETZSCHE, Friedrich. *Par-delà le bien et le mal,* trad. Geneviève Bianquis, Paris, Union Générale d'Éditions, coll. « 10-18 », 1967, 251 p.

■ NIETZSCHE, Friedrich. *Le Crépuscule des idoles,* trad. Jean-Claude Hemery, Paris, Gallimard, coll. «Idées», n° 384, 1977, 153 p.

53. Il s'agit d'Allan Bloom et de son ouvrage *L'Âme désarmée. Essai sur le déclin de la culture générale,* trad. Paul Alexandre, Paris et Montréal, Julliard et Guérin Littérature, 1987.

Chapitre 6

L'homme comme être régi par l'inconscient

Freud ou la psychanalyse

Plan du chapitre

Freud et la naissance
de la psychanalyse

La première topique freudienne :
la théorie des trois qualités psychiques

La seconde topique freudienne :
la théorie dynamique de la personnalité

L'anthropologie philosophique
freudienne

Freud aujourd'hui

*L'inconscient est le psychique lui-même
et son essentielle réalité. Sa nature
intime nous est aussi inconnue que
la réalité du monde extérieur, et la
conscience nous renseigne sur lui d'une
manière aussi incomplète que nos organes
des sens sur le monde extérieur.*

Sigmund FREUD, *L'Interprétation
des rêves*, p. 520.

Freud et la naissance de la psychanalyse

Notice biographique

Contexte
historique

Sigmund Freud naît le 6 mai 1856 à Freiberg, en Moravie (aujourd'hui en République tchèque). Son père, Jakob Freud, a quarante et un ans et sa mère, Amalie Nathanson, est âgée de vingt et un ans. Le père vit avec ses deux fils nés d'un premier mariage ; la mère donnera naissance à sept autres enfants. La famille Freud est juive, de langue et de culture allemandes.

En 1859, la crise économique ébranle le commerce du père de Sigmund, négociant en textiles. Fuyant l'antisémitisme, ce dernier installe sa famille à Leipzig, puis à Vienne, en Autriche.

Malgré leur condition financière modeste, les parents de Sigmund lui permettront d'entreprendre des études supérieures. Lorsque Freud termine ses études secondaires, en plus de l'allemand, il maîtrise cinq langues : le grec, le latin, l'hébreu, le français et l'anglais ; il sait aussi un peu d'italien et d'espagnol.

En 1873, Freud commence des études de médecine à l'université de Vienne. En 1876, il entre au laboratoire de physiologie d'Ernst Wilhelm von Brücke (1819-1892). Il y entreprend ses premières recherches, qui portent sur les glandes sexuelles des anguilles. À cette époque, Freud se consacre exclusivement à des travaux de recherche en laboratoire. Il s'intéresse surtout à la neurophysiologie, c'est-à-dire à l'étude du cerveau et du système nerveux. Freud publie, en 1877, un rapport de recherche sur le système nerveux central d'une larve de lamproie. En 1880, il traduit une partie des *Œuvres complètes* du philosophe et économiste anglais John Stuart Mill (1806-1873).

Le professeur Charcot présente des malades à la Salpêtrière. Freud, alors jeune neurologue, séjourna à Paris entre 1885 et 1886.

Freud obtient son diplôme de médecine le 31 mars 1881, mais il ne désire pas pratiquer cette discipline, y préférant la recherche. Cependant, à cette époque, faire des recherches médicales ne constitue pas un métier assurant une sécurité financière : ainsi donc, considérant les conditions modestes de sa famille, Freud est obligé d'embrasser la carrière médicale.

De 1882 à 1885, Freud complète sa formation clinique à l'Hôpital général de Vienne, se spécialisant en neuropathologie. Par la suite, appuyé par Brücke, il obtient une bourse qui lui permet d'étudier à Paris, à la Salpêtrière, avec Jean-Martin Charcot (1825-1893), neurologue alors mondialement connu qui mène des recherches sur l'**hystérie** et l'hypnose. Pendant son stage, Freud s'intéresse vivement au traitement hypnotique pratiqué par Charcot. Toutefois, l'hôpital de la Salpêtrière – s'appuyant sur l'**anatomopathologie** – a tendance à considérer les malades (auxquels on donne le nom de « nerveux ») comme des objets de laboratoire.

À l'été 1889, Freud éprouve le besoin de parfaire sa technique hypnotique et de fréquenter une autre école de pensée que celle de la Salpêtrière. Il passe quelques

Hystérie

Classe de névroses découlant d'un conflit psychique et se manifestant par des symptômes corporels divers sans que le corps soit en fait malade sur le plan physiologique (par exemple, crise émotive spectaculaire, paralysie, crise d'angoisse, phobies).

Anatomopathologie

« Science qui a pour objet l'étude des lésions anatomiques » (*Le Petit Robert*).

semaines à Nancy auprès d'Hippolyte Bernheim (1837-1919)[1], chercheur **empiriste** quoique profondément **humaniste**.

Retournons un peu en arrière pour parler de la vie amoureuse de Freud. Au mois d'avril 1882, il fait la rencontre de Martha Bernays, jeune fille peu fortunée issue d'une famille d'intellectuels juifs. Le 15 juin, Freud lui écrit une lettre d'amour. Deux jours plus tard, ils se fiancent. Leur engagement dure plus de quatre ans où ils ne se voient qu'à six reprises ! Ces longues fiançailles s'expliquent par la piètre situation financière de Freud. À cette époque, on ne se marie pas si l'on n'en a pas les moyens. Pendant cette période, Freud écrit à Martha plus de neuf cents lettres ! Enfin, ils se marient le 13 septembre 1886.

En 1891, Freud s'établit avec sa femme et leurs trois premiers enfants au 19, Berggasse, à Vienne. Il y ouvre un **cabinet** afin de se consacrer à la psychopathologie : spécialiste des maladies nerveuses, il y rencontre ses premiers patients. Au début de sa pratique, il utilise les méthodes de l'électrothérapie et de l'hypnose sous forme de **catharsis**.

> À partir de 1902, tous les mercredis, Freud rassemble quelques confrères dans sa salle d'attente du 19, Berggasse. De ces rencontres naîtra la Société psychanalytique de Vienne.

En avril 1896, devant la Société de psychiatrie et de neurologie de Vienne, Freud prononce une conférence qui a pour titre *Étiologie de l'hystérie*. La thèse qu'il défend repose sur la littérature médicolégale qui traitait des sévices sexuels subis par les enfants et des cas d'inceste fort nombreux à cette époque. Freud s'appuie également sur l'analyse de dix-huit cas d'hystérie. Il affirme que les manifestations hystériques sont toujours liées à des traumatismes refoulés depuis la petite enfance et résultant d'attouchements ou d'abus sexuels de la part des proches de l'enfant, en particulier du père. Les propos de Freud scandalisent la société bien-pensante de son temps. On refuse même de publier sa communication. Freud abandonnera cette interprétation...

Insatisfait des résultats que permettaient les techniques de traitement des maladies nerveuses, Freud met patiemment en place, à partir de 1897, une nouvelle méthode de psychologie clinique à laquelle il donne le nom de psychanalyse. Il proclame l'importance de l'**inconscient** et de la sexualité chez l'être humain, et ce, dès la naissance. Selon sa nouvelle théorie, c'est l'enfant qui éprouve des désirs sexuels envers son parent de sexe opposé (voir plus loin la section « Le Sur-Moi et le complexe d'Œdipe »), et la répression de ces désirs suscite des **névroses**.

Freud subit pendant les dix premières années de sa vie professionnelle l'incompréhension, voire l'hostilité, des milieux scientifiques officiels. Par ailleurs, c'est toute la société bourgeoise et puritaine de la fin du XIXᵉ siècle qui est choquée par ses thèses audacieuses.

Mais à force d'efforts soutenus (Freud travaille tous les jours, sauf le dimanche : entre huit heures du matin et neuf heures du soir, il pouvait recevoir jusqu'à douze patients, leur consacrant cinquante-cinq minutes chacun) et de luttes acharnées (Freud est ambitieux), il réussit petit à petit à imposer ses vues. Il forme des disciples (Wilhelm Stekel, Paul Federn, etc.). Il écrit de nombreux articles dans des revues spécialisées. Il donne des conférences dans plusieurs

Empiriste

Se dit de la doctrine philosophique selon laquelle toutes les connaissances proviennent de l'expérience. Conséquemment, tout savoir doit être fondé sur l'expérience et l'observation.

Humaniste

Se dit de l'attitude philosophique qui prend pour fin la personne et son épanouissement. L'humanisme fait de l'homme la valeur suprême et voit en celui-ci, comme l'affirmait Protagoras (v. −486 à v. −410), « la mesure de toutes choses ».

Catharsis

Mot grec signifiant « purification », « purgation ». Procédé expérimenté par le Dʳ Josef Breuer (1842-1925) qui consistait à extirper du patient mis sous hypnose les secrets (scènes traumatisantes) qui affectaient son comportement afin d'en permettre la reproduction.

Inconscient

Ensemble de faits psychiques qui échappent à la conscience.

Névrose

« Affection psychogène où les symptômes sont l'expression symbolique d'un conflit psychique trouvant ses racines dans l'histoire infantile du sujet et constituant des compromis entre le désir et la défense » (Jean LAPLANCHE et J.-B. PONTALIS, *Vocabulaire de la psychanalyse*, Paris, Presses Universitaires de France, 1981, p. 267 et suivantes).

---

1. Freud traduisit et commenta deux ouvrages de Charcot, soit *Les Nouvelles Leçons* (1886) et *Les Leçons du mardi* (1892). Il traduisit également le traité de Bernheim, *Hypnotisme, Suggestion et Psychothérapie* (1886).

congrès en Europe et aux États-Unis. Mais, surtout, il publie quantité d'ouvrages[2] qui transformeront à tout jamais la compréhension qu'on se fait de l'homme.

Mari fidèle, père de six enfants, bourgeois respectable, amateur de cigares (il en fume une vingtaine par jour), de statuettes antiques et de jardins anglais bien ordonnés, Freud mène une carrière longue et controversée. Ce n'est qu'au début de la cinquantaine qu'il connaît la notoriété. Le Congrès international de Salzbourg, en 1908, marque pour Freud le début de sa renommée internationale. Afin de concrétiser cette renommée, il fonde l'Association internationale de psychanalyse, en 1910. À soixante-dix ans, Freud est l'une des personnalités les plus illustres de son temps. En mai 1933, les nazis brûlent à Berlin les livres décrétés «anti-allemands»: les ouvrages de Freud en font partie. Il consent enfin à quitter Vienne en juin 1938. Il se réfugie à Londres, où il meurt le 23 septembre 1939. Freud souffrait d'un cancer de la mâchoire maintes fois opéré, qui l'a fait atrocement souffrir pendant les seize dernières années de sa vie.

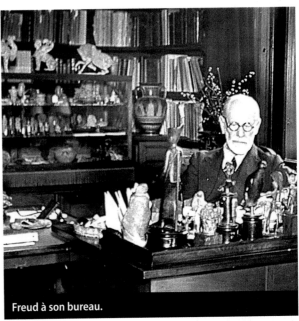
Freud à son bureau.

Une époque riche en découvertes scientifiques

La foi dans le pouvoir de la raison, la quête de la vérité, l'observation, la mesure, l'examen minutieux des faits: tel est le credo **positiviste** qui fait adhérer Freud à la pensée scientifique de son temps.

La deuxième moitié du XIXᵉ siècle est particulièrement riche en recherches dans les domaines des sciences de la vie, des sciences physiques et des sciences humaines. Ces recherches conduisent à des découvertes qui modifient radicalement la vision qu'on se fait de l'homme et du monde. Mentionnons, entre autres, la théorie évolutionniste de Charles Darwin (1809-1882), qui considère l'être humain comme un animal s'étant transformé et adapté aux influences du milieu. Les découvertes de Darwin ont comme conséquence la possibilité nouvelle d'observer scientifiquement l'être humain de la même manière que n'importe quel organisme vivant. On sort alors des spéculations traditionnelles sur la création divine de l'être humain pour porter l'étude sur un plan strictement scientifique.

Cette contribution de Darwin s'inscrit d'ailleurs dans un ensemble de bouleversements scientifiques. La naissance de la psychologie scientifique avec Gustav Theodor Fechner (1801-1887) démontre que l'esprit humain peut être un objet

Positiviste

Se dit de la doctrine ou de l'attitude de recherche qui s'en tient uniquement à la connaissance des faits révélés par l'expérience et expliqués par la science. Pour Auguste Comte (1798-1857), le positivisme constitue, dans l'évolution humaine, l'inévitable dépassement de l'esprit religieux et métaphysique.

---

2. Voici les principales œuvres de Freud dans l'ordre chronologique où elles ont été publiées en français: *Introduction à la psychanalyse* (Paris, Payot, 1921); *Cinq Leçons sur la psychanalyse* (Paris, Payot, 1921); *Trois Essais sur la théorie de la sexualité* (Paris, Gallimard, 1922); *Totem et Tabou* (Paris, Payot, 1923); *La Science des rêves* (Paris, Éditions Alcan, 1925), nouvelle traduction sous le titre *L'Interprétation des rêves* (Paris, Presses Universitaires de France, 1926); *Le Rêve et son interprétation* (Paris, Gallimard, 1925); *La Psychopathologie de la vie quotidienne* (Paris, Payot, 1925); *Ma vie et la psychanalyse* (Paris, Gallimard, 1928); *L'Avenir d'une illusion* (Paris, Denoël et Steele, 1934); *Malaise dans la civilisation* (Paris, Denoël et Steele, 1934); *Nouvelles Conférences sur la psychanalyse* (Paris, Gallimard, 1936); *Abrégé de psychanalyse* (Paris, Presses Universitaires de France, 1938); *Moïse et le monothéisme* (Paris, Gallimard, 1948).

d'études et d'observations exactes. Les expérimentations de Louis Pasteur (1822-1895) et de Robert Koch (1843-1910) fondent la science bactériologique. Les recherches de Gregor Mendel (1822-1884) créent la génétique. Enfin, les études de Hermann von Helmholtz (1821-1894) établissent le principe de conservation de l'énergie. Ce principe postule que l'énergie peut se transformer, se déplacer, mais ne peut se créer ni se perdre ou être détruite. Il permet d'entrevoir l'être humain comme un système dynamique d'énergies diverses qui obéissent aux lois physiques et chimiques. Freud accordera une place importante à ce principe quand il découvrira que les lois dynamiques de la conservation de l'énergie peuvent s'appliquer non seulement au corps, mais aussi à l'esprit humain. La seconde topique[3] prendra alors forme.

La psychanalyse

Freud fonda la psychanalyse, une nouvelle méthode utilisée pour soigner les névroses, telle l'hystérie. Sur le plan thérapeutique, cette «technique de traitement analytique[4]» cherche à déterminer les causes perturbatrices (traumatismes) responsables des troubles mentaux (angoisses, **phobies**, obsessions, etc.) souvent accompagnés de symptômes physiques graves (paralysie, perte de l'usage d'un sens, saignement, perte de conscience, etc.) alors que, en fait, le corps du patient est sain sur le plan physiologique. On examine alors les processus **psychiques** profonds, responsables des névroses, afin de libérer l'individu de ses malaises. «Notre tâche scientifique dans le domaine de la psychologie consistera à traduire les processus inconscients en processus conscients pour combler ainsi les lacunes de notre perception consciente[5].»

La psychanalyse freudienne expérimente deux nouvelles techniques d'introspection en vue d'atteindre l'inconscient. D'abord, Freud utilise la méthode de *l'association libre* (dérivée de la catharsis de Breuer) pour retrouver le souvenir des événements ou des conflits traumatisants à l'origine des symptômes névrotiques, souvenir enfoui dans les profondeurs de l'«âme» du malade. Même si le patient ne sait pas ce qui a été rejeté au plus profond de sa psyché, lui seul peut le découvrir et travailler à le rendre inoffensif en exprimant librement tout ce qui vient à son esprit: mots, idées, pensées, réminiscences, **actes manqués symptomatiques**, etc., «qui subissent déjà l'influence de l'inconscient et sont souvent des rejetons de ce dernier[6]». Avec l'aide de l'analyste, le patient tentera de surmonter ses propres **résistances** afin de reconstituer sa vie psychique inconsciente et de se réapproprier son histoire.

Les résistances empêchant parfois le travail de l'association libre, Freud a dû recourir à une deuxième technique, *l'analyse des rêves*, qui permet d'atteindre l'inconscient par une voie détournée. Cette méthode consiste à dévoiler le contenu réel du rêve, contenu qui se cache sous une forme symbolique et qui représente les conflits inconscients qui perturbent le malade.

Phobie

Symptôme qui consiste à éprouver de l'angoisse (crainte inconsidérée et en apparence immotivée) face à une situation, à un lieu ou à un objet particulier (par exemple, l'agoraphobie et la claustrophobie).

Psychique

Se dit du psychisme ou de la vie psychique, laquelle constitue l'ensemble des faits psychiques, c'est-à-dire tout ce qui concerne la personnalité d'un individu, sa psyché, son «âme». Ces faits psychiques sont à l'origine de ses attitudes et de ses comportements.

Acte manqué symptomatique

Expression utilisée par Freud pour désigner un comportement exécuté machinalement et présenté spontanément comme étant le fruit du hasard, mais qui, en fait, exprime des pulsions et des pensées inconscientes (par exemple, oubli, lapsus, fait d'égarer un objet).

Résistance

«Au cours de la cure psychanalytique, on donne le nom de résistance à tout ce qui, dans les actions et les paroles de l'analysé, s'oppose à l'accès de celui-ci à son inconscient» (Jean LAPLANCHE et J.-B. PONTALIS, *Vocabulaire de la psychanalyse*, p. 420).

---

3. Voir plus loin dans le chapitre.

4. Sigmund FREUD, *Abrégé de psychanalyse*, trad. Anne Berman, Paris, Presses Universitaires de France, coll. «Bibliothèque de psychanalyse», 1970, p. 14.

5. *Ibid.*, note de bas de page, p. 20.

6. *Ibid.*, p. 42.

Ainsi, les motivations cachées du comportement du malade pourront accéder à la conscience après un long travail conjoint de mise à nu et d'interprétation des causes qui ont perturbé sa personnalité. Le rôle de l'analyste sera de guider le patient pour qu'il ramène à sa conscience ces causes «souterraines» afin d'en permettre l'intégration.

La psychanalyse freudienne, nous le voyons, propose un traitement particulier des troubles mentaux (surtout les névroses, telle l'hystérie). Or, Freud postule qu'il est «impossible d'établir scientifiquement une ligne de démarcation entre les états normaux et anormaux[7]». Dans la vie quotidienne, nous accomplissons des actes dits normaux (**lapsus**, oublis, actes manqués, rêves) qui s'expliqueraient selon la même grille d'analyse que les actes dits pathologiques (névroses,

Voici le divan analytique d'origine sur lequel les patients de Freud s'allongeaient. Assis hors de leur vue, Freud écoutait leurs associations libres.

obsessions, etc.). En conséquence, l'étude des troubles de la personnalité permettrait de se faire une idée du psychisme normal, qui fonctionne sur plusieurs plans. La psychanalyse se présente alors comme une théorie psychologique qui décrit et explique les processus psychiques à l'œuvre chez l'être humain.

Lapsus
«Emploi involontaire d'un mot pour un autre, en langage parlé ou écrit» (*Le Petit Robert*).

La première topique freudienne : la théorie des trois qualités psychiques

Conception de l'être humain

Une conception déterministe de l'être humain

À la fois théorie des catégories et désignation d'un lieu donné, «topique» sert à distinguer des parties du psychisme humain et à s'en faire une représentation spatiale, sans que celle-ci n'ait aucun rapport avec une disposition anatomique réelle.

Avec sa théorie des trois zones psychiques (l'inconscient, le préconscient et le conscient), appelée la **première topique,** Freud a révolutionné la représentation qu'on se fait de l'être humain.

Même si Freud a toujours refusé l'existence d'une philosophie particulière de l'homme à laquelle la psychanalyse aurait donné son expression, il faut reconnaître que l'œuvre freudienne constitue une conception neuve et originale de la personnalité humaine[8].

L'homme doué de raison que la philosophie classique (par exemple, Descartes) avait jusqu'alors considéré comme maître de lui-même – parce qu'il est conscient de soi et possède un libre arbitre – est désormais dominé par des pulsions inconscientes. La personne est déterminée à son insu par des forces enfouies dans les profondeurs de son être. En ce sens, la psychanalyse freudienne apparaît comme une théorie **déterministe** de compréhension et d'explication de l'être humain.

Déterministe
Se dit d'une théorie qui considère le psychisme humain comme résultant de manière nécessaire de causes antérieures qui l'ont façonné.

---

7. *Ibid.*, p. 71-72.

8. Freud avoue lui-même que la psychanalyse est «avant tout un art d'interprétation». Interpréter ne signifie-t-il pas donner une signification à l'être humain, à ses actes et à ses paroles? De plus, il faut dire que la psychanalyse dépasse largement la psychologie descriptive. Freud présente d'ailleurs la psychanalyse comme une «*métapsychologie* [au-delà de la psychologie] lorsque nous réussissons à décrire un processus psychique sous les rapports *dynamique, topique, économique*» (Sigmund FREUD, *Métapsychologie,* trad. Jean Laplanche et J.-B. Pontalis, Paris, Gallimard, coll. «Idées», 1968, p. 89).

Freud refuse la croyance «profondément enracinée à la liberté [...] Une pareille croyance est tout à fait antiscientifique et doit s'effacer devant la revendication d'un déterminisme psychique[9]».

Selon Freud, la personnalité de l'être humain est sous le joug de l'inconscient dont la formation débute dans la prime enfance.

L'inconscient (Ics)

Dans son livre *La Science des rêves*, publié en 1900, Freud défend la thèse que le **rêve** est une «réalisation de désir» qui supprime une exigence ou un besoin. Par exemple, mon organisme éprouve la faim pendant que je dors; je rêve alors que je prends un repas apaisant à merveille cette faim qui me tenaille. Ou encore, supposons qu'à l'état de veille j'aie désiré la femme de mon ami, mais sans que ce désir parvienne à ma conscience (qui l'interdit). La nuit venue, je rêve que je fais l'amour avec une autre femme qui porte son prénom ou le même type de vêtements. Ce deuxième exemple illustre que les rêves, parfois, expriment – d'une manière plus ou moins voilée – des tendances ou des désirs inconscients, en général réprimés à l'état de veille, donc contrariés dans leur cours par les exigences de la morale ambiante.

> Freud distingue dans le rêve un contenu manifeste, c'est-à-dire les souvenirs que nous en avons au réveil et que nous pouvons raconter – Freud le qualifie de «façade derrière laquelle se dissimule le fait réel» –, et un contenu latent, lourd de significations, qu'il est possible d'interpréter «avec le secours des associations que le rêveur lui-même ajoute aux éléments du contenu manifeste» (*Abrégé de psychanalyse*, p. 33).

C'est par l'étude du rêve que Freud découvre l'importance capitale de l'inconscient dans la vie psychique de l'être humain: une couche profonde du psychisme échappe à notre conscience. Tous les phénomènes psychiques ne sont donc pas conscients, et le rêve constitue la «voie royale» permettant de rejoindre et d'étudier l'inconscient.

Or, au début du XXe siècle, la dimension de l'inconscient était fort mal connue. Certains psychologues et philosophes[10] avaient déjà pris en considération l'inconscient, mais le mérite revient à Freud d'avoir précisé son contenu et mis en lumière ses manifestations dynamiques dans le psychisme tout entier. Pour Freud, l'inconscient est la vie psychique elle-même; il en est la matrice et la source. «Bien des gens, écrit-il, appartenant ou non aux milieux scientifiques, se contentent de croire que le conscient constitue à lui seul tout le psychisme[11].» Au contraire, seule une petite part de l'activité psychique est consciente, selon Freud. La presque totalité en est inconsciente et contient les désirs et les idées inavouables qui conditionnent le comportement. Et c'est justement cette large

---

9. Sigmund FREUD, *Introduction à la psychanalyse*, trad. S. Jankélévitch, Paris, Petite Bibliothèque Payot, 1966, p. 120.

10. Mentionnons, entre autres, Gottfried Wilhelm Leibniz (1646-1716), pour qui les *aperceptions* (représentations conscientes) n'occupaient qu'une infime place dans les *forces* qui dirigent l'action humaine; Maine de Biran (1766-1824), qui opposait le Moi conscient (volonté agissante) à l'arrière-plan inconscient qui le commande; Arthur Schopenhauer (1788-1860), qui considérait qu'une force universelle et aveugle (la *volonté*) agit en nous et oriente nos comportements; Karl Gustav Carus (1789-1869), qui, pour la première fois, traitait de l'*inconscient* comme d'un principe naturel soit *absolu* ou *relatif* qui gouverne la destinée de toute réalité, y compris la psyché humaine; Friedrich Nietzsche, qui avait déjà décrit l'homme comme un être d'instincts en des termes annonciateurs du discours freudien: «Tous nos motifs conscients, écrivait Nietzsche, sont des phénomènes de surface; derrière eux se déroule la lutte de nos instincts et de nos états: la lutte pour la puissance» (*Œuvres posthumes*, p. 138).

11. *Abrégé de psychanalyse*, p. 18.

part d'inconscient, où «les règles de la pensée et de la logique ne jouent pas[12]», qui constitue le psychisme humain :

> L'hypothèse de l'inconscient est nécessaire et légitime, et nous possédons de multiples preuves de l'existence de l'inconscient. Elle est nécessaire, parce que les données de la conscience sont extrêmement lacunaires ; aussi bien chez l'homme sain que chez le malade, il se produit fréquemment des actes psychiques qui, pour être expliqués, présupposent d'autres actes qui, eux, ne bénéficient pas du témoignage de la conscience. Ces actes ne sont pas seulement les actes manqués et les rêves, chez l'homme sain, et tout ce qu'on appelle symptômes psychiques et phénomènes compulsionnels chez le malade ; notre expérience quotidienne la plus personnelle nous met en présence d'idées qui nous viennent sans que nous en connaissions l'origine, et de résultats de pensée dont l'élaboration nous est demeurée cachée. Tous ces actes conscients demeurent incohérents et incompréhensibles si nous nous obstinons à prétendre qu'il faut bien percevoir par la conscience tout ce qui se passe en nous en fait d'actes psychiques[13].

Les pulsions

Cette vie psychique inconsciente se déroule en nous et détermine, à notre insu, notre comportement. Elle est constituée d'excitations pulsionnelles. Freud utilise généralement le terme de pulsion (*Trieb*, en allemand) afin de jumeler deux types de tendances qui dirigent, selon lui, l'activité de l'être humain : les tendances physiologiques et les tendances psychiques qui en sont issues :

> Si, en nous plaçant d'un point de vue biologique, nous considérons maintenant la vie psychique, le concept de «pulsion» nous apparaît comme un concept-limite entre le psychisme et le **somatique**, comme le représentant psychique des excitations issues de l'intérieur du corps et parvenant au psychisme, comme une mesure de l'exigence de travail qui est imposée au psychisme en conséquence de sa liaison au corporel[14].

Somatique
Se dit de tout ce qui est organique et concerne le corps.

En somme, les pulsions correspondent à des *poussées* psychiques qui viennent du corps et dont l'unique *but* est de supprimer «l'état d'excitation à la source de la pulsion» en se satisfaisant à l'aide d'un objet. Selon Freud, il existe deux grands groupes de pulsions qui illustrent la dualité du psychisme humain.

L'être humain est animé par la *pulsion de vie* : **Éros**. Dans cette catégorie, on trouve les pulsions d'autoconservation biologique (conservation de soi et reproduction de l'espèce) et les pulsions sexuelles non orientées vers la reproduction. Les pulsions sexuelles sont considérées par Freud comme la principale force motivant l'être humain. Qui plus est, cette force «se manifeste clairement très tôt après la naissance[15]». Cependant, la sexualité est pour Freud une notion large qui désigne beaucoup plus que les activités et le plaisir liés au fonctionnement de l'appareil génital. Elle englobe toute une série de pratiques et d'excitations qui procurent du plaisir, et ce, dès l'enfance (par exemple, sucer son pouce).

Éros
Dieu grec de l'amour, fils d'Aphrodite (déesse de l'amour) et d'Arès (dieu de la guerre).

Éros est en quelque sorte la pulsion d'amour. Éros est amour de soi et de toute personne ou de tout objet duquel il s'éprend. En tant que pulsion de vie, Éros cherche à répandre la vie et à créer des liens. Freud donne le nom de libido à l'énergie

---

12. *Ibid.*, p. 32-33.

13. *Métapsychologie*, p. 66-67.

14. *Ibid.*, p. 18.

15. *Abrégé de psychanalyse*, p. 13.

par laquelle s'expriment les pulsions de vie. L'énergie de la libido voit à la conservation de soi et de l'espèce.

L'être humain est aussi animé par la *pulsion de mort* : **Thanatos**. Cette pulsion vise l'anéantissement de tout ce qui vit. Elle s'oppose au « divin Éros ». Elle veut « briser tous les rapports [...], ramener ce qui vit à l'état inorganique[16] ». Les incessantes guerres produites par l'humanité ont incité Freud à traiter de l'existence de cette pulsion et à considérer que la nature humaine n'est pas que bonté et amour. Il y a une force à l'intérieur de l'homme qui le pousse à donner la mort. La manifestation directe de Thanatos conduit à se donner la mort (suicide). Dans une discussion avec Albert Einstein (1879-1955) sur le sujet de la guerre, Freud utilise le terme « destruction » pour nommer la pulsion qui dérive de la pulsion de mort et qui est dirigée contre le monde extérieur dans le but d'éliminer l'autre plutôt que soi-même.

Au début de la vie d'un être humain, les deux pulsions fondamentales Éros et Thanatos agissent à l'intérieur du psychisme et se neutralisent l'une l'autre. Au cours du développement, Éros et Thanatos forment un processus dynamique de forces opposées qui se conjuguent pour former la personnalité de l'individu. Ces deux pulsions primordiales devraient normalement être intégrées au niveau de la conscience au cours de la petite enfance. Mais, à cause d'un vécu traumatisant (en particulier la crainte de perdre l'amour des parents), ou à cause de circonstances extérieures (des règles éducatives strictes), ces pulsions (plus particulièrement leurs **représentations**) peuvent avoir subi la *censure*, c'est-à-dire avoir été l'objet du refoulement.

Le refoulement

Le refoulement est un **mécanisme de défense** qui repousse dans l'inconscient, en mettant à l'écart et en tenant à distance du conscient – sans la participation volontaire du sujet –, les tendances ou les désirs sexuels et agressifs (et leurs représentations) non acceptés par le milieu familial et social.

Le refoulement est un procédé tout à fait inconscient et automatique. Grâce à celui-ci, un barrage est érigé contre la pulsion menaçante, qui est alors réfrénée sans que la volonté ou la liberté de l'individu y soit pour quelque chose. C'est comme si un interdit était posé et que la représentation d'une pulsion jugée incorrecte était chassée de la conscience et oubliée, bien que continuant à y vivre, à s'y développer et à influer sur la conduite de l'individu. Prenons comme exemple l'un des cas thérapeutiques rapportés par Freud lui-même. Il s'agit d'une patiente qui était tombée amoureuse du mari de sa sœur. Cette dernière meurt subitement. Malgré la peine ressentie face à cette mort soudaine, la patiente ne peut s'empêcher de penser que son beau-frère, désormais veuf, pourra enfin l'épouser. Horrifiée par cette idée inconvenante, elle la « refoule » complètement. Mais elle tombe gravement malade. Freud diagnostique une hystérie aux symptômes graves. La cure psychanalytique permet de faire réapparaître cette « idée révoltante » à la conscience de la patiente afin qu'elle puisse y voir la cause du grave traumatisme enfoui dans son inconscient.

Thanatos

Dieu grec de la mort, fils de la Nuit et frère d'Hypnos.

Sucer son pouce est pour l'enfant une pratique procurant un plaisir certain. Selon Freud, Éros est déjà au rendez-vous.

Représentation

Du latin *repræsentatio*, « action de mettre sous les yeux ». Du mot allemand *Vorstellung*, « représentation » signifie « le contenu concret d'un acte de pensée ». Freud l'utilise plus particulièrement dans le sens de « traces » de l'objet, de l'événement ou de la pulsion qui viennent s'inscrire dans les « systèmes mnésiques (liés aux souvenirs) ».

Mécanisme de défense

Procédé inconscient qui sert à maîtriser ou à canaliser les pulsions qui risqueraient de porter atteinte à l'équilibre de la personnalité. Ce procédé (que ce soit le refoulement, la projection, la formation négative, la fixation, la régression ou la sublimation) instaure un compromis défensif entre le désir et la réalité. Afin de protéger l'individu menacé d'angoisse, ce procédé peut déformer ou même refuser la réalité.

Prenons un autre exemple pour illustrer le refoulement. Un jeune manœuvre obtient un nouvel emploi dans une usine. À la première rencontre avec son contremaître, il ressent une antipathie à l'endroit de celui-ci. Plus les semaines passent, plus le rapport entre les deux hommes s'envenime. Le contremaître surveille sans cesse l'employé, le réprimande à la moindre faute. Le jeune manœuvre se met à le détester carrément et à éprouver beaucoup d'agressivité envers lui. Mais, pour ne pas risquer de perdre son emploi, le jeune homme ne riposte pas et ronge son frein. Or, une nuit, il rêve qu'il tue son contremaître à coups de couteau. Au réveil, il ne se rappelle pas le contenu de son rêve, car l'objectif premier du refoulement – comme celui de tout mécanisme de défense, d'ailleurs – est de maintenir hors de la conscience les conflits qu'il résout :

> La psychanalyse nous a appris que l'essence du processus de refoulement ne consiste pas à supprimer, à anéantir une représentation représentant la pulsion, mais à l'empêcher de devenir consciente. Nous dirons alors qu'elle se trouve dans l'état « inconscient » et nous pouvons fournir des preuves solides de ce que, tout en étant inconsciente, elle peut produire des effets dont certains même atteignent finalement la conscience[17] [...]

Le conscient (Cs) et le préconscient (Pcs)

Nous venons de voir qu'un *acte psychique* (une représentation incongrue, déplacée, inacceptable) subit d'abord l'épreuve de la censure ; s'il ne réussit pas à franchir cette épreuve, il est alors refoulé dans le système inconscient (Ics). Mais si cet acte psychique franchit cette épreuve, « il entre dans la deuxième phase et appartient désormais au deuxième système que nous décidons d'appeler le système Cs[18] ». Le système conscient (Cs) représente tous les phénomènes psychiques immédiatement présents à l'esprit. Situé à la limite du psychisme humain, le conscient n'occupe qu'une infime partie de ce dernier. Grâce à sa relation directe avec le monde extérieur, il est responsable de la perception sensorielle et de la motricité :

> La prise de conscience dépend avant tout des perceptions reçues de l'extérieur par nos organes sensoriels. [...] Certes, certains renseignements conscients nous viennent aussi de l'intérieur du corps, les sentiments, qui exercent même sur notre vie psychique une influence bien plus impérieuse que les perceptions externes. Enfin, en diverses circonstances, les organes sensoriels fournissent, en plus de leurs perceptions spécifiques, des sentiments, des sensations douloureuses. Ces impressions, comme nous les appelons pour les distinguer des perceptions conscientes, émanent aussi de nos organes terminaux[19].

Revenons à la représentation refoulée du meurtre du contremaître dont nous parlions précédemment. Il se peut que cette représentation, parce qu'elle a été censurée, ne parvienne pas tout de suite à la conscience du jeune manœuvre, mais qu'elle soit *susceptible de devenir consciente* sans trop de résistance et dans la mesure où certaines conditions sont remplies. Freud donne le nom de système « préconscient » (Pcs) à cette phase par laquelle un acte psychique a la possibilité de devenir conscient. Le préconscient représente donc les phénomènes psychiques, ou affects[20], absents de l'esprit, mais qui peuvent être plus ou moins facilement

---

17. *Métapsychologie*, p. 65.

18. *Ibid.*, p. 76.

19. *Abrégé de psychanalyse*, p. 24-25.

20. Freud précise qu'« une pulsion ne peut jamais devenir objet de la conscience, seule le peut la représentation qui la représente », ou l'« état d'affect » sous lequel la pulsion apparaît (*Métapsychologie*, p. 82).

ramenés à la conscience grâce au langage, soit accidentellement ou par un effort de la volonté. La mémoire peut aussi donner accès à l'univers du préconscient, alors qu'elle ne peut permettre d'entrer en contact avec le contenu profondément refoulé dans l'inconscient. L'accessibilité au matériel inconscient peut toutefois se faire par des voies détournées telles que l'hypnose, les rêves ou les drogues.

Comme nous avons pu le constater, la première topique freudienne permet de déterminer les différentes zones du psychisme humain ainsi que leur contenu. On qualifie la première topique de statique, car elle n'offre pas un modèle de compréhension dynamique et complet du comportement humain[21].

La seconde topique freudienne : la théorie dynamique de la personnalité

Freud propose, à partir de 1923, un second système conceptuel (qualifié de **seconde topique**) représentant l'appareil psychique. La seconde topique étudie comment l'énergie psychique se distribue à l'intérieur d'instances de la personnalité qui cherchent chacune à en posséder le contrôle afin de satisfaire sa vision du monde. Ces instances de la personnalité ou «provinces de l'appareil psychique[22]» se nomment le Ça, le Sur-Moi et le Moi. Elles apparaissent à des phases différentes de l'évolution de l'être humain.

> L'ancienne topique (l'Ics, le Cs et le Pcs) n'est pas rejetée par Freud, mais une nouvelle distribution vient désormais se superposer à la précédente.

Le Ça[23]

Freud donne le nom de Ça à la partie la plus ancienne de l'appareil psychique. Le psychisme n'est d'abord que le Ça inorganisé, c'est-à-dire «tout ce que l'être apporte en naissant[24]». Le Ça constitue le «noyau de notre être[25]»; il correspond à la base primitive et inconsciente du psychisme qui est dominée par les besoins primaires. Le Ça possède dès la naissance la totalité de l'énergie psychique disponible et l'utilise pour la satisfaction immédiate des besoins. Le Ça ne sait pas attendre.

Le psychisme du nouveau-né n'est constitué à l'origine que du Ça. Lorsqu'il a faim, l'enfant manifeste cette pulsion par des pleurs et des cris. Il veut se satisfaire tout de suite. Il est entièrement pris par cette faim qui mobilise son être. En somme, le Ça est une espèce de marmite chaotique où bouillonnent les désirs, les besoins et les pulsions organiques. «Les pulsions organiques agissent à l'intérieur du Ça et

21. Il y a lieu de reprendre ici l'énoncé de Helmholtz sur le principe de conservation de l'énergie. L'énergie peut être transformée, se déplacer, mais elle ne se crée pas et ne se détruit pas. De même, Brücke concevait l'être humain comme un système dynamique lié aux lois physiques et chimiques. Freud, qui subit alors l'influence des études scientifiques de son époque, croit que les lois de la physique s'appliquent autant à l'esprit qu'au corps. L'énergie physique se déplace et se transforme en énergie psychique en favorisant l'émergence des processus mentaux (mémoire, synthèse, perception, etc.). Le lien corps-esprit est établi.

22. *Abrégé de psychanalyse*, p. 24.

23. Le Ça est la traduction française du terme allemand *das Es* (*id*, en latin).

24. *Abrégé de psychanalyse*, p. 4.

25. *Ibid.*, p. 74.

résultent elles-mêmes de la fusion en proportions variables de deux forces primitives : l'Éros et la Destruction[26] », dont nous avons parlé précédemment.

L'individu qui ne possède qu'un gros Ça ne peut voir les exigences de la réalité extérieure, ni s'y conformer, car la totalité de l'énergie psychique est mise à la disposition de la satisfaction immédiate des besoins. Dans le Ça, il n'y a ni contradiction, ni loi, ni morale, ni temps. Le Ça correspond à l'univers de l'impulsivité pure qui ne tolère aucune augmentation d'énergie provoquée par la tension résultant d'un besoin. Le Ça ignore même qu'il existe une réalité extérieure pouvant participer à la satisfaction des besoins. Il est uniquement en contact avec l'univers interne des besoins, des pulsions et des passions.

Le Ça et le principe de plaisir

Le Ça répond au *principe de plaisir,* c'est-à-dire qu'il cherche constamment à retrouver l'état de bien-être qui existait avant que le besoin apparaisse. En cela, il est incapable d'attendre et exige que toute pulsion soit immédiatement satisfaite sans égard à rien d'autre qu'à ce principe. Le principe de plaisir est un processus primaire d'accomplissement du désir qui ne tient compte d'aucune règle, norme ou logique. C'est comme si une pulsion nous poussait à satisfaire nos désirs dans l'immédiat, de façon égoïste et inconsidérée, sans que nous pensions à nous protéger contre ce qui pourrait menacer ou compromettre la sécurité de notre personne ou l'ordre moral et social en vigueur. Par exemple, un père qui commet des gestes incestueux envers sa jeune fille ne répond qu'aux injonctions de son Ça.

Évidemment, le fait d'agir de manière impulsive, en ne nous souciant pas des conséquences liées aux actes que nous faisons, risque d'entrer en conflit avec la raison, qui, elle, pense au lendemain et voit à éviter les dangers. Cela risque aussi de contrecarrer les exigences de la société et ses interdits.

Le réservoir du refoulé

Le Ça symbolise le psychisme humain à l'état naturel. Il est ce lieu, au plus profond de nous, où s'agitent les pulsions avant toute manifestation ou tout contrôle de la culture. Mais il sert aussi de réservoir au refoulé :

> Le Moi est la partie du psychisme qui – étant consciente de la réalité – représente la raison, le « réalisme », la prudence et la sécurité.

> L'inconscient est la seule qualité dominant à l'intérieur du Ça. [...] À l'origine, tout était Ça. Le **Moi** s'est développé à partir du Ça sous l'influence persistante du monde extérieur. Durant ce lent développement, certains contenus du Ça passèrent à l'état préconscient, s'intégrant ainsi dans le Moi. D'autres demeurèrent dans le Ça en en constituant le noyau difficile d'accès. Mais durant ce développement, le Moi jeune et faible a repoussé dans l'inconscient et supprimé certains contenus qu'il avait déjà intégrés, et s'est comporté de la même façon à l'égard de nombre d'impressions nouvelles qu'il aurait pu recueillir, de sorte que ces dernières, rejetées, n'ont pu laisser de traces que dans le Ça. C'est à cette partie du Ça que nous donnons, du fait de son origine, le nom de refoulé. Nous ne sommes pas toujours en mesure de délimiter nettement les deux catégories dans ce contenu du Ça, ce qui d'ailleurs importe peu. Contentons-nous de dire que le Ça comporte des contenus innés et des faits acquis au cours de l'évolution du Moi[27].

---

26. *Ibid.,* p. 74.
27. *Ibid.,* p. 26.

En résumé, les pulsions primaires forment le contenu inné du Ça, alors que le refoulé forme son contenu de faits acquis, c'est-à-dire de représentations qui ont été reléguées dans l'inconscient parce qu'elles exprimaient des tendances culturellement, socialement ou moralement inacceptables.

Notons que «le refoulé exerce, en direction du conscient, une pression continue, qui doit être équilibrée par une contre-pression incessante. Maintenir le refoulement suppose donc une dépense constante de force; le supprimer, cela signifie, du point de vue économique, une épargne[28]». Tout au long de notre développement, le refoulement exige donc de notre psychisme une dépense d'énergie qui pourrait être utilisée à d'autres fins. Mais quelle est l'origine du refoulement, qu'est-ce qui en est la source? Reprenons l'exemple du nourrisson qui éprouve une faim subite. Ses parents lui apprendront tôt ou tard à se discipliner, à cesser de pleurer et de crier, et à attendre patiemment qu'ils soient disponibles pour le nourrir. Plus tard, ils lui montreront à contrôler ses besoins naturels: la régularité et la propreté seront exigées de lui. Ils lui enseigneront ensuite qu'il est incorrect de briser ses jouets, d'être agressif envers ses camarades ou de faire des crises de violence. Ses satisfactions autoérotiques pourront aussi lui être interdites. Bref, ses parents lui inculqueront l'ensemble des valeurs et des règles particulières à la société dans laquelle il grandira et qui, de façon générale, s'opposent à l'actualisation spontanée des pulsions. Toutes ces tendances sexuelles ou agressives réprimées par l'éducation – et plus spécialement les représentations liées à ces tendances – seront refoulées dans les profondeurs de l'inconscient.

L'instance psychique qui représente les exigences de la société et ses interdits est le Sur-Moi.

Le Sur-Moi

Durant la longue période de l'enfance que nous traversons et pendant laquelle nous dépendons de nos parents se forme une instance qui prolonge l'influence de ceux-ci. Freud appelle «Sur-Moi» (*Über-Ich*, super-ego) cette instance qui se modèle sur l'autorité parentale **introjectée** au cours de l'enfance:

> Ce n'est évidemment pas la seule personnalité des parents qui agit sur l'enfant, mais transmises par eux, l'influence des traditions familiales, raciales et nationales, ainsi que les exigences du milieu social immédiat qu'ils représentent. Le Sur-Moi d'un sujet, au cours de son évolution, se modèle aussi sur les successeurs et sur les substituts des parents, par exemple sur certains éducateurs, certains personnages qui représentent au sein de la société des idéaux respectés[29].

Selon Freud, le Sur-Moi démontre souvent une sévérité beaucoup plus grande que celle des parents réels ou des personnes les représentant. Il met en place un «code moral» exigeant et étroit. Par exemple, le Sur-Moi ne juge pas uniquement l'individu sur les actes accomplis, mais il considère aussi les intentions et les pensées non encore actualisées.

Le Sur-Moi et le principe de perfection

En ce sens, le Sur-Moi – appelé aussi le Moi idéal – représente un **idéal** à atteindre et répond au *principe de perfection*. C'est comme si le Sur-Moi se faisait son propre cinéma en se projetant des images idéales de pensées et de comportements qui correspondent aux

Introjecter

Terme psychanalytique décrivant le processus inconscient par lequel l'enfant, par exemple, incorpore l'image des parents à son Moi et à son Sur-Moi.

La quête d'un tel idéal correspond à l'un des deux sous-systèmes du Sur-Moi: l'idéal du Moi et la conscience morale.

---

28. *Ibid.*, p. 53.
29. *Ibid.*, p. 5-6.

représentations intériorisées des valeurs parentales. En cela, il ressemble au Ça puisque ces deux instances perçoivent la réalité de façon irréaliste : le Ça en présente une vision anarchique, alors que le Sur-Moi en propose une vision idéalisée :

> Le Sur-Moi représente toutes les contraintes morales et aussi l'aspiration vers le perfectionnement, bref tout ce que nous concevons maintenant psychologiquement comme faisant partie de ce qu'il y a de plus haut dans la vie humaine. C'est en nous tournant vers les sources d'où découle le Sur-Moi que nous parviendrons plus aisément à connaître sa signification ; or nous savons que le Sur-Moi dérive de l'influence exercée par les parents, les éducateurs, etc. En général, ces derniers se conforment, par l'éducation des enfants, aux prescriptions de leur propre Sur-Moi. Quelle qu'ait été la lutte menée entre leur Sur-Moi et leur Moi, ils se montrent sévères et exigeants vis-à-vis de l'enfant. Ils ont oublié les difficultés de leur propre enfance et sont satisfaits de pouvoir s'identifier à leurs parents à eux, à ceux qui leur avaient autrefois imposé de dures restrictions. Le Sur-Moi de l'enfant ne se forme donc pas à l'image des parents, mais bien à l'image du Sur-Moi de ceux-ci ; il s'emplit du même contenu, devient le représentant de la tradition, de tous les jugements de valeur qui subsistent ainsi à travers les générations[30].

Tableau d'Alberto Savinio (1891-1952) intitulé *Œdipe et Antigone*. Lorsqu'une enquête révèle qu'il est coupable du meurtre de son père et d'amour incestueux à l'endroit de sa mère, Œdipe se crève les yeux.

Le Sur-Moi et le complexe d'Œdipe

Le contenu du Sur-Moi (prescriptions, contraintes et restrictions morales, jugements de valeur, aspirations idéales à la perfection) s'élabore à partir du Sur-Moi des parents (agents de transmission de la moralité et de la tradition). Mais quel est le mécanisme précis qui en signe l'origine ? Le Sur-Moi naît, selon Freud, à la suite du refoulement du *complexe d'Œdipe*. Le complexe d'Œdipe peut brièvement être décrit comme l'attachement incestueux inconscient que tous les enfants ressentent (de trois à six ans) envers le parent de sexe opposé. Cet attachement entraîne, d'une part, une jalousie éprouvée envers le parent du même sexe qui est perçu, dans l'inconscient, comme un rival et, d'autre part, un sentiment de culpabilité inconscient qui fait suite aux sentiments d'agressivité à son égard. Les pulsions œdipiennes ainsi enfouies au plus profond de l'inconscient sont en quelque sorte remplacées par le Sur-Moi.

Plus le complexe d'Œdipe aura été fort, plus vite le refoulement sera effectué (sous l'influence de toutes les formes d'autorité morales de même que par la menace de **castration** pour le garçon et par l'annulation du désir de posséder un pénis pour la fille), et plus le Sur-Moi régnera avec rigueur afin de contrôler l'utilisation de l'énergie des pulsions.

En conclusion, on peut dire que le Sur-Moi correspond à une norme impérative qui résulte de l'intériorisation, au cours de l'enfance, de l'autorité parentale-institutionnelle et du sens moral de la culture environnante. En cela, le Sur-Moi représente les exigences du milieu social et moral dans lequel nous grandissons et nous nous développons. Et c'est dans cette mesure qu'on peut dire que le Sur-Moi est la conscience morale d'un individu. En voulant reléguer dans l'inconscient les pulsions sexuelles et agressives jugées excessives ou indécentes, donc en

Œdipe

Personnage de la mythologie grecque qui tue Laïos, roi de Thèbes, sans savoir qu'il est son père, et qui devient l'époux de Jocaste en ignorant qu'elle est sa mère. Par la suite, apprenant qu'il est l'auteur de ces crimes horribles, Œdipe se crève les yeux.

Castration

Le complexe de castration se définit par la crainte intériorisée par le fils de voir son père lui couper son pénis (lorsqu'il constate que les filles n'en ont pas). Le pendant féminin du complexe de castration correspondrait à l'envie du pénis lorsque la fille se rendrait compte qu'elle n'en a pas.

---

30. Sigmund FREUD, *Nouvelles Conférences sur la psychanalyse*, trad. Anne Berman, Paris, Gallimard, coll. « Idées », 1971, p. 90-91.

exigeant de réfréner les satisfactions non permises par notre culture (tabous et interdits), le Sur-Moi joue un rôle de censure. Nous le «ressentons, dans son rôle de justicier, comme notre *conscience* [qui surveille l'autre instance psychique, le Moi, lui donne des ordres, le dirige, le menace de châtiment], exactement comme les parents dont elle a pris la place[31]». Le Sur-Moi n'a cependant pas qu'un rôle répressif. Il représente aussi le niveau des aspirations et notre tendance à la perfection.

Le Moi

Freud donne le nom de Moi (*das Ich, ego*) à cette «fraction de notre psychisme», à cette mince «surface» coincée à la limite de l'inconscient, de la réalité extérieure et du Sur-Moi, et à laquelle correspond en partie la qualité de conscient. Au contact du monde extérieur, le Moi s'est développé à partir d'une transformation du Ça. Le Moi possède la capacité d'être à proximité de la réalité extérieure et en contact avec elle, et il est en mesure d'aider le Ça à éliminer ses tensions. Ainsi, tôt dans la première année de la vie de l'enfant, le Moi obtient une petite quantité d'énergie du Ça et s'en sert pour tester la réalité, c'est-à-dire voir si les demandes du Ça sont compatibles avec les possibilités offertes par le milieu extérieur. Le Moi a besoin de l'aide du monde extérieur (par exemple, le milieu familial) afin de réprimer la force de l'énergie pulsionnelle pendant l'enfance.

Voyons plus précisément les principaux rôles[32] que Freud accorde au Moi:

1. le contrôle des mouvements volontaires;

2. l'autoconservation;

3. la relation avec le monde extérieur:

   – la connaissance des excitations;

   – l'emmagasinage dans la mémoire des expériences liées aux excitations;

   – la fuite devant les excitations trop fortes;

   – l'adaptation aux excitations modérées;

   – l'action modifiant de façon appropriée et à son avantage le monde extérieur.

Le Moi et le principe de réalité

En somme, la fonction primordiale du Moi consiste à favoriser le contact avec la réalité (monde extérieur): je suis là, j'occupe un espace, je m'y déplace, j'ai froid ou chaud, soif ou faim, j'éprouve un désir pour telle femme ou tel homme, etc. C'est le Moi qui établit un contact entre les besoins pulsionnels issus de l'organisme et la réalité extérieure. Un Moi sain assure un rapport exact au monde extérieur. Le Moi est le représentant du *principe de réalité*.

En ce sens, le Moi est l'instance qui sert d'intermédiaire entre le Ça et les contraintes du monde extérieur représentées par le Sur-Moi. «De même que le Ça n'obéit qu'à l'appât du plaisir, le Moi est dominé par le souci de la sécurité. Sa mission est la conservation de soi que le Ça semble négliger[33].»

---

31. *Ibid.*, p. 84-85.
32. *Ibid.*, p. 4.
33. *Ibid.*, p. 76.

Le Moi essaie d'interposer une **activité réflexive** entre la pulsion et ce qu'il faut faire pour l'actualiser. En se basant sur les expériences passées et en prenant en considération la situation présente, il pèse le pour et le contre, et décide si le mode de satisfaction projeté est réalisable sans danger et si le moment choisi est approprié. Tout cela a pour but d'éviter le sentiment de culpabilité que pourrait créer le Sur-Moi et d'empêcher de cette manière l'apparition de l'angoisse qui en découlerait. Ainsi, le Moi peut suspendre la pulsion jusqu'à ce que l'objet (personne ou chose) pouvant effectivement satisfaire cette dernière soit découvert, ou encore jusqu'à ce que l'objet désiré se rende disponible. L'exemple suivant peut illustrer cette fonction du Moi, qui est axé sur le principe de réalité et qui, conséquemment, tient compte de l'«épreuve de réalité». La femme avec laquelle je vis est installée à son bureau. Je la regarde et, soudain, j'éprouve du désir pour elle. Mais elle travaille avec beaucoup de concentration à un rapport très important qu'elle doit remettre demain à son bureau. C'est à cause de mon Moi que je tolérerai que la satisfaction de mon désir soit différée ou que mon désir soit réprimé. Je respecterai donc le travail de ma femme et attendrai qu'elle ait terminé son rapport en espérant que...

> « Le moi représente ce qu'on peut nommer raison et bon sens [...] » (Sigmund FREUD, *Essais de psychanalyse*, p. 237).

Le Moi comme instance inhibitrice

Cet exemple montre que le Moi peut agir comme instance **inhibitrice** en utilisant le mécanisme de la répression. « Le moi, écrit Freud, évolue de la perception des pulsions à la maîtrise des pulsions, de l'obéissance aux pulsions à l'inhibition des pulsions[34]. » Freud décrit l'inhibition des instincts de la manière suivante :

> Au-dedans, il [le Moi] mène une action contre le Ça en acquérant la maîtrise des exigences pulsionnelles et en décidant si celles-ci peuvent être satisfaites ou s'il convient de différer cette satisfaction jusqu'à un moment plus favorable ou encore s'il faut les étouffer tout à fait[35].

Le Moi impose de fortes contraintes aux élans du Ça. C'est le Moi qui refoule toute action qui pourrait amener des conséquences fâcheuses ou engendrer de l'anxiété et de l'angoisse[36].

Dans le but de protéger son intégrité, le Moi peut donc inhiber, c'est-à-dire réprimer délibérément et consciemment, les pulsions répréhensibles du Ça. Prenons comme exemple un jeune professeur de cégep récemment embauché qui éprouve envers l'une de ses élèves un désir sexuel ardent qui ne cesse de le troubler. Aussitôt le cours terminé, il peut, sans faire intervenir sa raison, signifier à son élève l'immense désir qu'il ressent pour elle. À l'inverse, il peut, étant donné qu'il est et restera son enseignant, se dire qu'il serait bien imprudent de se laisser ainsi aller à une impulsion déplacée. Conséquemment, il jugera préférable de différer la manifestation de son désir et attendra la fin de la session. Selon une autre possibilité, il peut alléguer le statut de maître par rapport à celui d'élève, la possibilité que le désir ne soit pas partagé, les risques qu'on apprenne une telle liaison et ceux de perdre son emploi, etc., pour étouffer définitivement ce désir. Et, comme par magie, la semaine suivante, lorsqu'il reverra son élève, son désir pour elle ne sera plus aussi pressant.

Inhibiteur

Se dit du processus qui met au repos les données psychiques imprudentes ou inconvenantes en les empêchant de se produire ou d'arriver à la conscience. Afin d'éviter l'angoisse, ou d'entrer en conflit avec le Sur-Moi, le Moi empêche l'éclosion de la pulsion.

---

34. Sigmund FREUD, *Essais de psychanalyse*, trad. André Bourguignon (dir.), Paris, Payot, coll. «Petite Bibliothèque Payot», 1981, p. 271.

35. *Abrégé de psychanalyse*, p. 4.

36. À la fin de cet exposé, nous verrons que la répression des pulsions ne doit pas être excessive, sinon elle risque d'entraîner une névrose.

Le Moi, le Sur-Moi et le Ça

Nous voyons par cet exemple que, dans son activité, le Moi prend en considération les valeurs, les normes et les règles de la culture ambiante édictées par la pression constante du Sur-Moi. Il découvre le moyen le plus favorable et le moins périlleux de satisfaire besoins et pulsions tout en tenant compte des exigences du monde extérieur. En cela, il peut être assimilé à une sorte d'avocat qui négocie avec deux parties adverses : le Ça et le Sur-Moi. Sa principale tâche est de résoudre les conflits surgissant entre ces deux instances. Plus particulièrement, le Moi est le lieu d'un équilibre, solide ou fragile, s'érigeant entre les pulsions du Ça et les pressions morales du Sur-Moi. Ce faisant, «le Moi se voit obligé de satisfaire tout à la fois les exigences de la réalité, celles du Ça et du Sur-Moi, tout en préservant sa propre organisation et en affirmant son autonomie[37]».

Complétons cette description de la relation entre les trois instances de l'appareil psychique (voir la figure 6.1) par un dernier passage des *Nouvelles Conférences sur la psychanalyse* où Freud explique comment le Moi est contraint de «servir trois maîtres sévères» :

> Un adage nous déconseille de servir deux maîtres à la fois. Pour le pauvre Moi, la chose est bien pire, il a à servir trois maîtres sévères et s'efforce de mettre de l'harmonie dans leurs exigences. Celles-ci sont toujours contradictoires et il paraît souvent impossible de les concilier ; rien d'étonnant dès lors à ce que souvent le Moi échoue dans sa mission. Les trois despotes sont le monde extérieur, le Sur-Moi et le Ça. [...] Il [le Moi] se sent comprimé de trois côtés, menacé de trois périls différents

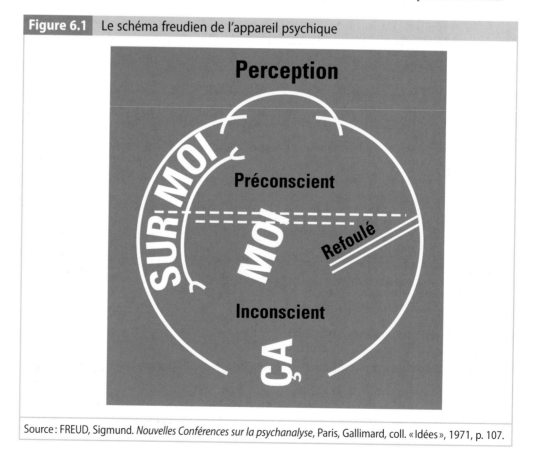

Figure 6.1   Le schéma freudien de l'appareil psychique

Source : FREUD, Sigmund. *Nouvelles Conférences sur la psychanalyse*, Paris, Gallimard, coll. «Idées», 1971, p. 107.

---

37. *Abrégé de psychanalyse*, p. 39.

auxquels il réagit, en cas de détresse, par la production d'angoisse. Tirant son origine des expériences de la perception, il est destiné à représenter les exigences du monde extérieur, mais il tient cependant à rester le fidèle serviteur du Ça, à demeurer avec lui sur le pied d'une bonne entente, à être considéré par lui comme un objet et à s'attirer sa libido. En assurant le contact entre le Ça et la réalité, il se voit souvent contraint de revêtir de rationalisations préconscientes les ordres inconscients donnés par le Ça, d'apaiser les conflits du Ça avec la réalité et, faisant preuve de fausseté diplomatique, de paraître tenir compte de la réalité, même quand le Ça demeure inflexible et intraitable. D'autre part, le Sur-Moi sévère ne le perd pas de vue et, indifférent aux difficultés opposées par le Ça et le monde extérieur, lui impose les règles déterminées de son comportement. S'il vient à désobéir au Sur-Moi, il en est puni par de pénibles sentiments d'infériorité et de culpabilité. Le Moi ainsi pressé par le Ça, opprimé par le Sur-Moi, repoussé par la réalité, lutte pour accomplir sa tâche économique, rétablir l'harmonie entre les diverses forces et influences qui agissent en lui et sur lui : nous comprenons ainsi pourquoi nous sommes souvent forcés de nous écrier : « Ah, la vie n'est pas facile ! » Le Moi, quand il est forcé de reconnaître sa propre faiblesse, est saisi d'effroi : peur réelle devant le monde extérieur, craintes de la conscience devant le Sur-Moi, anxiété névrotique devant la puissance qu'ont les passions dans le Ça[38].

L'anthropologie philosophique freudienne

Freud philosophe

Le portrait que Sigmund Freud brosse de l'être humain, même s'il est déduit de faits cliniques, reste une théorie générale de la nature humaine et, spécifiquement, de l'inconscient et de ses diverses manifestations. Malgré le fait que Freud n'a pas voulu créer de philosophie, il nous a donné une vision si nouvelle de la condition humaine qu'il peut être considéré comme un grand philosophe du XXᵉ siècle.

> On ne peut soumettre les théories freudiennes à des tests spécifiques et répétés qui en démontreraient la véracité absolue. En ce sens, la théorie psychanalytique ne saurait revendiquer le caractère « scientifique », car, ne pouvant être réfutée, elle reste invérifiable. Qui plus est, chaque histoire personnelle étant différente, chaque analyse le sera… Ainsi, la psychanalyse, c'est du cas par cas.

Même si Freud présentait la psychanalyse comme une théorie scientifique, nous pensons que cette dernière ne peut revendiquer un caractère d'**objectivité irréfutable.** Cette conception de l'être humain est et demeure, au même titre que toutes les autres, une interprétation de l'homme qui cherche à donner un sens à des dimensions de la réalité humaine jusqu'alors négligées, voire ignorées. En cela, elle peut être considérée comme une **anthropologie philosophique**, une approche philosophique de l'être humain. Comme tous les autres penseurs présentés dans ce manuel, Freud a voulu répondre au célèbre « Connais-toi toi-même » de Socrate.

Anthropologie philosophique
Conception de l'être humain.

L'homme réel : un être déterminé par son inconscient

Dans sa visée première – en explorant l'inconscient et en démontrant que la vie psychique obéit à ses lois –, le freudisme remet en question la conception traditionnelle de l'être humain, qui est perçu comme un sujet rationnel, autonome, conscient, libre, maître de lui-même et de ses actions. Ce faisant, Freud présente l'homme comme un être de pulsions et de désirs davantage régi par l'inconscient que par la raison – même si Freud croit en une certaine maîtrise de ces processus par la connaissance psychanalytique.

---

38. *Nouvelles Conférences sur la psychanalyse*, p. 104-105.

Aujourd'hui, il n'est pas possible de se représenter l'être humain comme si Freud n'avait jamais existé. Depuis la mise en lumière de l'inconscient, nous savons que nous possédons une personnalité ignorée de nous-mêmes et que, par conséquent, nous avons à démasquer les motivations inconscientes qui nous font faire ceci ou cela, qui nous font être ceci ou cela. Désormais, grâce à Freud, nous savons que le milieu culturel et social dans lequel nous grandissons conditionne et modèle notre affectivité, voire notre personne tout entière. Cette « pression civilisatrice[39] » supprime de façon souvent excessive (car elle provoque des **névroses**) les pulsions et leurs manifestations. Bien sûr, la civilisation naît de la maîtrise des pulsions, qui ne peuvent s'épancher librement à cause de leur caractère asocial. « Une grande partie de notre trésor de civilisation, si hautement prisé, écrit Freud, s'est constituée au détriment de la sexualité et par l'effet d'une limitation des pulsions sexuelles[40]. »

> « Le fait que le développement du Moi se laisse distancer par le développement libidinal est, à nos yeux, la condition essentielle des névroses. Comment alors n'en pas déduire que les névroses pourraient être évitées si l'on épargnait au Moi infantile cette épreuve, c'est-à-dire si on laissait s'épanouir librement la sexualité de l'enfant, comme c'est le cas chez bien des peuples primitifs » (*Abrégé de psychanalyse*, p. 78).

Si nous tentons de définir l'être humain tel que Freud l'a étudié, nous pouvons dire que son essence est un amalgame conflictuel de nature (le Ça) et de culture (le Sur-Moi). À sa naissance, le petit humain est d'abord entièrement sous le joug des pulsions. Il est exclusivement orienté vers la satisfaction narcissique de ses besoins. Il n'est pas en mesure de peser le pour et le contre avant d'agir (nature). Puis, mis en face de la réalité culturelle environnante, il est contraint graduellement de domestiquer ses pulsions qui vont à l'encontre des valeurs, des normes et des règles de la société (culture). C'est par le biais de la socialisation que la culture tentera de maîtriser, en la réprimant, sa nature biologique.

Narcissique

Se dit de quelqu'un qui porte une attention exclusive à sa propre personne et à ses propres besoins, de sorte que toutes ses énergies affectives sont dirigées sur lui-même.

Conséquemment, Freud affirme que l'homme est, de fait, un être déterminé par les instances inconscientes (le Ça et le Sur-Moi) de son psychisme. La vie psychique d'un individu est déterminée par les événements vécus et par l'éducation reçue dans son enfance. Aux yeux de Freud, ce que l'individu devient s'est donc lentement construit au fil des années indépendamment de sa volonté.

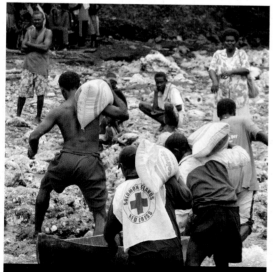

S'employer à sauver des vies dans des zones sinistrées constitue un exemple de sublimation des pulsions.

Même s'il présente une vision déterministe de l'évolution du psychisme humain, Freud n'exclut pas la possibilité qu'une personne se libère de ses démons intérieurs et en arrive un jour – grâce à la psychanalyse – à s'appartenir en propre, du moins dans une certaine mesure.

L'homme idéal : un être affranchi de la domination des pulsions

Mais au fond, dans sa dernière visée, la conception freudienne de l'être humain reste attachée aux grandes philosophies rationalistes. Malgré sa tentative pour présenter le corps (pulsions sexuelles et agressives [le Ça]) et l'esprit (activités réflexives [le Moi] et morales [le Sur-Moi]) comme un ensemble unifié à l'intérieur de l'appareil psychique, Freud ne valorise pas, comme l'avait fait Nietzsche avant lui, le monde des pulsions et des passions. Certes, il essaie de dépasser le dualisme corps-esprit

39. Sigmund FREUD, *Malaise dans la civilisation*, trad. C. H. et J. Odier, Paris, Presses Universitaires de France, 1971, p. 57.

40. *Abrégé de psychanalyse*, p. 79.

instauré par la philosophie de Descartes, mais il n'en demeure pas moins que la psychanalyse est une grille d'analyse rationaliste qui explore les structures psychiques de la personnalité humaine ainsi que les différents stades de son évolution. Qui plus est, jamais cette exploration freudienne n'a justifié le libre épanchement du Ça. Au contraire, la psychanalyse semble promouvoir le sujet, la conscience, la maîtrise de soi.

Freud considérait et présentait d'ailleurs la psychanalyse comme un savoir scientifique qui, somme toute, expliquait rationnellement les bienfaits de la **sublimation** des pulsions en vue de réalisations culturelles et sociales. Tout compte fait, il percevait la modification des pulsions sous des formes socialement utilisables (la sublimation) comme étant tout à fait légitime. Diriger, canaliser les pulsions vers des objets et des buts sociaux, pour autant que cela se fasse sans excès, constituait aux yeux de Freud l'œuvre de toute civilisation digne de ce nom.

L'homme idéal, pour Freud, sera celui qui aura réussi à maîtriser ses pulsions par la volonté et la raison (le Moi), ces dernières ayant été appuyées par le Sur-Moi dans leur tâche de contenir les pulsions. Maîtriser ses pulsions ne veut cependant pas dire les supprimer. Car, sous peine de voir naître et se développer une névrose, il ne faut pas annihiler toutes les «exigences pulsionnelles» du Ça en se mettant exclusivement sous la domination des exigences morales du Sur-Moi trop dures et sévères. «Est considéré comme correct, écrit Freud, tout comportement du Moi qui satisfait à la fois aux exigences du Ça, du Sur-Moi et de la réalité, ce qui se produit quand le Moi réussit à concilier ces diverses exigences[41].»

> **Sublimation**
> Transformation des pulsions libidinales ou agressives en des activités dites supérieures parce qu'elles sont socialement reconnues. La production d'œuvres d'art, la construction de cathédrales ou l'engagement dans une œuvre sociale valorisée par la culture de l'époque sont des exemples de sublimation.

Freud aujourd'hui

Freud et le problème de la guerre

Aujourd'hui

La problématique contemporaine que nous aimerions mettre en rapport avec la théorie freudienne est celle de la guerre. Freud peut nous aider à mieux comprendre le phénomène de la guerre en le juxtaposant à celui de la civilisation.

Le XXe siècle a connu sa part de guerres meurtrières, de génocides et d'actes de barbarie. Qu'il suffise de rappeler la Première Guerre mondiale (1914-1918), que l'ampleur des destructions et le nombre des victimes (soixante-cinq millions de soldats s'affrontèrent, dix millions de civils périrent) firent appeler la Grande Guerre; la grande terreur stalinienne (1936-1938), dont le bilan se chiffre à plus de quinze millions d'exécutions ou de déportations d'«ennemis du peuple» en Sibérie; la Seconde Guerre mondiale (1939-1945), qui, ayant mobilisé quelque quatre-vingt-douze millions de personnes, causa entre trente-cinq et soixante millions de pertes humaines et fut le sombre théâtre de la persécution des juifs par les nazis; le génocide sélectif perpétré par les

Prisonniers décharnés d'un camp d'extermination nazi.

41. *Ibid.*, p. 5.

Khmers rouges (d'avril 1975 à décembre 1978), au cours duquel environ deux millions de Cambodgiens furent tués ; au début des années 1990, la «purification ethnique» en Bosnie ; en 1994, le génocide au Rwanda, qui se solda par la mort de quelque huit cent mille Tutsis et Hutus modérés ; l'extermination de populations civiles au Kosovo dans la République fédérale de Yougoslavie ; la guerre civile en Sierra Leone, qui fit près de deux cent mille morts ; au début du XXIᵉ siècle, les cinq millions de victimes issues des affrontements entre les milices tribales de la République démocratique du Congo ; les violences interethniques qui ont embrasé le Kenya où s'opposent l'ethnie des Kikouyous et celle des Luos ; et ainsi de suite.

En pleine Grande Guerre (1914-1918), Freud écrit ces mots qui témoignent d'un profond désenchantement :

> [...] la guerre, à laquelle nous ne voulions pas croire, éclata et apporta la... désillusion. Elle n'est pas seulement, en raison du puissant perfectionnement des armes offensives et défensives, plus sanglante et plus meurtrière qu'aucune des guerres antérieures, mais elle est pour le moins aussi cruelle, acharnée, impitoyable, que toutes celles qui l'ont précédée [...] Cette guerre a suscité notre désillusion pour deux raisons : la faible moralité, dans leurs relations extérieures, des États qui se comportaient à l'intérieur comme les gardiens des normes morales et, chez les individus, une brutalité de comportement, dont on n'aurait pas cru que, participant de la plus haute civilisation humaine, ils fussent capables[42].

Constatant avec tristesse et douleur la fragilité des acquis de la civilisation, Freud essaie de s'expliquer le phénomène de la guerre. En état de guerre, la répression des pulsions de mort cesse, car les individus sont libérés du blâme de leur collectivité. Thanatos règne en maître. Les hommes se livrent alors à des actes de cruauté et de brutalité qu'on aurait crus impensables, étant donné leur niveau élevé de culture. Or, selon Freud, il est illusoire de penser que la civilisation a réussi à faire disparaître les **mauvais penchants** de l'homme. Ces derniers sont tout au plus temporairement inhibés par la pression exercée par l'éducation, porte-parole des exigences de la civilisation. Au moment d'une guerre, les hommes peuvent se soustraire aux obligations morales de leur civilisation et donner libre cours à leurs penchants primitifs refoulés, qui, selon Freud, demeurent impérissables : «Elle [la guerre] nous dépouille des couches récentes déposées par la civilisation et fait réapparaître en nous l'homme des origines[43].»

> Nous pouvons faire ici une comparaison entre Freud et Rousseau. Rousseau, partisan de la bonté naturelle de l'homme, s'oppose à Freud, qui croit que l'agressivité, la violence et la destruction font partie intégrante de la condition humaine. Freud considère d'ailleurs que «la foi en la bonté de la nature humaine est une de ces déplorables illusions dont l'homme espère qu'elles embelliront et faciliteront sa vie» (*Nouvelles Conférences sur la psychanalyse*, p. 137).

En fait, Freud considère que les forces irrationnelles et agressives sont tellement puissantes chez l'humain qu'il y a peu de probabilités de voir triompher un jour les forces rationnelles. Malgré un tel pessimisme quant à la destinée de l'homme, Freud croit au bienfait de la civilisation, car «le maintien de la civilisation, même sur une base aussi discutable, permet d'espérer que chaque génération nouvelle fraiera la voie à un remaniement pulsionnel continu, porteur d'une civilisation meilleure[44]».

La philosophie qui sera présentée dans le prochain chapitre, l'existentialisme athée de Jean-Paul Sartre, met l'homme devant la responsabilité de se construire soi-même en tant que projet libre dans le monde.

---

42. *Essais de psychanalyse*, p. 16-18.
43. *Ibid.*, p. 39.
44. *Ibid.*, p. 21.

L'essentiel

Sigmund Freud

Selon la psychanalyse freudienne, le psychisme humain est formé de trois zones (**première topique** dite **statique**). Premièrement, l'**inconscient (Ics)** est animé par la **pulsion de vie (Éros)** et la **pulsion de mort (Thanatos)** ainsi que par les **représentations de pulsions refoulées.** L'Ics constitue la majeure partie du psychisme et détermine, à notre insu, notre comportement. Deuxièmement, le **conscient (Cs)**, responsable des **perceptions sensorielles** et de la **motricité**, n'occupe qu'une infime partie du psychisme. Troisièmement, le **préconscient (Pcs)** correspond à la zone psychique des représentations, refoulées ou non conscientes actuellement, mais qui peuvent être ramenées à la conscience.

La **seconde topique** apporte un éclairage **dynamique**. L'homme est sous le joug du Ça. Le **Ça** est la base primitive et inconsciente du psychisme. Il est dominé par les **besoins primaires** et sert de **réservoir du refoulé.** Le Ça répond au **principe de plaisir.** Le **Sur-Moi**, qui représente l'**idéal du Moi** et la **conscience morale,** vient contrarier les besoins du Ça en censurant la pulsion interdite. Il répond au **principe de perfection.** Le **Moi**, représentant du **principe de réalité,** est l'instance qui autorise ou non la satisfaction de la pulsion. Ce faisant, il négocie avec les pulsions du Ça et les pressions morales du Sur-Moi. C'est le Moi qui contrôle ou canalise les pulsions du Ça en utilisant des **mécanismes de défense** tels que le **refoulement** et la **sublimation.** Idéalement, un être humain équilibré voit à contenir ses pulsions en les sublimant, c'est-à-dire en les modifiant de façon à leur donner des formes socialement valorisées.

Réseau de concepts

Résumé de l'exposé

Freud et la naissance de la psychanalyse

Notice biographique

Sigmund Freud (1856-1939), médecin, neuropathologiste, psychanalyste et philosophe, a mis en place une œuvre monumentale qui a transformé à tout jamais la compréhension qu'on se faisait de l'être humain et de la civilisation. Freud proclame l'importance de l'inconscient et de la sexualité chez l'humain.

Une époque riche en découvertes scientifiques

À la fin du XIXe siècle et au début du XXe siècle, Freud adhère au credo positiviste et est porté par les recherches et les découvertes en sciences de la vie et en sciences humaines : la théorie évolutionniste de Darwin, la naissance de la psychologie scientifique avec Gustav Theodor Fechner, les fondements de la science bactériologique avec Louis Pasteur et Robert Koch, la création de la génétique par Gregor Mendel, l'établissement du principe de conservation de l'énergie par Hermann von Helmholtz.

La psychanalyse

Freud met au point la psychanalyse ou « technique de traitement analytique » qui permet en particulier, au moyen de la libre association d'idées et de l'analyse des rêves, d'examiner le passé du malade atteint d'une névrose, telle l'hystérie. Au moyen de cette introspection, le patient peut retrouver le souvenir des traumatismes à l'origine de ses dysfonctionnements. Ainsi, il pourra, à l'aide de l'analyste, se réapproprier sa propre histoire.

En tant que théorie psychologique, la psychanalyse décrit et explique les processus psychiques à l'œuvre chez l'être humain. En ce sens, elle apparaît comme un système théorique de compréhension et d'explication de l'homme.

La première topique freudienne : la théorie des trois qualités psychiques

Une conception déterministe de l'être humain

Freud soumet une première théorie du psychisme humain qui s'appuie sur trois systèmes ou qualités psychiques : l'inconscient, le préconscient et le conscient. Cette première topique propose une nouvelle représentation de l'être humain : il n'est pas rationnel, maître de lui-même et libre comme le prétendait la philosophie classique ; au contraire, il est dominé par des pulsions inconscientes.

L'inconscient (Ics)

C'est par l'étude du rêve que Freud découvre que l'inconscient constitue la majeure partie du psychisme et détermine, à notre insu, notre comportement.

Les pulsions

Les pulsions, c'est-à-dire les poussées psychiques qui viennent du corps, alimentent l'Ics. Les deux pulsions fondamentales qui forment, à l'intérieur de l'Ics, un processus dynamique de forces opposées sont la pulsion de vie, *Éros* (pulsion d'amour), et la pulsion de mort, *Thanatos* (destruction).

Le refoulement

Le refoulement est un mécanisme de défense qui repousse dans l'Ics les représentations de pulsions sexuelles ou agressives non acceptées par le milieu familial et social. Ces représentations de pulsions n'en continuent pas moins d'exister et d'influer sur la conduite de l'individu.

Le conscient (Cs) et le préconscient (Pcs)

Le système conscient ne couvre qu'une minuscule partie du psychisme humain. Il désigne tous les phénomènes psychiques immédiatement présents à la conscience. Étant en relation directe avec le monde extérieur, le système conscient est responsable de la perception sensorielle et de la motricité.

Le système préconscient représente le stade où un « état d'affect », c'est-à-dire la représentation d'une pulsion refoulée, peut accéder à la conscience grâce au langage (soit accidentellement ou par un effort de la volonté), à la mémoire ou encore à l'hypnose, aux rêves ou aux drogues.

La seconde topique freudienne : la théorie dynamique de la personnalité

À partir de 1923, Freud propose un second système conceptuel dynamique (qualifié de seconde topique) représentant l'appareil psychique. Ce dernier est constitué de trois instances : le Ça, le Sur-Moi et le Moi.

Le Ça

Le Ça est le réservoir renfermant les pulsions primaires innées et les représentations refoulées. Il correspond à la base primitive et inconsciente du psychisme.

Le Ça et le principe de plaisir

Le Ça répond au principe de plaisir, c'est-à-dire qu'il veut se satisfaire immédiatement, de façon égoïste et inconsidérée.

Le réservoir du refoulé

Les représentations liées aux tendances jugées inacceptables par la culture et la morale ambiantes sont refoulées dans le Ça et constituent son contenu acquis.

Le Sur-Moi

Le Sur-Moi (*Über-Ich*, super-ego) représente les exigences de la société et ses interdits. Constitué de la moralité ambiante intériorisée au cours du développement de l'individu, le Sur-Moi est la conscience morale qui censure les pulsions sexuelles et agressives jugées excessives ou indécentes.

Le Sur-Moi et le principe de perfection

Le Sur-Moi répond au principe de perfection, c'est-à-dire à une vision idéalisée (idéal du Moi) du comportement humain.

Le Sur-Moi et le complexe d'Œdipe

Le refoulement du complexe d'Œdipe est à l'origine du Sur-Moi.

Le Moi

Le Moi (*das Ich, ego*) se trouve coincé entre l'inconscient et la réalité extérieure. Il s'est développé à partir d'une transformation du Ça.

Le Moi et le principe de réalité

Le Moi assure la présence de la réalité dans le psychisme et l'adaptation à cette réalité. Il est le représentant du principe de réalité.

Le Moi comme instance inhibitrice

Avant d'autoriser la satisfaction d'une pulsion, le Moi analyse la situation, se demande si cela peut engendrer des conséquences fâcheuses, de l'anxiété ou de l'angoisse, s'il vaut mieux inhiber la pulsion imprudente ou inconvenante. En cela, le Moi représente la raison.

Le Moi, le Sur-Moi et le Ça

Coincé entre le monde extérieur, le Sur-Moi et le Ça, le Moi peut être considéré comme un avocat qui essaie de concilier les pulsions du Ça et les pressions morales du Sur-Moi.

L'anthropologie philosophique freudienne

Freud philosophe

Même si la psychanalyse se veut une théorie scientifique (ce qui est contestable), le portrait que Freud brosse de l'être humain demeure une théorie générale de la nature humaine. En cela, la psychanalyse peut être considérée comme une approche philosophique de l'homme.

L'homme réel : un être déterminé par son inconscient

Freud présente l'homme comme un être de pulsions et de désirs davantage régi par l'inconscient que par la raison. En fait, l'être humain n'est pas au départ un sujet libre, autonome, maître de lui-même et de ses conduites.

Selon Freud, l'être humain est, de fait, un amalgame conflictuel de nature (le Ça) et de culture (le Sur-Moi).

L'homme idéal : un être affranchi de la domination des pulsions

Freud ne valorise pas le libre épanchement des pulsions et des passions. Au contraire, la psychanalyse fait la promotion du sujet conscient qui maîtrise (sans excès) ses pulsions par la volonté et la raison (le Moi). Conséquemment, l'être humain doit travailler à se libérer du déterminisme des pulsions.

D'ailleurs, la sublimation, c'est-à-dire la modification des pulsions sexuelles et agressives en des formes socialement valorisées, constitue, selon Freud, le fondement de toute civilisation digne de ce nom.

Freud aujourd'hui

Freud et le problème de la guerre

Le XXᵉ siècle peut être perçu, à juste titre, comme un siècle particulièrement violent, marqué par des guerres meurtrières, des génocides et des actes de barbarie.

Freud nous aide à mieux comprendre le phénomène de la guerre. En état de guerre, la répression de la pulsion de mort cesse, car les individus sont libérés du blâme de leur collectivité. Thanatos règne en maître. Les hommes se livrent alors à des actes de cruauté et de brutalité qu'on aurait crus impensables étant donné leur niveau élevé de culture.

Activités d'apprentissage

Vérifiez vos connaissances

1. Freud mène des recherches à Paris avec Jean-Martin Charcot. Sur quelle maladie ces recherches ont-elles porté ?

2. Selon Freud, la psychanalyse est une « technique de traitement analytique » qui ne cherche pas à déterminer les causes perturbatrices des troubles mentaux. VRAI ou FAUX ?

3. Quelles sont les deux nouvelles techniques d'introspection que la psychanalyse freudienne expérimente en vue d'atteindre l'inconscient ?

4. La psychanalyse freudienne est un travail de courte durée qui nécessite quelques séances seulement pour mettre à nu et interpréter les causes qui ont perturbé la personnalité du patient. VRAI ou FAUX ?

5. La conception humaine élaborée par Freud apparaît comme une théorie non déterministe. VRAI ou FAUX ?

6. Pour Freud, la psychanalyse est « avant tout un art d'interprétation » qui permet de donner une signification à l'être humain, à ses actes et à ses paroles. VRAI ou FAUX ?

7. Selon Freud, le rêve ne constitue pas la «voie royale» pour atteindre et étudier l'inconscient. VRAI ou FAUX ?

8. Pour Freud, la matrice et la source même de notre conscience résident dans l'inconscient. VRAI ou FAUX ?

9. Quelles sont les deux pulsions qui, selon Freud, dirigent notre vie psychique ?

10. Pour Freud, le Ça ne constitue pas le «noyau de notre être» et ne répond pas non plus au principe de plaisir. VRAI ou FAUX ?

11. Selon Freud, la société, de façon générale, est très favorable à l'actualisation spontanée des pulsions. VRAI ou FAUX ?

12. Le Sur-Moi, selon Freud, répond à deux sous-systèmes. Lesquels ?

13. Selon Freud, quel est le complexe qui, une fois refoulé, donne naissance au Sur-Moi ?

14. Pour Freud, il n'est pas possible de parvenir à s'affranchir de la domination des pulsions et ainsi de s'appartenir en propre. VRAI ou FAUX ?

15. À partir de ce que vous avez appris sur Freud, indiquez laquelle des citations suivantes n'a pas été écrite par lui.

a) «Le Sur-Moi représente toutes les contraintes morales et aussi l'aspiration vers le perfectionnement […]»

b) «[…] l'idéal du moi satisfait à toutes les exigences posées à l'essence supérieure de l'homme.»

c) «Nos défauts sont les yeux avec lesquels nous voyons l'idéal.»

Jeu de mots croisés sur les concepts freudiens

Compétence à acquérir

Démontrer sa compréhension de l'exposé de la conception freudienne de l'être humain et des principaux concepts qui y sont expliqués en faisant les mots croisés qui suivent[45].

Horizontalement

1. Théorie formulée par Freud
2. Ancien do – Article
3. Le Sur-Moi répond à ce principe
4. Pièce de monnaie – Indique une alternative – Petit ruisseau – D'un verbe gai
5. Ensemble des phénomènes psychiques échappant à la conscience
6. Enlève – Connaît – Cite textuellement
7. Les siens – Note de musique
8. Passer quelque chose par le feu
9. Mécanisme de défense par lequel une pulsion est rendue inconsciente
10. Le Moi répond à ce principe – Terminaison
11. Marque le lieu – Instance morale de la personnalité
12. Opinions – Cheville au golf

Verticalement

1. Habite le Ça – Souverain
2. Saint – Obtiennent – Père de la psychanalyse
3. Parasite – Prénom féminin
4. Pour ouvrir une serrure – Emportée rapidement
5. Oiseau échassier (pl.) – Instance de la personnalité
6. Se répandit en fondant – Point que l'on vise
7. Rejette – Sculptés finement
8. Principe auquel on se réfère – Ancienne note
9. Élimine – Supérieure d'un couvent
10. Notre-Seigneur – Fin
11. Relatif au sport
12. Négation – Instance de la personnalité – Groupe de trois personnes

---

45. Ces mots croisés ont été créés par André Bergeron, professeur de psychologie au cégep de Saint-Jérôme. Nous lui exprimons toute notre gratitude et notre amitié.

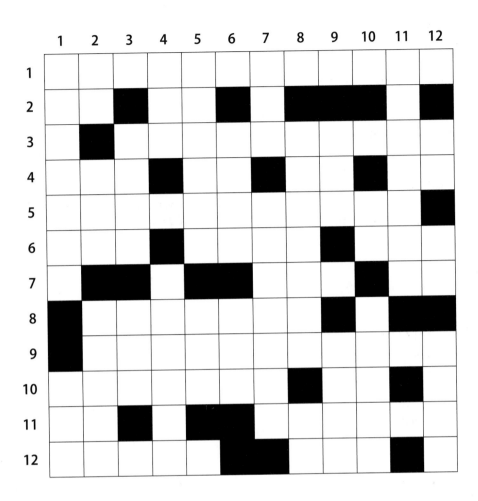

Analyse et critique de texte

Cette activité exige la lecture préalable de l'extrait d'*Essais de psychanalyse* présenté à la page 196.

Compétences à acquérir

- Démontrer sa compréhension d'un texte de Freud en transposant dans ses propres mots une partie de ce texte philosophique.

- Appliquer les notions fondamentales de la psychanalyse freudienne décrites dans ce texte en inventant un personnage vivant sous le joug de son Sur-Moi.

Questions

1. À la lumière de ce texte, définissez dans vos propres mots les concepts de Moi, de Sur-Moi et de Ça.

2. Illustrez votre compréhension de la dynamique entre le Moi, le Sur-Moi et le Ça en présentant un personnage (son histoire personnelle, ses traits de caractère, ses habitudes de vie, ses relations avec autrui, etc.) complètement dominé par son Sur-Moi. Vous devez utiliser toutes les notions liées au Moi, au Sur-Moi et au Ça traitées dans le texte. (Minimum suggéré : une page.)

Analyse et critique d'un texte comparatif

Cette activité exige la lecture préalable de l'extrait de *La Mission de Sigmund Freud* présenté à la page 200.

Compétences à acquérir

- Faire un résumé des propos tenus par Fromm dans ce texte.
- Évaluer le contenu, c'est-à-dire exprimer son accord ou son désaccord (et en donner les raisons) sur les critiques avancées par Fromm à l'endroit de la psychanalyse freudienne.

Questions

1. Quel reproche Erich Fromm fait-il à l'inconscient et au refoulement freudiens?

2. Expliquez dans vos propres mots le phénomène du refoulement tel que présenté par Erich Fromm dans ce texte.

Commentaire critique

3. Êtes-vous d'accord avec l'affirmation suivante d'Erich Fromm: «La compréhension de l'inconscient de l'individu présuppose et nécessite l'analyse critique de la société dans laquelle il vit»? Vous devez fonder votre jugement, c'est-à-dire apporter au moins deux arguments pour appuyer vos affirmations. (Minimum suggéré: une page.)

Exercice comparatif: Rousseau et Freud

Compétence à acquérir

Procéder à une comparaison entre deux conceptions de l'être humain à propos d'un même thème.

Contexte de réalisation

Individuellement, dans un texte d'environ 350 mots (une page et demie), examinez les rapports de ressemblance et de différence entre la conception rousseauiste et la conception freudienne de l'être humain à propos du thème de la nature et de la culture.

Étapes suggérées

1. a) Caractérisez la conception rousseauiste de l'être humain au regard du thème de la nature et de la culture. Par exemple, demandez-vous dans quelle mesure la culture vient, selon Rousseau, pervertir la nature originelle de l'homme.

   b) Caractérisez la conception freudienne de l'être humain au regard du thème de la nature et de la culture. Par exemple, demandez-vous en quoi et comment la culture correspond, pour Freud, à la pression civilisatrice qui vient modifier les pulsions sous des formes socialement utilisables.

2. a) S'il y a lieu, précisez les liens ou les similitudes entre la conception rousseauiste et la conception freudienne de l'être humain à propos du thème de la nature et de la culture.

   b) S'il y a lieu, dégagez les oppositions ou les antagonismes entre la conception rousseauiste et la conception freudienne de l'être humain à propos du thème de la nature et de la culture.

Extraits de textes

Texte de Freud ■ «Les trois instances de l'appareil psychique: le *moi*, le *ça* et le *sur-moi*»

Le *moi* et le *ça*

[...] Il est facile de voir que le moi est la partie du ça qui a été modifiée sous l'influence directe du monde extérieur par l'intermédiaire du *Pc-Cs*, qu'il est en quelque sorte la continuation de la différenciation superficielle. Il s'efforce aussi de mettre en vigueur l'influence du monde extérieur sur le ça et ses desseins, et cherche à mettre le principe de réalité à la place du principe de plaisir qui règne sans limitation dans le ça.

La perception joue pour le moi le rôle qui, dans le ça, échoit à la pulsion. Le moi représente ce qu'on peut nommer raison et bon sens, par opposition au ça qui a pour contenu les passions. Tout cela coïncide avec les distinctions populaires bien connues, mais n'est juste que d'une façon moyenne ou idéalement.

L'importance fonctionnelle du moi se manifeste en ceci que, normalement, il lui revient de commander les accès à la motilité. Il ressemble ainsi, dans sa relation avec le ça, au cavalier qui doit réfréner la force supérieure du cheval, avec cette différence que le cavalier s'y emploie avec ses propres forces et le moi, lui, avec des forces d'emprunt. Cette comparaison nous conduit plus loin. De même que le cavalier, s'il ne veut pas se séparer de son cheval, n'a souvent rien d'autre à faire qu'à le conduire où il veut aller, de même le moi a coutume de transformer en action la volonté du ça, comme si c'était la sienne propre. [...]

Les relations entre le moi et la conscience ont été souvent considérées, mais quelques faits importants doivent être ici décrits à nouveau. Habitués à transporter partout avec nous le point de vue de la valeur sociale ou éthique, nous ne sommes pas surpris d'apprendre que l'activité des basses passions se déroule dans l'inconscient, mais nous nous attendons à ce que les fonctions psychiques aient d'autant plus facilement et sûrement accès à la conscience qu'elles sont situées plus haut dans cette échelle de valeurs. Mais ici l'expérience psychanalytique nous détrompe. Nous avons d'une part la preuve que même un travail intellectuel délicat et difficile, qui exige ordinairement une réflexion soutenue, peut aussi être accompli préconsciemment, sans parvenir à la conscience. De tels faits sont tout à fait indubitables, ils se produisent par exemple dans l'état de sommeil et se traduisent par ceci qu'une personne, après avoir cherché en vain pendant la journée la solution d'un problème difficile, mathématique ou autre, la connaît immédiatement à son réveil[46].

Mais une autre constatation est beaucoup plus étrange. Nous apprenons dans nos analyses qu'il y a des personnes chez qui l'autocritique et la conscience morale, donc des fonctions psychiques qu'on place parmi les plus élevées, sont inconscientes et produisent, en tant qu'inconscientes, les effets les plus importants. Le fait que la résistance reste inconsciente dans l'analyse ne constitue donc en aucune façon une situation unique en son genre. Mais une nouvelle expérience, celle qui nous oblige, en dépit de tout notre esprit critique, à parler d'un *sentiment de culpabilité inconscient,* nous déroute beaucoup plus. Elle fait surgir de nouvelles énigmes, d'autant que nous entrevoyons peu à peu que ce sentiment de culpabilité inconscient joue un rôle économique décisif dans un grand nombre de névroses, et oppose à la guérison les plus solides obstacles. Pour en revenir à notre échelle de valeurs, nous devrons dire : ce n'est pas seulement le plus profond, mais aussi le plus élevé dans le moi qui peut être inconscient. C'est comme si se trouvait ainsi démontré ce que nous avons dit précédemment du moi conscient : il est avant tout un moi-corps.

---

46. Un cas de ce genre m'a été communiqué récemment, et à titre d'objection contre ma description du « travail de rêve ».

Le *moi* et le *sur-moi* (idéal du *moi*)

[...] *On peut donc admettre comme résultat le plus général de la phase sexuelle dominée par le complexe d'Œdipe, une sédimentation dans le moi qui consiste dans la production de ces deux identifications[47] accordées de quelque façon l'une à l'autre. Cette modification du moi garde sa position particulière, elle s'oppose au reste du contenu du moi comme idéal du moi ou sur-moi.*

Cependant le sur-moi n'est pas simplement un résidu des premiers choix d'objet du ça, mais il a aussi la signification d'une formation réactionnelle énergique contre eux. Sa relation au moi ne s'épuise pas dans le précepte: tu *dois* être ainsi (comme le père), elle comprend aussi l'interdiction: *tu n'as pas le droit* d'être ainsi (comme le père), c'est-à-dire tu n'as pas le droit de faire tout ce qu'il fait; certaines choses lui restent réservées. Ce double visage de l'idéal du moi dérive du fait que l'idéal du moi a fait tous ses efforts pour le refoulement du complexe d'Œdipe, et même qu'il ne doit sa naissance qu'à son renversement. Le refoulement du complexe d'Œdipe n'a évidemment pas été une tâche facile. Les parents, en particulier le père, ayant été reconnus comme l'obstacle à la réalisation des désirs œdipiens, le moi infantile en vue d'accomplir ce refoulement se renforça en érigeant en lui ce même obstacle. Il emprunta d'une certaine façon au père la force nécessaire, emprunt qui est un acte extraordinairement lourd de conséquences. Le sur-moi conservera le caractère du père; plus le complexe d'Œdipe a été fort et plus son refoulement s'est produit rapidement (sous l'influence de l'autorité, de l'instruction religieuse, de l'enseignement, des lectures), plus sévère sera plus tard la domination du sur-moi sur le moi comme conscience morale, voire comme sentiment de culpabilité inconscient. – D'où tire-t-il la force pour cette domination, et le caractère compulsionnel qui se manifeste comme **impératif catégorique**? [...]

On a reproché d'innombrables fois à la psychanalyse de ne pas se soucier de ce qui, dans l'homme, est supérieur, moral, suprapersonnel. Ce reproche était injuste, du double point de vue historique et méthodique. Du premier point de vue, car, dès le début, c'est aux tendances morales et esthétiques dans le moi que nous avons assigné ce qui donne impulsion au refoulement; du second point de vue, puisqu'on ne voulait pas voir que la recherche psychanalytique ne pouvait faire son apparition, comme le fait un système philosophique, avec son appareil théorique complet et achevé, mais qu'elle devrait frayer progressivement sa voie vers la compréhension des complications psychiques au moyen de l'analyse, en leurs éléments, des phénomènes normaux et anormaux. Aussi longtemps que nous avions à nous consacrer à l'étude du refoulé dans la vie psychique, nous n'éprouvions pas le besoin de partager l'anxiété de ceux qui se préoccupaient de savoir

Impératif catégorique
Commandement, prescription inconditionnelle d'ordre moral que l'esprit se donne à lui-même.

---

47. Identification du père et identification à la mère. (Note de l'éditeur.)

où nous avions laissé ce qu'il y a de supérieur en l'homme. Maintenant que nous nous risquons à l'analyse du moi, nous pouvons répondre à tous ceux qui, ébranlés dans leur conscience éthique, se sont récriés qu'il doit pourtant y avoir dans l'homme un être supérieur : certainement, et voici cet être supérieur, l'idéal du moi ou sur-moi, la représentance de notre relation aux parents. Petits enfants, nous avons connu, admiré, redouté ces êtres supérieurs, plus tard, nous les avons pris en nous-mêmes.

L'idéal du moi est donc l'héritier du complexe d'Œdipe et, de ce fait, l'expression des plus puissantes motions et des plus importants destins de la libido du ça. Par son édification, le moi a assuré son emprise sur le complexe d'Œdipe et, en même temps, il s'est lui-même soumis au ça. Tandis que le moi est essentiellement représentant du monde extérieur, de la réalité, le sur-moi se pose en face de lui comme mandataire du monde intérieur, du ça. Les conflits entre le moi et l'idéal refléteront en dernière analyse, nous sommes maintenant prêts à l'admettre, l'opposition entre réel et psychique, monde extérieur et monde intérieur.

Ce que la biologie et les destins de l'espèce humaine ont créé et laissé dans le ça, est repris par le moi au moyen de la formation d'idéal et revécu en lui sur le plan individuel. Par suite de l'histoire de sa formation, l'idéal du moi a les liens les plus étendus avec l'**acquis phylogénétique** de l'individu, son **héritage archaïque**. Ce qui a appartenu au plus profond de la vie psychique individuelle, la formation d'idéal en fait ce qu'il y a de plus élevé dans l'âme humaine, cela au sens de notre échelle de valeurs. Mais ce serait peine perdue que de localiser l'idéal du moi, ne fût-ce qu'à la façon dont nous avons localisé le moi, ou de vouloir le faire entrer dans l'une des comparaisons par lesquelles nous avons essayé de figurer la relation du moi au ça.

Il est facile de montrer que l'idéal du moi satisfait à toutes les exigences posées à l'essence supérieure de l'homme. Formation substitutive qui remplace la nostalgie pour le père, il contient le germe à partir duquel toutes les religions se sont formées. Lorsque le moi se compare à son idéal, le jugement qu'il porte sur sa propre insuffisance engendre le sentiment d'humilité religieuse auquel le croyant en appelle dans sa ferveur nostalgique. Au cours du développement ultérieur, maîtres et autorités ont continué le rôle du père ; leurs ordres et leurs interdictions sont restés puissants dans le moi-idéal et, sous forme de *conscience morale*, exercent désormais la censure morale. La tension entre les exigences de la conscience morale et les réalisations du moi est ressentie comme *sentiment de culpabilité*. Les sentiments sociaux reposent sur des identifications à d'autres sur la base d'un même idéal du moi.

FREUD, Sigmund. *Essais de psychanalyse*, trad. André Bourguignon (dir.), Paris, Payot, coll. «Petite bibliothèque Payot», 1981, p. 236-253.

Acquis phylogénétique
Mode de formation des acquis et du développement de l'espèce humaine au cours de l'évolution.

Héritage archaïque
Ce qui est transmis à l'être humain depuis son origine primitive.

Texte d'Eric Fromm   ■   *La Mission de Sigmund Freud*

Erich Fromm (1900-1980), psychanalyste et philosophe juif allemand, se réfugie en Amérique pour fuir le nazisme hitlérien. Fromm y mène une brillante carrière de professeur, de thérapeute et d'écrivain. Principal représentant de l'école « culturaliste », Erich Fromm critique la psychanalyse freudienne orthodoxe.

Libidinal

De « libido », recherche instinctive du plaisir, et surtout du plaisir sexuel.

En fait, la grande découverte de Freud, celle d'une nouvelle dimension de la réalité humaine, l'inconscient, est *un élément* dans un mouvement qui visait à réformer l'humanité. Mais cette découverte même s'est embourbée de façon fatale. Elle a été appliquée à un petit secteur de la réalité, les pulsions **libidinales** de l'homme et leur refoulement, mais fort peu ou pas du tout à la réalité bien plus vaste de l'existence humaine et aux phénomènes sociaux et politiques. La plupart des psychanalystes, et cela est vrai de Freud lui-même, ne sont pas moins aveugles aux réalités de l'existence humaine et aux phénomènes sociaux inconscients que ne le sont les autres
10 membres de leur classe sociale. En un certain sens, ils sont même plus aveugles, car ils croient qu'ils ont trouvé la réponse au problème de la vie dans la formule du refoulement de la libido. Mais on ne peut pas être clairvoyant dans certains domaines de la réalité humaine et rester aveugle dans d'autres. Cela est particulièrement vrai du fait que le phénomène du refoulement est, dans son ensemble, un phénomène social. Dans n'importe quelle société, l'individu refoule les sentiments et les fantasmes qui sont incompatibles avec les schémas de pensée de cette société. La force qui agit dans ces refoulements, c'est la peur d'être isolé et de devenir un paria parce qu'on a des pensées et des sentiments que personne ne voudrait par-
20 tager. (Dans ses formes extrêmes, la peur de l'isolement complet n'est rien d'autre que la crainte de la folie.) Si l'on considère cela, il est absolument nécessaire pour le psychanalyste d'aller au-delà des schémas de pensée de sa société, de les examiner d'un œil critique et de comprendre les réalités qui produisent de tels schémas. *La compréhension de l'inconscient de l'individu présuppose et nécessite l'analyse critique de la société dans laquelle il vit.* Le fait même que la psychanalyse freudienne n'a guère dépassé une attitude qui est celle de la classe moyenne libérale à l'égard de la société constitue une raison de son étroitesse et de sa stagnation ultérieure dans son propre domaine de la compréhension de l'inconscient individuel. (Il existe à cet
30 égard, soit dit en passant, une connexion étrange – et négative – entre la théorie freudienne **orthodoxe** et la **théorie marxiste orthodoxe** : les freudiens ont vu l'inconscient individuel et sont restés aveugles à l'inconscient social ; les marxistes orthodoxes, au contraire, ont pris très vivement conscience des facteurs inconscients du comportement social, mais sont restés remarquablement aveugles dans leur appréciation de la motivation individuelle. Cela a conduit à une détérioration de la théorie et de la pratique marxistes, exactement comme le phénomène inverse a conduit à la détérioration de la théorie et de la thérapeutique psychanalytiques. Ce résultat ne devrait surprendre personne. Qu'on étudie la société ou les individus, on

Orthodoxe

Qui se veut strictement conforme à la doctrine enseignée.

Théorie marxiste orthodoxe

Doctrine de Karl Marx telle qu'elle se présente dans ses œuvres.

a toujours affaire à des êtres humains et cela veut dire qu'on a affaire à des motivations inconscientes ; on ne peut séparer l'homme en tant qu'individu de l'homme en tant que membre de la société – et si on le fait on aboutit à ne comprendre ni l'un ni l'autre.)

FROMM, Erich. *La Mission de Sigmund Freud*, trad. Paul Alexandre, Bruxelles, Éditions Complexe, 1975, p. 98-99.

Lectures suggérées

La lecture de l'une des œuvres suivantes est suggérée dans son intégralité ou en extraits importants :

- FREUD, Sigmund. *Abrégé de psychanalyse,* trad. Anne Berman, Paris, Presses Universitaires de France, coll. « Bibliothèque de psychanalyse », 1970, 86 p.

- FREUD, Sigmund. *Essais de psychanalyse,* trad. André Bourguignon (dir.), Paris, Payot, coll. « Petite bibliothèque Payot », 1981, 277 p.

Chapitre 7

L'homme comme être libre

Sartre ou l'existentialisme athée

Je suis condamné à être libre. Cela signifie qu'on ne saurait trouver à ma liberté d'autres limites qu'elle-même ou, si l'on préfère, que nous ne sommes pas libres de cesser d'être libres.

Jean-Paul SARTRE, *L'Être et le Néant*, p. 515.

Sartre : un homme inscrit dans son époque

Notice biographique

Contexte historique

Jean-Paul Sartre naît à Paris le 21 juin 1905. Fils unique, orphelin de père, il est élevé dans la «bourgeoisie moyenne» entre sa mère, sa grand-mère et son grand-père. C'est dans *Les Mots* (1964) que Sartre critique sa classe sociale d'origine, la jugeant imbue d'elle-même et excessivement soucieuse de sa sécurité, de ses devoirs et de ses droits. Il y parle surtout de son «commencement». L'enfance, qualifiée de «Paradis», est caractérisée par l'expérience de la «mauvaise foi[1]» où le jeune Sartre joue à être sage, généreux et vertueux. «Un seul mandat : plaire ; tout pour la montre[2].» Le jeune Sartre bénéficie d'une sécurité insouciante qui le met à l'abri de l'ébranlement du monde européen secoué par la Grande Guerre (1914-1918). Celle-ci dérange peu Sartre et l'ennuie très vite. Il la prendra cependant en dégoût lorsqu'elle le privera de ses meilleures lectures, faute d'approvisionnement adéquat.

Le couple Sartre-Beauvoir s'est engagé dans les grands combats qui ont marqué l'Europe de l'après-guerre.

À l'âge de dix-neuf ans, Sartre entre à l'École normale supérieure, l'une des plus grandes écoles de France. Pendant ses quatre années d'études, il se dit heureux. Il découvre avec bonheur l'indépendance. Sartre acquiert la réputation d'être un joyeux luron, avide de plaisanteries et de canulars à l'endroit de ses camarades. Il semble peu préoccupé par ce qui se passe dans le monde.

Pourtant, la dictature fasciste de Mussolini s'installe en Italie dès 1926. En 1929, la situation économique se détériore dans le monde occidental : c'est la crise. Dans les années qui suivent, la terreur fait rage en Union soviétique. Staline s'emploie à liquider ceux qui s'opposent au régime en les déportant massivement dans des camps de travail du Grand Nord sibérien. L'Allemagne connaît la montée fulgurante du nazisme. Hitler est élu chancelier en 1933, puis *führer* du IIIe Reich l'année suivante.

> Sartre retiendra surtout de Hegel la puissance de négation de l'esprit, la formation de la conscience dans son rapport d'affrontement à l'autre et la réalisation de l'humanité en nous et dans l'histoire.

En 1929, Sartre se classe premier au concours de l'agrégation de philosophie qu'il a préparé avec Simone de Beauvoir, qui arrive deuxième. Simone de Beauvoir sera la compagne de vie de Sartre. Elle sera sa plus grande lectrice et sa première critique. Dans le Paris de l'après-guerre, ils formeront un couple avant-gardiste qui valorise l'union libre et la sexualité libertaire. Ils mèneront tous les deux une vie active d'intellectuels engagés.

> Husserl développe la notion d'intentionnalité de la conscience pour désigner la relation de la conscience avec l'objet. La conscience est tension, éclatement, dépassement d'elle-même vers ce qu'elle n'est pas : le monde et les choses.

De 1931 à 1933, Sartre enseigne la philosophie au lycée du Havre. En septembre 1933, il accepte pour l'année scolaire un poste à l'Institut français de Berlin. Il y poursuit sa formation philosophique. Il étudie **Friedrich Hegel** (1770-1831) et se laisse imprégner par la **phénoménologie** d'**Edmund Husserl** (1859-1938) et de Martin Heidegger (1889-1976). Les premières œuvres philosophiques de Sartre (*L'Imagination* [1936], *La Transcendance de l'Ego* [1938], *Esquisse d'une théorie des émotions* [1939], *L'Imaginaire* [1940], *L'Être et le Néant. Essai d'ontologie phénoménologique* [1943]) témoignent du courant phénoménologique allemand.

Phénoménologie

Du grec *phainomenon*, «phénomène», et *logos*, «étude, science». Étude des phénomènes («pure donnée sensible d'un fait») ou d'un ensemble de phénomènes tels qu'ils se présentent directement à la conscience afin d'en saisir les essences. Edmund Husserl fonda cette méthode d'investigation philosophique, qui fut, par la suite, privilégiée par les existentialistes.

---

1. Le thème de la mauvaise foi sera traité à la fin du présent chapitre.
2. Jean-Paul SARTRE, *Les Mots*, Paris, Gallimard, 1964, p. 22.

En 1938, Sartre publie un premier roman fort remarqué, *La Nausée*. *Le Mur* est publié en 1939. La Seconde Guerre mondiale le mobilise en 1939. Il est fait prisonnier en juin 1940. Il est «libéré» l'année suivante grâce à un faux certificat médical alléguant une cécité partielle et le déclarant atteint d'un trouble de l'orientation. De retour à Paris, il reprend ses cours au lycée Pasteur. Malgré sa tâche d'enseignant, il travaille à la rédaction de nombreux ouvrages.

De 1942 à 1944, Sartre enseigne aux élèves du lycée Condorcet qui préparent l'École normale supérieure.

Sous l'occupation allemande, Sartre écrit beaucoup. Sa première pièce, *Les Mouches*, est jouée à Paris en 1942. Publiée en 1943, elle connaît un grand succès. La même année, une œuvre philosophique colossale de sept cent vingt-deux pages, *L'Être et le Néant*, est offerte aux lecteurs français. En 1944, Sartre publie la pièce *Huis clos*, jouée depuis dans presque tous les pays. Sartre est désormais un auteur célèbre.

À partir de 1945, Sartre entreprend de nombreux voyages : aux États-Unis, en Afrique, en Islande, en Scandinavie, en Russie, etc. En 1946, *L'existentialisme est un humanisme*[3] est publié. Ce livre deviendra l'œuvre philosophique sartrienne la plus lue.

L'originalité de Sartre réside dans le fait qu'il écrit de nombreux romans et pièces de théâtre[4] qui traduisent, par la voie de la fiction, ses thèses philosophiques. Son œuvre littéraire connaît la consécration lorsque le prix Nobel de littérature lui est octroyé en 1964. Il refuse ce prix prestigieux, parce que, selon lui, «l'écrivain ne doit pas se laisser institutionnaliser[5]». À ce sujet, quelques années plus tard, il dira : «Je ne vois pas pourquoi une cinquantaine de messieurs âgés qui font de mauvais livres me couronneraient. C'est aux lecteurs à dire ce que je vaux. Pas à ces messieurs-là[6].» Même s'il décline l'honneur que ces «vieux messieurs» lui font, c'est à sa production littéraire que Sartre doit son immense popularité, car il faut bien admettre que ses œuvres proprement philosophiques[7] – denses, spécialisées et souvent arides – ne sont guère accessibles à un large public.

L'œuvre sartrienne, immense et variée, reflète les inquiétudes et les interrogations de toute une époque. Jouissant d'une audience exceptionnelle et mettant en pratique une philosophie de l'engagement, Sartre fait face aux problèmes de son temps. En 1945, il fonde avec Maurice Merleau-Ponty (1908-1961) la prestigieuse revue *Les Temps modernes*, qui fait de l'écriture une *action* politique. Sartre et Beauvoir en assumeront progressivement la direction. Sartre lutte contre l'antisémitisme. D'autre part, anticolonialiste conséquent, il se prononce contre la guerre d'Indochine (1946-1954). En 1952, Sartre devient «compagnon de route» du Parti communiste français, mais il rompt son alliance quand la Hongrie est

---

3. L'éditeur indique à la toute fin de l'ouvrage que Sartre «a développé les idées fondamentales exprimées dans ce livre à l'occasion d'une conférence faite [en 1945] au "Club Maintenant"».

4. Les principaux romans de Sartre sont: *La Nausée* (1938), *Le Mur* (1939), *Les Chemins de la liberté* (1945-1949): *L'Âge de raison, Le Sursis, La Mort dans l'âme*. Pour le théâtre, il a écrit: *Les Mouches* (1942), *Huis clos* (1944), *Morts sans sépulture* (1946), *La Putain respectueuse* (1946), *Les Mains sales* (1948), *Le Diable et le bon Dieu* (1951), *Kean* (1954), *Nekrassov* (1955), *Les Séquestrés d'Altona* (1960).

5. Louis WIZNITZER, «Sartre parle», *Magazine Maclean*, janvier 1967, p. 27.

6. Entretien radiophonique sur France Inter, 1973.

7. Outre les œuvres déjà citées, mentionnons: *Réflexion sur la question juive* (1946), *Situations I* (1947), *Situations II* (1948), *Situations III* (1949), *Saint Genet, comédien et martyr* (1952), *Critique de la raison dialectique* (1960), *Questions de méthode* (1960), *Situations IV, Situations V, Situations VI* (1964).

envahie par les troupes soviétiques en 1956. Pendant la guerre d'Algérie (1954-1962), il dénonce l'intervention française et la torture qui y est pratiquée.

Ardent défenseur des droits de l'homme, Sartre signe de nombreux manifestes pour la défense des objecteurs de conscience, contre l'exécution de prisonniers politiques, contre l'action américaine au Viêtnam (1961-1973). En tant que président exécutif, il participe au tribunal Bertrand Russell pour juger les activités de guerre des États-Unis au Viêtnam. En mai 1968, Sartre appuie la contestation des étudiants français, contestation qui se répandra comme une traînée de poudre dans le monde démocratique. Les étudiants français contestent les institutions scolaires sclérosées, la hiérarchie omniprésente, les programmes rétrogrades, la transmission du savoir par des moyens ancestraux, l'équipement désuet, etc. Sartre encourage l'action contestataire de l'heure avec cette formule qui sera par la suite inscrite sur tous les murs de Paris : « Ce qu'il y a d'intéressant dans votre action, c'est qu'elle met *l'imagination au pouvoir.* » Dans une entrevue accordée à des étudiants québécois à Paris, Sartre se prononce contre la Loi des mesures de guerre, qui supprime les droits civils au Québec lors de la crise d'Octobre (1970). Âgé de soixante-huit ans, Sartre s'inscrit encore dans l'action en participant à la fondation du quotidien « démocratique » de gauche *Libération,* qui se donne comme mandat d'interroger le monde contemporain au nom de l'homme et de sa liberté.

Jean-Paul Sartre meurt le 15 avril 1980. Le jour de son enterrement, cinquante mille personnes suivent son cortège funèbre dans les rues de Paris.

Sartre a profondément marqué de son empreinte le monde philosophique, littéraire, théâtral, journalistique et politique de son époque. Il a traversé son siècle en surprenant, en ébranlant, en irritant, en passionnant ses contemporains. Pendant plus de quarante ans, il a occupé le devant de la scène française ; aucun autre philosophe du XXe siècle n'a été aussi présent, n'a exercé autant d'influence, n'a été aussi déconcertant et controversé que Sartre.

En France, Jean-Paul Sartre fut le fondateur et le chef de file de l'existentialisme athée. Connu dans le monde entier, traduit dans toutes les langues, il est devenu la figure de proue incontestée du mouvement existentialiste de l'après-guerre. Dans les années 1960, avec la *Critique de la raison dialectique*, Sartre cherchera à concilier son existentialisme avec la pensée marxiste[8].

Les existentialismes contemporains

Il n'existe pas un existentialisme, mais des philosophies existentialistes auxquelles Sartre se rattache. Ce courant philosophique rassemble des penseurs importants dont les écrits furent déterminants au XXe siècle.

Ces philosophies, bien qu'elles divergent par le traitement qu'elles font subir aux thèmes existentialistes, ont une préoccupation commune : l'**existence** de l'être humain prise dans sa réalité et dans sa singularité concrètes. Les philosophies existentialistes interrogent directement l'existence humaine en vue de tirer au clair l'énigme que l'homme est pour lui-même. Elles sont, par définition, des philosophies qui cherchent à répondre aux questions que l'homme se pose sur sa propre existence. Puisqu'elles prennent comme point de départ la **subjectivité** de l'individu engagé dans l'expérience vécue, c'est l'être humain « dans le monde » qui les

Existence

Le fait d'être là, dans le monde ; la réalité vivante, vécue.

Subjectivité

Ce qui appartient au sujet seul : sa conscience, son moi.

---

8. Dans le présent chapitre, nous n'aborderons pas cet aspect « tardif » mais notable de l'existentialisme sartrien.

intéresse. En ce sens, elles s'opposent aux doctrines **idéalistes**, qui ont tendance à définir l'être humain d'une manière abstraite et détachée de la vie concrète.

Présentons brièvement les principaux représentants de l'existentialisme « contemporain ». Søren Kierkegaard (1813-1855) est un philosophe et théologien danois. Son influence fut marquante pour tous les philosophes de l'existence, qu'ils fussent chrétiens ou athées. Kierkegaard est le premier à défendre non pas le sujet détaché du monde, mais le sujet individuel dans le monde, le **sujet** concret comme fondement de toute pensée. Et pour comprendre le sujet, Kierkegaard doit comprendre les conditions concrètes d'existence du sujet : le temps, le devenir, la souffrance. La liberté est ce qui permet à l'individu de se réaliser dans le monde, de constituer sa subjectivité. Lorsque l'individu échoue dans ce projet, il connaît l'angoisse et le désespoir. Selon Kierkegaard, seul le chemin de la foi dans le Christ – chemin parsemé d'incertitude et de déchirement – peut apporter à l'individu la vérité authentique. Kierkegaard peut être considéré comme le père des existentialismes.

Karl Jaspers (1883-1969), philosophe et psychologue allemand, est influencé par Kierkegaard. D'après Jaspers, pour comprendre l'homme, il faut cerner son « être au monde », c'est-à-dire les diverses conditions ou « situations limites » qu'il rencontre dans son existence. Ces situations (folie, combat, échec, souffrance, faute, mort) tracent les limites à partir desquelles l'homme se manifeste, s'accomplit et rencontre sa propre **finitude**. Pour dépasser le fait que l'existence humaine soit finie et pour contrer l'absurdité qui en découle, l'homme doit se **transcender** dans un Être qui se situe au-dessus de l'existence subjective : Dieu.

Martin Heidegger (1889-1976), philosophe allemand, prend également l'être concret existant (l'« étant humain ») comme point de départ et trace une phénoménologie de l'existence humaine. L'étant humain est abandonné à lui-même et jeté dans le monde pour y mourir. Il ne réussit jamais à coïncider avec ce qu'il est essentiellement. Pour fuir l'angoisse que génère cet état, l'homme dissimule son être véritable. Il devient « inauthentique ». Il se réfugie dans le quotidien banal et anonyme qui dissout les individualités. La quête de l'« authenticité », c'est-à-dire la conquête de la personnalité véritable de l'individu, se fera en interrogeant l'Être, la source « spirituelle » de toutes choses.

Gabriel Marcel (1889-1973), philosophe, journaliste et dramaturge français, fait porter son questionnement sur le sujet pris dans son existence personnelle. Il se refuse à expliquer l'homme comme une chose. Il dénonce les sciences et les techniques contemporaines, qui essaient d'utiliser l'être humain comme un objet. Les rapports aux autres étant des conditions de notre propre existence, Gabriel Marcel interroge les notions d'« autrui » et de « fidélité ». Il oppose à l'Avoir le mystère de l'Être qui place l'individu face à lui-même et le rend responsable. Gabriel Marcel prône la rencontre nécessaire de l'homme avec Dieu dans la foi. Ce faisant, il est devenu le principal porte-parole de l'existentialisme chrétien au XXᵉ siècle.

Simone de Beauvoir (1908-1986) est philosophe, essayiste, romancière, militante politique et féministe. *Le Deuxième Sexe*, paru en 1949, analyse de manière décapante l'inégalité et l'oppression qui aliènent l'autonomie des femmes. « On ne naît pas femme, on le devient », proclame Beauvoir. Selon elle, la liberté se pose en des termes de libération, de révolte, d'émancipation, de rupture des chaînes qui asservissent l'être. Quoique complice de la philosophie sartrienne, Simone de Beauvoir développe une conception particulière et différente de la liberté, et fait de la conquête et de l'usage de la liberté le pivot autour duquel s'organisent son œuvre et sa vie.

La conception sartrienne de l'être humain : l'homme comme être libre

Conception de l'être humain

Le point de départ de la philosophie sartrienne est l'existence. D'après Sartre, si nous voulons comprendre ce que nous sommes, il faut partir de cette évidence première : «J(e)'existe.» Ce «je» correspond à la subjectivité, à la **conscience** individuelle qui s'atteint elle-même dans l'existence. Je suis là ici et maintenant. Descartes également accordait une place primordiale au «je», mais c'était le «sujet pensant» qui était ainsi privilégié. Dans le cas de Sartre, c'est le sujet existant et vivant concrètement que vise ici le «je».

Conscience

Acte ou état dans lequel le sujet se connaît lui-même en se distinguant de l'objet qu'il connaît.

L'existence précède l'essence

Selon l'existentialisme sartrien, l'être humain n'est pas définissable en soi, c'est-à-dire que nous ne pouvons pas lui donner une belle et savante définition qui délimiterait sa nature propre. «Ainsi, il n'y a pas de **nature humaine**, puisqu'il n'y a pas de Dieu pour la concevoir[9].» Il n'y a pas une ou des caractéristiques communes qui se retrouveraient chez tous les humains[10]. Selon Sartre, il n'y a que des existants particuliers et singuliers «en situation».

> Les individus qui évoquent l'existence d'une «nature humaine» considèrent qu'on trouve en tout homme un ensemble de caractères ou de traits communs à tous les hommes. Ainsi, selon une telle conception, l'individu ne serait qu'un exemplaire d'une essence unique appelée «nature humaine».

L'être humain est en situation en ce sens qu'il s'inscrit dans des conditions d'existence concrètes ; il est visé par ce qui se passe dans l'instant ; il fait face à des données qui sont déjà là. Cela veut donc dire qu'il est lié par un ensemble de **déterminismes** héréditaires, économiques, sociaux et culturels. Cependant, selon Sartre, l'homme néanmoins se fait, construit son essence, en se choisissant librement par rapport à ces déterminismes (et donc en les surmontant d'une certaine manière).

> Selon une lecture déterministe, les hommes sont liés par une chaîne d'événements antérieurs interprétés comme des causes expliquant et justifiant leurs comportements actuels.

Le parcours de Jean Genet[11] (1910-1986) est une bonne illustration de ce fait. Abandonné par sa mère à l'Assistance publique, condamné pour vol à l'âge de dix ans, il devient l'incarnation du Mal sous toutes ses formes (vol, prostitution homosexuelle, délation, etc.). Pendant ses séjours en prison, il fait toutefois acte de liberté en se choisissant poète, romancier et dramaturge (il travaille quotidiennement à la rédaction d'ouvrages variés), alors qu'il avait été rigoureusement conditionné à n'être qu'un voleur.

Puisque l'existentialisme sartrien est de type athée, il pose un homme sans Dieu qui se définit lui-même par les choix qu'il fait au cours de sa vie :

---

9. Jean-Paul SARTRE, *L'existentialisme est un humanisme*, Paris, Les Éditions Nagel, coll. «Pensées», 1970, p. 22.

10. Rappelons que, pour Descartes, la nature de l'homme est la pensée : ce qui fait de lui un être rationnel. Selon Rousseau, la nature de l'homme est la perfectibilité : ce qui a fait de lui un être qui a été transformé par la société. Selon Nietzsche, la nature de l'homme se situe dans son corps et sa «vitalité» : ce qui fait de lui un être qui doit se dépasser par l'affirmation de ses désirs et passions.

11. Sartre a publié chez Gallimard, en 1952, un essai sur Jean Genet intitulé *Saint Genet, comédien et martyr*.

> Si Dieu n'existe pas, il y a au moins un être chez qui l'**existence** précède l'**essence**, un être qui existe avant d'être défini par aucun concept et que cet être c'est l'homme [...] Qu'est-ce que signifie ici l'existence précède l'essence? Cela signifie que l'homme existe d'abord, se rencontre, surgit dans le monde, et qu'il se définit après[12].

Aucun caractère essentiel ne peut donc définir l'homme. L'homme n'est pas, seul l'individu existe, et en existant il se fait peu à peu. Ce n'est qu'après avoir existé, c'est-à-dire après avoir agi, que l'individu «se définit peu à peu, et la définition demeure ouverte[13]». Autrement dit, c'est en existant que l'individu peut choisir librement d'être ce qu'il veut être (son essence).

Parce que l'existence précède l'essence, l'homme est libre. C'est le primat de l'existence qui rend possible et nécessaire cette liberté.

Exister, c'est être libre; être libre, c'est choisir

On ne peut comprendre la conception de la liberté avancée par Jean-Paul Sartre sans rappeler ses positions religieuses. En effet, l'existentialisme sartrien est rigoureusement lié à l'athéisme:

> Si Dieu n'existe pas, nous ne trouvons pas en face de nous des valeurs ou des ordres qui légitimeront notre conduite. Ainsi, nous n'avons ni derrière nous, ni devant nous, dans le domaine lumineux des valeurs, des justifications ou des excuses. Nous sommes seuls et sans excuses. C'est ce que j'exprime en disant que l'homme est condamné à être libre[14].

La liberté constitue la conséquence fondamentale d'une position athée cohérente. Sartre postule la liberté comme principe premier de l'action et de la réflexion. L'être humain ne peut qu'être libre, car sa conscience possède le pouvoir de *néantiser*, c'est-à-dire d'annihiler, de rendre nuls les divers déterminismes dont elle peut être l'objet. En conséquence, les seules limites de la liberté de l'être humain sont celles qu'il s'est lui-même données.

Ces grands reporters photographes, dans une ville dévastée par la guerre, se sont choisis comme êtres humains courageux.

La liberté, chez Sartre, ne constitue pas un cadeau, elle n'est pas un droit. C'est un reçu malgré nous, une donnée qui nous colle à la peau, qui nous enveloppe entièrement et qui, au pis aller, nous étouffe parce qu'elle nous oblige continuellement à nous construire.

La liberté sartrienne est liée à la conscience qui choisit d'être ceci ou cela au-delà de tout déterminisme, de toute cause. Cette liberté est une liberté vécue, une liberté de fait que chacun se doit d'assumer. Il n'est donc aucunement question ici d'une liberté-concept, d'une liberté-notion. La liberté adhère d'une façon constante et inévitable à l'existence. Elle ne prend son sens que dans l'acte. En d'autres termes, notre entière liberté se manifeste chaque fois que nous faisons un acte[15]. Lorsque, par

---

12. *L'existentialisme est un humanisme*, p. 21.

13. «Mise au point», *Action*, décembre 1944, p. 11.

14. *L'existentialisme est un humanisme*, p. 37.

15. Sartre ne fait aucune distinction entre choisir et faire.

exemple, en telle circonstance, nous manifestons de la peur, c'est nous – et nous seuls – qui librement nous choisissons et nous définissons peureux en exécutant des gestes de peur. Au contraire, en d'autres circonstances, nous pourrons nous choisir courageux, affirmer toute notre liberté dans des actes de courage, exister comme êtres courageux. La question que nous devons poser est donc la suivante : quelle est notre manière de nous choisir ? Plus particulièrement, quel est le choix que nous faisons de nous-mêmes dans le monde ? Et ce choix, selon Sartre, ne peut qu'être libre.

Cette immense liberté sartrienne peut-elle être comparée avec les pouvoirs infinis du libre arbitre de Descartes ? Pour un idéaliste comme Descartes qui souscrit aux **valeurs universelles,** la liberté correspond au pouvoir de la volonté de choisir le vrai et d'agir selon le bien, pouvoir immense certes, mais pouvoir théorique détaché des conditions de l'existence.

> Les valeurs universelles du vrai, du bien et du beau sont présentées par les philosophies idéalistes comme étant valables *a priori* (c'est-à-dire avant toute expérience) pour tous les hommes et pour toutes les époques.

Pour Sartre, être libre, ce n'est pas choisir entre des valeurs prédéterminées (le vrai plutôt que le faux, le bien plutôt que le mal) ; c'est, au contraire, me choisir moi-même dans le monde en faisant concrètement un choix, car, nous venons de le voir, il n'y a de liberté que dans la mesure où un geste, un acte libre est exécuté. Or, il y a nécessité pour l'homme de se choisir perpétuellement. Selon Sartre, l'individu qui prétend ne pas pouvoir choisir est un lâche ou un salaud. Rien ne peut venir à l'homme à moins que ce ne soit délibérément choisi. Être libre, c'est même être obligé de choisir, car il «n'est pas possible [...] de ne pas choisir [...] ; si je ne choisis pas je choisis encore[16]». Je choisis alors de ne pas choisir. Sartre donne l'exemple suivant. En face de ma situation d'être sexué, je suis dans l'obligation de choisir une attitude : j'ai des relations sexuelles avec un être de l'autre sexe, ou bien avec un être du même sexe, ou encore je suis bisexuel ; je m'inscris dans des rapports sexuels monogames, ou bien je privilégie les relations multiples ; je me limite à l'autoérotisme, ou bien je reste chaste. Or, si je m'abstiens d'actualiser ma sexualité, je ne peux dire que je n'ai pas choisi : j'ai choisi de ne rien faire ; j'ai choisi de ne vivre en aucune manière ma «situation» d'être sexué.

La liberté en situation

La liberté sartrienne est une liberté «en situation». Non seulement notre liberté se manifeste dans des situations concrètes, mais elle n'est possible qu'en situation. L'être humain a le choix d'accepter sa situation, de la transformer ou de la refuser carrément.

Dans *L'Être et le Néant*, Sartre relève et décrit les éléments fondamentaux de notre situation dans le monde à partir de laquelle se manifeste notre liberté. Voyons de quoi il s'agit.

Ma place

Ma place, c'est mon «pays», le lieu que «j'habite», mon «emplacement» actuel par rapport aux choses qui m'entourent. Or, cette place, qui correspond, somme toute, à ma situation dans l'espace, peut-elle être une restriction à ma liberté ? se demande Sartre.

---

16. *L'existentialisme est un humanisme*, p. 73.

D'abord, la place que j'ai reçue à ma naissance ne constitue pas une entrave à ma liberté, puisque j'étais, comme nouveau-né et enfant, dans l'impossibilité d'y réagir et de choisir une autre place. Quant à la place que je prends actuellement, j'en suis entièrement responsable. Car il dépend de mon unique liberté de ne pas me limiter à mon être-là (c'est-à-dire le fait d'être là plutôt qu'ailleurs), mais de me situer par rapport à ce que je veux ou non atteindre. En d'autres mots, c'est moi qui, librement, donne une signification existentielle à la place que j'occupe ou à celle que j'occuperai. Par exemple, je donnerai une signification existentielle à ma situation spatiale présente si je reste, samedi soir, à ma table de travail pour préparer un examen au lieu de faire la fête avec mes amis.

Ainsi, c'est notre liberté qui «fait apparaître notre emplacement comme résistance insurmontable ou difficilement surmontable à nos projets[17]».

Mon passé

Notre passé constitue la deuxième caractéristique de notre situation dans le monde. Ce passé pèserait, selon une lecture déterministe, de tout son poids sur l'orientation de notre présent. Bien sûr, Sartre admet que les engagements passés peuvent influer sur le présent, mais seulement dans la mesure où nous avons constamment à les «ré-affirmer», à les «ré-actualiser». Je suis le seul à pouvoir «ré-assumer» à chaque moment la portée de mon passé en lui donnant une signification par l'acte que j'exécute dans le présent. C'est moi seul qui éclaire mon passé à l'aide du projet que je suis et que je lance dans l'avenir. En conséquence, je choisis mon passé. Je choisis le sens que je veux bien donner à mon passé étant donné le choix que je fais de mon présent.

Mon passé ne détermine pas mon présent. À l'inverse, c'est en assumant en toute liberté un projet de vie présent, qui s'oriente vers l'avenir, que je sélectionne, interprète et réalise mon passé à la lumière de ce projet de vie présent. Par exemple, si j'ai librement choisi, il y a quelques années, de m'engager dans une relation amoureuse unique, il n'en tient qu'à moi de ne pas aujourd'hui rejeter ce passé, de ne pas le considérer comme mort, mais au contraire de le revivifier, de lui conférer une valeur toujours actuelle en accomplissant des gestes pour faire grandir cet amour unique.

Mes entours

Dès notre naissance, nous sommes jetés dans un monde d'existences différentes de la nôtre. Ces «choses-ustensiles» nous entourent et affichent leur imprévisibilité, leur complicité ou leur adversité: ce sont les «entours». En fait, les entours sont tout ce qui peut nous arriver lorsqu'on fait quelque chose et qui peut être interprété soit positivement, soit négativement.

Ainsi, lorsque je projette de faire une randonnée à vélo et de me rendre à tel endroit, je peux être placé devant un pneu qui crève, un vent de face, un soleil de plomb, etc. Est-ce que l'apparition de ces entours hostiles, qui peuvent contribuer à changer radicalement ma situation, constituent pour autant une entrave à ma liberté? Pas du tout! Les accidents prévisibles et même ceux que je n'avais pas prévus ou pu prévoir, malgré qu'ils interrompent ma route, ne

17. Jean-Paul SARTRE, *L'Être et le Néant*, Paris, Gallimard, coll. «Bibliothèque des Idées», 1968, p. 576.

déterminent pas mon existence. Ils font partie de mon projet de randonnée à vélo comme des possibles pouvant surgir inopinément. C'est même ma liberté qui donne un sens à ces entours, les exprime et les constitue *en situation*, c'est-à-dire comme des éléments ayant un rapport adverse ou complice avec mon projet et moi-même. J'ai alors le choix d'interpréter la côte à monter comme un obstacle difficile sinon impossible à franchir ou comme le moyen d'obtenir (une fois arrivé au sommet) un magnifique point de vue sur la campagne environnante. « Ainsi suis-je absolument libre et responsable de ma situation. Mais aussi ne suis-je jamais libre qu'*en situation*[18]. »

Mon prochain

• Le monde des autres

Ma situation concrète, c'est aussi vivre dans un monde où il y a autrui. Plus particulièrement, en tant qu'existant, je me trouve en présence de significations (modes d'emploi, panneaux indicateurs, ordres et consignes en tout genre) qui n'émanent pas de moi-même, mais des autres. Est-ce que ces dernières constituent une limite externe de ma liberté ? Non. Certes, j'habite un « monde-là » peuplé de sens que je n'ai pas mis moi-même, mais c'est à moi d'affirmer et d'assumer ma liberté en tenant compte de la conjoncture présente et en faisant mien ou non ce sens déjà là. Ces interdictions, ces défenses n'entraveront ma liberté

Parce qu'elle est libre, cette cycliste interprétera positivement ou négativement les incidents pouvant survenir pendant sa course à vélo.

que dans les limites de mon propre choix. Par exemple, lorsque je fais une promenade en forêt et qu'un écriteau, où est inscrit « Défense de passer. Propriété privée », me bloque le passage, il n'en tient qu'à moi de passer outre et de poursuivre ma marche.

• Le besoin des autres

En tant qu'objet au milieu du monde, je suis constamment soumis aux appréciations d'autrui. Or, en posant sur moi un regard qui me renvoie à moi-même, l'autre me permet de m'appréhender, de me jauger. Selon Sartre, nous avons besoin des autres pour prendre conscience de nous-mêmes dans la mesure où nous ne pouvons « rien être (au sens où on dit qu'on est spirituel, ou qu'on est méchant, ou qu'on est jaloux) sauf si les autres le reconnaissent comme tel[19] ». Donnons un exemple. J'ai la liberté de me définir comme une personne comique ; mais encore faut-il que les blagues que je propose aux autres provoquent le rire. Si je ne réussis jamais à faire rire mon auditoire, il est peut-être temps que je cesse de me considérer comme drôle…

En d'autres mots, je ne peux m'atteindre que par le regard d'un autre. Pour savoir qui je suis, j'ai besoin d'autrui ; il est celui qui me permet d'acquérir ma réalité. « Pour obtenir une vérité quelconque sur moi, écrit Sartre, il faut que je passe par l'autre. L'autre est indispensable à mon existence, aussi bien d'ailleurs qu'à la connaissance que j'ai de moi[20]. » L'autre me confère un caractère. Il est

18. *Ibid.*, p. 591.

19. *L'existentialisme est un humanisme*, p. 66.

20. *Ibid.*, p. 67.

la «condition concrète» de mon objectivité. Lorsque, pour me décrire, il utilise les qualités de «bon» ou de «méchant», de «sympathique» ou d'«antipathique», etc., il veut m'atteindre et il m'atteint dans mon être. Bref, il tend à me conférer une identité. Cependant, c'est moi, à la lumière de mes propres fins, qui accepterai ou non l'image de moi que me présente l'autre. Par le regard jeté sur moi, l'autre est celui qui me confirme ou m'infirme à moi-même, en ce sens que c'est ma liberté qui me permet d'accorder ou non du crédit à ce que l'autre dit de moi.

• La haine des autres

Le regard qu'autrui porte sur moi m'aide à me définir, mais en même temps il peut apparaître comme une menace et même me conduire à la haine d'autrui.

«L'autre [est] une liberté posée en face de moi qui ne pense et qui ne veut que pour ou contre moi[21].» Dans l'une de ses pièces de théâtre les plus populaires, *Huis clos*, Sartre situe en enfer l'action de trois personnages imaginaires. Pour lui, l'enfer n'est pas un lieu de torture physique où l'on brûlerait éternellement. Dans *Huis clos*, l'enfer est représenté par un simple salon sans fenêtre, avec uniquement trois fauteuils pour Garcin, Inès et Estelle, qui sont condamnés à rester seuls ensemble pour toujours.

Le sommet de la souffrance pour l'être humain n'est pas dans la douleur physique; il est dans le voisinage des autres. «Le bourreau, c'est chacun de nous pour les deux autres[22]», dit Inès. En effet, selon l'existentialisme sartrien, l'autre est bourreau de trois façons différentes.

D'abord, les autres nous gênent, encombrent notre existence par le seul fait d'être là, surtout quand c'est le hasard qui les y a mis et qu'aucune affinité ne nous lie à eux. Les trois protagonistes de *Huis clos* ne se sont pas choisis et ne peuvent se défaire des autres: ils sont là, en enfer, pour l'éternité! Le milieu de travail peut fort bien illustrer cette problématique. Le travail que nous faisons nous oblige à côtoyer quotidiennement des collègues. Qui sont-ils? Des gens que nous n'avons pas choisis, qui souvent ne nous ressemblent guère et avec lesquels il nous est parfois difficile de sympathiser. Mais ils sont là, nous agacent, nous irritent, nous énervent.

Ensuite, l'autre représente le bourreau dans la mesure où il est souvent incapable de nous donner ce que nous aimerions recevoir de lui. Cela occasionne, bien sûr, nombre de malentendus et de déceptions. La pièce *Huis clos* met en lumière de belle façon cette deuxième dimension du difficile rapport à autrui. Garcin, le personnage masculin, est mort lâche. Il essaie tant bien que mal de se construire une image d'homme fort et assuré, d'abord pour lui-même, mais aussi pour les yeux d'Estelle. Mais à quoi bon tenter de paraître ce qu'il n'est pas, de séduire Estelle, puisqu'elle représente tout ce qu'il ne peut pas supporter chez une femme: un intérêt excessif porté à son apparence, un besoin constant d'être rassurée, une naïveté et une superficialité criantes? Estelle ne peut donc rien apporter à Garcin. Inès, quant à elle, est lesbienne. Elle fait preuve de dureté, ne ménage pas ses compagnons d'infortune, les oblige à se reconnaître tels qu'ils sont. Elle les immobilise dans leur fatalité. Cependant, elle a besoin des autres, d'Estelle en particulier; mais elle ne peut rien attendre d'elle, puisque Estelle n'a d'yeux que pour Garcin.

---

21. *Ibid.*, p. 67.

22. Jean-Paul SARTRE, *Huis clos*, Paris, Gallimard, coll. «Le Livre de poche», 1967, p. 34.

Enfin, autrui me « chosifie ». Quand il me juge d'une manière implacable, il est un sujet qui tente de me réduire à l'état d'objet. Par le jugement qu'il porte sur moi, l'autre essaie de nier ou d'étouffer ma liberté en me rendant esclave de valeurs qui me qualifient de l'extérieur. Pour lui, je suis, par exemple, intelligent ou stupide, beau ou laid, etc. Son jugement à mon endroit est beaucoup plus qu'une simple opinion qu'il se fait de ma personne, car il me confère un sens que je ne me suis pas donné moi-même. Je subis ce sens dans la mesure où il m'est imposé par une liberté autre que la mienne. Je deviens, par le regard de l'autre, ce quelqu'un, cette qualité ou ce défaut que je n'ai pas nécessairement choisi d'être. Bref, la liberté de l'autre appréhende librement ma liberté et tente de la « paralyser » – selon ses propres perspectives et orientations.

Les trois personnages de *Huis clos* se jugent constamment les uns les autres. Ils connaissent l'angoisse infernale de devenir des personnes-choses par le regard de l'autre. Sous ce regard, ils ne peuvent plus fuir, figés qu'ils sont par l'œil qui les voit. « Ah ! Comme tu vas payer à présent, dit Inès. Tu es un lâche, Garcin, un lâche parce que je le veux. Je le veux, tu entends, je le veux[23] ! » L'enfer de *Huis clos*, c'est notre condition d'ici-bas où les autres nous condamnent à être ce qu'ils jugent que nous sommes. Ainsi, lorsque quelqu'un, catégorique, me dit que je suis un salaud, un ingrat ou un jaloux, je deviens cela à ses yeux ; désormais, pour lui, je ne suis que cela. Il me pétrifie, me fixe à tout jamais dans le rôle de salaud, d'ingrat ou de jaloux. Et c'est pourquoi Sartre, par la bouche de Garcin, s'écrie à la fin de *Huis clos* : « L'enfer, c'est les Autres[24]. » Cet enfer, soyons-en certains, peut nous conduire à la haine d'autrui.

Chacun des protagonistes, par le regard qu'il pose sur son vis-à-vis, tente de le « chosifier » en le réduisant à l'état d'objet. Sur la photo, un soldat canadien et un « Warrior » mohawk pendant la crise d'Oka en 1990.

Cependant, il existe une porte de sortie. Il s'agit tout simplement de prendre sur moi le point de vue de l'autre et de lui donner un sens à la lumière de mes propres fins. Ici encore, la liberté m'accorde le pouvoir, non pas de décider de la façon dont l'autre me perçoit, mais d'accepter ou de refuser la définition que l'autre m'attribue. Autrui n'est donc pas une entrave à ma liberté, puisque je peux reprendre ou non à mon compte les limites qui me sont imposées par la liberté de l'autre.

• La liberté individuelle et la liberté d'autrui

La liberté sartrienne implique une volonté d'engagement de soi dans chaque situation qu'il nous est donné de vivre. Mais cette liberté n'est ni un acte purement égoïste ni un **solipsisme** :

> Nous voulons la liberté pour la liberté et à travers chaque circonstance particulière. Et en voulant la liberté, nous découvrons qu'elle dépend entièrement de la liberté des autres, et que la liberté des autres dépend de la nôtre. Certes, la liberté comme définition de l'homme ne dépend pas d'autrui, mais dès qu'il y a engagement, je suis obligé de vouloir en même temps la liberté des autres, je ne puis prendre ma liberté pour but que si je prends également celle des autres pour but[25].

Solipsisme

« Théorie d'après laquelle il n'y aurait pour le sujet pensant d'autre réalité que lui-même » (*Le Petit Robert*).

23. *Ibid.*, p. 73.

24. *Ibid.*, p. 75.

25. *L'existentialisme est un humanisme*, p. 83.

Ainsi, et en dépit de ce que nous avons dit précédemment sur la menace possible que présente ma liberté par rapport à celle des autres, je ne pourrais vouloir la liberté des autres si je plaçais autrui dans une situation où je tenterais de l'exploiter ou de l'opprimer – même si ce dernier possède toujours le pouvoir de refuser mon oppression, d'y résister. En conséquence, la liberté s'exige universellement. L'être humain doit vouloir, selon Sartre, la **liberté des autres.** C'est individuellement que l'être humain doit découvrir et actualiser pour lui-même les « chemins de la liberté[26] », et ce n'est que dans cette mesure qu'il sera homme, car il n'est que ce qu'il choisit d'être. Cependant, ce projet – qui le fait être – ne doit pas se refermer sur lui-même ; il doit s'actualiser comme projet en relation avec les autres.

> La liberté humaine est solidaire de celle des autres hommes.

Ma mort

Sartre, qui se réclame d'une position athée, note d'abord le caractère totalement absurde de la mort. Avec la mort, les valeurs, les attentes et les comportements mis en avant par l'individu tombent d'un coup dans le néant. Aussi, il serait vain de croire que la mort peut donner un sens à la vie. Au contraire, elle lui enlève toute signification, car, pour qu'il y ait un sens, il faut que je puisse être là, comme subjectivité, afin d'en fabriquer un et de l'actualiser à la lumière de mon avenir. Or, n'étant plus vivant, tout avenir m'est alors refusé ; conséquemment, je ne pourrai pas interpréter ma mort. Lorsque j'existe, j'ai constamment à décider du sens de ma vie ; il est carrément entre mes mains. La mort fait que, désormais, pour ma vie, les jeux sont faits ; dès lors, ma vie est une vie *faite*, close, définitivement fermée ; rien ne peut plus lui arriver ; rien ne peut plus y entrer.

En outre, une fois mort, je suis condamné à n'exister que par autrui. En effet, ceux qui restent, comme on dit, reprennent à leur compte les significations concernant ma vie. Ils peuvent transformer celle-ci en échec ou en réussite, et je ne peux plus corroborer ni démentir l'interprétation qu'ils imposent à ma vie en m'annonçant par mon ou mes projets. « Être mort, c'est être en proie aux vivants[27]. » La mort trace-t-elle alors la limite finale de ma liberté ? se demande Sartre. Pas nécessairement. Ce n'est pas parce que les autres me voient mortel, ou encore parce qu'ils peuvent me déposséder du sens que je donnais moi-même à ma vie (alors que j'existais), que la mort est pour autant la contrainte ultime de ma liberté.

En fait, la mort n'est « rien d'autre que du *donné* » qui doit arriver ; elle n'est qu'une situation limite inéluctable et absurde que j'intériorise comme étant ultime. En cela, elle peut être considérée comme une limite qui hante ma liberté. Mais en réalité, puisque ma conscience ne peut concevoir la mort, ni l'attendre, ni se projeter vers elle, ma subjectivité est entièrement indépendante d'elle et « la liberté qui est ma liberté demeure totale et infinie[28] ». Certes, je n'ai pas le choix de ne pas mourir un jour. La mort fait partie de ma situation d'homme, mais la mort n'est pas, de mon vivant, un obstacle à mes projets, car « je suis un libre mortel » qui échappe à sa mort dans son projet même de vivre. Bref, la mort est néant, mais j'ai la liberté de vivre ma vie... en attendant.

---

26. Titre d'une trilogie (I. *L'Âge de raison* ; II. *Le Sursis* ; III. *La Mort dans l'âme*) publiée à Paris chez Gallimard, de 1945 à 1949.

27. *L'Être et le Néant*, p. 628.

28. *Ibid.*, p. 632.

En résumé, nous pouvons dire que la liberté ne devient effective qu'à partir du moment où l'être humain se mesure aux différents éléments qui tracent sa **situation** dans le monde. Dans *L'Être et le Néant*, Sartre éclaire sa conception de la liberté par l'exemple de la mobilisation en temps de guerre : je n'ai pas choisi cette situation ; je ne suis pour rien dans le fait que mon pays se soit mis en guerre ; ce n'est pas moi qui, personnellement, ai déclaré cette guerre ; etc. Mais à l'égard de cette situation, il m'est toujours possible de me choisir soldat combattant ou objecteur de conscience. Autrement dit, si je ne me soustrais pas à cette guerre en désertant ou, à la limite, en me suicidant, elle devient ma guerre, je l'ai choisie, et j'en porte l'entière responsabilité. «Vivre cette guerre, écrit Sartre, c'est me choisir par elle et la choisir par mon choix de moi-même[29].»

> Sa place, son passé, ses entours, son prochain et sa mort constituent la situation fondamentale de tout homme, et c'est uniquement dans cette situation et face à elle que l'être humain est libre. Il a le pouvoir d'accepter ou de refuser cette situation.

La liberté sartrienne est une liberté en situation dans la mesure où elle s'inscrit dans le choix d'agir dans une situation particulière dont je ne suis pas nécessairement responsable au départ ou de réagir à celle-ci. En d'autres termes, il dépend toujours de soi, et de soi seul, de choisir une attitude d'acceptation (résignation) ou une attitude de refus (opposition) face à une situation donnée.

Ces militaires canadiens qui partent pour une mission en Afghanistan – s'étant choisis hommes de guerre – en épouseront la cause et en porteront l'entière responsabilité.

L'homme comme projet

Dans les limites de sa condition d'existant, l'être humain ne peut que choisir, choisir de s'accommoder de cette condition ou choisir de la nier. Mais, dans l'un ou l'autre cas, «la liberté se fait acte[30]» et, ce faisant, l'homme se construit comme projet.

Ce parti pris en faveur de l'existence fait que, pour Sartre, l'être humain se définit par «l'ensemble de ses actes[31]». C'est à lui, et à lui seul, de tracer sa propre figure dans le monde. À la question : «Qui suis-je ?», tout existentialiste sartrien répondrait : «Je suis ma vie, c'est-à-dire tout ce que j'ai fait jusqu'à présent, tous les actes que j'accomplis maintenant et toutes les *"entreprises"* que je ferai dans l'avenir.»

L'être humain est, selon Sartre, «ce qui se jette vers un avenir et qui est conscient de se projeter dans l'avenir. L'homme est d'abord un projet qui se vit subjectivement [...] L'homme sera d'abord ce qu'il aura projeté d'être[32]». Autrement dit, l'homme devient le *projet essentiel* qu'il choisit d'être, c'est-à-dire sa manière propre d'*être au monde* en accomplissant les actes qui y correspondent nécessairement.

Pour saisir toute la portée de cette conception de l'être humain, il faut bien comprendre la signification que Sartre accorde au mot «projet». «Je suis un projet» ne veut pas dire «je voudrais être quelqu'un» ou «je voudrais faire quelque chose», en ce sens que j'entretiendrais des rêves vagues ou formulerais des

29. *Ibid.*, p. 640.

30. *Ibid.*, p. 513.

31. *L'existentialisme est un humanisme*, p. 55.

32. *Ibid.*, p. 23.

souhaits pieux sans jamais exécuter la moindre action qui me dirigerait ou me confirmerait dans cette voie.

L'être humain est un projet en ce sens qu'il est ce qu'il a projeté d'être par ses actes. Il est ici question de l'orientation générale qu'on donne à sa vie en agissant en conséquence. Cette fin significative commandera un ensemble d'actes qui me permettront d'actualiser sans cesse ce projet qui me définira comme personne. En ce sens, ce sont mes actes qui me disent ce que je veux vraiment!

Pour illustrer ce que Sartre entend par *l'être humain en tant que projet,* prenons l'exemple de Julie, une élève qui terminera cette année une formation en sciences humaines au cégep. Lorsqu'elle était en 4ᵉ secondaire, Julie a fait le choix de sa future carrière: «Je veux être enseignante au primaire», s'est-elle dit, contente de sa décision. Afin que son projet se réalise, elle a dû, pendant les deux dernières années du secondaire, exécuter une série d'actes sans lesquels elle ne deviendrait jamais enseignante: assister aux cours, remettre les travaux prescrits, réussir les examens, obtenir son diplôme d'études secondaires. Par la suite, il lui a fallu s'inscrire dans un cégep particulier et y être acceptée. Depuis, Julie a dû accomplir, mener à terme et réussir un ensemble de tâches par lesquelles elle s'est construite peu à peu comme élève de cégep. Aujourd'hui même, en assistant à un cours de philosophie, Julie se confirme à elle-même son projet d'études. Et si elle veut encore devenir et, ultérieurement, être de fait une enseignante au primaire, c'est-à-dire rester dynamique dans ce projet (du verbe latin *projicare,* «jeter au loin»), il n'en tiendra qu'à elle de continuer de l'actualiser sans cesse.

Comme on le voit, en choisissant librement d'accomplir des actes, l'homme se crée comme projet responsable.

L'être humain est pleinement responsable

Si vraiment l'être humain n'est que ce qu'il fait de lui-même, il s'ensuit logiquement qu'il détient l'entière responsabilité de ce qu'il est et de ce qu'il devient. Sartre l'affirme catégoriquement en écrivant que «la première démarche de l'existentialisme est de mettre tout homme en possession de ce qu'il est et de faire reposer sur lui la responsabilité totale de son existence[33]».

Conséquemment, l'être humain ne peut invoquer aucune circonstance atténuante, comme il ne peut se réfugier derrière aucun déterminisme pour se justifier de n'avoir pas fait ceci ou cela, de n'être pas ceci ou cela. Tout le mérite ou toute la faute de ce qu'il est ne revient qu'à lui seul.

Un exemple peut mettre en lumière la responsabilité totale de l'être humain quant à ses choix existentiels: celui du voleur de banque. Si un individu commet un vol à main armée, il ne peut rejeter la faute sur une prédisposition génétique, sur son éducation familiale ou sur son environnement social. Car c'est lui seul qui s'est présenté ce matin-là à telle banque, a braqué son arme dans la direction de la caissière, a demandé le contenu du tiroir-caisse. La faute lui revient totalement. Il en est entièrement responsable. C'est lui seul qui s'est construit librement comme voleur et qui, ce faisant, a donné un sens, une valeur (négative, dans ce cas) à son existence.

---

33. *Ibid.,* p. 24.

Prenons cette fois-ci un exemple ayant une connotation positive. Si un élève obtient 100 % à un examen de philosophie particulièrement difficile, un existentialiste sartrien dira que cet élève est responsable de sa réussite et de la signification qu'il lui donne. Ainsi, jugera-t-il que ce succès n'est attribuable qu'à lui-même – puisqu'il a assumé son statut d'élève et a bien étudié – ou encore en tirera-t-il prétexte pour se considérer supérieur aux autres ?

L'être humain est totalement responsable de ses choix de vie, lesquels sont porteurs de valeurs.

L'être humain invente les valeurs

> Dire que nous inventons les valeurs ne signifie pas autre chose que ceci : la vie n'a pas de sens *a priori*. Avant que vous viviez, la vie, elle, n'est rien, mais c'est à vous de lui donner un sens, et la valeur n'est pas autre chose que ce sens que vous choisissez[34].

Sartre, avons-nous dit, appelle l'être humain à se construire lui-même dans l'action. Les actes accomplis le définissent, et, ce faisant, il invente les valeurs qui donneront un sens à sa vie. Car ces dernières ne sont pas déjà là dans le monde, offertes. Aucune valeur, aucun sens n'est fourni d'avance. C'est l'homme qui, en agissant, décide de ce qui importe pour lui parce que ça a du sens pour lui. Par exemple, si je trouve un portefeuille contenant cinq cents dollars ainsi que diverses cartes identifiant son propriétaire et que je le remets à ce dernier, je choisis alors de donner le sens suivant à mon existence : elle sera vécue honnêtement.

Les actes que je choisis de faire, les engagements que je privilégie génèrent donc des valeurs particulières qui rendront, à mes yeux, mon existence signifiante. Cela amène Sartre à dire que «l'homme, sans appui et sans secours, est condamné à chaque instant à inventer l'homme[35]».

L'acte individuel engage toute l'humanité

L'être humain est à ce point responsable de ses propres choix qu'il est dans l'obligation, selon Sartre, de les considérer comme valables pour tous les autres :

> Quand nous disons que l'homme se choisit, nous entendons que chacun d'entre nous se choisit, mais par là nous voulons dire aussi qu'en se choisissant il choisit tous les hommes. En effet, il n'est pas un de nos actes qui, en créant l'homme que nous voulons être, ne crée en même temps une image de l'homme tel que nous estimons qu'il doit être[36].

En d'autres mots, cela signifie que l'être humain que nous choisissons d'être par nos actes propose un portrait de l'humain à nos semblables, portrait valable pour toute l'époque dans laquelle nous vivons. C'est comme si je disais à mes contemporains : «Ce choix de vie qui est le mien met en jeu une ou des valeurs que je vous propose comme étant bonnes.»

Sartre apporte l'exemple du choix individuel de se marier et de fonder une famille. «Même si ce mariage, dit-il, dépend uniquement de ma situation, ou de

---

34. *Ibid.*, p. 89-90.

35. *Ibid.*, p. 38.

36. *Ibid.*, p. 25.

ma passion, ou de mon désir, par là j'engage non seulement moi-même, mais l'humanité entière sur la voie de la monogamie[37].» Ces propos de Sartre veulent dire que mon propre choix (habiter avec un partenaire, lui être fidèle, avoir et élever des enfants, etc.) constitue un modèle de valeurs que tous pourraient adopter.

Par son existence même et les choix qu'il privilégie, l'être humain est engagé dans son monde et dans son époque. Il choisit d'être ceci ou cela. Il l'affirme pour lui-même et, simultanément, il propose à tous la valeur de ce choix. Les actes individuels que l'être humain accomplit lui permettent de se définir à ses propres yeux, mais, en même temps, ils se doivent d'être bons pour tous. Ainsi, nous sommes responsables pour nous-mêmes et pour tous, car chaque acte humain présente une idée de l'humanité. Cette responsabilité immense nous place devant l'angoisse.

L'être humain est angoisse

«Nous *sommes* angoisse», écrit Sartre dans *L'Être et le Néant*[38]. L'angoisse est le lot de la réalité humaine[39]. Puisque l'être humain ne peut trouver sur terre aucun signe susceptible de l'orienter (il n'y a pas de normes prédéterminées), puisqu'il est sans appui, puisque aucune morale générale ne peut lui indiquer ce qu'il y a à faire, puisqu'«il n'y a pas de signe dans le monde[40]», l'individu éprouve de l'angoisse.

Mais qu'est-ce que l'angoisse? L'angoisse est l'inquiétude profonde vécue par l'individu conscient de devoir construire pour lui et pour tous, sans modèle ni référence, un type d'humanité dont il est entièrement responsable.

L'angoisse est le sentiment d'être jetés dans un monde que nous n'avons pas choisi, d'être plongés dans une existence fortuite, donnée pour rien, d'être une situation de hasard; d'où le sentiment d'absurdité lié à l'existence de l'homme. L'existence humaine est absurde dans la mesure où elle est d'abord dépourvue de sens, où elle ne peut être justifiée de manière rationnelle. Je n'ai pas choisi de naître, et je suis assuré de mourir un jour. Sartre utilise le concept de **facticité** pour exprimer le caractère absurde, non nécessaire de l'existence de l'homme. «Ma facticité, [c'est] le fait que les choses *sont là* simplement comme elles sont et que *je suis là* parmi elles[41].» Par le caractère injustifiable des choses posées là, et de moi existant parmi elles, je ressens la nausée[42]: j'éprouve une espèce de malaise, de dégoût face à ma propre existence et face à l'existence des choses. Je me sens «de trop» dans un monde sans raison ni finalité.

> La facticité exprime l'idée que l'existence individuelle est un fait accidentel, sans principe fondateur et, conséquemment, absurde au départ.

Ce n'est pas le monde extérieur qui constitue une menace et qui susciterait chez moi l'angoisse. D'ailleurs, nous devrions à ce moment parler de peur plutôt que d'angoisse. L'individu qui a peur craint tel objet ou telle situation du monde qu'il appréhende comme un danger. Par contre, l'angoisse émane de la conscience.

---

37. *Ibid.*, p. 27.

38. *L'Être et le Néant*, p. 81.

39. L'existentialisme sartrien ne condamne pas l'être humain au désespoir. Au contraire, il l'engage à affronter l'angoisse inhérente à l'humain en donnant un sens à sa vie, qui, au départ, n'en a pas. L'existence est donnée sans raison, mais l'homme est libre d'en faire quelque chose.

40. *L'existentialisme est un humanisme*, p. 47.

41. *L'Être et le Néant*, p. 633-634.

42. Cette sensation de nausée est habilement décrite par Sartre dans son roman *La Nausée*.

Elle correspond à l'incertitude que connaît la conscience devant son avenir qu'elle n'est pas encore, mais qu'elle est totalement libre de faire. En ce sens, l'angoisse est la conscience de ne pouvoir faire autrement que d'être libre dans un monde fondamentalement «insignifiant» et «indifférent»; c'est la conscience qui s'angoisse elle-même devant le choix qu'elle a à faire, gratuitement.

La mauvaise foi

Placé devant le choix d'adopter une attitude d'acceptation ou de refus face à une situation donnée, placé devant l'obligation de proposer à tous la valeur de ses propres choix, l'être humain éprouve de l'angoisse. Lorsque la conscience est incapable d'assumer la responsabilité du choix, et pour fuir l'angoisse qui en résulte, elle peut se dérober et choisir sans choisir. Nous avons affaire alors à la mauvaise foi[43].

La mauvaise foi est définie par Sartre comme «un mensonge à soi»: c'est comme si la conscience se mentait à elle-même. Cependant, on est loin du «mensonge tout court»:

> L'essence du mensonge implique, en effet, que le menteur soit complètement au fait de la vérité qu'il déguise. On ne ment pas sur ce qu'on ignore, on ne ment pas lorsqu'on répand une erreur dont on est soi-même dupe, on ne ment pas lorsqu'on se trompe[44].

Le mensonge implique une dualité entre moi qui trompe et autrui qui est trompé. Je connais parfaitement la vérité et je la cache ou la déforme à quelqu'un qui ne sait pas. Avec la mauvaise foi, il s'agit d'autre chose, car le trompeur et le trompé se retrouvent dans la même personne:

> Dans la mauvaise foi, c'est à moi-même que je masque la vérité. [...] On ne subit pas sa mauvaise foi, on n'en est pas affecté, ce n'est pas un état. Mais la conscience s'affecte elle-même de mauvaise foi. Il faut une intention première et un projet de mauvaise foi[45].

On choisit donc consciemment d'être de mauvaise foi. Un acte de mauvaise foi n'est pas la manifestation d'un désir qui nous détermine à notre insu. Mais à l'encontre du mensonge où je ne trompe qu'autrui, là c'est à moi-même que je cache d'abord la vérité, et c'est moi-même que je trompe.

Trois manières d'être de mauvaise foi

• Refuser de choisir

La mauvaise foi se manifeste de différentes façons. Une personne fait preuve de mauvaise foi lorsqu'elle refuse de choisir. Afin de mieux cerner cette dimension de la mauvaise foi, Sartre examine une conduite particulière: celle d'une jeune femme qui s'est rendue à un premier rendez-vous que lui a donné un homme[46]. Assise à la table d'un café, face à cet homme, elle connaît parfaitement les intentions de cet homme et l'intérêt qu'il lui porte. Pour l'heure, elle s'attache seulement

---

43. Un rapport peut être fait entre la mauvaise foi sartrienne et l'inconscient freudien. Refusant «l'obscure chimie de l'inconscient», Sartre remplace en quelque sorte l'inconscient par la mauvaise foi. La personne faisant preuve de mauvaise foi est toutefois consciente de ce qu'elle fait ou dit, alors que l'inconscient travaille à son insu.

44. *L'Être et le Néant*, p. 86.

45. *Ibid.*, p. 87.

46. Cet exemple est décrit aux pages 94 et 95 de *L'Être et le Néant*.

au fait que les propos de son vis-à-vis sont discrets et respectueux. Au fond, elle ne tient pas à être uniquement objet de respect. Elle est sensible au désir que cet homme lui manifeste, elle en est même flattée, mais en même temps elle s'offusquerait d'un désir trop direct, trop affiché, qui ne s'adresserait qu'à son corps comme objet. Elle refuse donc de reconnaître le désir pour ce qu'il est : elle ne le nomme pas et préfère ne retenir que l'admiration, l'estime, le respect que l'homme lui témoigne. Mais l'homme lui prend la main. Retirera-t-elle sa main ou la lui laissera-t-elle ? Elle se doit de choisir. Si elle abandonne sa main, elle s'engage en quelque sorte et participe au jeu de la séduction. Si elle la retire, elle rompt le charme. La jeune femme abandonne sa main comme si elle ne s'apercevait pas qu'elle l'abandonne. Elle devient alors « tout esprit » : une personne, une conscience qui parle de la vie, de sa vie de façon tout à fait détachée. Elle n'est plus son corps. « Et pendant ce temps, le divorce du corps et de l'âme est accompli ; la main repose inerte entre les mains chaudes de son partenaire : ni consentante ni résistante – une chose[47]. » De toute évidence, cette femme est de mauvaise foi. Elle a constamment joué sur deux tableaux. Tout en se permettant de jouir du charme de la situation, elle a réduit – pour la porter au-delà du désir physique – la conduite de l'homme comme si elle n'était pas ce qu'elle était,

> La mauvaise foi demeure pour l'être humain « une menace immédiate et permanente » : celle de refuser la liberté et l'angoisse devant les choix à faire.

comme si elle était neutre, sans signification. Par **mauvaise foi,** cette femme refuse de prendre position face au flirt de l'homme. Elle fuit ce qui est effectivement en train de se vivre. Par mauvaise foi, elle refuse d'engager sa personne dans un choix clair et évident. Mais, notons-le : ce faisant, elle choisit de ne pas choisir.

• Refuser d'être responsable de ses actes

Voyons une deuxième façon d'être de mauvaise foi. Un individu adopte une conduite de mauvaise foi lorsqu'il n'assume pas la responsabilité de ses actes. Ainsi, le voleur de banque qui, arrêté et amené devant le juge, se défend d'être la pauvre victime de conditionnements familiaux (son père était assisté social, alcoolique et violent) ou sociaux (il a été entraîné dans le crime par de mauvais compagnons de son quartier défavorisé). Sartre dirait que cet homme est de mauvaise foi. Il se ment d'abord à lui-même, et essaie de tromper le juge.

• Refuser de se montrer tel que l'on est

Enfin, un individu fait acte de mauvaise foi quand il fait primer ce qu'il n'est pas essentiellement (par exemple, une fonction sociale) par rapport à ce qu'il est. En fait, on peut être de mauvaise foi en se présentant sous une fausse image qui ne reflète pas ce qu'on est réellement. Reprenons un exemple présenté par Sartre dans *L'Être et le Néant*[48]. Un garçon de café circule entre les tables d'une terrasse de café à Paris. Il a le bras bien haut, trop haut levé. Il porte son plateau avec la témérité du funambule. Quoique assurés, trop assurés, ses mouvements sont mécaniques. Il s'avance vers une table de consommateurs. Ses gestes sont vifs et appuyés. Il a le menton levé. Sa tête, penchée légèrement de côté, exprime la suffisance. Il prend la commande : sa voix est brusque, hautaine. Mais à quoi joue-t-il ? Il joue à être un garçon de café. Cet individu ne montre pas ce qu'il est vraiment. En jouant au garçon de café, il se cache sa propre vérité et la cache aux autres.

---

47. *L'Être et le Néant*, p. 95.
48. *Ibid.*, p. 98-100.

En somme, pour être de bonne foi, dans une situation donnée, il faut choisir, il faut assumer la responsabilité de son choix, il faut se montrer à soi-même et aux autres tel que l'on est et non pas se laisser figer dans des rôles sociaux stéréotypés.

Sartre aujourd'hui

Aujourd'hui

Sartre et la revendication de la liberté tous azimuts

L'existentialisme sartrien athée définit l'homme comme un «je» qui, en assumant son entière liberté – dans les limites de sa situation dans le monde –, se fait, se construit en tant qu'être humain responsable.

Ne peut-on mettre en rapport cette liberté de choix totale telle qu'élaborée par Sartre avec la liberté tous azimuts revendiquée aujourd'hui par les jeunes adultes qui cherchent à se réaliser par eux-mêmes et pour eux-mêmes[49]? Plusieurs critiques considèrent, en effet, que les jeunes adultes d'aujourd'hui ne s'intéressent qu'à leur moi devenu objet de culte. Ces derniers ne vivraient qu'en fonction de leurs intérêts individuels exacerbés qu'ils accumuleraient en une quête illimitée de la liberté.

Même s'il peut être tentant de trouver un rapport de ressemblance entre ces deux types de liberté, il faut prendre garde de ne pas les confondre. Il existe des différences majeures entre la liberté sartrienne et la recherche actuelle de la liberté portée à son paroxysme. Selon Sartre, nous nous définissons librement par ce que nous faisons, et nous devons nous tenir pour responsables de nos choix. Or, actuellement, bon nombre de jeunes adultes ne semblent pas assumer les choix quotidiens qu'ils font. Ils ne s'en rendent pas toujours responsables.

D'autre part, n'oublions pas que Sartre insiste sur la responsabilité face à autrui: dans mes choix, je choisis, en un sens, pour l'humanité!

Sartre et la responsabilité de notre existence

Sartre affirme que l'homme doit être le sujet de sa propre existence sans utiliser des alibis tels que: «Je ne suis pas doué pour faire ceci», «Mon tempérament, mon caractère ne me permet pas de réaliser cela», «Mon milieu social m'a conditionné à être ceci ou cela».

À l'encontre de cette recommandation sartrienne, bon nombre d'entre nous semblent ne pas avoir le courage et la persévérance nécessaires pour affronter les déterminismes héréditaires, psychologiques ou sociaux dont ils sont l'objet. Ils ont tendance à adopter une attitude consistant à dire que ce n'est pas leur faute, qu'ils n'y peuvent rien. Ce qu'ils ont vécu, ou plutôt ce qu'on leur a fait vivre par le passé, serait responsable de tout ce qui leur arrive. On adopte volontiers la posture de la «victime», toujours prête à accuser les autres, mais se choisissant elle-même comme «éternelle mineure»! Aujourd'hui, plusieurs semblent abdiquer devant la responsabilité de se définir librement comme projet en accomplissant les actes qui y correspondent nécessairement.

---

49. Voir à ce sujet la section «Nietzsche aujourd'hui. Un renforcement de l'individualisme contemporain» du chapitre 5.

Les vêtements que portent ces jeunes adultes reflètent-ils ce qu'ils sont vraiment ?

Sartre et la mauvaise foi vestimentaire

Sartre affirme que l'une des manières d'être de mauvaise foi, c'est de mettre en avant des attitudes, des comportements, bref, une image de nous-mêmes qui ne nous représente pas tels que nous sommes vraiment.

Aujourd'hui, on dit que les jeunes adultes constituent la clientèle cible de l'industrie du vêtement, car ils suivent la mode. Or, suivre la mode, ne serait-ce pas une conduite de mauvaise foi ? Suivre la mode peut, en effet, avoir pour fonction de conjurer l'angoisse. Cela procurerait une sécurité, qui consiste à voguer dans des « eaux connues » : pas celles d'hier, ni celles de demain, puisqu'il s'agit toujours de la mode actuelle. Au fond, être à la mode, c'est vouloir nous distinguer des autres en étant pareils à eux ! C'est « choisir » d'être différents en étant pareils !

Être à la mode, c'est surtout nous présenter à nous-mêmes et aux autres dans l'apparat d'un vêtement qui ne nous définit pas toujours tels que nous sommes réellement. Alors que nos vêtements devraient en principe témoigner de notre personnalité propre, force est de constater que certains se mentent à eux-mêmes et mentent aux autres en portant des vêtements qui représentent une fausse image d'eux-mêmes.

Sommes-nous vraiment les vêtements que nous portons ?

L'existentialisme sartrien proclame que l'être humain est un projet libre ; il affirme que c'est à l'homme de se faire lui-même et d'établir le sens. Or, une école de pensée – qui sévit actuellement dans le monde occidental – s'oppose d'une manière irréductible à la philosophie sartrienne de la liberté. Il s'agit des théories déterministes, et en particulier du behaviorisme skinnérien qui envisage l'être humain comme un produit du milieu.

Le prochain chapitre fera la présentation de cette conception de l'homme en tant qu'être déterminé.

L'essentiel

Jean-Paul Sartre

Pour l'existentialisme athée sartrien, l'**existence** précède l'**essence.** À cause de cela, l'homme est **libre** de se construire en agissant. Il ne peut que **choisir.** Cependant, pour être effective, cette liberté se vit à partir de **situations** (place, passé, entours, prochain, mort) qui caractérisent la vie de tout homme. L'être humain choisit d'**accepter** sa condition ou de la **refuser.** Mais dans l'un ou l'autre cas, il choisit librement et, ce faisant, il se fait, se crée comme **projet** qu'il peut constamment redéfinir. Il porte l'entière **responsabilité** des actes accomplis par lesquels il établit les **valeurs.** L'être humain que nous choisissons d'être par nos **actes** propose aux autres un **modèle de valeurs** applicable à tous. Cette responsabilité engendre l'**angoisse.** Pour fuir cette angoisse, l'homme nie parfois sa responsabilité en faisant preuve de **mauvaise foi.**

Réseau de concepts

Résumé de l'exposé

Sartre : un homme inscrit dans son époque

Notice biographique

Jean-Paul Sartre naît en 1905. Il meurt en 1980. Il est le fondateur de l'existentialisme athée. Jouissant d'une audience exceptionnelle et mettant en pratique une philosophie de l'engagement, Sartre fait face aux problèmes de l'après-Seconde Guerre mondiale en marquant de son influence le monde philosophique, littéraire, théâtral, journalistique et politique.

Les existentialismes contemporains

Il n'existe pas *une*, mais *des* philosophies existentialistes. La préoccupation commune de ces philosophies est l'existence de l'être humain prise dans sa réalité et dans sa singularité concrètes. Ce qui les intéresse, c'est la subjectivité de l'individu engagé dans le monde.

Les philosophies existentialistes les plus importantes sont celles de Søren Kierkegaard, Karl Jaspers, Martin Heidegger, Gabriel Marcel, Simone de Beauvoir et Jean-Paul Sartre.

La conception sartrienne de l'être humain : l'homme comme être libre

L'existence précède l'essence

Puisqu'il n'y a pas de nature humaine qui définirait tous les humains, et puisque Dieu n'existe pas, il n'y a que des existants particuliers qui doivent construire leur essence à partir des déterminismes qui pèsent sur eux.

C'est par les choix qu'il fait que l'individu peut se définir.

Exister, c'est être libre ; être libre, c'est choisir

L'être humain ne peut qu'être libre, car sa conscience possède le pouvoir de néantiser, c'est-à-dire de rendre nuls les divers déterminismes dont il peut être l'objet.

La liberté humaine est une liberté vécue qui se manifeste chaque fois que nous accomplissons un acte ; ce faisant, nous nous choisissons.

L'être humain est obligé de choisir, car même s'il ne choisit pas, il choisit de ne pas choisir, il *décide* de s'abstenir.

La liberté en situation

L'être humain peut toujours choisir une attitude d'acceptation ou de refus face à une situation donnée. Ma liberté se manifeste lorsque je me mesure aux éléments fondamentaux qui tracent ma situation dans le monde.

Ma place

J'ai l'entière liberté de donner une signification existentielle à la place (lieu, emplacement) que j'occupe ou à celle que j'occuperai.

Mon passé

Je choisis le sens que je veux donner à mon passé à la lumière du choix que je fais de mon présent.

Mes entours

C'est ma liberté qui interprète ce qui se présente dans une situation donnée comme ayant un rapport adverse ou complice avec mon projet et moi-même.

Mon prochain

* Le monde des autres

  J'ai la liberté de faire mien ou non le sens que les autres ont déjà mis dans le monde.

* Le besoin des autres

  J'ai besoin des autres pour me définir. En me jugeant, autrui me confère un caractère. Cependant, à la lumière de mes propres buts, j'ai le pouvoir d'accepter ou de refuser cette définition que l'autre me donne.

* La haine des autres

  L'autre est bourreau de trois façons différentes :

  a) Il me gêne, encombre mon existence par le seul fait d'être là.

  b) Il est souvent incapable de me donner ce que j'aimerais recevoir de lui.

  c) Il tente de nier ma liberté en me jugeant inexorablement. Il me « chosifie », tente de me réduire à l'état d'objet. Autrui me confère un sens que je ne me suis pas donné moi-même, mais la liberté me procure le pouvoir d'accepter ou de refuser la définition que l'autre m'attribue.

* La liberté individuelle et la liberté d'autrui

  L'homme est liberté (il n'est que ce qu'il choisit d'être), mais la liberté s'exige universellement. L'être humain doit vouloir la liberté des autres.

Ma mort

Je n'ai pas le choix de ne pas mourir, mais la mort n'est pas, de mon vivant, un obstacle à mon projet, car je possède la liberté de vivre ma vie, tant qu'elle dure.

L'homme comme projet

L'être humain se construit peu à peu comme projet. Il devient le projet essentiel qui orientera sa vie, c'est-à-dire sa manière propre d'être dans le monde en accomplissant les actes qui y correspondent nécessairement.

L'être humain est pleinement responsable

L'homme ne peut se justifier d'être ceci ou cela en invoquant des circonstances atténuantes ou en se réfugiant derrière des déterminismes. Tout le mérite ou toute la faute ne revient qu'à lui seul.

L'être humain invente les valeurs

En exécutant des actes qui le constituent et rendent son existence signifiante, l'être humain donne un sens à sa vie et, ce faisant, il crée les valeurs.

L'acte individuel engage toute l'humanité

Mes propres choix individuels se doivent d'être valables pour tous les autres. Par mes actes, je propose à autrui un portrait de l'humain (un modèle de valeurs) applicable à toute l'époque dans laquelle je vis.

L'être humain est angoisse

L'angoisse est l'inquiétude profonde associée au fait de devoir construire pour soi et pour tous les autres un type d'humanité dont je suis entièrement responsable.

L'angoisse est le sentiment d'être jetés dans un monde que nous n'avons pas choisi, d'être plongés dans une existence absurde.

L'angoisse correspond à l'incertitude que connaît la conscience d'avoir devant elle des possibles infinis.

La mauvaise foi

La mauvaise foi est un mensonge à soi-même.

Trois manières d'être de mauvaise foi

Il y a trois manières de vivre la mauvaise foi :

a) refuser de choisir ;

b) refuser d'être responsable de ses actes ;

c) refuser de se montrer tel que l'on est.

Sartre aujourd'hui

Sartre et la revendication de la liberté tous azimuts

Sartre définit l'homme comme un être libre qui se construit peu à peu par ce qu'il fait et qui doit assumer l'entière responsabilité de ses choix.

Nous assistons aujourd'hui à une quête illimitée de la liberté, mais souvent sans son corollaire : la responsabilité.

Sartre et la responsabilité de notre existence

Sartre affirme qu'on doit être le sujet de sa propre existence sans utiliser d'alibis ni se réfugier derrière des déterminismes pour se justifier d'être ceci ou cela.

Au contraire, on a tendance aujourd'hui à dire que ce n'est pas notre faute, que ce que l'on nous a fait vivre ou ce qui nous est arrivé par le passé serait responsable de nos actions présentes.

Sartre et la mauvaise foi vestimentaire

Selon Sartre, l'une des manières de vivre la mauvaise foi consiste à refuser de se montrer tel que l'on est.

« Suivre la mode », est-ce fuir la responsabilité de se choisir tel que l'on est et de le présenter aux autres ? Est-ce faire preuve de mauvaise foi ? Les jeunes adultes d'aujourd'hui se mentent-ils à eux-mêmes en portant des vêtements qui ne reflètent pas ce qu'ils sont vraiment ?

Activités d'apprentissage

Vérifiez vos connaissances

1. En 1964, Sartre, auteur prolifique, est couronné par le prix Nobel de littérature qu'il se fera un plaisir d'accepter. VRAI ou FAUX ?

2. N'ayant exercé une influence que parmi les élites du savoir, Sartre n'a pas provoqué de véritable remous dans la société de son temps. VRAI ou FAUX ?

3. Quel est le point de départ de la philosophie sartrienne ?

4. Puisqu'on ne peut invoquer l'existence d'une « nature humaine » propre à tous les hommes, Sartre soutient que l'individu est un ensemble de déterminismes à partir desquels il construit son essence. VRAI ou FAUX ?

5. Conséquent avec sa position athée, Sartre pose la liberté comme principe premier de l'action et de la réflexion. VRAI ou FAUX ?

6. Pour Sartre, la liberté consiste à être obligé de choisir. VRAI ou FAUX ?

7. Selon Sartre, le regard d'un autre constitue un prisme par lequel on s'éloigne toujours plus de soi-même. VRAI ou FAUX ?

8. En un mot, la liberté sartrienne implique une volonté d'engagement de soi dans chaque situation qu'il nous est donné de vivre. VRAI ou FAUX ?

9. Quel est, pour Sartre, le caractère de la mort ?

10. L'être humain, selon Sartre, est un projet, en ce sens qu'il se donne pour objectif d'« être quelqu'un » ou de « faire quelque chose ». VRAI ou FAUX ?

11. Étant donné que l'homme est obligé de choisir, Sartre considère qu'il ne peut être tenu pour responsable de ses actes. VRAI ou FAUX ?

12. Sartre considère que le choix effectué par un individu n'engage que lui seul et n'est, par conséquent, aucunement universalisable. VRAI ou FAUX ?

13. Quel est le lot de la réalité humaine, selon Sartre ?

14. D'après Sartre, pour être de bonne foi, dans une situation donnée, il faut à la fois choisir, assumer la responsabilité de son choix et se montrer à soi-même autant qu'aux autres tel que l'on est. VRAI ou FAUX ?

15. À partir de ce que vous avez appris sur Sartre, indiquez laquelle des citations suivantes n'a pas été écrite par lui.

   a) « Nous sommes seuls et sans excuses. »

   b) « Choisir de ne pas choisir demeure un choix. »

   c) « Un droit n'est jamais que l'autre aspect d'un devoir. »

Analyse et critique de texte

Cette activité exige la lecture préalable de l'extrait de *L'existentialisme est un humanisme* présenté à la page 227.

Compétences à acquérir

- Démontrer sa compréhension en expliquant une partie d'un texte de Sartre.

- Évaluer le contenu, c'est-à-dire exprimer son accord ou son désaccord (et en donner les raisons) sur la conception de l'être humain avancée par Sartre dans ce texte.

Questions

1. **a)** Expliquez la pensée de Sartre lorsqu'il dit : « [...] pour l'existentialiste, il n'y a pas d'amour autre que celui qui se construit, il n'y a pas de possibilité d'amour autre que celle qui se manifeste dans un amour ; il n'y a pas de génie autre que celui qui s'exprime dans des œuvres d'art : le génie de Proust c'est la totalité des œuvres de Proust ; le génie de Racine c'est la série de ses tragédies, en dehors de cela il n'y a rien [...] »

Commentaire critique

b) Commentez cette citation, autrement dit demandez-vous si vous êtes d'accord avec cette thèse sartrienne. Vous devez fonder votre jugement, c'est-à-dire apporter au moins deux arguments pour appuyer vos affirmations. (Minimum suggéré : une page.)

2. À la lumière de ce texte, dans quelle mesure est-il possible d'affirmer que l'existentialisme est une « doctrine optimiste » ?

3. **a)** Expliquez la phrase suivante : « [...] s'il est impossible de trouver en chaque homme une essence universelle qui serait la nature humaine, il existe pourtant une universalité humaine de *condition*. »

Commentaire critique

b) Commentez cette citation, autrement dit demandez-vous si vous êtes d'accord avec cette thèse sartrienne. Vous devez fonder votre jugement, c'est-à-dire apporter au moins deux arguments pour appuyer vos affirmations. (Minimum suggéré : une page.)

Analyse et critique d'un texte comparatif

Cette activité exige la lecture préalable de l'extrait de *Pour une morale de l'ambiguïté* présenté à la page 230.

Compétences à acquérir

- Démontrer sa compréhension d'un texte de Simone de Beauvoir en transposant dans ses propres mots une partie de ce texte philosophique.

- Évaluer le contenu, c'est-à-dire exprimer son accord ou son désaccord (et en donner les raisons) sur l'interprétation beauvoirienne du passage de l'enfance à l'adolescence.

Questions

1. **a)** Retrouvez les principales caractéristiques à partir desquelles Simone de Beauvoir s'explique le passage de l'enfance à l'adolescence.

Commentaire critique

b) Évaluez ces caractéristiques. En d'autres mots, êtes-vous d'accord avec l'explication donnée par Simone de Beauvoir ? Vous devez fonder votre jugement, c'est-à-dire apporter au moins deux arguments pour appuyer vos affirmations. (Minimum suggéré : une page.)

2. Expliquez dans vos propres mots la cause profonde de la crise de l'adolescence selon Simone de Beauvoir.

3. Dans vos propres mots, dites pour quelle raison l'être humain peut être nostalgique de son enfance.

Exercice comparatif : Rousseau et Sartre

Compétence à acquérir

Procéder à une comparaison entre deux conceptions de l'être humain à propos d'un même thème.

Contexte de réalisation

Individuellement, dans un texte d'environ 350 mots (une page et demie), examinez les rapports de ressemblance et de différence entre la conception rousseauiste et la conception sartrienne de l'être humain à propos du thème de la liberté.

Étapes suggérées

1. **a)** Caractérisez la conception rousseauiste de l'être humain au regard du thème de la liberté et de la perfectibilité. Par exemple, demandez-vous en quoi et comment, selon Rousseau, la perfectibilité est la faculté que possède l'« homme originaire » d'acquérir des éléments que la nature ne donne pas au départ, et qui, subséquemment, fait de l'être humain un produit de la société et de l'histoire.

   b) Caractérisez la conception sartrienne de l'être humain au regard du thème de la liberté. Par exemple, demandez-vous dans quelle mesure, selon Sartre, il n'y a de liberté que par rapport à des situations concrètes face auxquelles l'être humain prend le parti d'agir ou de réagir.

2. **a)** S'il y a lieu, précisez les liens ou les similitudes entre la conception rousseauiste et la conception sartrienne de l'être humain à propos du thème de la liberté.

   b) S'il y a lieu, dégagez les oppositions ou les antagonismes entre la conception rousseauiste et la conception sartrienne de l'être humain à propos du thème de la liberté.

Extraits de textes

Texte de Sartre ■ *L'existentialisme est un humanisme*

Le **quiétisme** c'est l'attitude des gens qui disent : les autres peuvent faire ce que je ne peux pas faire. La doctrine que je vous présente est justement à l'opposé du quiétisme, puisqu'elle déclare : il n'y a de réalité que dans l'action ; elle va plus loin d'ailleurs, puisqu'elle ajoute : l'homme n'est rien d'autre que son projet, il n'existe que dans la mesure où il se réalise, il n'est donc rien d'autre que l'ensemble de ses actes, rien d'autre que sa vie. D'après ceci, nous pouvons comprendre pourquoi notre doctrine fait horreur à un certain nombre de gens. Car souvent ils n'ont qu'une seule manière de supporter leur misère, c'est de penser : « Les circonstances ont été contre moi, je valais beaucoup mieux que ce que j'ai été ; bien sûr, je n'ai pas eu de grand amour, ou de grande amitié, mais c'est parce que je n'ai pas rencontré un homme ou une femme qui en fussent dignes, je n'ai pas écrit de très bons livres, c'est parce que je n'ai pas eu de loisirs pour le faire ; je n'ai pas eu d'enfants à qui me dévouer, c'est parce que je n'ai pas trouvé l'homme avec lequel j'aurais pu faire ma vie. Sont restées donc, chez moi, inemployées, et entièrement viables une foule de dispositions, d'inclinations, de possibilités qui me donnent une valeur que la simple série de mes actes ne permet pas d'**inférer**. » Or, en réalité pour l'existentialiste, il n'y a pas d'amour autre que celui qui se construit, il n'y a pas de possibilité d'amour autre que celle qui se manifeste dans un amour ; il n'y a pas de génie autre que celui qui s'exprime dans des œuvres d'art :

10

20

Quiétisme

Doctrine mystique qui prêche la tranquillité de l'âme de sorte que l'homme devient indifférent aux œuvres du monde terrestre.

Inférer

Conclure. Tirer une conséquence de quelque chose.

Proust, Marcel

(1871-1922)
Romancier français
qui renouvela la prose
contemporaine avec,
entre autres, *À la recherche
du temps perdu*.

Racine, Jean

(1639-1699)
Célèbre auteur dramatique,
il est considéré comme
le créateur de la tragédie
française. Ses pièces
les plus connues sont
Andromaque (1667),
Britannicus (1669)
et *Phèdre* (1677).

Zola, Émile

(1840-1902)
Écrivain français qui décrit
les conditions de vie
misérables des paysans
et des travailleurs de la fin
du XIXe siècle. Ses principaux
romans sont *L'Assommoir*
(1877) et *Germinal* (1885).

le génie de **Proust** c'est la totalité des œuvres de Proust; le génie de **Racine** c'est la série de ses tragédies, en dehors de cela il n'y a rien; pourquoi attribuer à Racine la possibilité d'écrire une nouvelle tragédie, puisque précisément il ne l'a pas écrite? Un homme s'engage dans sa vie, dessine sa figure, et en dehors de cette figure il n'y a rien. Évidemment, cette pen-sée peut paraître dure à quelqu'un qui n'a pas réussi sa vie. Mais d'autre part, elle dispose les gens à comprendre que seule compte la réalité, que les rêves, les attentes, les espoirs permettent seulement de définir un homme comme rêve déçu, comme espoirs avortés, comme attentes inu-tiles; c'est-à-dire que ça les définit en négatif et non en positif; cependant quand on dit «tu n'es rien d'autre que ta vie», cela n'implique pas que l'artiste sera jugé uniquement d'après ses œuvres d'art; mille autres choses contribuent également à le définir. Ce que nous voulons dire, c'est qu'un homme n'est rien d'autre qu'une série d'entreprises, qu'il est la somme, l'organisation, l'ensemble des relations qui constituent ces entreprises.

Dans ces conditions, ce qu'on nous reproche là, ça n'est pas au fond notre pessimisme, mais une dureté optimiste. Si les gens nous reprochent nos œuvres romanesques dans lesquelles nous décrivons des êtres veules, faibles, lâches et quelquefois même franchement mauvais, ce n'est pas uniquement parce que ces êtres sont veules, faibles, lâches ou mauvais: car si, comme **Zola**, nous déclarions qu'ils sont ainsi à cause de l'hérédité, à cause de l'action du milieu, de la société, à cause d'un déterminisme organique ou psychologique, les gens seraient rassurés, ils diraient: voilà, nous sommes comme ça, personne ne peut rien y faire; mais l'existentialiste, lorsqu'il décrit un lâche, dit que ce lâche est responsable de sa lâcheté. Il n'est pas comme ça parce qu'il a un cœur, un poumon ou un cerveau lâche, il n'est pas comme ça à partir d'une organisation physiologique mais il est comme ça parce qu'il s'est construit comme lâche par ses actes. Il n'y a pas de tempérament lâche; il y a des tempéraments qui sont nerveux, il y a du sang pauvre, comme disent les bonnes gens, ou des tempéraments riches; mais l'homme qui a un sang pauvre n'est pas lâche pour autant, car ce qui fait la lâcheté c'est l'acte de renoncer ou de céder, un tempérament ce n'est pas un acte; le lâche est défini à partir de l'acte qu'il a fait. Ce que les gens sentent obscurément et qui leur fait horreur, c'est que le lâche que nous présentons est coupable d'être lâche. Ce que les gens veulent, c'est qu'on naisse lâche ou héros. Un des reproches qu'on fait le plus souvent aux *Chemins de la liberté*[50] [1945-1949] se formule ainsi; mais enfin, ces gens qui sont si veules, comment en ferez-vous des héros? Cette objection prête plutôt à rire car elle suppose que les gens naissent héros. Et au fond, c'est cela que les gens souhaitent penser: si vous naissez lâches, vous serez par-faitement tranquilles, vous n'y pouvez rien, vous serez lâches toute votre vie, quoi que vous fassiez; si vous naissez héros, vous serez aussi parfaite-ment tranquilles, vous serez héros toute votre vie, vous boirez comme un héros, vous mangerez comme un héros. Ce que dit l'existentialiste, c'est que le lâche se fait lâche, que le héros se fait héros; il y a toujours une possibilité pour le lâche de ne plus être lâche, et pour le héros de cesser d'être un héros. Ce qui compte, c'est l'engagement total, et ce n'est pas un cas particulier, une action particulière, qui vous engagent totalement.

---

50. Rappelons que *Les Chemins de la liberté* est le titre donné à une trilogie écrite par Sartre.

Ainsi, nous avons répondu, je crois, à un certain nombre de reproches concernant l'existentialisme. Vous voyez qu'il ne peut pas être considéré comme une philosophie du quiétisme, puisqu'il définit l'homme par l'action ; ni comme une description pessimiste de l'homme : il n'y a pas de doctrine plus optimiste, puisque le destin de l'homme est en lui-même ; ni comme une tentative pour décourager l'homme d'agir puisqu'il lui dit qu'il n'y a d'espoir que dans son action, et que la seule chose qui permet à l'homme de vivre, c'est l'acte. Par conséquent, sur ce plan, nous avons affaire à une morale d'action et d'engagement. [...]

En outre, s'il est impossible de trouver en chaque homme une essence universelle qui serait la nature humaine, il existe pourtant une universalité humaine de *condition*. Ce n'est pas par hasard que les penseurs d'aujourd'hui parlent plus volontiers de la condition de l'homme que de sa nature. Par condition ils entendent avec plus ou moins de clarté l'ensemble des *limites a priori* qui esquissent sa situation fondamentale dans l'univers. Les situations historiques varient : l'homme peut naître esclave dans une société païenne ou seigneur féodal ou prolétaire. Ce qui ne varie pas, c'est la nécessité pour lui d'être dans le monde, d'y être au travail, d'y être au milieu d'autres et d'y être mortel. Les limites ne sont ni subjectives ni objectives ou plutôt elles ont une face objective et une face subjective. Objectives parce qu'elles se rencontrent partout et sont partout reconnaissables, elles sont subjectives parce qu'elles sont *vécues* et ne sont rien si l'homme ne les vit, c'est-à-dire ne se détermine librement dans son existence par rapport à elles. Et bien que les projets puissent être divers, au moins aucun ne me reste-t-il tout à fait étranger parce qu'ils se présentent tous comme un essai pour franchir ces limites ou pour les reculer ou pour les nier ou pour s'en accommoder. En conséquence, tout projet, quelque individuel qu'il soit, a une valeur uni-verselle. Tout projet, même celui du Chinois, de l'Indien ou du nègre[51], peut être compris par un Européen. Il peut être compris, cela veut dire que l'Européen de 1945 peut se jeter à partir d'une situation qu'il conçoit vers ses limites de la même manière, et qu'il peut refaire en lui le projet du Chinois, de l'Indien ou de l'Africain. Il y a universalité de tout projet en ce sens que tout projet est compréhensible pour tout homme. Ce qui ne signi-fie nullement que ce projet définisse l'homme pour toujours, mais qu'il peut être retrouvé. Il y a toujours une manière de comprendre l'idiot, l'enfant, le primitif ou l'étranger, pourvu qu'on ait les renseignements suffisants. En ce sens nous pouvons dire qu'il y a une universalité de l'homme ; mais elle n'est pas donnée, elle est perpétuellement construite. Je construis l'universel en me choisissant ; je le construis en comprenant le projet de tout autre homme, de quelque époque qu'il soit. Cet absolu du choix ne supprime pas la relativité de chaque époque. Ce que l'existentialisme a à cœur de montrer, c'est la liaison du caractère absolu de l'engagement libre, par lequel chaque homme se réalise en réalisant un type d'humanité, engagement toujours compréhensible à n'importe quelle époque et par n'importe qui [...]

SARTRE, Jean-Paul. *L'existentialisme est un humanisme,* Paris, Éditions Gallimard, coll. « Pensées », 1970, p. 55-72.

---

51. Ce terme, utilisé à l'époque pour désigner les Noirs, n'a pas ici de connotation péjorative.

Texte de Beauvoir ■ *Pour une morale de l'ambiguïté*

Simone de Beauvoir (1908-1986), sous des formes variées (romans, récits autobiographiques, essais) a surtout voulu circonscrire les problématiques de la liberté et de la responsabilité de tout être humain inscrit dans le difficile rapport à autrui. En cela, le propos de Mme de Beauvoir est essentiellement moral et philosophique. Ses œuvres principales sont: *L'Invité* (1943), *Pyrrhus et Cinéas* (1944), *Le Deuxième Sexe* (1949), *Les Mandarins* (1954), *Pour une morale de l'ambiguïté* (1957), *Mémoires d'une jeune fille rangée* (1958), *La Force de l'âge* (1960), *La Force des choses* (1963), *Une mort très douce* (1964), *Tout compte fait* (1972).

La liberté ou le choix moral

En fait, il est très rare que le monde infantile se maintienne au-delà de l'adolescence. Dès l'enfance, déjà des failles s'y révèlent; dans l'étonnement, la révolte, l'irrespect, l'enfant peu à peu s'interroge: pourquoi *faut*-il agir ainsi? à quoi est-ce utile? et si moi j'agissais autrement, qu'arriverait-il? Il découvre sa subjectivité, il découvre celle des autres. Et lorsqu'il arrive à l'âge de l'adolescence, tout son univers se met à vaciller parce qu'il aperçoit les contradictions qui opposent les uns aux autres les adultes, et aussi leurs hésitations, leurs faiblesses. Les hommes cessent de lui apparaître comme des dieux, et en même temps l'adolescent découvre le caractère humain des
10 réalités qui l'entourent: le langage, les coutumes, la morale, les valeurs ont leur source dans ces créatures incertaines; le moment est venu où il va être appelé à participer lui aussi à leur opération; ses actes pèsent sur terre autant que ceux des autres hommes, il va lui falloir choisir et décider. On comprend qu'il ait peine à vivre ce moment de son histoire, et c'est là sans doute la cause la plus profonde de la crise d'adolescence: c'est que l'individu doit enfin assumer sa subjectivité. Par un certain côté l'écroulement du monde sérieux est une délivrance. Irresponsable, l'enfant se sentait aussi sans défense en face des puissances obscures qui dirigeaient le cours des choses. Mais quelle que soit la joie de cette libération, ce n'est pas sans
20 un grand désarroi que l'adolescent se trouve jeté dans un monde qui n'est plus tout fait, qui est à faire, en proie à une liberté que plus rien n'enchaîne, délaissé, injustifié. En face de cette situation neuve, que va-t-il faire? C'est à ce moment qu'il se décide: si l'histoire qu'on pourrait appeler naturelle d'un individu: sa sensualité, ses complexes affectifs, etc., dépend surtout de son enfance, c'est l'adolescence qui apparaît comme le moment du choix moral: alors la liberté se révèle et il faut décider de son attitude en face d'elle. Sans doute, cette décision peut toujours être remise en question, mais en fait les conversions sont difficiles, parce que le monde nous renvoie le reflet d'un choix

qui se confirme à travers ce monde qu'il a façonné ; ainsi se noue un cercle
de plus en plus rigoureux, d'où il devient de plus en plus improbable que
l'on s'échappe. Le malheur qui vient à l'homme du fait qu'il a été un enfant,
c'est donc que sa liberté lui a été d'abord masquée et qu'il gardera toute sa
vie la nostalgie du temps où il en ignorait les exigences.

30

BEAUVOIR, Simone de. *Pour une morale de l'ambiguïté,* Paris, Gallimard, coll. «Idées», 1968, p. 56-58.

Lecture suggérée

La lecture de l'œuvre suivante est suggérée dans son intégralité ou en extraits importants :

▨ SARTRE, Jean-Paul. *L'existentialisme est un humanisme,* Paris, Éditions Gallimard, coll.
«Pensées», 1970, 141 p.

Chapitre 8

L'homme comme être déterminé

Le behaviorisme skinnérien ou le comportement humain modelé par l'environnement

Plan du chapitre

Le déterminisme ou l'impossibilité d'être libre

Skinner et l'école behavioriste

L'homme programmable ou l'être humain comme créature malléable

Par-delà la liberté et la dignité

La science du comportement comme science des valeurs

De l'autonomie à l'environnement

Le behaviorisme aujourd'hui

[…] l'individu n'agit pas sur le monde, c'est le monde qui agit sur lui.

Burrhus Frederic SKINNER,
Par-delà la liberté et la dignité, p. 255.

Le déterminisme ou l'impossibilité d'être libre

Le behaviorisme skinnérien s'appuie sur une conception déterministe de l'être humain. Présentons brièvement les principes et l'évolution de la doctrine déterministe.

Le terme « déterminisme » a été associé au terme « science » lorsque la mécanique devint, au XIXe siècle, le fondement des sciences expérimentales. On posa alors le principe que les mêmes causes produisent les mêmes effets suivant un enchaînement prévisible. Selon la doctrine déterministe, des relations nécessaires existent entre les **phénomènes** de sorte que tout phénomène est conditionné et s'explique par le ou les phénomènes qui le précèdent ou qui l'accompagnent. Plus particulièrement, cette conception scientifique postule que les phénomènes ou les conduites observables découlent nécessairement d'une ou de plusieurs causes tout aussi observables. En conséquence, chaque fois que nous attribuons comme cause à un phénomène ou à une conduite une entité inobservable (Dieu, l'âme, l'esprit, la volonté, la conscience, etc.), la théorie déterministe considère que nous n'expliquons rien du tout.

Au cours des siècles, le monde occidental a vu naître et se développer de nombreuses philosophies déterministes. On fait généralement remonter l'idée du déterminisme jusqu'aux **stoïciens,** qui recommandaient d'accepter notre sort, puisque tout fait partie d'un plan (destin) que nous ne pouvons modifier. Mais il faut attendre les matérialistes français du XVIIIe siècle – Julien Offray de La Mettrie[1] (1709-1751) et Paul Henri, baron d'Holbach (1725-1789), entre autres – pour voir triompher les thèses déterministes qui s'expriment dans un **matérialisme** mécaniste.

> Dans un tourbillon de poussière qu'élève un vent impétueux, quel qu'il paraisse à nos yeux, dans la plus affreuse tempête excitée par des vents opposés qui soulèvent les flots, il n'y a pas une seule molécule de poussière ou d'eau qui soit placée au hasard, qui n'ait sa cause suffisante pour occuper le lieu où elle se trouve, et qui n'agisse rigoureusement de la manière dont elle doit agir. Un géomètre qui connaîtrait exactement les différentes forces qui agissent dans les deux cas, et les propriétés des molécules qui sont mues, démontrerait que, d'après des causes données, chaque molécule agit précisément comme elle doit agir, et ne peut agir autrement qu'elle ne fait[2].

Ce passage mériterait, à notre avis, de figurer dans toute **anthologie** du déterminisme, car il suggère les deux idées-forces de toute doctrine déterministe : l'enchaînement rigoureux et inéluctable des causes et des effets, et la nécessité (ce qui doit arriver) qui s'oppose à l'accidentel (le hasard).

Soutenir ces deux idées maîtresses, c'est être amené nécessairement, au regard de l'être humain, à poser le raisonnement suivant : si tout effet a une cause, tout choix est le résultat d'une chaîne causale biologique ou culturelle, et donc la liberté n'existe pas. Croire que l'être humain est libre, c'est, selon la théorie déterministe, s'enfermer dans un monde illusoire issu de notre ignorance. L'illusion d'être libre résulte d'une inconscience des déterminismes qui

---

Phénomène

« Tout ce qui se manifeste à la conscience, que ce soit par l'intermédiaire des sens (*phénomènes extérieurs, physiques, sensibles*) ou non (*phénomènes psychologiques, affectifs*) » (*Le Petit Robert*).

Les principaux représentants de la philosophie stoïcienne sont Zénon de Citium (v. –335 à v. –264), Sénèque (–4 à 65), Épictète (50-130) et Marc Aurèle (121-180).

Matérialisme

Courant philosophique qui n'admet d'autre substance ou réalité que la matière. Cette doctrine soutient que notre pensée fait partie intégrante de la matière en tant que produit de son évolution. L'origine de cette doctrine remonte à l'Antiquité grecque. Par exemple, Épicure (–341 à –270), s'opposant à l'idéalisme de Platon (–427 à –347), estimait que le monde physique était antérieur à la pensée et possédait une existence propre.

Anthologie

Recueil de morceaux choisis d'œuvres littéraires, musicales ou philosophiques.

---

1. En 1748, l'encyclopédiste, médecin et philosophe La Mettrie publie *L'Homme-machine*, où il applique à l'être humain la théorie cartésienne des animaux-machines.

2. Paul HENRI, baron d'Holbach, « Système de la nature ou des lois du monde physique et moral », 1770, chap. 4, cité dans *Encyclopédie philosophique universelle. Les notions philosophiques*, t. I, Paris, Presses Universitaires de France, 1990, p. 621.

influent sur ce que nous appelons «nos choix». En fait, nous n'avons ni le choix de l'action, ni le choix de nos conduites, car ces dernières sont programmées par nos gènes ou par l'éducation que nous avons reçue tout au long de notre apprentissage de la vie en société. En d'autres termes, tous les «choix» que nous disons et croyons faire ont leurs causes dans notre biochimie ou dans notre environnement, ou dans les deux à la fois, et nous ne déciderions que de ce qui est déjà décidé.

Dans le présent chapitre, nous aborderons la conception de l'homme en tant qu'être déterminé qui a le plus marqué la deuxième moitié du XXe siècle : la théorie behavioriste de Burrhus Frederic Skinner, soit le déterminisme lié à l'histoire des apprentissages d'un individu inséré dans un environnement donné.

Contexte historique

Skinner et l'école behavioriste

Empiriste

Se dit de la doctrine philosophique selon laquelle toutes les connaissances proviennent de l'expérience. Conséquemment, tout savoir doit être fondé sur l'expérience et l'observation.

Dans l'étude du comportement humain, le behaviorisme adopte l'attitude **empiriste**, selon laquelle l'explication de nos comportements doit être fondée sur l'expérience et l'observation. Cette attitude est partagée dans la tradition philosophique anglaise par John Locke (1632-1704) et David Hume (1711-1776), pour lesquels l'expérience sensible est le réel. Si l'on applique cette théorie à la conduite humaine, cela donne la thèse suivante : nos idées, notre personnalité et finalement notre comportement sont le résultat de ce que notre environnement nous fait vivre et expérimenter[3]. Voilà ce que défendent fondamentalement les tenants du behaviorisme.

Pavlov (à droite sur la photo) fut le premier physiologiste à élaborer la notion de réflexe conditionné, grâce à sa célèbre expérience menée sur des chiens. Chaque fois que de la viande (stimulus primaire ou inconditionnel) était déposée sur la langue du chien sujet de l'expérience, on actionnait une clochette (stimulus secondaire ou conditionnel); après plusieurs essais, la clochette seule suffisait à faire saliver le chien. Ce chien avait donc appris à répondre (réponse conditionnée) à un stimulus auparavant neutre : le son d'une clochette.

Le Russe Ivan Pavlov (1849-1936) et l'Américain John Broadus Watson[4] (1878-1958) sont considérés comme les pères du behaviorisme. Au début du XXe siècle, ils ont été parmi les premiers chercheurs à s'intéresser de manière rigoureusement scientifique aux comportements observables de l'individu animal ou humain. Ils ont démontré que de nouveaux comportements pouvaient être produits par conditionnement. En insistant sur la mesure des comportements observés et sur la relation stimulus-réponse, Pavlov et Watson ont donné le jour à une nouvelle psychologie. À la lumière d'expériences faites en laboratoire, ces chercheurs ont émis la règle générale suivante : les comportements sont des réactions à des stimuli issus du milieu, stimuli qui influent sur le comportement et le modifient. Autant en psychologie qu'en philosophie, cette hypothèse s'oppose à l'idée que le psychisme, l'esprit ou la raison humaine puisse être la source de nos comportements d'une manière plus ou moins indépendante de notre environnement.

---

3. Le behaviorisme n'interprète pas, par exemple, la facilité et le succès en mathématiques que connaît un individu en disant qu'il a un talent particulier ou qu'il possède «la bosse des maths». Au contraire, il explique une telle facilité en disant que cet individu a reçu dans son passé des informations mathématiques pertinentes, qu'il s'est astreint à un apprentissage rigoureux, qu'il a obtenu de bonnes notes lors de contrôles, bref qu'il a connu des expériences bénéfiques avec les mathématiques.

4. Dans son principal ouvrage, *Behaviorism*, publié en 1925, Watson veut faire de la psychologie une «science de la nature» qui se limite aux choses observables et à la formulation de lois concernant ces choses.

Quant à Skinner, il est sans contredit le plus **positiviste** des théoriciens behavioristes. Il a eu une grande influence sur l'école behavioriste américaine et a contribué, par ses recherches et ses écrits controversés, à la diffusion auprès d'un large public de cette «psychologie du comportement» fondée sur l'observation objective.

Notice biographique

Burrhus Frederic Skinner naît en 1904 dans la petite ville de Susquehanna, en Pennsylvanie, où son père est avocat. Il a une enfance heureuse et il manifeste très tôt un esprit inventif. Après une tentative de carrière littéraire, il entreprend des études de psychologie à l'université Harvard. Ses lectures en psychologie des sciences, et plus particulièrement des œuvres de John B. Watson, le fondateur du behaviorisme américain, l'influencent beaucoup.

Dès sa thèse de doctorat, déposée en 1931, Skinner adopte et radicalise la position behavioriste. Il évacue non seulement toutes les causes **métaphysiques** ou **psychiques** (telles que l'âme, l'esprit ou la conscience) pour expliquer le comportement, mais aussi toutes les causes physiologiques auxquelles Watson faisait parfois appel. En fait, Skinner refuse les théories qui expliquent un comportement observé par des événements survenant ailleurs (dans le psychisme ou dans ce qu'on appelle l'âme ou l'esprit de l'individu) et décrits dans des termes différents et mesurés selon des dimensions différentes[5]. La méthode de Skinner consiste à examiner des comportements et l'environnement dans lequel ils se produisent. Il observe des rats, des pigeons et des singes, modifie certains aspects de leur environnement et note les variations de fréquence d'un comportement. Le premier livre qu'il écrit, *The Behavior of Organism: An Experimental Analysis* (1938) [*Le Comportement des êtres organisés*], loin d'être une théorie du comportement, est simplement un compte rendu des relations découvertes entre les variations de l'environnement et les variations du comportement. Parallèlement à ses recherches en laboratoire et à ses nombreuses publications[6], Skinner est professeur successivement à l'université du Minnesota (1937-1945), à l'université de l'Indiana (1945-1948), puis à Harvard jusqu'en 1957.

À l'âge de soixante-dix-neuf ans, vif d'esprit et doué d'une sagesse certaine, Skinner écrit *Enjoy Old Age*[7]. Il meurt d'une leucémie le 18 août 1990.

La conception skinnérienne de l'être humain se présente comme le prolongement et l'application des recherches menées en psychologie expérimentale. Skinner s'est consacré, en effet, à la psychologie de laboratoire afin de découvrir les lois et les relations qui régissent le comportement et le milieu dans lequel il se produit. Même si le behaviorisme se définit comme une «science du comportement», il n'en demeure pas moins que les recherches menées par Skinner conduisent à l'élaboration d'une philosophie de l'homme.

Positiviste

Se dit de la doctrine ou de l'attitude de recherche qui s'en tient uniquement à la connaissance des faits révélés par l'expérience. Le positivisme tire son origine des ouvrages d'Auguste Comte (1798-1857), qui envisage la science et la politique à partir de l'observation minutieuse de la société et de son histoire.

Métaphysique

Se dit d'une cause rationnelle ou spirituelle interprétée comme étant fondée sur des notions abstraites et incertaines, parce que non observées ni démontrées par une méthode scientifique rigoureuse.

Psychique

Se dit du psychisme ou de la vie psychique, qui constitue l'ensemble des faits psychiques, c'est-à-dire tout ce qui concerne la personnalité d'un individu, sa psyché, son «âme».

---

5. Voir la préface de *L'Analyse expérimentale du comportement : un essai théorique*, Bruxelles, Dessart et Margada, Éditeurs, 1971.

6. Les principaux ouvrages de Skinner sont *Science and Human Behavior* (1953) [*Science et Comportement humain*], *Verbal Behavior* (1957) [*Le Comportement verbal*], *The Technology of Teaching* (1968) [*La Révolution scientifique de l'enseignement*], *Contingencies of Reinforcement: A Theoretical Analysis* (1969) [*L'Analyse expérimentale du comportement : un essai théorique*] et *Beyond Freedom and Dignity* (1971) [*Par-delà la liberté et la dignité*].

7. Burrhus Frederic SKINNER et Margaret E. VAUGHAN, *Bonjour sagesse. Bien vivre après soixante-dix ans*, Paris, Robert Laffont, coll. «Réponses», 1986.

Une philosophie positiviste de l'être humain

D'après Skinner, l'être humain est un organisme qui «déploie un répertoire complexe de conduites[8]». Ce que nous trouvons chez l'homme et que nous pouvons étudier, ce sont des actions liées «aux conditions dans lesquelles l'espèce humaine a évolué et aux conditions dans lesquelles vit l'individu[9]». Si l'on prend en considération les constituants biologiques propres à son espèce, l'homme se définit à partir de son comportement, qui dépend des rapports entretenus avec l'environnement. Pour mieux comprendre et expliquer le comportement humain, Skinner développe la notion de stimulus déjà utilisée par Pavlov et Watson. Il définit le *stimulus* comme étant «tout élément de la situation dans laquelle une *réponse* est émise et renforcée[10]»: S ⟶ R. Pour préciser et résumer sa pensée quant à l'explication de tout comportement humain, Skinner affirme que «le comportement [est] engendré par un ensemble donné de **contingences**[11]», c'est-à-dire qu'il est influencé par les circonstances du milieu qui viennent le modifier.

Voulant s'appuyer exclusivement sur les principes d'objectivité et de contrôle scientifique des hypothèses retenues, Skinner s'intéresse peu au pourquoi des comportements émis. Il ne fait pas appel à la méthode de l'**introspection**: il privilégie le comment, c'est-à-dire l'examen minutieux des réactions observables et mesurables que l'organisme produit dans un environnement donné. C'est dans cet esprit qu'il procède à l'expérience suivante.

Contingence

Mot utilisé par Skinner pour désigner les événements terre à terre qui arrivent, mais qui auraient pu ne pas arriver.

Introspection

Examen ou observation d'une conscience par elle-même.

Skinner met un pigeon affamé dans une cage («boîte de Skinner») munie de boutons lumineux; un seul des boutons permet de faire tomber de la nourriture dans une mangeoire. Pendant l'exploration de sa cage, le pigeon heurte par hasard le bouton lumineux qui libère un peu de nourriture. Ici, le pigeon fait par hasard un **apprentissage opérant.** Il aura peut-être tendance à picorer de nouveau ce bouton lumineux, car ce comportement lui vaudra une gratification.

Le stimulus (nourriture) étant bénéfique au pigeon, ce dernier aura tendance à répéter son comportement (picorer le bon bouton) afin de recevoir à nouveau de la nourriture. Voilà un *comportement opérant* obtenu par *conditionnement opérant*.

> L'apprentissage opérant ne nous apparaît pas comme choquant, car c'est ainsi que nous apprenons. En ce sens, la nature, le hasard et l'environnement font du conditionnement opérant à notre égard.

N'attendant pas que le hasard inculque un comportement au pigeon, Skinner utilise la technique du **conditionnement opérant** pour que le pigeon apprenne à picorer le bon bouton lumineux. Ici, l'expérimentateur façonne pas à pas le comportement du pigeon en renforçant par de la nourriture chaque tentative qui rapproche le pigeon du moment où il picorera enfin le bouton lumineux qui automatiquement distribuera de la nourriture chaque fois qu'il sera heurté.

> Le conditionnement opérant peut heurter notre conscience parce qu'il s'agit d'un apprentissage opérant obligé, construit, pensé par un être humain afin de conditionner le comportement d'un animal ou d'un autre être humain. Il s'agit d'une utilisation volontaire des lois de l'apprentissage opérant en vue d'une fin précise.

8. Burrhus Frederic SKINNER, *Par-delà la liberté et la dignité*, trad. Anne-Marie et Marc Richelle, Montréal et Paris, Éditions HMH et Robert Laffont, 1975, p. 242.

9. *Ibid.*, p. 25.

10. Burrhus Frederic SKINNER, *L'Analyse expérimentale du comportement: un essai théorique*, trad. Anne-Marie et Marc Richelle, Bruxelles, C. Dessart, 1976, p. 26.

11. *Ibid.*, p. 23.

On peut dire que grâce aux conséquences engendrées par son comportement (ici, l'obtention de nourriture), le pigeon est conditionné par l'expérimentateur à agir d'une certaine manière (ici, à picorer de nouveau le bouton lumineux approprié).

L'apprentissage : tout est affaire de conditionnement opérant

L'être humain, comme tout organisme animal, a acquis un répertoire de comportements au cours de son histoire. Or, parmi l'ensemble des comportements que nous pouvons théoriquement manifester, notre environnement social sélectionne, en les renforçant, ceux qu'il considère comme adaptés. Nos comportements nous sont appris par l'environnement. Chaque fois que nous avons répondu à un stimulus d'une manière qui nous a été bénéfique, nous avons appris un comportement que nous répéterons dans des circonstances semblables. Voilà ce que Skinner a appelé «le comportement opérant», c'est-à-dire le comportement qui est contrôlé par ses conséquences immédiates. Le pigeon de l'expérience décrite précédemment a émis des réponses «opérantes», en ce sens que celles-ci sont des actions fournies par le pigeon pour «agir» au sein de son environnement en vue de trouver de la nourriture.

Le comportement opérant possède le caractère fondamental de produire un changement dans l'environnement de l'individu qui agit ou d'être suivi d'un tel changement. Le comportement, contrôlé en quelque sorte par ce changement, aura plus ou moins tendance à se reproduire par la suite. Selon le degré de modification du milieu que suscitera tel comportement, ce dernier verra sa fréquence d'apparition augmentée, diminuée ou inchangée. Ainsi, un étudiant qui passe de nombreuses heures à préparer un examen de philosophie et qui échoue ne sera pas incité à reproduire son comportement. Si, au contraire, il obtient une excellente note à l'examen, il y a de fortes chances qu'il étudie tout autant pour l'examen suivant.

De toute évidence, il ne s'agit pas ici du comportement auquel correspond le premier grand mécanisme d'apprentissage découvert par Pavlov, en 1927, et qui porte le nom de conditionnement répondant ou classique. Dans ce cas, un stimulus (le son d'une clochette) en vient à provoquer un comportement (une réponse) qu'il ne provoquait pas auparavant. Dans le cas du comportement opérant, si le chien lui-même actionnait une clochette pour obtenir de la nourriture, on serait placé devant un apprentissage opérant. Le mécanisme d'acquisition, de modification ou de maintien des comportements s'appelle «conditionnement opérant». Ici, on vise à accroître ou à faire décroître la fréquence d'un comportement en le faisant suivre d'une conséquence donnée. Il s'agit cette fois d'une réponse motivée par un stimulus-renforçateur (un «agent de renforcement») qui augmente la probabilité que la réponse attendue soit émise. Par exemple, lorsqu'une personne dresse son chien à s'asseoir, elle doit d'abord dire «assis», puis appuyer sur le dos de l'animal et renforcer enfin la position assise du chien en lui donnant un biscuit. La mère qui amène son enfant à bien exécuter

Afin que sa jeune élève pratique davantage, son professeur de piano pourrait lui promettre une participation au «Concours des jeunes talents du Québec». Le professeur ferait alors du *conditionnement opérant* à l'endroit de l'élève.

un morceau de piano en le gratifiant d'éloges ou en lui promettant une visite au parc aquatique s'il réussit constitue un autre exemple de conditionnement opérant de la part de la mère et d'apprentissage opérant de la part de l'enfant.

> Le renforcement négatif ou punitif n'est pas très efficace, car « le comportement puni risque de refaire son apparition lorsque les contingences punitives auront été suspendues » (*Par-delà la liberté et la dignité*, p. 79).

L'agent de renforcement, ou renforçateur, qui augmente ou qui diminue la probabilité d'apparition d'un comportement peut être positif ou négatif. La nourriture, la boisson, la stimulation sexuelle ou l'approbation sont généralement utilisées comme renforçateurs positifs. Au contraire, tout ce qui fait souffrir l'organisme (douleurs physiques, désapprobation, etc.) peut constituer un agent de **renforcement négatif** : l'organisme apprendra alors à agir de façon à éviter ces renforçateurs.

Dans ses expériences, Skinner étudie principalement l'effet de différents programmes de renforcement sur l'établissement d'un comportement. En s'adonnant à cette « sélection artificielle », il découvre que le **renforcement positif à proportion variable** est le renforcement qui a

> Le renforcement positif à proportion variable est un renforcement qui n'est accordé qu'après un nombre variable de bonnes réponses. En d'autres mots, un sujet (animal ou humain) aura tendance à accomplir plus souvent un comportement s'il n'est pas récompensé chaque fois qu'il le fait.

pour effet d'augmenter le plus la fréquence du comportement, alors que le renforcement qui vient à intervalles fixes[12] est le moins efficace. Illustrons par un exemple ces deux types de renforcement. Dans une usine textile, le contremaître qui distribue les pièces de tissu aux ouvrières et qui reçoit tous les deux jeudis un salaire fixe pour 40 heures de travail par semaine participe à un programme de renforcement positif à intervalles fixes. Les ouvrières, quant à elles, qui sont payées au rendement (plus elles travaillent vite, meilleur est leur salaire ; plus elles travaillent lentement, moindre est leur salaire), participent à un programme de renforcement positif à proportion variable. Ne sachant pas à l'avance le montant de la prime qu'elles recevront ni le moment où elles la recevront, ces travailleuses ont intérêt à travailler toujours de plus en plus vite pour espérer atteindre un salaire convenable.

Conception de l'être humain

L'homme programmable ou l'être humain comme créature malléable

S'appuyant sur une telle analyse empirique de l'apprentissage des comportements, Skinner élabore une théorie de techniques de contrôle du comportement. Puisque le behaviorisme se veut une science, il se propose, par la connaissance des lois de la nature, d'intervenir pour transformer celle-ci à l'avantage de l'humanité. Pour résoudre les problèmes terrifiants auxquels le monde d'aujourd'hui fait face (problèmes de guerre, de pollution, de surpeuplement, d'improductivité au travail, de détérioration du système d'éducation, de décrochage scolaire, etc.), il ne sert à rien de recourir aux inefficaces rengaines traditionnelles telles que celles-ci : « Il faut inculquer la tolérance entre les peuples », « Il faut créer un sentiment de responsabilité envers la survie de la planète », « Il faut transmettre le sens de l'ouvrage bien fait » ou « Il faut enseigner le respect et le savoir ». À l'opposé de cette croyance aveugle et irréaliste dans « les forces intérieures de l'homme », Skinner propose impérieusement « une science appliquée, une

---

12. On entend par « intervalle fixe » une période d'égale longueur entre chaque renforcement.

technologie du comportement [...] qui puisse rivaliser, en puissance et en précision, avec la technologie physique ou biologique[13] ». Les gens ne souffrent pas d'un sentiment d'insécurité, d'angoisse ou d'aliénation, mais sont, en fait, placés devant des problèmes réels qui proviennent de « milieux sociaux déficients ». Il importe donc de procéder à une « analyse scientifique du comportement » et de ses relations étroites avec l'environnement.

À l'aide des lois de l'**apprentissage du comportement,** Skinner croit qu'il est possible et souhaitable d'intervenir pour transformer les comportements humains au bénéfice de l'individu et de la société. Il rappelle à ce propos, dans le deuxième chapitre de *L'Analyse expérimentale du comportement : un essai théorique*, l'histoire des utopies sociales depuis Platon jusqu'à Karl Marx en passant par saint Augustin (354-430) et Henry David Thoreau (1817-1862). C'est à leur suite qu'il propose la transformation effective de l'environnement social actuel, c'est-à-dire de la culture :

> Skinner applique ces lois à l'apprentissage du langage, de la pensée et même de la science. Pour en savoir davantage sur les principes d'apprentissage behavioristes, consultez le chapitre 5 de l'*Introduction au behaviorisme* de François BERTHIAUME, Montréal, Les Presses de l'Université de Montréal, 1986, p. 39-46.

> Une culture n'est pas le produit d'un « esprit de groupe » créatif, ni l'expression d'une « volonté générale ». Aucune société n'a débuté par un contrat social, aucun système économique par l'idée du troc ou des salaires, aucune structure familiale par une intuition quant aux avantages de la cohabitation. Une culture évolue lorsque de nouvelles coutumes favorisent la survie de ceux qui les pratiquent[14].

En fait, ce que Skinner désire, c'est l'élaboration de techniques de planification de la culture incitant les personnes qui y adhèrent à travailler pour que cette culture leur survive. Une culture équilibrée, « bien agencée », selon l'expression de Skinner, est une culture qui se construit pour les hommes qui auront à la vivre demain ; elle est « un ensemble de contingences de renforcement tel que les membres de cette culture agissent de façon à la préserver, à la faire survivre aux situations critiques et à la modifier dans le sens d'une possibilité sans cesse accrue de se perpétuer[15] ». En d'autres mots, l'environnement culturel (physique et mental) de l'individu devrait renforcer les comportements (paroles et actes) qui favorisent la survie de cet environnement.

Actuellement, les renforcements sociaux que sont la nourriture et la boisson, la richesse et le pouvoir ne mènent pas, selon Skinner, à des comportements utiles à la construction et au développement d'un environnement culturel équilibré. Le recours à des techniques punitives ne contribue guère plus à améliorer l'environnement parce que les individus dépensent alors temps et énergie en vue d'éviter la punition. Il vaudrait mieux mettre les humains sous le contrôle de contingences sociales qui emploieraient des techniques de renforcement positif afin d'établir un environnement physique et social non en fonction d'un « idéal de la nature humaine », mais en fonction uniquement de « ses effets sur le patrimoine génétique de l'espèce[16] » et de sa capacité de survivre aux individus qui y vivent en ce moment.

Puisque, de toute façon, nous sommes déjà conditionnés par la famille, l'école, les médias, l'État, etc., il est urgent, selon Skinner, que nous acceptions que notre monde soit délibérément orienté dans un sens propre à faire grandir l'être humain et non à le faire régresser. Le conditionnement existant déjà et s'effectuant à tort

---

13. *Par-delà la liberté et la dignité*, p. 13-14.

14. *Ibid.*, p. 163.

15. *L'Analyse expérimentale du comportement : un essai théorique*, p. 66-67.

16. *Ibid.*, p. 66-67.

L'apprentissage du bonheur par conditionnement ne comporte-t-il pas cependant quelques risques ? Celui, entre autres, de n'être pas très loin du *Meilleur des mondes* d'Aldous Huxley ou du *Bonheur insoutenable* d'Ira Levin !

et à travers produit, selon lui, des comportements non désirés. Pourquoi alors ne pas institutionnaliser le conditionnement de façon bénéfique et ainsi créer chez l'humain le **bonheur** ? Qui orientera et contrôlera ce nouveau monde de bonheur ? À mots couverts, Skinner nous dit que c'est à l'homme de science (le «spécialiste du comportement») que revient la responsabilité de planifier la culture et de régir le comportement humain. Les hommes de science ne sont pas plus moraux que quiconque, ni ne possèdent un sens éthique qui les mette au-dessus de tout soupçon, mais ils bénéficient d'un environnement de travail offrant «des contingences qui réduisent au minimum les renforcements personnels immédiats[17]». Les résultats de leurs recherches étant constamment vérifiés et contrôlés par la communauté scientifique, Skinner croit qu'il y a moins de possibilités que les hommes de science utilisent dans leurs propres intérêts le pouvoir qu'on leur donnerait.

On a souvent accusé Skinner de fournir des techniques pour contrôler les humains. Pour sa défense, disons qu'il propose plutôt de contrôler l'environnement, la culture, et que c'est ainsi que l'individu serait amené à faire ce qui serait le plus utile pour tous.

Par-delà la liberté et la dignité

Skinner a analysé les résistances qu'ont suscitées ses théories dans l'ouvrage cité précédemment dans sa traduction française, mais publié d'abord aux États-Unis en 1971, sous le titre *Beyond Freedom and Dignity*[18]. D'après lui, les conceptions de la liberté et de la dignité qui s'opposent à la planification de l'environnement sont des théories qui, sous le couvert de valeurs **idéalistes**, refusent, en fait, à l'humain la maîtrise réelle de sa destinée.

Idéaliste

Se dit de la tendance philosophique qui réduit toute existence à la pensée : soit que les idées ont plus d'être que le monde sensible, soit que ce dernier n'a de réalité que les idées que nous en avons.

Au début du deuxième chapitre qui traite de la liberté, Skinner affirme que «vomir» et «éternuer» constituent des manifestations primaires de la liberté dans le sens où l'individu se libère alors d'«aliments indigestes ou toxiques» ou de «substances irritantes». Mais ce constat ne signifie pas que la liberté (comme pouvoir de choisir par-delà tout conditionnement) existe pour autant! Les hommes ne sont pas «les artisans de leur propre destinée[19]». Et un peu plus loin, Skinner ajoute : «La liberté est une affaire de contingences de renforcement, non de sentiments – lesquels, s'il s'en trouve, sont le produit de contingences[20].»

Nous sommes donc tous, dans tous nos comportements, déterminés à agir dans un certain sens. Ce que certains appellent le libre choix n'est en fait que le produit de contingences de survie génétiques, environnementales et sociales[21] par rapport auxquelles l'individu n'est pas libre et qui, en réalité, déterminent entièrement ses actes. «L'idée que la personne échappe au déterminisme complet cède le terrain devant le progrès de l'analyse scientifique dans l'explication du

17. *Par-delà la liberté et la dignité*, p. 212.

18. Burrhus Frederic SKINNER, *Beyond Freedom and Dignity*, New York, Alfred A. Knopf, 1971.

19. *Par-delà la liberté et la dignité*, p. 32.

20. *Ibid.*, p. 52.

21. Selon Skinner, les facteurs environnementaux et sociaux ont une influence beaucoup plus prépondérante sur la détermination du comportement d'un être humain que les facteurs génétiques ou héréditaires.

comportement individuel[22].» En conséquence, on ne peut tenir l'individu pour responsable (en le **louangeant** ou en le **blâmant**) de son comportement. Même si cela semble porter atteinte à la dignité ou à la valeur de l'être humain, Skinner affirme que le temps est venu de reconnaître que le comportement d'un individu tire son origine des «conditions environnementales ou génétiques[23]» qui deviennent, dès lors, les seules «responsables» du comportement méritoire ou répréhensible :

> Les notions traditionnelles de mérite (c'est-à-dire ce qui rend une personne digne d'estime étant donné sa conduite et les difficultés surmontées) et de démérite (c'est-à-dire ce qui fait qu'une personne devient objet de désapprobation) n'ont désormais plus cours.

> À mesure que nous comprenons mieux l'interaction entre l'organisme et son environnement, nous pouvons attribuer à des variables accessibles à l'observation des effets jadis attribués aux états d'esprit, aux sentiments, aux traits de caractère, et une technologie du comportement devient possible. Elle ne résoudra pas nos problèmes, cependant, aussi longtemps qu'elle ne prendra pas la place des conceptions préscientifiques traditionnelles, et celles-ci sont solidement retranchées. Les notions de liberté et de dignité illustrent bien la difficulté. Elles sont les possessions de l'homme autonome des théories traditionnelles et sont essentielles à tous les usages dans lesquels l'individu est tenu pour responsable de sa conduite et tire mérite de ses réalisations. Une analyse scientifique déplace vers l'environnement tant la responsabilité que les réalisations du sujet. [...]

> Dans la perspective traditionnelle, c'était l'élève qui échouait, l'enfant qui se conduisait mal, le citoyen qui violait la loi, le pauvre qui, par sa paresse, faisait sa propre misère. Mais aujourd'hui, on admet couramment qu'il n'existe pas de sots élèves mais des maîtres médiocres ; qu'il n'y a que de mauvais parents, non de mauvais enfants ; qu'il n'y a pas de délinquance si ce n'est du côté des instruments de la loi, et qu'il n'y a pas de gens paresseux mais seulement des systèmes insuffisants pour les inciter au travail[24].

Il n'existe pas, d'après Skinner, d'«états d'esprit» ou de traits de caractère qui orienteraient la conduite de l'individu. Ainsi, quand nous traversons un pont, nous pouvons dire que nous sommes confiants dans le fait que ce dernier ne s'écroulera pas. Ce sentiment de confiance en la solidité du pont n'est pas un état d'esprit qui nous permet de nous engager sur le pont en ne ressentant aucune anxiété. En fait, il est un «sous-produit du comportement dans ses relations avec les événements antérieurs[25]». Nous nous disons alors : «J'ai déjà, à maintes reprises, traversé des ponts sans que ceux-ci s'écroulent.» Nous imaginons alors que le pont que nous nous proposons de traverser ne s'écroulera pas étant donné les expériences «positives» que nous avons eues dans le passé avec les ponts.

Présentons maintenant des exemples de traits de caractère dont dépendrait le comportement de l'être humain. Les jeunes délinquants qui s'adonnent à la violence le font librement et souffrent de troubles de la personnalité, disent les théories du libre arbitre et de la volonté libre. Si ces jeunes délinquants ne se sentaient pas menacés dans leur survie, s'ils n'étaient pas victimes d'un milieu défavorable et s'ils n'étaient jamais renforcés dans leurs actions violentes (par exemple, par un groupe néonazi auquel appartient un skinhead), ils n'auraient pas «choisi» d'être violents, répond Skinner. De même pour le zèle au travail ou la paresse, la faiblesse ou la force de volonté, l'imitation ou la créativité ; tout

22. *Par-delà la liberté et la dignité*, p. 33.

23. *Ibid.*, p. 95.

24. *Ibid.*, p. 38 et p. 96.

25. *Ibid.*, p. 115.

cela a été créé par un environnement physique et social, et peut être produit « artificiellement » par des programmes de renforcement. D'après Skinner, aucun agent n'habite au-dedans de l'être humain. Ce qui, soi-disant, s'agite dans les profondeurs de l'esprit humain ne l'intéresse pas. Bref, « l'homme intérieur » ne peut servir d'explication. Ainsi, Skinner ne croit pas que l'organisme humain contienne « plusieurs personnalités qui le contrôlent de manières différentes à différents moments[26] ». Et il ne croit pas plus aux discours et aux explications de la « *psychologie des différences* individuelles qui compare et décrit les individus en termes de traits de caractère, de capacités et d'aptitudes[27] ».

Créativité

Capacité de manifester une réponse originale et inédite par rapport à ce qu'une personne a appris dans un milieu donné.

Par exemple, les behavioristes skinnériens n'acceptent pas la **créativité** en tant que « faculté » innée. C'est l'histoire privée de l'apprentissage d'une personne qui fera qu'elle pourra ou non trouver des réponses nouvelles au regard de ce qui est considéré comme habituel. En d'autres mots, les personnes qu'on dit plus créatrices, plus inventives que d'autres le sont tout simplement parce qu'elles ont obtenu de leur milieu plus d'informations sur la manière de découvrir des réponses uniques et parce qu'elles ont obtenu par la suite des renforcements positifs (elles ont par exemple été valorisées) lorsqu'elles en avaient trouvé. Selon une telle théorie, Wolfgang Amadeus Mozart (1756-1791) serait devenu un grand compositeur uniquement parce que son père lui avait donné une solide formation et qu'il avait été gratifié, étant enfant, par toutes les cours d'Europe lors d'une tournée où il démontrait sa virtuosité précoce au clavier et au violon.

Le jeune Mozart, accompagné de sa famille, est présenté à Madame la Marquise de Pompadour en 1763.

Apprendre n'est pas autre chose que subir un programme de renforcement, principalement verbal ; et le langage est aussi, selon Skinner, déterminé par l'environnement. Après tout, si un enfant apprend le chinois, l'allemand, l'anglais ou le français à partir de sa naissance, cela ne peut provenir que des renforcements de son milieu particulier. Quant à la pensée abstraite que le langage permet, elle correspond aussi à un apprentissage conditionné ; elle est « le produit d'un type particulier d'environnement, non une faculté cognitive[28] ». La conscience, le regard que l'on pose sur soi-même, la connaissance que l'on a de soi, nos maux ou nos monologues intimes sont tous aussi des produits sociaux :

> La communauté verbale pose des questions comme celles-ci : Qu'avez-vous fait hier ? Qu'êtes-vous en train de faire ? Que ferez-vous demain ? Pourquoi avez-vous fait cela ? Avez-vous vraiment envie de faire ceci ? Que pensez-vous de ça ? Les réponses aident les gens à s'ajuster les uns aux autres efficacement. Et c'est parce qu'on lui pose de telles questions que l'individu réagit à lui-même et à son propre comportement de cette manière particulière que nous désignons par les termes : connaissance de soi et prise de conscience. Sans l'aide d'une communauté verbale, tout comportement serait inconscient[29].

---

26. Skinner critique la psychanalyse qui a « identifié trois de ces personnalités (le moi, le surmoi et le ça) dont les interactions rendent compte du comportement de l'homme qu'elles habitent » (*Par-delà la liberté et la dignité*, p. 17).

27. *Par-delà la liberté et la dignité*, p. 19.

28. *Ibid.*, p. 229.

29. *Ibid.*, p. 232.

En somme, l'auto-observation est, selon Skinner, le comportement que l'organisme adopte pour faire face à certaines contingences. Il en est de même pour le **contrôle de soi**. Ce n'est pas l'individu qui décide de se contrôler de telle ou telle façon, mais bien les contingences actuelles qui déclenchent chez lui des activités apprises lors de contingences passées[30] semblables à celles qui se présentent maintenant. Si, par exemple, un étudiant reste à la maison le samedi soir pour faire son travail de philosophie au lieu d'aller danser à la discothèque, ce n'est pas, selon l'interprétation behavioriste, parce qu'il a une forte volonté ou une motivation inébranlable, mais bel et bien parce que ce comportement a été appris dans le passé et qu'il a été renforcé par de bonnes notes.

À la suite de ces exemples, un behavioriste affirmerait sans détour que « l'homme autonome » ne possède ni une aptitude créatrice naturelle, ni une faculté cognitive innée, ni une forte volonté lui permettant de se déterminer librement à agir ou à s'abstenir.

> **Contrôle de soi**
>
> Capacité de se maîtriser soi-même, de dominer ses réactions, de se priver de quelque chose ou de quelqu'un par la seule force de son caractère.

La science du comportement comme science des valeurs

Dans une perspective que Skinner qualifie de préscientifique, les actes qu'accomplit un individu sont considérés comme sa propre réalisation. Une telle vision des choses revient à déclarer que l'être humain est maître de son existence. Nous avons abordé, dans le chapitre précédent, une philosophie de l'homme qui défendait cette hypothèse. En effet, la philosophie existentialiste athée de Jean-Paul Sartre présente l'être humain comme se construisant lui-même par ses actes ; il détient l'entière responsabilité de ses échecs comme de ses réussites, et il crée les valeurs en adoptant telle ou telle conduite qui se doit d'être valable pour l'ensemble de l'humanité. Ainsi, d'après Sartre, un homme fait le choix délibéré d'accomplir un acte de courage. Skinner pense, au contraire, qu'un individu « agit courageusement quand les circonstances du milieu l'y incitent. Les circonstances ont changé son comportement ; elles n'ont pas implanté un trait ou une vertu[31] ». Tout ce que nous trouvons chez l'homme, ce sont des actions déterminées par les circonstances du milieu qui modifient le comportement :

> Dans la perspective scientifique [celle que défend Skinner], le comportement de l'individu est déterminé par son *équipement génétique*, dont l'origine remonte à l'histoire évolutive de l'espèce, et par les *circonstances de l'environnement* auxquelles il a, en tant qu'individu, été exposé[32].

Qui plus est, ce que les humains valorisent et déclarent comme étant bon, bref ce qu'ils appellent généralement les valeurs et les jugements de valeur ne sont, aux yeux de Skinner, que des « conséquences de leur comportement[33] ». À l'opposé, la littérature qui se porte à la défense de la liberté et de la dignité

---

30. Ainsi en est-il de la conscience judéo-chrétienne ou du Sur-moi freudien qui se présentent comme des « contrôles présentement intériorisés », mais qui sont, en fait, les fruits d'un conditionnement dont la trace s'est estompée. Cela amène Skinner à dire que ces « hôtes intérieurs [...] sont les vicaires de la société » (*Par-delà la liberté et la dignité*, p. 86).

31. *Par-delà la liberté et la dignité*, p. 239.

32. *Ibid.*, p. 125. C'est nous qui soulignons. Rappelons que Skinner s'appuie, somme toute, très peu sur le déterminisme biologique pour expliquer le comportement humain. La presque totalité de son œuvre est consacrée au déterminisme de l'environnement.

33. *Ibid.*, p. 127.

humaines définit habituellement la valeur comme quelque chose qui importe, qui est souhaitable, qui est jugé désirable et digne d'estime. Une telle définition n'a aucun sens pour Skinner. Les choses sont bonnes dans la mesure où elles sont positivement renforçantes, et elles sont mauvaises quand elles sont négativement renforçantes. Par exemple, un père de famille sera ponctuel, assidu à son travail, responsable, etc., non pas parce que la ponctualité, l'assiduité et la responsabilité sont des valeurs en soi, mais parce qu'un tel comportement est fortement encouragé et renforcé par la culture occidentale actuelle. Conséquemment, Skinner pense que « porter un jugement de valeur en appelant une chose bonne ou mauvaise, c'est la classer en fonction de ses effets renforçants[34] ». Quant aux conduites humaines proprement dites, qui constituent l'objet de réflexion des philosophies morales traditionnelles, Skinner les dépouille de toute connotation éthique :

> Les comportements que l'on classe comme bons ou mauvais, corrects ou faux, ne sont pas dus à la bonté ou à la méchanceté, ni à un bon ou à un mauvais caractère, ni à une connaissance du bien et du mal ; ils sont dus à des contingences impliquant une grande variété de renforcements, y compris les renforcements verbaux généralisés du type « bon », « mauvais », « bien », « mal ». Dès l'instant où nous avons identifié les contingences qui contrôlent le comportement que l'on qualifie de bon ou mauvais, la distinction devient claire entre les faits et ce que les gens éprouvent à propos des faits. Ce que les gens ressentent à propos des faits est un sous-produit. Ce qui importe, c'est ce qu'ils font, non ce qu'ils ressentent, et nous ne comprenons ce qu'ils font qu'en examinant les contingences pertinentes[35].

Skinner tente de défendre cette thèse en l'illustrant par des exemples fort intéressants. Nous en reprendrons quelques-uns. Ainsi, pour l'État de droit (démocratique), le « bien » et le « mal » se présentent en « légal » et en « illégal » : l'État prescrit des lois qui établissent les comportements souhaités et les sanctions encourues par les personnes qui ne s'y soumettent pas. Afin de rendre plus efficace le contrôle social, l'État aménage généralement toute une panoplie de renforcements allant de l'hymne national à la fête nationale. L'institution religieuse, quant à elle, traduit le « bien » et le « mal » en des termes de « vertu » et de « péché » :

> Des contingences impliquant des renforcements positifs et négatifs, souvent de l'espèce la plus extrême, sont codifiées – sous forme de commandements, par exemple – et maintenues par des spécialistes, habituellement avec l'appoint de cérémonies, de rituels et de récits. [...] Un fidèle ne supporte pas sa religion parce qu'il est pieux ; il la supporte à cause des contingences aménagées par l'institution religieuse[36].

Il en est de même pour l'éducation instituée. Dans des lieux déterminés qu'on appelle « écoles », des spécialistes mettent en place des contingences fondées sur des renforcements que sont les notes et les diplômes. Le « bien » et le « mal » correspondent alors au « juste » et au « faux » qui sont codifiés dans des plans de cours, des manuels, des guides, des examens et des tests de toutes sortes. Nous voyons par ces exemples qu'une lecture behavioriste réduit les valeurs de « bien » et de « mal » à des contingences qui impliquent des renforcements efficaces. Conséquemment, le behaviorisme ne donne aucune créance à l'homme-sujet autonome qui adhère librement à des valeurs.

---

34. *Ibid.*, p. 130.

35. *Ibid.*, p. 139-140.

36. *Ibid.*, p. 142-143.

De l'autonomie à l'environnement

Croire en l'autonomie de l'être humain, c'est, entre autres choses, présumer que ce dernier est un être de pensées qui, délibérément, généralise, fait des **discriminations**, des associations, forme des concepts ou des abstractions, se rappelle. Or, suivant la doctrine behavioriste, c'est la culture qui apprend à l'homme à faire ces opérations : l'homme autonome n'y est pour rien. Continuer de supposer que l'être humain est autonome, c'est donc ne pas se rendre compte des mécanismes invisibles issus des contingences passées et présentes qui contrôlent, en fait, tout comportement humain. « Il est dans la nature d'une analyse expérimentale du comportement de dépouiller l'homme autonome des fonctions qui lui furent jusqu'ici attribuées pour les transférer l'une après l'autre à l'environnement qui exerce le contrôle[37]. »

Discrimination
Distinction, séparation entre deux choses.

Selon la doctrine behavioriste, les contingences issues de l'environnement expliquent le comportement d'un individu. Ainsi en est-il de la « place » où un individu naît, œuvre et se développe. Skinner accorde une importance capitale à la place que nous occupons. Cette dernière nous fait vivre des contingences environnementales précises qui, en quelque sorte, nous constituent[38] – pour autant qu'elles fournissent des renforcements efficaces pour nos comportements.

Plusieurs psychologues et philosophes ont reproché à l'analyse behavioriste d'abolir « l'homme en tant qu'homme », c'est-à-dire l'être humain rationnel, volontaire, libre et autonome. Et Skinner ne s'en défend pas :

Son abolition a été longtemps retardée. L'homme autonome est un dispositif que l'on invoque pour expliquer ce que l'on ne peut expliquer autrement. Il s'est construit de nos ignorances. [...] À « l'homme en tant qu'homme », nous disons : bon débarras. Ce n'est qu'en le dépossédant que nous nous tournerons vers les véritables causes du comportement humain. Alors seulement nous pourrons passer de l'inféré à l'observé, du miraculeux au naturel, de l'inaccessible au manipulable[39].

En abolissant l'autonomie, c'est aussi la notion d'**intention** que supprime le behaviorisme. Skinner ne nie pas, bien sûr, le sentiment subjectif de l'intention, mais la source objective de l'intention est l'environnement dans lequel l'individu a baigné : « Ce qu'il [l'individu] a l'intention de faire dépend de ce qu'il a fait dans le passé, et de ce qui s'est ensuivi[40]. » Par conséquent, l'intention devient « un sous-produit du comportement en relation avec ses conséquences ». En d'autres mots, l'intention est causée par les conséquences qu'aura tel comportement dans tel environnement ; elle est un effet de nos comportements et non pas une cause. Par exemple, un auteur qui se dit avoir l'« intention » de continuer d'écrire le fera parce qu'en fait il est renforcé par les centaines de milliers de lecteurs qu'il prévoit dans les siècles à venir.

> Selon Skinner, l'intention est causée par les conséquences qu'aura tel comportement dans tel environnement ; elle est un effet de nos comportements et non pas une cause.

Mais tout cela implique-t-il que l'homme ne soit qu'une marionnette aux prises avec un environnement totalement étranger ? Pas du tout, répond Skinner. L'environnement sélectionne nos comportements les plus adaptés, et en ce sens

---

37. *Ibid.*, p. 240.

38. Ces propos skinnériens s'opposent à la philosophie sartrienne, qui affirme que c'est l'individu qui, librement, donne une signification existentielle à la place qu'il occupe... Voir dans le chapitre 7 la section « La liberté en situation. Ma place ».

39. *Par-delà la liberté et la dignité*, p. 243.

40. *Ibid.*, p. 92.

nous sommes déterminés par lui. Cependant, «l'environnement physique de la plupart des gens est pour une grande part de fabrication humaine. [...] L'environnement social est de toute évidence fait par l'homme[41]». L'homme se fabrique en fabriquant son environnement, qu'il y ait planification délibérée ou pas. Cela amène Skinner à dire que «l'homme *a contrôlé* sa propre destinée, pour autant que l'expression ait un sens. L'homme que l'homme a fait est le produit d'une culture qu'il a lui-même créée[42]».

Toutes les «intentions» que chaque individu peut avoir en ce qui le concerne ou en ce qui concerne l'humanité sont fonction des conséquences que sa culture lui fait voir comme souhaitables et des moyens que cette culture lui donne pour les réaliser. Cet accent mis sur la culture en tant que responsable de ce que nous sommes constitue la principale raison, d'après Skinner, des résistances face au behaviorisme. Les individus ne veulent pas abandonner leur sentiment subjectif de responsabilité, de mérite, de dignité et de liberté. Or, ce n'est pas ce que le behaviorisme skinnérien exige. En réalité, cette théorie postule que ces sentiments sont le résultat de renforcements, et que le fait de les expliquer scientifiquement n'empêche pas de les éprouver. «Aucune théorie, dit Skinner, ne change ce sur quoi elle porte[43].»

Même si Skinner s'en défend, la doctrine behavioriste est souvent qualifiée de mécaniste, en ce sens qu'elle interprète les comportements humains comme de simples mécanismes d'action et de réaction face au milieu environnant. Puisqu'il ne se représente pas l'individu comme ayant une personnalité stable et autonome qui déterminerait ses actions, le behaviorisme donne prise, en effet, à une telle critique. La théorie behavioriste aurait tendance à considérer l'être humain comme une espèce d'«animal-machine» qui se définit exclusivement par ses comportements qu'il est possible de conditionner et de manipuler à loisir! À l'évidence, une telle conception enlèverait toute autonomie à la personne en octroyant à l'environnement seul le contrôle que cette dernière devrait exercer.

Aujourd'hui

Le behaviorisme aujourd'hui

Curieux retour du balancier de l'horloge de la pensée occidentale où le behaviorisme contemporain emprunterait à Descartes – dont le dualisme, rappelons-le, suppose la pleine autonomie de l'esprit – sa vision du corps pour appréhender l'homme en tant que machine! Une machine animée, sans intériorité, identique à son comportement qui se réduit à des actes quantifiables, c'est-à-dire à des objets de science. Et lorsque ces actes sont jugés dérangeants, déviants ou improductifs, un spécialiste du comportement se charge de les modifier par le conditionnement opérant.

Ce résumé, par trop ironique et simplifié, ne doit pas laisser entendre que le behaviorisme skinnérien représente une philosophie simpliste de l'être humain et de son comportement. Certes, Skinner propose «une conception scientifique de l'homme[44]» où ce dernier est perçu comme étant le produit des contingences évolutives et sociales réunies.

41. *Ibid.*, p. 249.

42. *Ibid.*, p. 251-252.

43. *Ibid.*, p. 257.

44. *Ibid.*, p. 202.

Le behaviorisme skinnérien et les programmes de renforcement

Il faut admettre que la vision behavioriste de l'homme connaît un vif succès en psychothérapie, en pédagogie, en management, en publicité, etc. Ainsi, l'application de programmes de renforcement a produit des résultats à d'innombrables reprises depuis les premières publications de Skinner dans les années 1950. La thérapie behavioriste, l'enseignement programmé et les campagnes de «productivité et de qualité totale» sont des adaptations des programmes de renforcement mis au point par Skinner.

Les techniques thérapeutiques behavioristes sont effectivement reconnues comme étant les plus efficaces pour régler les problèmes de **phobies**. La méthode consiste à désensibiliser le patient en l'exposant d'une façon graduelle au stimulus qui engendre un comportement phobique. Ainsi, il sera progressivement amené à ne plus éprouver de crainte face à la situation, au lieu ou à l'objet phobique. Des procédés autres, mais s'inspirant aussi des techniques behavioristes, sont utilisés avec succès sur des délinquants, des toxicomanes, etc.

Les milieux d'enseignement se sont mis, eux aussi, aux programmes de renforcement positif. Afin de motiver les élèves dans l'apprentissage de comportements corrects (par exemple, être ponctuels, être attentifs en classe, répondre promptement et adéquatement aux consignes, être polis envers leurs enseignants et leurs camarades), plusieurs établissements scolaires adoptent l'«économie du bon point» (*token economy*). Ces points donnent droit à des privilèges (comme une journée de plein air) qu'il faut gagner par son «bon» comportement.

L'industrie n'a pas tardé, bien sûr, à s'emparer de ce système de «stimulants positifs» afin d'accroître la productivité des travailleurs (par exemple, par l'octroi de primes et de récompenses pour l'invention de méthodes visant à augmenter la cadence ou à faire baisser les coûts de production). Les industries de la vente et de la publicité, elles aussi, se servent des techniques de renforcement positif; elles sont devenues de véritables laboratoires de psychologie behavioriste. Pensons aux points de voyage que certaines compagnies aériennes donnent à leurs clients fidèles. Même l'industrie du hasard, qui porte fort mal son nom, est réglée comme une horloge suisse sur les grands principes behavioristes. Ainsi, les récents modèles de machines à sous exercent un renforcement sur le joueur en lui accordant, selon une fréquence variable, des gains plus ou moins généreux afin qu'il ne s'arrête pas de parier.

Phobie

Type de comportement de fuite (par exemple, l'agoraphobie ou la claustrophobie) qui consiste à éprouver une crainte démesurée face à une situation, à un lieu ou à un objet particulier.

L'attrait des machines à sous provient d'un renforcement positif à proportion variable.

Skinner au cabinet des thérapeutes, Skinner à l'école, à l'usine, au bureau, au casino et même chez soi[45]! N'est-ce pas un peu trop? Quelle étrange fascination exercent sur nous les spécialistes du comportement pour que nous acceptions de nous laisser conditionner avec tant de docilité?

---

45. Qu'il suffise de rappeler cette «fenêtre ouverte» sur... la publicité que représente le téléviseur!

Le behaviorisme skinnérien et l'éthique

Les objectifs poursuivis de même que les méthodes et les techniques utilisées par la science behavioriste ne sont pas sans poser quelques problèmes éthiques. Surtout lorsque, délaissant d'utiles applications locales (comme dans le traitement des phobies), cette science prétend régenter l'ensemble de nos comportements. En effet, le behaviorisme skinnérien avalise et met en place des mécanismes de conditionnement, de manipulation et de programmation de la personne, et ce, «pour le bonheur de l'humanité», disent les spécialistes du comportement. Qui sont ces «scientifiques»? Comment pourrait-on être assuré qu'ils ont une compétence morale pour conditionner l'humanité alors qu'ils ne croient pas aux valeurs du bien et du mal telles que conçues et analysées par la tradition philosophique occidentale? Rappelons que, pour un behavioriste, une action est bonne dans la mesure où elle est positivement renforçante!

Nous avons affaire ici à une conception de l'être humain qui rejette les fondements moraux de la civilisation occidentale, fondements qui pourraient être résumés par la formule suivante: il y a nécessité de recourir à la raison et à l'examen critique pour éclairer nos choix. Pour les personnes qui défendent une conception **humaniste** de l'être humain, le behaviorisme skinnérien apparaît comme une théorie hautement critiquable. Comment, en effet, adhérer à une doctrine qui refuse d'expliquer ou de justifier la conduite d'un individu par ses valeurs, ses idéaux, ses intentions, sa pensée propre, bref par son soi, c'est-à-dire la perception qu'un individu se fait de lui-même et de ce qu'il vaut?

Humaniste

Se dit de l'attitude philosophique qui fait de l'homme la valeur suprême et qui voit en celui-ci, comme l'affirme Protagoras (v. −486 à v. −440), « la mesure de toutes choses ».

Le behaviorisme skinnérien et l'infantilisation de l'homme

La philosophie de l'homme que le behaviorisme nous propose vise-t-elle à faire grandir ou à infantiliser l'être humain? La théorie behavioriste ne considère pas la personne comme un être libre pouvant prendre des décisions éclairées. Elle ne lui accorde pas non plus le pouvoir d'évaluer les situations d'une manière critique et, en conséquence, d'adopter une conduite sensée.

Conséquemment, nous pouvons avancer que la doctrine behavioriste traite la personne comme un enfant (une créature malléable que façonne le milieu) qui ne possède pas les capacités de l'adulte autonome qui se rend responsable de ses actes. Nous assistons ici à un processus de déresponsabilisation de l'individu pour qui les notions de mérite (louange) et de démérite (faute) n'ont plus désormais aucune signification.

L'essentiel

Burrhus Frederic Skinner

La théorie behavioriste de Skinner propose une lecture déterministe de l'être humain. Les **comportements humains** sont façonnés par l'**environnement** de l'individu. Ces comportements ne sont que des réponses à des **stimuli** fournis par cet environnement. Par le **conditionnement opérant,** on peut modifier la probabilité qu'une réponse attendue soit émise en y associant un ou des **renforçateurs (comportements modifiés).**

Une telle lecture définit l'**homme** comme une créature **malléable,** donc **programmable.** En conséquence, pour assurer le bonheur de l'être humain, une **science du comportement** devrait contrôler ce dernier en planifiant la **culture** environnante. Considérant l'être humain comme un **produit du milieu,** le behaviorisme skinnérien ne donne aucune créance à l'homme-sujet autonome qui adhère librement à des valeurs. L'être humain **est** donc **non libre.**

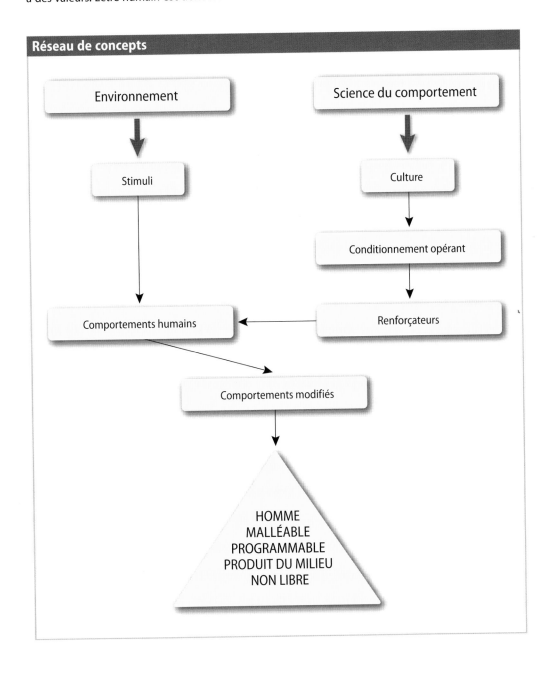

Réseau de concepts

- Environnement → Stimuli → Comportements humains
- Science du comportement → Culture → Conditionnement opérant → Renforçateurs → Comportements humains
- Comportements humains → Comportements modifiés → HOMME MALLÉABLE PROGRAMMABLE PRODUIT DU MILIEU NON LIBRE

Résumé de l'exposé

Le déterminisme ou l'impossibilité d'être libre

1. Une philosophie déterministe pose le raisonnement suivant : si tout effet a une cause, tout choix est le résultat d'une chaîne causale biologique ou culturelle, donc la liberté n'existe pas.

2. De fait, nous n'avons ni le choix de l'action, ni le choix de nos conduites, car ces dernières sont programmées par nos gènes ou par l'éducation que nous avons reçue tout au long de notre apprentissage de la vie en société.

Skinner et l'école behavioriste

Le behaviorisme est la « psychologie ou science du comportement » qui adopte l'attitude empiriste : les comportements doivent être expliqués à partir des réactions observables et mesurables que l'organisme humain produit dans un environnement donné.

Notice biographique

Burrhus Frederic Skinner, docteur en psychologie de l'université Harvard, a exercé une grande influence sur l'école behavioriste américaine de la deuxième moitié du XXe siècle. Il a contribué, par ses recherches et ses ouvrages controversés, à la diffusion auprès d'un large public des lois et des relations qui régissent le comportement et le milieu dans lequel il se produit.

Une philosophie positiviste de l'être humain

Prenant en considération les particularités biologiques de son espèce, l'homme est défini à partir de son comportement, qui dépend des rapports entretenus avec l'environnement.

L'apprentissage : tout est affaire de conditionnement opérant

1. Le comportement opérant est un comportement qui est contrôlé par ses conséquences immédiates : quand un individu répond à un stimulus d'une manière qui lui a été bénéfique, il « apprend » un comportement qu'il répétera dans des circonstances semblables.

2. Le conditionnement opérant consiste à utiliser un renforçateur positif ou négatif afin d'augmenter ou de diminuer la probabilité qu'une réponse attendue soit émise.

L'homme programmable ou l'être humain comme créature malléable

1. Plutôt que de recourir inutilement aux « forces intérieures de l'homme », et puisque l'être humain est déjà conditionné, Skinner propose « une science appliquée, une technologie du comportement » qui planifierait la culture et contrôlerait l'homme pour son bonheur.

2. Ainsi serait établi un environnement physique et social, non en fonction d'un « idéal de la nature humaine », mais selon « ses effets sur le patrimoine génétique de l'espèce » et sa capacité de survivre aux individus qui y vivent ici et maintenant.

Par-delà la liberté et la dignité

Le behaviorisme skinnérien explique le comportement humain en ne considérant pas les valeurs traditionnelles de la liberté et de la dignité, ni les « états d'esprit » ou les traits de caractère.

1. La liberté n'existe pas : ce que certains appellent le libre choix n'est, en fait, que le produit de contingences environnementales et sociales.

2. La dignité ou la valeur de l'être humain n'a plus aucun sens : l'individu ne peut plus être tenu pour responsable de ses actes.

3. Ainsi, la créativité, la pensée abstraite et le contrôle de soi ne sont pas des « facultés » innées, mais des « attitudes » qui sont les fruits d'apprentissages conditionnés.

La science du comportement comme science des valeurs

D'après la « science du comportement », il n'existe pas de vertus ou de valeurs. Ce que les hommes appellent les valeurs sont des « conséquences de leur comportement ».

1. Le behaviorisme réduit les valeurs du bien et du mal à des contingences qui impliquent des renforcements efficaces.

2. Le behaviorisme ne donne aucune créance à l'homme-sujet autonome qui adhère librement à des valeurs.

De l'autonomie à l'environnement

1. Le behaviorisme skinnérien dépouille l'homme autonome des fonctions qui lui furent jusqu'ici attribuées pour les transférer l'une après l'autre à l'environnement qui exerce le contrôle.

2. Selon Skinner, l'homme ne devient pas pour autant une marionnette aux prises avec un environnement totalement étranger, puisqu'il « est le produit d'une culture qu'il a lui-même créée ».

3. Les critiques du behaviorisme skinnérien accusent cette doctrine d'interpréter l'homme d'une manière « mécaniste » en le décrivant comme un « animal-machine » qui se définit exclusivement par ses comportements, lesquels peuvent être conditionnés et manipulés à loisir.

Le behaviorisme aujourd'hui

Le behaviorisme skinnérien et les programmes de renforcement

La vision de l'homme avancée par le behaviorisme est utilisée avec succès en psychothérapie, en pédagogie, en management, en publicité et dans l'industrie du jeu. Sans nier les effets positifs de certaines pratiques behavioristes, leur usage ne devrait-il pas être mieux balisé ?

Le behaviorisme skinnérien et l'éthique

1. Le conditionnement et la manipulation que nous font subir les «spécialistes du comportement» posent quelques problèmes éthiques : les valeurs du bien et du mal telles que nous les concevions n'ont plus cours !

2. Selon le behaviorisme skinnérien, seules existent des contingences positives («bien») ou négatives («mal») qui impliquent des renforcements efficaces.

Le behaviorisme skinnérien et l'infantilisation de l'homme

La philosophie de l'homme proposée par la doctrine behavioriste infantilise la personne plutôt que de la faire grandir : l'être humain est considéré comme un enfant malléable que le milieu doit conditionner. En conséquence, la personne est dépouillée de son autonomie et de la nécessité de se rendre responsable de ses actes.

Activités d'apprentissage

Vérifiez vos connaissances

1. Sur quel type de conception de l'être humain s'appuie l'approche behavioriste ?

2. Quelles sont les deux idées-forces de toute doctrine déterministe ?

3. Quelle est l'attitude adoptée par les behavioristes pour fonder le comportement humain sur l'expérience et l'observation ?

4. La notion élaborée par Pavlov grâce à ses expériences menées sur des chiens est celle du «réflexe conditionné». VRAI ou FAUX ?

5. Pour Skinner, un conditionnement opérant est un comportement renforcé par notre environnement social. VRAI ou FAUX ?

6. Le conditionnement répondant de Pavlov et le comportement opérant de Skinner sont deux notions identiques. VRAI ou FAUX ?

7. Selon Skinner, le renforcement négatif (ou punitif) permet de corriger un comportement jugé indésirable. VRAI ou FAUX ?

8. Quel type de renforcement, selon Skinner, permet d'augmenter le plus la fréquence d'un comportement désiré ?

9. Skinner soutient qu'il faut découvrir les véritables causes du comportement humain en cessant de se référer aux notions usuelles d'autonomie et d'intention. VRAI ou FAUX ?

10. Selon Skinner, l'homme n'est qu'une marionnette aux prises avec un environnement totalement étranger. VRAI ou FAUX ?

11. D'après Skinner, la dignité de l'homme – de même que sa liberté – ne réside pas dans le sentiment subjectif de responsabilité ni de mérite. VRAI ou FAUX ?

12. En bref, pour Skinner, l'homme n'est pas autre chose que le produit des contingences évolutives et sociales réunies. VRAI ou FAUX ?

13. En matière d'éthique, les behavioristes recourent à la raison ainsi qu'à l'examen critique pour éclairer les choix. VRAI ou FAUX ?

14. Avec la pensée de Skinner, à quel type de processus envers l'homme autonome assistons-nous ?

15. À partir de ce que vous avez appris sur Skinner, indiquez laquelle des citations suivantes n'a pas été écrite par lui.

    a) «L'homme que l'homme a fait est le produit d'une culture qu'il a lui-même créée.»

    b) «Le choix de ne pas choisir demeure un choix.»

    c) «[…] l'individu n'agit pas sur le monde, c'est le monde qui agit sur lui.»

Analyse et critique de texte

Cette activité exige la lecture préalable de l'extrait de *Par-delà la liberté et la dignité* présenté à la page 253.

Compétences à acquérir

- Démontrer sa compréhension d'un texte de Skinner en transposant dans ses propres mots une partie de ce texte philosophique.

- Évaluer le contenu, c'est-à-dire exprimer son accord ou son désaccord (et en donner les raisons) avec la vision skinnérienne d'un monde « planifié ».

Questions

1. Dans vos propres mots, décrivez la « conception scientifique de l'homme » que défend Skinner.

Commentaire critique

2. Skinner trace le portrait du monde que les planificateurs de la culture pourraient mettre en place. Il décrit ce monde « planifié » dans les termes suivants :

[...] un monde dans lequel les gens vivraient ensemble sans se disputer, se maintiendraient en vie en produisant la nourriture, les abris, les vêtements dont ils ont besoin, se divertiraient et contribueraient au divertissement des autres par les arts, la musique, les lettres, les sports, ne consommeraient qu'une partie raisonnable des ressources du monde et aggraveraient aussi peu que possible la pollution, n'auraient pas plus d'enfants qu'ils n'en pourraient décemment élever, continueraient à explorer l'univers autour d'eux et à découvrir de meilleures méthodes d'agir sur lui, où ils apprendraient à se connaître eux-mêmes avec plus de précision et, par conséquent, à se maîtriser plus efficacement.

Êtes-vous d'accord avec cette description et trouvez-vous possible et souhaitable que la « technologie du comportement » en arrive un jour à planifier un tel monde ? Vous devez fonder vos jugements, c'est-à-dire apporter deux arguments pour appuyer vos affirmations. (Minimum suggéré : une page.)

Analyse et critique d'un texte comparatif

Cette activité exige la lecture préalable de l'extrait d'*Éloge de la fuite* présenté à la page 256.

Compétences à acquérir

- Démontrer sa compréhension du texte de Laborit en faisant un résumé, c'est-à-dire une description condensée de l'argumentation avancée par Laborit.

- Évaluer le contenu, c'est-à-dire exprimer son accord ou son désaccord (et en donner les raisons) sur la thèse de Laborit présentant la liberté comme une illusion.

Questions

1. À l'instar de Skinner, Henri Laborit considère la liberté comme une illusion. Dites comment Laborit explique dans ce texte cette « sensation fallacieuse de liberté ».

Commentaire critique

2. Faites l'examen critique des points de vue mis en avant par Laborit dans ce texte. En d'autres mots, êtes-vous d'accord avec les thèses qu'il défend ? Vous devez fonder votre jugement, c'est-à-dire apporter deux arguments pour appuyer vos affirmations. (Minimum suggéré : une page.)

Exercice comparatif : Sartre et Skinner

Compétences à acquérir

- Analyser le problème philosophique de la liberté et du déterminisme, c'est-à-dire décomposer une « mise en situation » en y décelant les éléments constituants et les liens qui les unissent, en vue de tracer un schéma d'ensemble de la situation.

- Comparer différentes visions, c'est-à-dire examiner les rapports de ressemblance et de différence entre les éléments fondamentaux relevés dans la mise en situation proposée et les conceptions de la liberté sartrienne et du déterminisme skinnérien.

Contexte de réalisation

Problème sur la liberté[46]

À huit heures ce matin, un homme âgé de vingt-sept ans s'est donné la mort à la station de métro Berri-UQAM. Il a marché nerveusement le long du quai. Il a attendu l'entrée en gare du premier wagon. D'un pas décidé, il a écarté les voyageurs massés au bord du quai. Puis, il s'est jeté sur les rails, les pieds joints et les bras le long du corps. Les deux jambes coupées, la figure ensanglantée, le corps brûlé, il est mort sur le coup.

Cet homme ne déambulera plus dans la rue Saint-André, là où, enfant, il jouait à la balle et à la cachette. Il ne montera plus l'escalier lugubre. Il ne sera plus à la charge de sa mère. Il ne lira plus, accoudé à la table de la cuisine étroite, les offres d'emplois du *Journal de Montréal*. Il avait le métier de son père, concierge, mais depuis vingt-quatre mois il était en chômage : petites annonces, entrevues, rebuffades. À l'usine, le disant trop faible, on l'a refusé comme manœuvre ; au bureau, le directeur du personnel a regardé, l'air moqueur, ses habits démodés : pas d'emploi. Rester des jours entiers sur son lit avec le sentiment d'être inutile dans un monde qui vous refuse le droit au travail est injuste et révoltant ! Ce matin, il est donc entré dans le métro à l'heure où l'on se rend au travail. Tous étaient contraints par l'horaire, affairés à leurs tâches quotidiennes. Lui était libre. Il pouvait aller au Musée des beaux-arts ou se promener dans les allées de la Place-Ville-Marie ; il était libre de penser au *cogito* cartésien ou au dernier match du Canadien. Mais en fait, il se sentait surtout libre de choisir entre le fusil et la rame de métro.

Questions

En vous servant de la conception de la liberté et de celle du déterminisme qui vous ont été présentées dans les chapitres 7 et 8, répondez aux deux questions suivantes.

1. Dans quelle mesure cet homme était-il libre ?

2. Dans quelle mesure cet homme était-il non libre ?

(Minimum suggéré : deux pages.)

Extraits de textes

Texte de Skinner ■ *Par-delà la liberté et la dignité*

La science n'a sans doute jamais exigé de changement plus profond dans la manière traditionnelle de penser un problème, et jamais il n'y a eu problème plus important. Dans la perspective traditionnelle, l'individu perçoit le monde qui l'entoure, sélectionne les traits à percevoir, discrimine entre eux, les juge bons ou mauvais, les change pour les améliorer (ou, s'il est négligent, les rendre pires) ; on peut le tenir pour responsable de ses actes, le récompenser ou le punir justement selon leurs conséquences. Dans la perspective scientifique, l'individu est membre d'une espèce façonnée par les contingences évolutives de survie, manifestant des mécanismes de comportement qui le placent sous le contrôle de l'environnement dans lequel il vit, et pour une grande part sous le contrôle d'un environnement social que lui-même et des millions d'autres hommes semblables à lui ont construit et maintenu au cours de l'évolution culturelle. Le sens de la relation est inversé : l'individu n'agit pas sur le monde, c'est le monde qui agit sur lui.

Il est difficile d'admettre un tel changement simplement sur des bases intellectuelles, et presque impossible d'en accepter les implications. La réaction du traditionaliste se traduit généralement en termes de sentiments. L'un de ceux-ci, auquel les freudiens ont eu recours pour expliquer la résistance en psychanalyse, est la blessure narcissique. Freud lui-même exposa, comme le note **Ernest Jones**, «les trois coups portés par la science au **narcissisme**

Jones, Ernest

(1879-1958) Médecin et psychanalyste, auteur de *La Vie et l'Œuvre de Sigmund Freud,* dont il fut le premier disciple en Angleterre.

Narcissisme

Contemplation de soi. Attention excessive portée à sa propre personne, de sorte que toutes ses énergies affectives sont dirigées exclusivement sur soi-même.

---

46. Ce texte est une adaptation d'un «fait divers» cité par Denis HUISMAN et André VERGEZ dans leur *Court Traité de philosophie (Métaphysique)*, Paris, Fernand Nathan, 1961, p. 141.

Copernic, Nicolas
(1473-1543) Astronome polonais. Rejetant le géocentrisme antique, il élabore la théorie de l'héliocentrisme (double mouvement des planètes sur elles-mêmes et autour du Soleil). La Terre, et conséquemment l'homme, n'est plus le centre de l'univers.

Darwin, Charles
(1809-1882) Naturaliste anglais. Avec la théorie de l'évolution, du transformisme et de la sélection naturelle, Darwin n'octroie plus à l'homme une position privilégiée dans la nature. L'être humain est constitué de la même matière que les autres créatures vivantes, et il est le descendant d'autres espèces.

Keats, John
(1795-1821) Poète romantique anglais.

Newton, Isaac
(1642-1727) Mathématicien, physicien et astronome anglais. Newton publia en 1675 sa théorie de la lumière et des couleurs. Mais c'est en 1687 qu'il exposa dans *Philosophiæ naturalis principia mathematica* sa célèbre théorie de l'attraction universelle.

de l'humanité. Le premier, cosmologique, fut porté par **Copernic** ; le second, biologique, par **Darwin** ; le troisième, psychologique, par Freud. » (Ce dernier coup atteignait la croyance en quelque chose, au-dedans de l'homme, qui saurait tout ce qui s'y passe, et en un instrument, dénommé le libre arbitre, qui exercerait le pouvoir et le contrôle sur le reste de la personnalité.) Mais quels sont les signes ou les symptômes de la blessure narcissique, et comment les expliquerons-nous ? Que font les gens à propos d'une telle conception scientifique ? Ils la qualifient de mauvaise, de dégradante, de dangereuse, ils argumentent contre elle, ils attaquent ceux qui la proposent ou la défendent. S'ils agissent ainsi, ce n'est pas par blessure narcissique, mais parce que la formulation scientifique a détruit les renforcements habituels. Si l'individu ne peut plus désormais tirer mérite et recueillir admiration pour ce qu'il fait, il semble perdre de sa dignité ou de sa valeur, et le comportement précédemment renforcé par l'éloge et l'admiration subira l'extinction. L'extinction conduit souvent à l'attaque agressive.

Un autre effet de la conception scientifique serait un manque de foi ou de « nerf », un sentiment de doute ou d'impuissance, de découragement, de dépression ou de mélancolie. L'être sent, dit-on, qu'il est impuissant devant sa destinée. Mais ce qu'il éprouve, c'est l'affaiblissement de réactions anciennes qui ont cessé d'être renforcées. Les gens sont, en effet, « impuissants » quand des répertoires verbaux installés de longue date se révèlent inutiles. Par exemple, un historien se plaignait de ce que, « si les actions humaines devaient être écartées comme n'étant que le produit du conditionnement naturel et psychologique », il n'y aurait plus rien sur quoi on puisse écrire ; « le changement doit être au moins en partie le résultat de l'activité mentale consciente ».

On note encore une sorte de nostalgie. Les anciens répertoires font irruption, on se saisit de la moindre analogie entre le présent et le passé et on l'exagère. On parle du passé comme du bon vieux temps, où l'on reconnaissait la dignité inhérente de l'homme et l'importance des valeurs spirituelles. Ces restes de comportements anachroniques ont une ombre de « regret » – ils ont le caractère des comportements de plus en plus infructueux.

Ces réactions à une conception scientifique de l'homme sont certainement malheureuses. Elles paralysent les hommes de bonne volonté et quiconque se soucie de l'avenir de sa culture fera tout ce qu'il pourra pour les corriger. Aucune théorie ne change ce sur quoi elle porte. Les choses ne changent en rien du fait que nous les regardons, que nous en parlons ou les analysons d'une manière neuve. **Keats** buvait à la ruine de **Newton** pour le châtier d'avoir analysé l'arc-en-ciel, mais l'arc-en-ciel resta aussi beau que toujours et aux yeux de beaucoup en devint même plus beau. L'homme n'a pas changé parce que nous le regardons, en parlons et l'analysons scientifiquement. Ses réalisations dans les sciences, la politique, la religion, l'art et la littérature demeurent ce qu'elles ont toujours été, offertes à l'admiration comme une tempête sur la mer, une forêt en automne ou le sommet d'une montagne, indépendamment de leurs origines et d'aucune analyse scientifique. Ce qui change, ce sont nos chances d'agir sur la matière de la théorie. L'analyse que fit Newton de la lumière de l'arc-en-ciel était un pas dans la direction du Laser. [...]

Les technologies physique et biologique ont réduit les famines, les épidémies, et nombre d'aspects douloureux, dangereux ou épuisants de notre vie quotidienne. La technologie du comportement peut commencer à atténuer d'autres types de maux. Il se peut que, dans l'analyse du comportement humain, nous soyons quand même un rien plus avancés que n'était Newton dans l'analyse de la lumière, car nous commençons à faire des applications technologiques. Les possibilités sont merveilleuses – d'autant plus merveilleuses que les approches traditionnelles se sont révélées fort inefficaces. Il est difficile d'imaginer un monde dans lequel les gens vivraient ensemble sans se disputer, se maintiendraient en vie en produisant la nourriture, les abris, les vêtements dont ils ont besoin, se divertiraient et contribueraient au divertissement des autres par les arts, la musique, les lettres, les sports, ne consommeraient qu'une partie raisonnable des ressources du monde et aggraveraient aussi peu que possible la pollution, n'auraient pas plus d'enfants qu'ils n'en pourraient décemment élever, continueraient à explorer l'univers autour d'eux et à découvrir de meilleures méthodes d'agir sur lui, où ils apprendraient à se connaître eux-mêmes avec plus de précision et, par conséquent, à se maîtriser plus efficacement. Et pourtant, tout cela est possible, et le moindre signe de progrès devrait apporter une sorte de changement propre, en termes traditionnels, à apaiser la blessure narcissique, à compenser le désespoir ou la nostalgie, à corriger l'impression que «nous n'avons ni le pouvoir ni le devoir de faire quoi que ce soit pour nous-mêmes», à favoriser un «sens de la liberté et de la dignité» en affermissant la confiance et en construisant un sens de la valeur. En d'autres termes, tout cela devrait renforcer abondamment ceux qui ont été incités par leur culture à travailler pour sa survie.

Une analyse expérimentale déplace les causes déterminantes du comportement de l'homme autonome vers l'environnement – un environnement responsable à la fois de l'évolution de l'espèce et du répertoire acquis par chacun de ses membres. Les premières versions de l'environnementalisme étaient inadéquates parce qu'elles ne pouvaient expliquer comment agissait l'environnement; l'homme autonome semblait conserver beaucoup de ses prérogatives. Mais les contingences environnementales prennent aujourd'hui en charge les fonctions jadis attribuées à l'homme autonome, et certaines questions surgissent: l'homme est-il donc «aboli»? Assurément non, ni en tant qu'espèce ni en tant qu'individu créateur. Seul est aboli l'homme autonome intérieur, et c'est un pas en avant. Mais l'homme ne devient-il pas ainsi une simple victime, ou un simple observateur de ce qui lui arrive? Il est, en effet, sous le contrôle de son environnement, mais il faut nous rappeler que cet environnement est, pour une grande part, fait de ses mains. L'évolution d'une culture est un gigantesque exercice de contrôle de soi. On accuse souvent une conception scientifique de l'homme de conduire à des blessures narcissiques, au désespoir et à la nostalgie. Mais aucune théorie ne change l'objet sur lequel elle porte; l'homme reste ce qu'il a toujours été. Mais une nouvelle théorie peut changer les possibilités d'action sur son objet d'étude. Une conception scientifique de l'homme offre des possibilités exaltantes. Nous n'avons pas encore vu ce que l'homme peut faire de l'homme.

SKINNER, Burrhus Frederic. *Par-delà la liberté et la dignité*, Montréal, Éditions HMH, 1975, p. 255-260.

Texte de Laborit ▪ *Éloge de la fuite*

 Henri Laborit (1914-1995), médecin de la marine française, directeur de recherches fondamentales en biologie, introduit le premier tranquillisant (la chlorpromazine) en 1951. S'intéressant particulièrement à la réaction de l'organisme humain à l'agression, Laborit a publié de nombreux ouvrages ayant une large diffusion où il fait le lien entre les connaissances que lui fournissent la biologie et les comportements humains en situation sociale.

La liberté est une illusion

On admet que la liberté est «une donnée immédiate de la conscience». Or, *ce que nous appelons liberté, c'est la possibilité de réaliser les actes qui nous gratifient, de réaliser notre projet, sans nous heurter au projet de l'autre. Mais l'acte gratifiant n'est pas libre.* Il est même entièrement déterminé. Pour agir, il faut être motivé et nous savons que cette motivation, le plus souvent inconsciente, résulte soit d'une pulsion **endogène**, soit d'un automatisme acquis et ne recherche que la gratification, le maintien de l'équilibre biologique, de la structure organique. L'absence de liberté résulte donc de l'**antagonisme** de deux déterminismes comportementaux et de la domination de l'un sur l'autre. [...]

La sensation **fallacieuse** de liberté s'explique du fait que ce qui conditionne notre action est généralement du domaine de l'inconscient, et que par contre le discours logique est, lui, du domaine conscient. C'est ce discours qui nous permet de croire au libre choix. Mais comment un choix pourrait-il être libre alors que nous sommes inconscients des motifs de notre choix, et comment pourrions-nous croire en l'existence de l'inconscient puisque celui-ci est par définition inconscient? Comment prendre conscience de pulsions primitives transformées et contrôlées par des automatismes socioculturels lorsque ceux-ci, purs jugements de valeur d'une société donnée à une certaine époque, sont élevés au rang d'**éthique**, de principes fondamentaux, de lois universelles, alors que ce ne sont que les règlements de manœuvres utilisés par une structure sociale de dominance pour se perpétuer, se survivre? [...]

La sensation fallacieuse de liberté vient aussi du fait que le mécanisme de nos comportements sociaux n'est entré que depuis peu dans le domaine de la connaissance scientifique, expérimentale, et ces mécanismes sont d'une telle complexité, les facteurs qu'ils intègrent sont si nombreux dans l'histoire du système nerveux d'un être humain, que leur déterminisme semble inconcevable. [...] Les facteurs mis en cause sont simplement trop

---

Endogène

Qui prend naissance à l'intérieur du corps.

Antagonisme

État d'opposition de deux forces, de deux principes.

Fallacieux

Qui trompe, qui est faux, mensonger.

Éthique

Principes et règles de conduite considérés comme valables de façon absolue.

10

20

nombreux, les mécanismes mis en jeu trop complexes pour qu'ils soient dans tous les cas prévisibles. Mais les règles générales que nous avons précédemment schématisées permettent de comprendre qu'ils sont entièrement programmés par la structure innée de notre système nerveux et par l'apprentissage socioculturel.

LABORIT, Henri. *Éloge de la fuite,* Paris, Robert Laffont, 1976, p. 87-90.

Lecture suggérée

La lecture de l'œuvre suivante est suggérée dans son intégralité ou en extraits importants :

■ SKINNER, Burrhus Frederic. *Par-delà la liberté et la dignité,* Montréal, Éditions HMH, 1975, 270 p.

Conclusion

> Le sens du mot *anthrôpos*, «homme», est que, les autres animaux étant incapables de réfléchir sur rien de ce qu'ils voient, ni d'en raisonner, ni d'en «faire l'étude», l'homme au contraire, en même temps qu'il voit, autrement dit qu'« il a vu », « fait l'étude » aussi de ce qu'« il a vu », et il en raisonne. De là vient donc que, seul entre les animaux, l'homme a été à bon droit nommé «homme», *anthrôpos*: «faisant l'étude de ce qu'il a vu».
>
> Platon, *Cratyle*, 399c.

Nous voici arrivés au terme d'un voyage au cœur de l'humain. Dans ce périple, nous avons retenu huit façons différentes d'aborder, de nous représenter, de comprendre l'être humain. Nous avons assisté aux efforts constamment renouvelés d'hommes qui ont passé leur vie à «faire l'étude» de l'homme.

Ce panorama de quelques grandes conceptions philosophiques de l'être humain nous permet de constater que les penseurs de l'époque moderne et contemporaine ont analysé l'homme sous des angles fort différents et en ont présenté des portraits pour le moins variés, voire opposés : de l'homme changeant de Montaigne jusqu'à l'homme programmé de Skinner, en passant par le sujet pensant de Descartes, l'être perfectible de Rousseau, le travailleur de Marx, sans oublier les vues de Sartre sur la liberté, celles de Freud sur l'inconscient et celles de Nietzsche à propos du surhumain! De toute évidence, aucune de ces philosophies ne peut prétendre détenir toute la vérité sur l'homme. Est-ce là l'indice d'une défaillance ou d'une pauvreté de la pensée et de la réflexion sur l'être humain? Pas du tout! Ce constat devrait, au contraire, nous faire entrevoir le fait que chacune des philosophies que nous avons étudiées met l'accent sur une dimension de la personnalité humaine. En ce sens, ces philosophies offrent toutes des vérités sur cet être pluriel que nous sommes et présentent peut-être, finalement, plus de points de vue complémentaires que de points de vue contradictoires.

Cependant, un caractère commun relie toutes ces philosophies de l'homme : leur volonté de débarrasser l'homme des illusions qui cachent et déforment sa réalité. Les auteurs dont il a été question dans ce manuel peuvent, à juste titre, être considérés comme de grands esprits. Ils expriment tous le même désir : celui de renoncer aux fausses divinités, d'aller au-delà des apparences et de l'ignorance afin de saisir ce qu'est l'être humain. Animés d'une soif passionnée de vérité, ils ont tous participé à cette magnifique entreprise, toujours à recommencer, visant à donner un sens à ce que nous sommes. Ces maîtres à penser ont contribué, chacun à leur manière, à une meilleure et à une plus profonde compréhension de l'humain, même si certains l'ont fait de façon souvent radicale. En ce qui nous concerne, disons-nous que notre propre réflexion sur l'être humain gagnera toujours à se nourrir de leurs œuvres et de leurs pensées, car leurs philosophies de l'homme témoignent de notre propre humanité.

Les huit conceptions philosophiques de l'homme qui vous ont été présentées dans cet ouvrage peuvent être envisagées comme autant de tableaux accrochés au mur de la pensée. Le neuvième à y être suspendu pourrait être le vôtre : celui auquel vous donnerez vie à partir des données, des couleurs, des perspectives que vous aurez retenues. Espérons que votre participation à la définition de l'homme se fera de manière dynamique, tout en demi-teintes et en nuances! S'il est un souhait auquel nous devons souscrire, c'est celui que l'aventure que nous avons commencée avec Montaigne ne s'achève jamais ; que le regard que l'humain porte sur lui-même soit de plus en plus pénétrant, profond et pertinent. Car il ne faut pas oublier que définir l'homme, c'est pénétrer dans les profondeurs de cette réalité humaine par laquelle nous sommes tous essentiellement humains. Cette entreprise constitue l'œuvre de toute une vie à laquelle nous nous devons tous de participer si nous voulons rester humains.

Annexe-Activité de synthèse finale

Compétences à acquérir

- Expliquer et commenter deux conceptions philosophiques de l'être humain.
- Comparer ces deux conceptions philosophiques de l'homme par rapport au thème de la liberté.

Contexte de réalisation

Individuellement, dans une dissertation comparative et critique d'au moins 800 mots, expliquez et commentez deux conceptions philosophiques de l'être humain qui ont été étudiées pendant le cours. Puis, comparez ces deux conceptions philosophiques de l'homme à propos du thème de la liberté.

- *Expliquer,* c'est décrire les principes et les concepts-clés (et leurs articulations) des deux conceptions philosophiques de l'être humain choisies.
- *Commenter,* c'est discuter d'une manière critique ces deux conceptions philosophiques de l'être humain en examinant le bien-fondé de leurs argumentations respectives. En d'autres mots, il s'agit de répondre à la question suivante en justifiant son point de vue : suis-je d'accord avec ces conceptions philosophiques de l'homme ?
- *Comparer,* c'est relever des ressemblances et des différences entre les deux conceptions philosophiques de l'être humain retenues sous l'angle du thème de la liberté.

Étapes suggérées

1. Faites un plan détaillé du développement que vous comptez mettre en avant.

   a) Établissez un résumé schématique des principaux caractères des deux conceptions philosophiques de l'être humain choisies.

   b) Évaluez le contenu théorique des deux conceptions philosophiques de l'être humain retenues, c'est-à-dire portez des jugements fondés sur les éléments qui caractérisent la première conception et la deuxième conception de l'être humain.

   c) Au regard du thème de la liberté, relevez les principales ressemblances ou différences entre les deux conceptions philosophiques de l'être humain.

2. Rédigez votre texte en prenant en considération les éléments suivants :

   a) Les *critères d'évaluation* liés au contenu :

   - une explication adéquate des caractères fondamentaux des deux conceptions de l'être humain retenue ;
   - un commentaire critique fondé des deux conceptions philosophiques de l'être humain choisies, c'est-à-dire une discussion d'une manière critique où vous exprimez votre accord ou votre désaccord et où vous apportez des arguments pour appuyer vos affirmations ;
   - une comparaison des deux conceptions philosophiques de l'être humain au regard du thème de la liberté où vous dégagez les ressemblances ou les différences pertinentes.

   b) Les *critères d'évaluation* liés à la forme :

   - **clarté et concision** : les phrases et les paragraphes de votre texte sont intelligibles, explicites, précis et succincts ;
   - **logique, cohérence et continuité** : les idées secondaires appuient les idées principales ; chacune des parties occupe la place qui lui convient dans la progression de la démonstration ; des phrases de transition assurent les liens entre les phrases principales et entre les parties du texte. Bref, il y a un enchaînement dans le texte ;
   - **pertinence** : les idées que vous avancez se rapportent au sujet traité. Elles sont appropriées, judicieuses et bien fondées.

Présentation

Soignez la présentation générale de votre texte, que vous divisez en trois parties :

a) Une **introduction,** dans laquelle vous posez d'abord le sujet, c'est-à-dire que vous reprenez, en le précisant, l'énoncé de la compétence. Vous divisez ensuite le sujet, c'est-à-dire que vous établissez les étapes que vous comptez franchir afin de réaliser votre texte.

b) Un **développement,** dans lequel vous présentez le sujet d'une manière progressive en suivant les étapes précisées dans l'introduction. Le développement est un texte démonstratif : c'est l'occasion pour vous d'expliquer, de critiquer (ou discuter, c'est-à-dire appuyer ou réfuter) et de comparer.

c) Une **conclusion,** dans laquelle vous rappelez le cheminement de votre démonstration (vous en donnez un résumé) et proposez une ou des perspectives nouvelles.

Bibliographie des ouvrages cités

Agir, Amnistie internationale, Section canadienne francophone, vol. 25, n° 1, mars 2004, 24 p.

ANDREAS-SALOMÉ, Lou. *Friedrich Nietzsche,* Paris, Réimpressions Gordon et Breach, 1970, 302 p.

BEAUVOIR, Simone de. *Pour une morale de l'ambiguïté,* Paris, Gallimard, coll. « Idées », 1968, 370 p.

BLOOM, Allan. *L'Âme désarmée. Essai sur le déclin de la culture générale,* trad. Paul Alexandre, Paris et Montréal, Julliard et Guérin Littérature, 1987, 332 p.

DESCARTES, René. *Œuvres et Lettres,* Paris, Gallimard, coll. « Bibliothèque de la Pléiade », 1953, 1424 p.

DESCARTES, René. *Discours de la méthode,* Paris, Fernand Nathan, coll. « Les intégrales de philo », n° 3, 1981, 110 p.

DESCARTES, René. *Méditations métaphysiques,* Paris, Fernand Nathan, coll. « Les intégrales de philo », n° 4, 1983, 126 p.

FREUD, Sigmund. *Introduction à la psychanalyse,* trad. S. Jankélévitch, Paris, Petite bibliothèque Payot, 1964, 443 p.

FREUD, Sigmund. *Métapsychologie,* trad. Jean Laplanche et J.-B. Pontalis, Paris, Gallimard, coll. « Idées », 1968, 187 p.

FREUD, Sigmund. *Abrégé de psychanalyse,* trad. Anne Berman, Paris, Presses Universitaires de France, coll. « Bibliothèque de psychanalyse », 1970, 86 p.

FREUD, Sigmund. *Malaise dans la civilisation,* trad. C. H. et J. Odier, Paris, Presses Universitaires de France, 1971, 107 p.

FREUD, Sigmund. *Nouvelles Conférences sur la psychanalyse,* trad. Anne Berman, Paris, Gallimard, coll. « Idées », 1971, 256 p.

FREUD, Sigmund. *Essais de psychanalyse,* trad. André Bourguignon (dir.), Paris, Payot, coll. « Petite bibliothèque Payot », 1981, 277 p.

FROMM, Erich. *La Mission de Sigmund Freud,* trad. Paul Alexandre, Bruxelles, Éditions Complexe, 1975, 110 p.

JACOB, André (dir.). *Encyclopédie philosophique universelle. Les notions philosophiques, t. I,* Paris, Presses Universitaires de France, 1990, 2032 p.

KANT, Emmanuel. *Qu'est-ce que les Lumières et autres textes,* trad. J.-F. Poirier et F. Proust, Paris, Garnier-Flammarion, 1991, 206 p.

KANT, Emmanuel. « Idée d'une histoire universelle au point de vue cosmopolitique », trad. Luc Ferry, dans *Critique de la faculté de juger,* Paris, Gallimard, coll. « Folio/Essais », 1996, 576 p.

LABORIT, Henri. *Éloge de la fuite,* Paris, Robert Laffont, 1976, 233 p.

LAPLANCHE, Jean, et J.-B. PONTALIS. *Vocabulaire de la psychanalyse,* Paris, Presses Universitaires de France, 1981, 523 p.

Le Nouveau Petit Robert, Paris, 2009, 2837 p.

MARCUSE, Herbert. *Pour une théorie critique de la société,* trad. Cornélius Heim, Paris, Denoël/Gonthier, coll. « Bibliothèque Méditations », 1971, 224 p.

MARX, Karl. *Le 18 Brumaire de Louis Bonaparte,* Paris, Éditions sociales, 1963, 318 p.

MARX, Karl. « Critique de la philosophie hégélienne du droit », dans *Pages de Karl Marx,* trad. Maximilien Rubel, Paris, Payot, 1970, 289 p.

MARX, Karl. *Œuvres (Économie),* t. I, trad. Maximilien Rubel et Louis Évrard, Paris, Gallimard, coll. « Bibliothèque de la Pléiade », 1972, 2000 p.

MARX, Karl, et Friedrich ENGELS. *Manifeste du parti communiste,* Paris, Union Générale d'Éditions, coll. « 10-18 », 1962, 189 p.

MARX, Karl, et Friedrich ENGELS. *L'Idéologie allemande,* trad. H. Auger, G. Badia, J. Baudrillard et R. Cartelle, Paris, Éditions sociales, coll. « Essentiel », 1988, 279 p.

MARX, Karl, et Friedrich ENGELS. « Thèses sur Feuerbach », dans *L'Idéologie allemande,* trad. H. Auger, G. Badia, J. Baudrillard et R. Cartelle, Paris, Éditions sociales, coll. « Essentiel », 1988, 279 p.

MILL, John Stuart. *De la liberté,* trad. Laurence Lenglet, à partir de la traduction de Dupond White, Paris, Gallimard, coll. « Folio/Essais », 1990, 242 p.

MONTAIGNE, Michel de. *Essais,* édition établie par Albert Thibaudet et Maurice Rat, Paris, Gallimard, coll. « Bibliothèque de la Pléiade », 1967, 1104 p.

MONTAIGNE, Michel de. *Journal de voyage en Italie par la Suisse et l'Allemagne,* édition établie et présentée par Claude Pinganaud, Paris, Éditions Arléa, 1998, 249 p.

MONTAIGNE, Michel de. *Essais,* édition établie et présentée par Claude Pinganaud, Paris, Éditions Arléa, 2002, 813 p.

NIETZSCHE, Friedrich. *Ainsi parlait Zarathoustra,* trad. Maurice Betz, Paris, Librairie Générale Française, coll. « Le Livre de poche classique », 1965, 470 p.

NIETZSCHE, Friedrich. *Par-delà le bien et le mal,* trad. Geneviève Bianquis, Paris, Union Générale d'Éditions, coll. « 10-18 », 1967, 251 p.

NIETZSCHE, Friedrich. *La Généalogie de la morale,* trad. Henri Albert, Paris, Gallimard, coll. « Idées », 1969, 212 p.

NIETZSCHE, Friedrich. *Le Gai Savoir,* trad. Pierre Klossowski, Paris, Union Générale d'Éditions, coll. « 10-18 », 1973, 153 p.

NIETZSCHE, Friedrich. *Le Nihilisme européen,* trad. Angèle Kremer-Mariatti, Paris, Union Générale d'Éditions, coll. « 10-18 », 1976, 317 p.

NIETZSCHE, Friedrich. *Le Crépuscule des idoles,* trad. Jean-Claude Hemery, Paris, Gallimard, coll. « Idées », n° 384, 1977.

NIETZSCHE, Friedrich. *La Volonté de puissance. Essai d'une transmutation de toutes les valeurs,* trad. Henri Albert, Paris, Librairie Générale Française, coll. « Le Livre de poche/ Classiques de philosophie », 1991, 605 p.

NOUSS, Alexis. *La Modernité,* Paris, Éditions Jacques Grancher, 1991, 218 p.

PASCAL, Blaise. « Pensées », dans *Œuvres complètes,* présentation et notes de Louis Lafuma, Paris, Éditions du Seuil, 1964, 676 p.

ROUSSEAU, Jean-Jacques. *Œuvres complètes,* t. I à IV, Paris, Gallimard, coll. « Bibliothèque de la Pléiade », 1959-1995.

ROUSSEAU, Jean-Jacques. *Les Rêveries du promeneur solitaire,* Paris, Gallimard et Librairie Générale Française, coll. « Le Livre de poche classique », 1965, 223 p.

ROUSSEAU, Jean-Jacques. *Discours sur l'origine et les fondements de l'inégalité parmi les hommes,* Paris, Gallimard, coll. « Folio/Essais », 1992, 283 p.

ROUSSEAU, Jean-Jacques. *Du contrat social,* Paris, Flammarion, coll. « G-F », 1992, 187 p.

SARTRE, Jean-Paul. « Mise au point », *Action,* décembre 1944, p. 11.

SARTRE, Jean-Paul. *Les Chemins de la liberté,* Paris, Gallimard, 3 vol., 1945-1949, 992 p.

SARTRE, Jean-Paul. *La Nausée,* Paris, Librairie Générale Française, coll. « Le Livre de poche », 1954, 250 p.

SARTRE, Jean-Paul. *Les Mots,* Paris, Gallimard, 1964, 213 p.

SARTRE, Jean-Paul. *Huis clos,* Paris, Gallimard, coll. « Folio », 1967, 247 p.

SARTRE, Jean-Paul. *L'Être et le néant,* Paris, Gallimard, coll. « Bibliothèque des Idées », 1968, 691 p.

SARTRE, Jean-Paul. *L'existentialisme est un humanisme,* Paris, Éditions Gallimard, coll. « Pensées », 1970, 141 p.

SKINNER, Burrhus Frederic. *L'Analyse expérimentale du comportement : un essai théorique,* trad. Anne-Marie et Marc Richelle, Bruxelles, Dessart et Mardaga, Éditeurs, 1971, 406 p.

SKINNER, Burrhus Frederic. *Par-delà la liberté et la dignité,* trad. Anne-Marie et Marc Richelle, Montréal, Éditions HMH et Robert Laffont, 1975, 270 p.

SKINNER, Burrhus Frederic et Margaret E. VAUGHAN. *Bonjour sagesse. Bien vivre après soixante-dix ans,* Paris, Robert Laffont, coll. « Réponses », 1986, 192 p.

SPINOZA, Baruch. *Œuvres,* t. III, *L'Éthique,* trad. et notes par Charles Appuhn, Paris, Garnier-Flammarion, 1965, 378 p.

TAYLOR, Charles. *Grandeur et misère de la modernité,* trad. Charlotte Melançon, Montréal, Bellarmin, coll. « L'essentiel », 1992, 150 p.

TOCQUEVILLE, Alexis de. *De la démocratie en Amérique, vol. 2,* Paris, Gallimard, coll. « Folio/Histoire », 1991, 480 p.

VOLTAIRE. *Lettres philosophiques,* Paris, Hachette, 1930.

WIZNITZER, Louis. « Sartre parle », *Magazine Maclean,* janvier 1967, p. 27.

Index